Lust am Den

Zu diesem Buch

Mit dieser Anthologie von Texten aus dem Wissenschaftsprogramm des Piper Verlags stellt der Herausgeber, Klaus Piper, ein Lesebuch vor, in dem Beiträge von substantieller Eigenständigkeit und geistiger Originalität vereinigt sind. Es bietet einen repräsentativen Querschnitt durch die »Piper-Wissenschaft« und reflektiert dabei zugleich wie in einem Spiegel die großen, fruchtbaren Denkströmungen unserer Zeit. Den Freund der wissenschaftlichen Bücher des Piper Verlags möchte der Band zu Wiederbegegnungen einladen, dem interessierten Leser möge er neue Entdeckungen bescheren.

Lust am Denken

Ein Lesebuch aus Philosophie,
Natur- und Humanwissenschaften
1947–1981
Herausgegeben von Klaus Piper

R. Piper & Co. Verlag
München Zürich

ISBN 3-492-10250-6
8. Auflage, 61.–70. Tausend August 1986

Umschlag: Disegno
Gesamtherstellung: Clausen & Bosse, Leck
Printed in Germany

Inhalt

Vorwort

Im Jahre 1970 erschienen die ersten Bände der SERIE PIPER – darunter »Macht und Gewalt« von Hannah Arendt und »Eine deutsche Art zu lieben« von Margarete und Alexander Mitscherlich. Der Rückblick auf das erste Jahrzehnt der Reihe und der Wunsch, einmal die Facetten unseres wissenschaftlichen Programms überhaupt in einem Konzentrat vorzuführen, hat uns angeregt, dieses Lesebuch »Lust am Denken« herauszubringen. Es will das geistige Panorama eines Verlagsprogramms vorführen – Motive, Entwürfe gegenwärtiger Forschung, Thesen und Konzepte, die das produktive Bewußtsein unserer Zeit ausdrücken und die in die Zukunft zielen. Leitendes Prinzip war, als Leseproben solche Texte aus wissenschaftlichen Werken, die in den letzten Jahren und Jahrzehnten bei Piper erschienen, auszuwählen, deren reflektierende Substanz und übergreifende Aussage ihre Herauslösung aus dem jeweiligen Werkzusammenhang legitimiert. So möchte dieser Band Kennern unserer Bücher anregende Wiederbegegnungen, dem interessierten »neuen« Leser Entdeckungen bescheren.

Wir hoffen also, daß unser Lesebuch das Wagnis, das eine solche Auswahl immer bedeutet, rechtfertigen wird. Die Zusammenstellung so verschiedenartiger Texte soll gewiß nicht einem unheiligen »Synkretismus« wissenschaftlicher Ideen Vorschub leisten. Es kam uns darauf an, bestimmte Fragen und Hypothesen in neue Beleuchtungen zu rücken – erweiterte Zusammenhänge sichtbar zu machen.

Die wissenschaftlichen Veröffentlichungen des Piper Verlags sind nicht Werke der reinen Fachliteratur. In unseren Publikationen melden sich Wissenschaftler von Rang zu Wort, die sich, über Fachleute hinaus, an ein breiteres geistig interessiertes Publikum wenden. Diesem Lesepublikum verhelfen unsere Autoren zum Verständnis der neuen, komplexen und gerade darum so häufig so »aufregenden« Erkenntnisse, die unser überkommenes Weltbild ständig neu infragestellen oder erweitern. Dabei schätzen wir uns glücklich, mit Autoren zusammenzuarbeiten, die die sachliche Kompetenz und Authentizität der primären Forschungsarbeit mit stilistischer Formkraft verbinden.

An den Texten dieses Bandes sind Philosophen, Theologen und Psychologen beteiligt; Historiker, Politologen, Soziologen; Biologen, Biochemiker, Mediziner. Die Spannweite der Themen reicht von der Erkenntnistheorie bis zur Verfassungsanalyse, von kritischer Interpretation der Christologie bis zu den modernen Erweiterungswissenschaften der Physik: Elementarteilchenforschung oder Molekulargenetik, von der modernen Verhaltenswissenschaft bis zur Evolutionslehre und Kosmologie.

Noch ein besonderer Gesichtspunkt liegt dieser Anthologie zugrunde – der Wunsch zu dokumentieren, in wie hohem Maß Intuition, kombinatorisches Vermögen und Vorstellungskraft auch die Arbeit und die Ergebnisse des Forschers bestimmen, nicht nur das Tun des Künstlers. Die Beiträge dieses Bandes möchten deshalb auch anregen, darüber nachzudenken, ob nicht die Trennlinie zwischen den »beiden Kulturen« – hier der Welt individueller Kunstgestalten, dort der Welt objektiver, scheinbar unpersönlicher wissenschaftlicher Gesetze (auf der Basis von Experiment und Berechnung) – ob diese scharfe Trennungslinie nicht relativiert werden muß. Sind nicht wissenschaftliches und künstlerisches Denken lediglich verschiedene Dimensionen der einen großen Gabe, die dem Menschen verliehen ist und deren Grenzen noch unabsehbar sind – seiner schöpferischen geistigen Kraft?

Ich danke Frau Dr. Heidi Bohnet für die Auswahl der Texte und Frau Renate Dörner für die Betreuung des Bandes im Lektorat.

München, im Juli 1981 Klaus Piper

Karl Jaspers
Was können wir aus europäischem Selbstbewußtsein wollen?

Was geschehen wird, kann niemand wissen. In den unbestimmten Horizonten der europäischen Zukunft aber kann jeder sich fragen, wo er steht und was er will. Niemand sieht das Ganze. Wir sind immer nur darin, nicht außerhalb und nicht über ihm.

Wenn wir leben in dem Bewußtsein, wie wenig oder nichts der einzelne am Gang der Dinge ändert, so weiß gerade auch das niemand. Niemand braucht zu wissen, wozu die Transzendenz ihn als Werkzeug benutzt. Es ist schon überheblich, danach zu fragen. Unsere menschliche Sache ist es, im Umgreifenden, das wir nie übersehen, das Mögliche zu ergreifen.

Dabei darf folgender Gedanke für uns Europäer eine Ermutigung sein: Was Europa hervorgebracht hat, das muß geistig von Europa selber überwunden werden. Aus dem jahrtausendealten Wesen Europas folgt die Chance, in der gegenwärtigen Weltsituation diese Bewegung zu neuer Schöpfung fortzusetzen.

Aus dem Europa der letzten Jahrhunderte ist das Verhängnis der gegenwärtigen Weltlage erwachsen. Ohne es beständen die großen Kulturwelten noch ruhig nebeneinander wie vor tausend Jahren, gäbe es keine Einheit des Erdballs, keine Weltgeschichte, keine Weltkriege und nicht die Frage nach der Bedrohung und den Möglichkeiten der Menschheit im ganzen. Der Geist, der Wissenschaft und Technik hervorgebracht hat, muß in sich bergen, was das Geschaffene wieder in seine Ordnung bringt.

Denn all unser Wollen steht heute unter der äußeren Voraussetzung, uns in der technischen Welt einrichten zu müssen. Durch die Technik wurde die Arbeitsweise, die Wirtschaft, die soziale Struktur, die Bürokratie bestimmt. Der Einschnitt der Weltgeschichte, der seit hundert Jahren vollzogen wird, ist so tief, daß er mit keinem früheren vergleichbar ist. Nur die Erfindung der Feuerentzündung und der Werkzeuge ist eine entsprechende Parallele. Die gesamte bisherige Geschichte schließt sich. Sie wird zur Erinnerung und ihre Kenntnis zum geistigen Erziehungsmittel. Gleich bleiben nur die endgültigen Grundzüge des Menschen. Alle Bedingungen des Lebens sind derart verwandelt, daß die Geschichte im ganzen einen neuen Charakter gewinnt. Jedes Volk muß mit der Technik und deren Folgen zurechtkommen oder aussterben. Ausweichen gibt es nicht.

Was wir wollen müssen, ist daher in erster Linie wirtschaftlich und politisch. Wirtschaftlich soll Plan und Ordnung die Gerechtigkeit schaffen in der materiellen Grundlage unseres technisch bedingten Daseins; das ist eine unendliche Aufgabe in dem Kampf um das Werden des Rechten. Politisch wird die Sicherung der friedlichen Form dieser Verwandlung und der Ordnung der Staaten zur Bedingung alles anderen, das wir wollen können. Gewalt und Terror dagegen, heute in entsetzlichen Realitäten, die in dieser besonderen Gestalt besiegt sind, der Schrecken der Menschheit, führen am Ende ins Nichts. Aber wenn sie Verbrechen sind, deren Täter unschädlich gemacht werden müssen, so können sie doch in aller Welt zweideutig zugleich der Ausbruch der Verzweiflung sein, wenn unter den Formen des Rechts das Recht durch Gewalt unerträglich und hoffnungslos vorenthalten wird. Was in der ständigen Bewegung der Dinge hier getan und unterlassen wird, trägt die Verantwortung für die Zukunft Europas. Aber das alles ist das Feld der Politik und nicht unser Thema.

Wir fragen nach dem, was im Menschsein zu den Voraussetzungen auch des politischen Handelns gehört, nach dem *Geiste*. Der Geist hat seine Möglichkeiten zwar stets unter Bedingungen des Daseins, aber er ist eigener unabhängiger Ursprung. Er ist durch Freiheit. Daher lebt er aus dem Selbstbewußtsein des einzelnen. Über den einzelnen, jeden einzelnen führt der Weg in die Zukunft.

Dabei gilt, was dem Europäer zum vollen Bewußtsein gekommen ist: Jeder Mensch ist der Möglichkeit nach er selber. Menschen sind nie nur Material, daher nicht verwandelbar in

Maschinenteile oder in Zuchttiere. Massen sind nie nur Masse, sondern in ihnen jeder ein einzelner, ein Mensch, er selbst. Dagegen steht die Menschenverachtung mit der vernichtenden Überzeugung, daß der Mensch nicht frei sein könne.

Versuchen wir nun zu klären, was wir geistig aus europäischem Selbstbewußtsein im technischen Zeitalter wollen können, so sehen wir erstens aus der Erweiterung der europäischen Idee zur Menschheitsidee *Wege zur Weltordnung*, finden wir zweitens aus der Beschränkung auf lokaleuropäische Aufgaben *Wege zum Humanismus* eines europäischen Museums, suchen wir drittens in unserem geschichtlichen Ursprung die Möglichkeit unserer Existenz aus der *Verwandlung der biblischen Religion*.

Zur Weltordnung

Nirgends ist der Menschheitsgedanke mit der Energie wie in Europa aufgetreten. Die Bibel sieht einen einzigen Ursprung aller Menschen. Jeder, der Mensch ist, ist als Mensch anzuerkennen.

Obgleich Europäer sich der größten Schandtaten schuldig gemacht haben, haben doch auch Europäer am unbefangensten verstehen können, was die anderen sind. Der frühere Drang nach draußen ist umgewandelt in ein Verstehenwollen des anderen und in die Kommunikation mit dem Menschen in universaler Aufgeschlossenheit.

Die Befreiung der Welt liegt in diesem Gedanken. Wir können als Europäer nur eine Welt wollen, in der Europa seinen Platz hat, aber in der weder Europa noch eine andere Kultur über alle herrscht, eine Welt, in der die Menschen sich gegenseitig frei lassen und in gegenseitiger Betroffenheit aneinander teilnehmen.

Wir leben nicht aus einer europäischen, sondern abendländischen Idee, denn sie schließt Amerika und Rußland ein. Es ist eine Idee, die zur Menschheitsidee werden will.

Dazu sagen uns alle Staatsmänner, daß machtpolitisch für Europa kein Sinn mehr zu fassen ist als nur in der Weltordnung, die allen den Frieden und Europa seine Aufgabe und Chance gibt. Die Kriegsgefahr, die heute mit der Zerstörung der abendländischen Menschheit droht, steigert die Leidenschaft, eine Weltordnung zu finden, durch die ein Krieg nicht nur für jetzt, sondern auf lange Zeiten, wenn nicht für immer, ausgeschaltet würde.

Ist nun das Mühen um eine Weltordnung nichts anderes, als was die früheren Bemühungen um den ewigen Frieden im Zeitalter der europäischen nationalen Großmächte und ihrer Kriege waren? Ist die Weltordnung auch heute nur eine nicht ernst genommene Phrase als Beschwichtigungsmittel?

Vielleicht müssen wir leben mit der Bereitschaft zum Äußersten, aber wir brauchen es nicht für unentrinnbar zu halten. Wie es kommt, das bleibt eine Sache der Freiheit des Menschen. Wer die Unentrinnbarkeit behauptet, sagt mehr, als er wissen kann, und leistet Vorschub der Leidenschaft des Nihilisten, der nur wartet auf den Augenblick der Katastrophe, die für ihn entweder den erwünschten indirekten Selbstmord oder die absolute Macht durch Gewalt bedeutet.

Wir haben es wiederum nicht mit der politischen Frage zu tun: Wie werden die bedingungslosen Souveränitäten überwunden zugunsten einer übergreifenden Ordnung? Wie die dunklen Eigenschaften des Affentigers (wie Chinesen den Menschen nannten) zugunsten der Verwirklichung menschlicher Vernunft? Nicht mit der sozialwirtschaftlichen Frage: wie wird die Gruppeneigensucht der Interessenten überwunden zugunsten des Anspruchs aller auf Gerechtigkeit? – sondern allein mit der geistigen Frage: welche Möglichkeiten liegen vor uns und wo liegt der Ansatz im Ethos des einzelnen?

Im Schema heißt die Alternative: *Weltimperium* oder *Weltordnung*.

Weltimperium, das wäre der Weltfriede durch eine einzige Gewalt, die von einem Orte der Erde her alle bezwingt. Weltordnung, das wäre Einheit ohne Einheitsgewalt außer der, die aus dem Verhandeln in gemeinsamem Beschluß hervorgeht. Der Knechtung aller von einer Stelle her steht gegenüber die Ordnung aller unter Verzicht eines jeden auf Souveränität.

Frühere Reiche – die vorgriechischen des Orients und Ägyptens, die Reiche Chinas und Indiens, das römische Imperium – waren zwar in ihrer Weise großartige Ordnungen, aber gewaltsame, diktatorische, unfreie. Nur in begrenzten Gebieten, vorübergehend in Athen und Rom, in den spätmittelalterlichen Städten, dann bis heute dauernd in der Schweiz, den Niederlanden, in Frankreich, in England und Amerika erwuchsen aus eigener Kraft mit der Selbsterziehung dieser Völker unter glücklichen Bedingungen, aber unter Einsatz des Lebens, freie Zustände: bisher nur im Abendland, auch hier nie vollkommen, vielmehr mit Mängeln und Widersprüchen, und in ständiger Gefahr. Der Sinn ist: sich unterwerfen unter gemeinsame Gesetze, die nur auf dem Weg der Ordnung geändert werden; sich fügen gegenüber der Mehrheit und Bewahrung der Rechte der Minoritäten; Solidarität aller gegen die Gewalt einzelner. Wo eine Souveränität bleibt, die nicht die der Ordnung der Menschheit im ganzen ist, da bleibt auch die Quelle der Unfreiheit. Denn sie muß sich behaupten gegen Gewalt durch Gewalt. Gewaltorganisationen aber, Eroberung und Reichsgründung durch Eroberung, führen auch dann zur Diktatur, wenn der Ausgangspunkt eine freie Demokratie war. So geschah es im Übergang der römischen Republik zum Cäsarentum, so im Übergang der Französischen Revolution zur Diktatur Napoleons. Demokratie, die erobert, gibt sich selbst auf. Demokratie, die sich verträgt, begründet die gleichberechtigte Vereinigung aller. Der Anspruch voller Souveränität erwächst der Energie kommunikationsloser Selbstbehauptung, deren Konsequenzen im Zeitalter des Absolutismus, als der Begriff der Souveränität bestimmt wurde, rücksichtslos bewußt gemacht sind.

Der Weg zur Weltordnung führt über den Selbstverzicht Mächtiger, sei es, weil sie ihrer Menschlichkeit folgen, sei es, weil sie in kluger Voraussicht die eigene Macht scheitern sehen ohne Vereinigung mit allen anderen. Europa kann vorangehen in diesem Verzicht, in der Bescheidung durch Unterwerfung unter die Vernunft des Miteinanderredens mit bedingungsloser Geltung der Rechtsidee.

Was aber im Großen geschieht, das hat seinen *Grund im Kleinsten*. Der Geist des Ganzen erwächst aus dem, was jeder einzelne tut. Die Anschauungen des weltgeschichtlichen Ganges werden zum Betrug um das dem einzelnen Mögliche, wenn sie ihm suggerieren, er könne ja doch nichts daran ändern; so wenig seine Stimme bei der Abstimmung von Millionen bedeute, so wenig auch sein Leben für das Ganze. Diese Lähmung liefert den Menschen der Gewaltsamkeit despotischer Minoritäten aus. Wenn nicht der einzelne sich bewußt ist, daß es gerade auf ihn ankomme, und wenn er nicht handelt, als ob die Grundsätze seines Handelns die Grundsätze einer noch hervorzubringenden Welt sein sollten, dann ist die Freiheit aller verloren. Daher ist die Aufgabe jedes einzelnen, weder abzugleiten in das Dogma einer soziologischen, psychologischen, rassischen Notwendigkeit noch in die Verwirrung des Lebens. Sowohl als bloßer Zuschauer und gehorsamer Mitläufer wie hineingerissen in den Wirbel bin ich verantwortungslos geworden. Ich wirke dann nicht mit am Gang der Dinge, durch das, was ich bin und tue.

Ein Beispiel (für den Zusammenhang des Kleinsten mit dem Größten) ist das Miteinanderreden. So wie wir als einzelne miteinander umgehen, so die Organisationen, Parteien, Staaten im Großen. Da alles darin begründet liegt, daß und wie wir uns vertragen, vom zunächst noch äußerlichen Kompromiß in Daseinsfragen bis zum inneren Vertrauen, und da die Weltordnung nur möglich ist, wenn das Grundverhalten des sinnvollen, das heißt durch Solidarität und Liebe geführten Miteinanderredens zur Herrschaft kommt und unter keinen Umständen abgebrochen wird, so ist unser Alltagsverhalten im eigenen Hause in der Tat die Quelle der Weltordnung. Was im Ganzen geschieht, wird ermöglicht durch das, was jeder einzelne tut. Der einzelne muß von sich fordern: sich auf den Standpunkt eines jeden anderen versetzen. Wahrheit in Kommunikation an den Tag bringen, sein Herz nicht verhärten, sondern offen bleiben im Hören, in der Bereitschaft zu tätiger Hilfe und zum Revidieren der eigenen Ansichten. Die Möglichkeiten der Kommunikation werden zur Grundfrage des zu sich selbst kommenden Menschen.

Auf dem Wege zur Weltordnung würden zwei geistige Verwandlungen geschehen: erstens die *Reinigung der Politik*.

Die Politik beschränkt sich auf Daseinsaufgaben, sie läßt alles frei in seinem geistigen Kampfe sich entfalten, was diese Daseinsordnungen, das heißt die gesetzliche Ordnung der materiellen Lebensvoraussetzungen nicht stört. Es ist befreiend, daß der Mensch im Politischen seine Daseinsbedingungen sowohl gesichert wie beschränkt sieht, nicht aber seinen Geist. Die Reinigung der Politik durch Scheidung ihrer Aufgaben von allen anderen hebt ihren Totalitätsanspruch auf und damit den Fanatismus. Sie läßt weltanschauliche Parteien verschwinden, die im Glaubenskampf miteinander stehen, zugunsten von Parteien, die bei Gegnerschaft zugleich untereinander solidarisch bleiben. Mit Glaubenskämpfen läßt sich nicht reden. Die Bescheidung der Politik auf ihr Wesen kommt selber aus einem Glauben, dem einzigen, der nicht zum Glaubenskampfe wird, nämlich dem Glauben an Kommunikation selbstseiender Wesen, das heißt, daß zwischen Menschen das echte Miteinanderreden zur Wahrheit und damit zur Einmütigkeit führt. Daher versucht sie in grenzenloser Geduld auch noch mit dem Glaubenskämpfer zu reden, obgleich es nicht möglich scheint. Denn sie setzt voraus, daß kein Mensch nur Glaubenskämpfer, sondern auch Mensch mit Menschen ist.

Die Größe der Bescheidung macht den Beruf des Politikers sittlich nur um so höher. Er weiß, daß er sich um das bemüht, was Bedingung alles anderen menschlichen Lebens ist. Aber er weiß auch, daß er dieses nicht geradezu hervorrufen kann. Das Wesen der Politik, sooft nur gesehen in der Macht, die aller Mittel sich bedient, wird verwandelt in das geistige Miteinanderringen um die Daseinsordnung innerhalb der alle Menschen umspannenden Rechtsordnung. Das aber wird nur gelingen, wenn ihr früheres Wesen, die Machtpragmatik, als ständig noch gegenwärtig erkannt, durchschaut, aber nicht verabsolutiert wird.

Reinheit und Offenheit beherrschen den sich bescheidenden Politiker, der doch den realen Gang der Dinge trägt und bestimmt. Man könnte von einer Subalternisierung der Politik reden, sofern sie bewußt auf den Unterbau aller menschlichen Dinge beschränkt wird. Aber diese Subalternisierung der Sache bedeutet persönliche Steigerung des Politikers, der als Charakter und Vernunft mehr sein muß, er je war.

Die zweite Verwandlung ist die *Entzauberung der Staatengeschichte*. Das Geschichtsbild, das bezwingt durch die Größe der Staaten, die gewaltigen Ereignisse, und seien es Katastrophen, die Sensation unerhörter Taten, den Mythus von Heerführern und Staatsmännern, den Ruhm, der durch die Jahrhunderte und Jahrtausende trägt, wird verblassen. Der Glanz fällt auf die Aufschwünge des Menschseins.

Zum Humanismus eines europäischen Museums

Wenn die europäische Idee sich weitet zur Menschheitsidee, so würde sie in der Weltordnung Wirklichkeit. Wenn sie sich aber auf sich konzentriert, so möchte sie ihr Eigenstes bewahren. Dann handelt es sich um Europa im engeren Sinne, um die Lokalität einer jahrtausendelangen Entwicklung des abendländischen Geistes, um dieses kleine Gebiet, das als solches auf dem Wege ist, einen musealen Charakter anzunehmen. Der europäische Mensch ruht auf seiner Vergangenheit. Aber er kann sie nicht bewahren als Wirklichkeit, denn sie ist unwiederholbar.

Museum und museales Dasein, das bedeutet Bildung durch das Gewesene, Gegenwart im Wissen und Schauen des Vergangenen, bedeutet Pflege und Wiederherstellung der Werke.

Es liegt darin der Zauber des Geistes als solchen in seiner Losgelöstheit vom Leben, vielleicht mit dem Grauen vor der Realität und mit dem Unwillen gegen den Gang der Dinge. Ist aber solches Sichabschließen von der Welt überhaupt möglich? Zeigen uns nicht Amerika und Rußland den realen Weg in die Zukunft, den unumgänglichen und darum bejahungswürdigen? Bewegen wir uns nicht in romantischen Illusionen, wenn wir es anders wollen, wenn wir einen Naturschutzpark alter Kenntnisse, Sprachen, Werke, Gebärden in Europa konservieren? Ist das nicht in der Tat etwas leblos Museales? Wir hören solche Verachtung; Europa ein Museum! Sie läßt uns übrig ein Dasein als Museumsverwalter und Fremdenführer für die Welt.
Dies zu sein, wäre, sofern es sich ergibt, noch immer ein Beruf. Wir wollen nicht gering schätzen, was hier bleibt: eine Welt

der Erinnerung, die für alle Menschen kostbar ist. Das Leben als Deuter, der liebend pflegt, was dem Bewußtsein der Menschheit nie verlorengehen soll, ist nicht schlecht.

Die Verwirklichung eines humanistischen Lebens trägt zwar nicht sich selbst, sondern muß von anderen gewollt werden. Aber sie wird von der gesamten abendländischen Welt in Ost und West gewollt. Die Museen in Amerika und Rußland sind ein Hinweis. Europa ist auf dem Wege, einen Ort einzunehmen, wie Griechenland im orbis terrarum der Antike. Es birgt die heiligen Stätten des Abendlandes, wie es andere heilige Stätten in China und Indien für die asiatische Welt gibt. Noch in wachsender Ohnmacht bewahren wir diese Kleinodien, noch in Ruinen den Ursprung des Abendlandes.

Das Museale wird zum Leben einer geschichtlichen Seele. Wie im Gestühl des Hauses von Urväterzeiten her eine Seele uns anspricht, so in der geistigen Überlieferung. Solche Umwelt erfüllt uns mit Liebe.

Aber es ist dies nur ein Leben der Pietät, nicht ein ursprüngliches Leben eigener Größe. Dürfen wir mehr wollen? Steckt in dem Zorn gegen den musealen Charakter nicht ein Antrieb zu tieferen Möglichkeiten? Das museale Leben kann nie genügen.

Unser europäisches Selbstbewußtsein erwächst zwar dem Bild dessen, was war. Aber entscheidend bestimmt ist es durch unsere gegenwärtige Existenz. Daher drängen wir dorthin, wo wir nicht mehr nur historisch betrachten, nicht nur ästhetisch anschauen, nicht nur liebend erinnern, nicht nur wünschen und sehnen, sondern wo wir wirklich sind, weil wir identisch mit uns selbst werden. Dort werden wir dessen inne, was auch gegenwärtig unser Leben trägt.

Wir dürfen nicht in Masken der Vergangenheit, nicht als Gespenster des Gewesenen operieren. Wir können die Wahrheit des Vergangenen nur ergreifen, wenn wir sie in der Erscheinung verwandeln. Dann erst bindet sich die Tiefe der Überlieferung an die Zukunft. Während wir verläßlich gegründet sind im abendländischen Ursprung, bedürfen wir der Unbefangenheit, um die große Wandlung zu vollziehen, die vor uns liegt. Wagen wir sie auf einen Blick!

Der europäische Humanismus ist von jeher charakterisiert durch seinen Gegenpol. Dieser ist das Ungenügen an der Geborgenheit in einer abgeleiteten Welt, ist die Unruhe, über das Glück der Welt das Wesentliche im Zeitdasein zu versäumen. Der antihumanistische Antrieb ist nicht nur zerstörend, sobald der Humanismus als Bildungswelt im Genusse seines geistigen Reichtums existentiell unwahr wird, sondern ist selber Ursprung.

Der stärkste Gegenschlag ist das Christentum. Wenn dieses sich als christlicher Humanismus auch immer wieder weltlich mögliche Formen schafft, so liegt doch im Christentum, was als Durchbruch sich gegen alles richtet, was zur beruhigten, den Menschen geistig bergenden Welteinrichtung führt.

Heute aber steht Europa nicht nur in einer Phase antihumanistischer Forderungen, die aus den Grenzsituationen der gegenwärtigen Katastrophen entspringen. Auch das Christentum und die biblische Religion werden von vielen bewußt, von anderen in der Tat verneint. Die ganze Polarität von Humanismus und Christentum droht zu versinken.

Stellt man aber die Frage, ob und was Europa ohne Bibel aus seinem vorbiblischen und vorgriechischen Ursprung sein könnte, so zeigt sich immer wieder: was wir sind, sind wir durch biblische Religion und durch die Säkularisierungen, die aus dieser Religion hervorgegangen sind, von den Grundlagen der Humanität bis zu den Motiven der modernen Wissenschaft und zu den Antrieben unserer großen Philosophien. Es ist in der Tat so: ohne Bibel gleiten wir ins Nichts. Wir können unseren geschichtlichen Ursprung nicht preisgeben. Der Weg des Nihilismus als Ergebnis christlicher Entwicklung, also als selber noch christlich bedingt, war das große Thema Nietzsches. Aber Nihilismus kann nur Übergang eines Augenblicks sein. Denn er ist nichts aus sich, sondern nur gegen anderes.

Europa erscheint in dem kritischen Augenblick der Vorbereitung zu stehen. Im Zusammenbrechen alles bis dahin Festen wird der Europäer frei für Wege, die wir spüren, ohne sie zu kennen. Es ist die große Freiheit vor dem noch Leeren, die uns Angst macht.

Wir leben, als ob wir pochend vor den Toren ständen, die noch geschlossen sind. Bis heute geschieht vielleicht im ganz Intimen, was so noch keine Welt begründet, sondern nur dem einzelnen sich schenkt, was aber vielleicht eine Welt begründen wird, wenn es aus der Zerstreuung sich begegnet.

Niemand kann sich ausdenken, was sein wird. Es zu entwerfen, würde bedeuten, es zu schaffen. Nur unbestimmt läßt sich sagen: Bibel und Antike in der Gestalt, wie sie bisher für uns sind, genügen nicht. Beide müssen in neuer Aneignung verwandelt werden. Die Metamorphose der biblischen Religion ist die Lebensfrage der kommenden Zeit.

Woraus kann die Verwandlung geschehen? Nur aus dem ursprünglichen Glauben, aus dem schon die Bibel hervorgegangen ist, aus dem Ursprung, der zu keiner Zeit war, sondern immer ist, dem ewig Wahren: Mensch und Gott, Existenz und Transzendenz. Alles andere scheint wie Vordergrund gegenüber diesem, was in der biblischen Religion seinen Grund hat für Juden und Christen und noch für den Islam.

Die biblische Religion war in der Tat in ständiger Verwandlung ihrer Erscheinung, gleichsam ihres Kleides. Was ist das im Grunde immer Gleiche? Es läßt sich nur abstrakt aussprechen: Der eine Gott. Die Transzendenz des Schöpfergottes. Die Begegnung des Menschen mit Gott. Gottes Gebot, die Entscheidung zwischen gut und böse ist schlechthin gültig für den Menschen. Das Bewußtsein der Geschichtlichkeit. Der Sinn und die Würde des Leidens. Die Offenheit für die Unlösbarkeiten.

In der Bibel herrschen Polaritäten bis zu sich ausschließenden Gegensätzen: Kultusreligion und die den Kultus verwerfende prophetische Religion; Gesetzesreligion und Liebesreligion; Religion des auserwählten Volkes und Menschheitsreligion; Christusreligion und Religion Jesu, der sagt: was nennst du mich gut, niemand ist gut als der eine Gott. Der wahre Glaube entzieht sich der Fixierung in einem der Pole. Die Verwandlung seines Kleides wird von jedem neuen Zeitalter verlangt, um die Wahrheit der Glaubenssubstanz zu retten.

Durch die Bibel geht eine Leidenschaft, die einzig ist, weil sie auf Gott bezogen ist. Sie ist das Depositum eines Jahrtausends menschlicher Grenzerfahrungen.

Was in neuer Aneignung aus der biblischen Religion in den Kirchen und in der Philosophie wird, das kann dem Sinn dieses Glaubens entsprechend jederzeit nur an der Grenze des Äußersten geschehen. Die Verwandlung wird daher nicht gelingen, wenn wir nicht das Äußerste in unserer Seele rückhaltlos zur Wirkung bringen. Heute ist es eine große Sorge: Es geht durch die Welt ein schreckliches Vergessen. Die ungeheuren Leiden sind ausgestanden. Wer lebt, freut sich des Daseins. Er streicht aus, was war, es sei denn, daß es ihn noch in die Nerven verfolgt. Die Seele hat das Ungeheure nicht in sich aufgenommen. Die Toten sind nicht mehr. Der Reigen des Lebens drängt sich wieder zu schließen und wird fortgetanzt.

Aber wir versagen, wenn wir die Leiden nur stumpf oder angstvoll erdulden. Ist die Angst vorbei, bemächtigt sich eine falsche Selbstgewißheit dieses zufällig geretteten Daseins. Sie verschleiert, was unerwünscht zu wissen ist. Aus dem Menschen, der sich nicht innerlich dem Leiden aussetzt, wird nichts.

Wir dürfen die Toten nicht vergessen, die Millionen Getöteter, und wie sie den Tod erleiden mußten oder gesucht haben. Wir müssen alles Leid, auch das uns nicht selbst traf, ansehen als etwas, das uns treffen sollte und vor dem wir nur gerettet sind ohne unser Verdienst. Die Gleichgültigkeit wird um so unwahrer angesichts des furchtbaren Unheils, das uns allen bevorstehen kann und von dem man zwar redet, aber so, daß es nicht in den Seelen Wirklichkeit wird. Sollte Kierkegaard recht gehabt haben, als er sagte: Alle Greuel der Kriege werden nicht ausreichen: erst wenn die ewigen Höllenstrafen wieder Wirklichkeit sind, wird der Mensch aufgerüttelt zum Ernst?

Ich wage zu glauben: Nein, die Höllenstrafen sind nicht der einzige Weg, der Mensch kann menschlich und wahr zu seinem Ernst kommen.

Neben den Religionen in kirchlicher Gestalt und in Polarität zu ihnen wird wie im Altertum die Philosophie eine Form sein, in der Menschen ihren unbedingten Ernst finden, still und ohne Lärm. In mehreren Ländern Europas ist heute unter dem Namen Existenzphilosophie das Denken einer gemeinsamen Lebenspraxis im Werden, zwar verschiedenartig bis zur gegenseitigen Fremdheit, aber vielleicht aus verwandten Antrieben.

Hier erwächst seit dem späten Schelling, durch Kierkegaard entschieden in Gang gebracht, durch pragmatische Antriebe gefördert, in der Not bewährt, ein Denken, das sich zwar wiedererkennt in dem alten Philosophieren, welches immer Existenzphilosophie war, aber das doch heute sich schicksalsbestimmt weiß durch das Aufgebrochensein des Äußersten im Durchbruch aller früheren Ordnungen.

Der philosophisch ernste Europäer steht heute vor der Entscheidung zwischen entgegengesetzten philosophischen Möglichkeiten. Will er in die Beschränkung fixierter Wahrheit, der am Ende nur zu gehorchen ist – oder will er in die grenzenlos offene Wahrheit? Das heißt: will er einer Gestalt dogmatischen Totalwissens sich unterwerfen – oder will er alle Möglichkeiten des Denkens und Erkennens als Werkzeug seiner Existenz in der Schwebe halten? Will er seine Selbständigkeit verfestigen zur Starre, wie in der stoischen Philosophie als einem Refugium beim Versagen der Welt, zufrieden in der Ruhe der Apathie und in der Einsamkeit einer sei es dogmatisch, sei es skeptisch rationalen Haltung – oder will er diese innere Selbständigkeit in der Gefahr der Offenheit gewinnen, wie in der Existenzphilosophie, der Philosophie der Kommunikation, in der der einzelne er selbst wird unter der Bedingung, daß die andern sie selbst werden, in der es nicht einsame Ruhe, sondern ständiges Ungenügen gibt und in der der Mensch dem Leid sich innerlich aussetzt?

Nicht ein gültiges Menschenbild steht vor uns, wie im trügerischen Ideal des Stoikers, sondern der Menschenweg. Wir trauen der Richtung, wenn wir drei Ansprüche festhalten: 1. Grenzenlose Kommunikation von Mensch zu Mensch, von der Tiefe existenziellen, liebenden Kampfes, in dem Wahrheit hervorgeht, bis hinab zum redlichen Sichvertragen in Kompromissen des Daseins. – 2. Herr unserer Gedanken werden, uns keiner Gestalt abschließenden Wissens unterwerfen, an keinen Standpunkt und keinen -ismus uns binden. – 3. Die Liebe als letzte Führung anerkennen, den unumgänglichen Haß aber unter Bedingungen halten und sobald als möglich wieder verdampfen lassen.

Ob man sagt: die Existenzphilosophie sei Traum und Schwärmerei? Wenn das Traum ist, so wage ich zu antworten, vielleicht einer der Träume, aus denen von jeher geboren wurde, was menschlich war und worum zu leben es sich lohnt.

Wenn uns aber die Bodenlosigkeit schwindlig werden läßt – und das Äußerste scheint uns noch bevorzustehen – so gilt: Wenn alles versinkt, Gott bleibt. Es ist genug, daß Transzendenz ist.

Auch Europa ist nicht das letzte für uns. Wir werden Europäer unter der Bedingung, daß wir eigentlich Menschen werden – das heißt Menschen aus der Tiefe des Ursprungs und des Zieles, welche beide in Gott liegen.

I. MENSCH UND NATUR

Carsten Bresch
Vom Würfeln, das kein Glücksspiel war

> *Das Geschehen in der Natur scheint einen viel höheren Grad von gesetzlicher Gebundenheit zu zeigen als in der von uns gedachten Kausalität liegt.*
>
> *Einstein*

Der Zufall ist als Hintergrund aller Evolution ebenso unbestritten wie die Erkenntnis, daß Selektion ein Sieb darstellt, das von allen Zufällen nur die vorteilhaften, die passenden, weitergeben läßt. Gemeinsam gestalten so Zufall und Notwendigkeit die Entwicklung aller Welt. Und doch teilt sich die Meinung der Wissenschaft bei der Frage, ob nun Zufallsereignisse oder die inneren Zwänge des Systems die entscheidenden Faktoren sind, die den Lauf der Evolution bestimmen. Zwei Auffassungen stehen sich gegenüber. Lassen wir beide Seiten noch einmal zu Worte kommen:

Plädoyer 1:

Wir haben guten Grund anzunehmen, daß alle Lebewesen dieses Planeten, Pflanzen und Tiere, auf einen einzigen gemeinsamen Ursprung zurückgehen (Universalität des genetischen Codes und Spiegelasymmetrie biologischer Moleküle). Wir wissen, daß Zufall (Mutation) ein grundlegendes Geschehen der Evolution ist. Da wir in den zufälligen Verzweigungen der Artenbildung weder eine Zielgerichtetheit noch eine Zwangsläufigkeit erkennen, müssen wir folgern, daß auch die Entstehung des Lebens und seine Entwicklung zum Menschen auf diesem Planeten allein das Resultat einer einmaligen, glücklichen Kombination vieler Zufälle waren und daß eine derartige Häufung äußerst unwahrscheinlicher Ereignisse an anderen Stellen des Universums nicht auftreten wird. Deshalb ist der Mensch das einzige intelligente Wesen im Weltall.

Wir weigern uns, in der Natur mehr als den blinden Zufall zu sehen, da wir eine Vermischung von wissenschaftlichem und religiösem Denken aufs entschiedenste ablehnen.

Plädoyer 2:

Sonderstellungen des Menschen haben sich bisher immer als Irrtum erwiesen. Weder unsere Stadt noch unser Planet standen im Mittelpunkt der Welt. Zentralposition und Einmaligkeit sind elitäre Wunschvorstellungen, Restbestände des Wettbewerbsdenkens unserer Vergangenheit.

Weite Abschnitte der Evolution sind als zwangsläufiger Prozeß einer Selbstorganisation der Systeme erkannt. Wenn noch einige Fragezeichen verbleiben, so ist das kein hinreichender Grund, Wissenschaft mit »Wundern« anzureichern. *Das* wäre unwissenschaftlich. Wenn alle Erdlebewesen Gemeinsames zeigen, so beweist das nur, daß irgendwann ein früher Organismus allen anderen seiner Zeit weit überlegen war.

Evolution ist klar zielgerichtet und sehr wahrscheinlich *durchgehend* zwangsläufig. Selektion – das Sieb, durch das alle Zufälle laufen – erzwingt eine Richtung. Es gibt daher andere Planeten, auf denen sich zunächst biologische und später intellektuelle Systeme entwickeln.

Dies also ist die Alternative.

Anhänger der Zufallsvorstellung meinen, die Vertreter einer evolutiven Zwangsläufigkeit seien im Grunde »Gläubige«, unfähig zur Trennung von Wissen und religiöser Erwartung; sie projizierten einen selbst-gemachten Sinn in das an sich »Sinnfreie« – um nicht zu sagen »Sinn-lose« – Universum. Sie täten das nur aus dem inneren Bedürfnis, eine Kluft zwischen der Natur und dem Menschen zu vermeiden, aus einem Bedürfnis also, das der gleichen Wurzel entspringt wie alle religiöse Hoffnung. So ganz falsch ist das nicht.

Bei ihrem Vorwurf übersehen die Zufallsanhänger nur zweierlei: Erstens, es war nicht religiöses Wunschdenken, sondern

Wissenschaft, die die Grundprinzipien der Natur enthüllte, und zweitens, *»gläubig«* sind *beide* Seiten. Nur der Inhalt des Glaubens ist verschieden.

Der Glaube an eine nur vom Zufall bestimmte, ungerichtete Evolution hat einen tragi-komischen Aspekt. Im Bemühen nämlich, das »alt-elitäre« Konzept zu überwinden, der Mensch sei Ziel, sei Krone einer planvollen Schöpfung, muß bei logisch konsequenter Analyse notgedrungen eine »neu-elitäre« Haltung eingenommen werden, nämlich die der Einmaligkeit des Menschen in einem ringsum eisigen, schweigenden All. Und damit wären wir doch wieder etwas Besonderes – doch wieder »Krone der Entwicklung » –, nur daß an die Stelle des »Schöpfers« nun der »Zufall« getreten ist – welch Gewinn. Wir sind beim »Wunder« geblieben – nur den Sinn unseres Daseins haben wir in diesem gedanklichen Kreisprozeß verloren.

Keiner der beiden gegensätzlichen Standpunkte ist heute »beweisbar«. Lassen wir dennoch unser Wissen zu dieser Alternative noch einmal Revue passieren.

Die Physik zeigt die Evolution der materiellen Phase als Folge der kosmischen Anfangsbedingungen und der Eigenschaften der Elementarteilchen. Gravitation führt sie zusammen, aber ihr Drehimpuls läßt Galaxien und Planeten rotieren, so daß nicht *alle* Massen unter Einfluß der Gravitation zusammenstürzen. Kernreaktionen laufen überall im Universum ab und führen in allen Sonnen zu den gleichen Mustern – eine notwendige Folge der Eigenschaften von Protonen und Neutronen – ein Zwang, begründet in den Eigenschaften der Materie.

Elektrische Ladungen von Atomkernen und Elektronen lassen Atome entstehen, die vielfältige, aber nicht beliebige, chemische Bindungen eingehen. Eigenschaften der Atome, die aus den Eigenschaften der Elementarpartikel resultieren, legen ihrerseits Eigenschaften von Molekülen fest.

Meteoriten beweisen, daß Bausteinmoleküle für lebende Strukturen auch außerhalb unseres Planeten entstehen, und chemische Experimente zeigen sowohl die spontane Bildung von Polymeren als auch deren Aggregation.

Niemand kann also bezweifeln, daß die Eigenschaften der

Bausteine unseres Weltalls (die gegebenen Anfangsbedingungen vorausgesetzt) die Entwicklung spontan – und das heißt zwangsläufig – bis zur Musterkomplexität der Polymer-Aggregate wachsen lassen. Bis hierhin ist Evolution also sicher ein von der Materie selbst organisierter Prozeß, der in gleicher Weise überall da abläuft, wo ähnliche Bedingungen bestehen.

Die erste und wichtigste Schwelle, an der sich die Geister scheiden, liegt im Entstehen von selbstreplikativen Mustern. Hier ist es denkbar, daß nur ein einziges, extrem unwahrscheinliches Zufallsereignis den Durchbruch brachte. Andererseits ist es möglich, daß so viele verschiedene Polymer-Aggregate Anfänge einer Selbstreplikation zeigen, daß auch diese Hürde überall überschritten wird, wo geeignete, d. h. erdähnliche Bedingungen vorliegen. Wir wissen es nicht.

Doch Erstaunen bleibt, daß überhaupt bestimmte Musterkomplexität, bestimmte Beziehungen unter den Bausteinen von Aggregaten, dieses wundersame Phänomen der Selbstreplikation möglich machen – *gerade dieses*.

Man muß es einfach *wundersam* nennen, denn gerade diese neue Eigenschaft der unscharfen Replikation eigener Musterharmonie hebt die Evolution in eine zweite Phase *zwangsläufiger* Weiterentwicklung.

Man könnte sich sehr wohl auch ganz andere, neue Eigenschaften vorstellen, z. B. eine neue Tendenz bestimmter Muster, ihr Inneres zu mehr und mehr Regelmäßigkeit, zu kristallartiger Ordnung umzugestalten, oder eine zunehmend wachsende Fähigkeit, das eine, zufällig entstandene Muster schnekkenartig immer weiter zu vergrößern. Auch das müßte man Leben nennen.

Aber nichts von dem. Die neue Eigenschaft ist gerade so beschaffen, daß *Wettbewerb* zur Triebkraft weiterer Evolution werden muß. Unscharf replizierende Muster *müssen* miteinander in Wettbewerb treten. Wettbewerb muß zur Selektion der sich schneller und genauer replizierenden Muster führen. Selektion läßt nur oder bevorzugt Muster mit höheren Fähigkeiten überleben. Höhere Fähigkeiten aber erwachsen nur aus mehr Komplexität.

Also ist im Wesen des Phänomens unscharfer Selbstreplikation wieder ein Zwang zum Wachsen von Mustergröße, von Musterwirkungen *unabdingbar begründet*. Und gerade diese neue Musterfähigkeit ist aus den Eigenschaften von Molekülen entstanden.

Wir wissen nicht, ob Musterwachstum zu Photosynthese und parallel zum Tier führen *muß*, aber wir wissen, daß die Ausschöpfung der Ursuppe eine Krisensituation darstellt, die – wenn überhaupt – wohl nur auf diese Weise langfristig überwunden werden kann. Wir wissen nicht, ob sich Einzeller früher oder später zu Vielzellern zusammenschließen *müssen*, aber wir stellen fest, daß dies zumindest bei Pflanzen *und* Tieren unabhängig erfolgt ist. Und das sieht wieder recht nach Zwangsläufigkeit aus.

Die zweite Schwelle bilden die Entstehung von Nervenzellen und das Auftreten von informierbaren Musterbereichen. Wieder mag diese neue Musterfähigkeit eine automatische Folge der Wechselwirkungen zwischen jagenden und gejagten Tieren sein, aber sie könnte auch in einem einzigen, besonders glücklichen Zufall ihren Ursprung haben.

Da wir den Mechanismus des informierbaren Musters noch weniger begreifen als den der selbstreplikativen Struktur, entsteht das gleiche Erstaunen, daß Informierbarkeit von Mustern auf einer gewissen Stufe von Komplexität überhaupt möglich ist, wenn man überdenkt, daß alle folgende Evolution auf dieser neuen, rätselhaften Fähigkeit bestimmter, hochkomplexer Muster aufbaut.

Ist das weitere Geschehen – der entscheidende Schritt zur Kommunikation, zur Sprache – Teil einer neuen, wieder zwangsläufig fortschreitenden Entwicklung? Wir wissen nur,

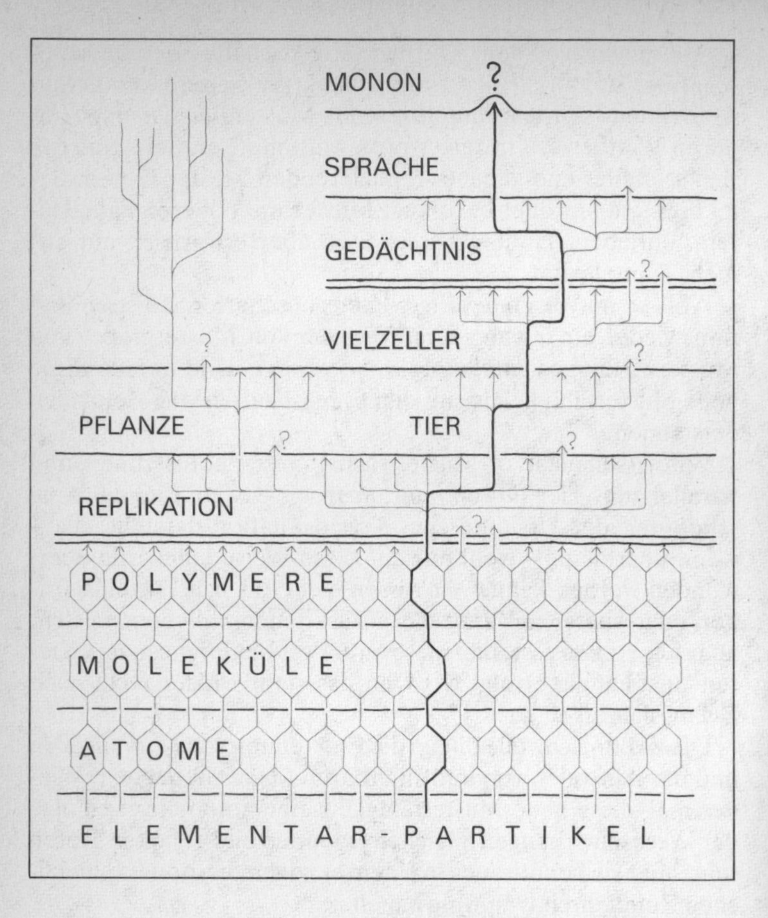

daß staatenbildende Insekten, Vogelschwärme und Säugetierhorden voneinander unabhängige Integrationen vom Einzeltier zur Gruppe sind – daß Kommunikation durch Symbole auch bei Bienen gefunden wird, wenn auch starr geblieben, weil im festen genetischen Muster, nicht in informierbaren Musterbereichen verankert.

Nach alledem ist zumindest also die immer weiter ausgreifende Integration von Musterbausteinen zu Ganzheiten jeweils höherer Stufe ein in allen Bereichen der Natur gültiges Grundgesetz der Entwicklung.

Über weite Abschnitte der Evolution führen also die Eigenschaften der Materie und der schon gebildeten Muster zwangsläufig zu Mustervergrößerung und wachsender Wirkungspotenz, doch verbleiben Fragezeichen zumindest an den beiden Schwellen in die jeweils neue Phase der Evolution. Noch ist also eine *durchgehende* Zwangsläufigkeit allen Evolutionsgeschehens wissenschaftlich nicht zu beweisen.

Für die umgekehrte Behauptung aber, ein Zwang läge *nicht* vor, alle wesentliche Entwicklung beruhe auf *einmaligen* Zufällen, gibt es erst recht kein Argument. Dazu müßte nicht *angenommen*, sondern *bewiesen* werden, daß die Wahrscheinlichkeiten, jeweils die nächste Stufe zu erklimmen, winzig, winzig klein wären. Aber was heißt Wahrscheinlichkeit überhaupt in diesem Zusammenhang?

Auf einer bestimmten Stufe der Evolution liegen Tausende von Arten, Millionen und Abermillionen von Einheiten vor. Und sie replizieren sich von Generation zu Generation. Die Evolution hat Zeit – viel Zeit.

Schafft es heute keiner – was ist verloren? Zufällige Mutationen werden spielen
und weiter spielen
und spielen
und spielen ...

Es gibt eigentlich nur zwei entscheidende Fragen:

1. Hat der Würfel der Natur überhaupt eine »6«? Das heißt, ist überhaupt der Schritt zur nächsten Stufe möglich? Und – falls wir diese Frage bejahen können –
2. Wieviel Zeit hat die Evolution? Wie oft – wie lange kann gewürfelt werden. Wenn beliebig Zeit zur Verfügung steht, wird *irgend*wann *irgend*eine Einheit die nächste Stufe durch einen »Sechser-Wurf« erreichen.

Unsere eigene Existenz beweist, daß *alle* bisherigen Schritte *möglich* waren. *Unsere* Evolution hat ja alle Stufen bis zum Anfang der intellektuellen Phase erklommen. Die »6« *ist* auf all diesen Stufen möglich.

Damit verändert sich unsere Fragestellung. Sie lautet nicht mehr, ob *überhaupt* anderswo im Universum ..., sondern ob *rechtzeitig* anderswo im Universum intellektuelle Wesen entstehen. Die sinnvollen Fragen sind also:

»Wie viele Planeten mit unserer Erde ähnlichen Eigenschaften mag es geben? Und:

»Wie lange lebt ein Monon?«

Schwer scheint es, jedenfalls auf *unserem* Planeten, nicht gewesen zu sein, die einzelnen Stufen zu überwinden. Warum wir das vermuten? Das geht aus dem Diagramm des roten Fadens hervor: Die Gerade der biologischen Phase, die exponentielles Musterwachstum anzeigt, beginnt nämlich kurz nach der Bildung – nach der Abkühlung unseres Planeten, dessen Alter wir recht genau kennen. *Wäre die Entstehung des Lebens in der Ursuppe so äußerst unwahrscheinlich, hätte sie wohl auch noch einige Milliarden Jahre auf sich warten lassen!*

Wer an das Wunder einer einmaligen – weil so grenzenlos unwahrscheinlichen – Lebensentstehung glauben will, muß also gleich noch ein zweites Wunder dazu akzeptieren, nämlich daß dieses Ereignis auf unserem Planeten so bald wie irgend möglich eintrat. Die Hypothese gewinnt dadurch nicht gerade an Überzeugungskraft.

Auch im weiteren Verlauf der biologischen Evolution ging es (von Schwankungen im Detail abgesehen) zügig weiter. Hätte die Entwicklung nämlich lange vor einer besonders schwierigen Hürde gestanden, also Milliarden von Jahren zu deren Überwindung gebraucht, so sähe die Kurve des roten Fadens in der biologischen Phase

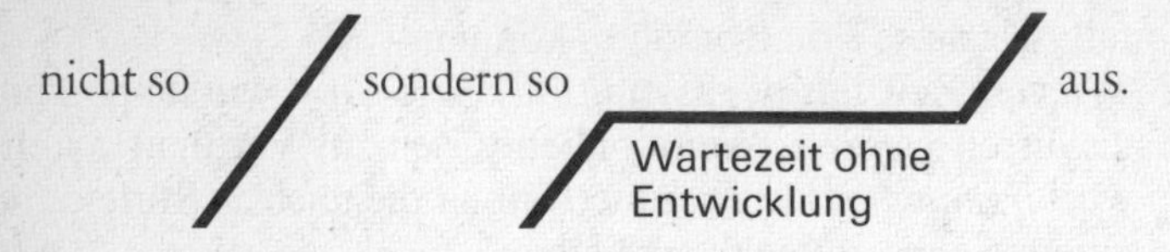

Unsere geistige Lage ist die des Zuschauers eines Films, der jemanden beim Würfeln zeigt: Der erste Wurf eine »6«, der zweite eine »6« und auch der dritte, und so weiter ... und so weiter ... der hundertste, der tausendste Wurf immer wieder eine »6« und so weiter ... und so weiter ... Der Zuschauer lächelt – das ist kein Zufall – das geht nicht mit rechten Dingen

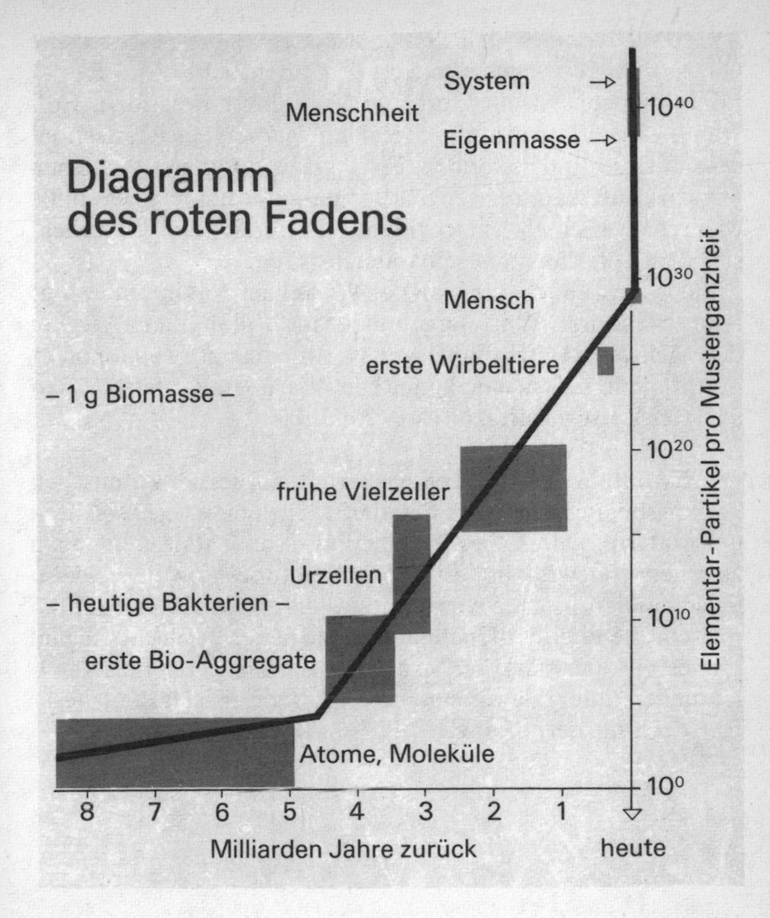

zu. Entweder hat der Regisseur des Films einen Würfel benutzt, der überhaupt nur Sechsen hat, oder er hat alle anderen Würfe herausgeschnitten. Er hat »Selektion« betrieben.

Aber dann kommen Wissenschaftler und sagen: »Wieso? Warum wundern Sie sich? Warum soll hier ein Regisseur gewirkt haben? Warum kann das nicht wirklich so geschehen sein? Absolut unmöglich, *völlig* ausgeschlossen ist es ja nicht, Tausende von Sechsen hintereinander zu werfen.« Wenn es der Teufel will, kann auch das »eigentlich Unmögliche« passieren.

Und wir haben solchem Argument »wissenschaftlich« ebensowenig entgegenzusetzen wie dem mancher Anti-Evolutionisten, wonach ein Gott alle Versteinerungen so in Erdschichten gelegt hätte, daß wir den *Eindruck* einer fortschreitenden Evolution gewännen. Es gibt Behauptungen, vor denen Wissenschaft kapitulieren muß – da kann nur der »gesunde Menschenverstand« entscheiden. Im Grunde ist es lächerlich, sich damit überhaupt auseinanderzusetzen.

Sicher wissen wir nur, daß der Würfel der Natur mindestens eine »6« besitzt. Würfelergebnisse sind Zufall – das Würfeln der nächsten »6« wird aber zur Notwendigkeit, wenn man es nur oft genug versuchen kann. Die Ausgangsalternative: »Zufall *oder* Zwangsläufigkeit« *war sinnlos*.

Die Evolution des Universums beruht auf dessen kosmischen Anfangsbedingungen und den darin gegebenen Eigenschaften der Materie. Durch sie wird eine Fülle von Zufallsereignissen zu einem Netzwerk in bestimmter Richtung verwoben. Die so entstehenden Muster wirken auf andere Materie und führen fortschreitend bisher Unabhängiges zu neuer Verflechtung und immer wirkungsstärkerer Struktur. Vom Chaos zu einem intellektuellen, intergalaktischen Übermuster weist der Pfeil dieser Entwicklung, deren winziger Teil ein jeder von uns ist.

Irenäus Eibl-Eibesfeldt
Der Mensch im Lebensstrom

Wir wirken an einem im Grunde recht rätselhaften Geschehen mit, das vor etwa 4 Milliarden Jahren als Leben seinen Anfang nahm. Es handelt sich um einen energetischen Prozeß besonderer Art, der – anders als jene, die die unbelebte Welt beherrschen – nicht im Sinne der Entropie zu Ausgleich und Minderung des Potentials, Arbeit zu leisten, führt, sondern im Gegenteil zur Steigerung des Energiepotentials. Die Organismen sind Träger dieses Prozesses, der sich seit seiner ersten Manifestation auf unserer Erde kontinuierlich fortsetzte und wohl auch steigerte, so daß man von einem *Lebensstrom*[1] sprechen kann. Wir sind heute noch weit davon entfernt, eine rationale Deutung dieses Phänomens vornehmen zu können, dennoch vermögen wir mehr zu tun, als dieses Leben nur mit einem »Ignorabimus« zu bestaunen. Zumindest in Teilstrecken können wir seine Entwicklung verfolgen und dabei die Gesetzmäßigkeit der organismischen Evolution ablesen. Da wir selbst Produkt und Wirkungsglied dieses Prozesses sind und wie alle Organismen auch von dem Bestreben zu überleben erfüllt sind, ist die Einsicht in die Vorgänge, denen wir unsere Existenz verdanken, von mehr als bloß theoretischem Interesse.

Seit Darwin das Evolutionsgeschehen auf der Basis der Selektionstheorie deutete, haben die Biologen den Prozeß der stammesgeschichtlichen Entwicklung in vielen Einzelheiten aufgeklärt. Wir wissen in großen Zügen über die Entwicklung der Tiergruppen Bescheid. Wir wissen um das Wirken der Selektion, um die Mechanismen der identischen Reduplikation, um Mutationen, die Natur des genetischen Codes, den Chemismus der Entwicklung und zu all dem auch um viele Details unseres eigenen Werdeganges. Wir lernten dabei auch, daß wir in diesem Lebensstrom eine wohl nur vorübergehende Erscheinung sein dürften. Eines Tages wird die Evolution über uns hinwegschreiten, wobei die Möglichkeit offenbleibt, daß wir uns entweder weiterentwickeln oder daß unsere Spezies wie so viele Arten vor uns ohne unmittelbare Nachkommen ausstirbt. Damit ist der Mensch jedoch keineswegs seiner gegenwärtigen zentralen Stellung auf unserer Erde entkleidet, wird sich doch in ihm die Schöpfung erstmals ihrer selbst bewußt, was zumindest die Möglichkeit auch der bewußten Steuerung unseres künftigen Geschickes enthält – eine Möglichkeit, deren Tragweite wir heute kaum abzuschätzen vermögen.

Eine solche vernunftbegründete Steuerung des eigenen Geschickes setzt voraus, daß wir die Wirkungszusammenhänge durchschauen, in die unsere Existenz eingewoben ist. Und dazu gehört insbesondere auch Einsicht in die Beweggründe unseres Handelns. Zu diesem unserem Selbstverständnis hat Konrad Lorenz in ganz entscheidender Weise beigetragen.

Ich habe in diesem Band eine Auswahl jener Arbeiten von Lorenz zusammengestellt, die sich mit der Darstellung und der Deutung des Evolutionsgeschehens und den Fragen der gegenwärtigen und künftigen menschlichen Existenz befassen. Sie stammen zum Teil aus den letzten Jahren. In den ersten Beiträgen setzt sich Lorenz mit der Frage der »Gerichtetheit« des Evolutionsgeschehens auseinander. Die brillanten Darstellungen, die überdies den Vorzug haben, verständlich geschrieben zu sein, machen deutlich, daß von einer »Gerichtetheit« des Evolutionsgeschehens nicht die Rede sein kann. Seiner Natur nach ist das Evolutionsgeschehen ein Abtasten aller Möglichkeiten; es leuchtet ein, daß es schwerlich anders geht. Der Prozeß der stammesgeschichtlichen Entwicklung wird von der Notwendigkeit bestimmt, daß sich die Organismen geänderten Umweltbedingungen stets neu »anpassen«. Nun sind diese Umweltveränderungen, seien sie nun klimatisch oder durch andere Organismen bedingt, nicht voraussehbar. Nur ein ebenso unvoraussagbarer, alle Möglichkeiten abtastender Mechanismus wie jener der Mutation ist in der Lage, dieser Tatsache zu entsprechen. Allein durch ihn entstehen in jeder Generation die mannigfaltigsten Erbänderungen (Mutationen), die das Ausgangsmaterial für den Artenwandel bilden. Die meisten dieser Mutationen erweisen sich als unvorteilhaft. In Konkurrenz mit anderen Organismen setzen sie sich normalerweise nicht durch. Unter besonderen, geänderten Lebensbedingungen kann sich jedoch selbst solchen Mutanten eine Entwicklungschance eröffnen. So gibt es unter den Fluginsekten (Fliegen, Schmetterlinge, Käfer etc.) immer wieder flügellose Mutanten. Sie gehen normalerweise zugrunde. Auf den sturmumbrausten Kerguelen dagegen haben nur die flügellosen Mutanten von vordem flugfähigen Insektenahnen überlebt. Wir finden flügellose Fliegen, mit Sprungbeinen wie Grashüpfer, flugunfähige Schmetterlinge und Käfer. E. Mayr (1958) bezeichnete Mutanten dieser Art als »hopeful monsters«. Sie werden in jeder Generation erzeugt und in der Regel ausgemerzt, bilden aber die Absicherung der Arten im Lebensstrom. Sie befähigen zum Artenwandel in einer ständig neue, unvorhergesehene Anforderungen stellenden Welt.

Mannigfaltigkeit und »Höherentwicklung« im Sinne fortschreitender Differenzierung erweist sich als Ergebnis zwischenartlicher und innerartlicher Konkurrenz. Sind die mit einfacheren Mitteln zu besetzenden Nischen belegt, dann müssen Organismen neue Strategien entwickeln. So drängte es die Organismen aus dem Meer ans Land, und mit dem Menschen drängt es sie in Zukunft vielleicht sogar ins All.

Anpassung in Körperbau und Verhalten stellt Lorenz als einen Prozeß des Informationserwerbes (im umgangssprachlichen Sinne) dar. Organismen spiegeln in ihren Anpassungen immer Facetten einer außer ihnen liegenden Wirklichkeit wider. Sie bilden diese mit einem mehr oder weniger feinen Raster ab. Neben dem stammesgeschichtlichen Anpassungsprozeß über Mutation und Selektion, bei dem die gesammelten Erfahrungen im Erbgut bewahrt werden und als Anweisungen die Embryonal- und Jugendentwicklung leiten, erwarben Organismen auch früh die Fähigkeit zu individueller Anpassung, vor allem im Bereich des Verhaltens. Dazu muß ein Tier aus Erfahrungen lernen können. Beim Menschen schließlich tritt kulturelle Evolution als neuer Anpassungsprozeß in Erscheinung. Über ihn erwarb der Mensch Geräte und Maschinen als künstliche Organe sowie Verhaltensrezepte (Brauchtum, Sprache), was in einer der Artbildung vergleichbaren Pseudospeziation zur Einnischung der Kulturen und im arbeitsteiligen Prozeß auch der Individuen führte. Informationsspeicher sind in diesem Falle, neben den Zentralnervensystemen der Kulturträger, das geschriebene Wort und neuerdings auch elektronische Geräte. Sie halten Information unabhängig von lebenden Informationsträgern auf Abruf fest. Theoretisch kann nichts mehr vergessen werden. Die Wichtigkeit einer Unterscheidung von stammesgeschichtlicher, individueller und kulturgeschichtlicher Anpassung im Bereich menschlichen Verhaltens – die kulturell erworbenen Rezepte werden den heranwachsenden Individuen tradiert – hat Lorenz immer wieder ausdrücklich betont. Er sieht den Menschen auch im Bereich seines Verhaltens als stammesgeschichtlich *und* kulturgeschichtlich gewachsenes Wesen. Insbesondere betont er, daß das stammesgeschichtliche Erbe unser Verhalten nach wie vor entscheidend mitbestimmte, und zwar analog den höheren Tieren in Form von vorgegebenen Bewegungsweisen (Erbkoordinationen), ferner als Fähigkeit, auf bestimmte Umweltreize ohne vorheriges Lernen in arterhaltend sinnvoller Weise zu antworten – gewissermaßen eine Fähigkeit zum angeborenen Erkennen. Außerdem reagieren wir Menschen nicht nur passiv auf eintretende Ereignisse, sondern werden von inneren, uns motivierenden Mechanismen angetrieben, und schließlich ist unser Lernen durch angeborene Lerndispositionen ausgerichtet. Menschen sind keineswegs nach allen Richtungen hin gleich leicht zu modifizieren. Diese Aussagen stießen bei einigen Wissenschaftlern auf erbitterten Widerstand. Die mit vielen Worten verfochtene Gegenthese, der Mensch würde einzig und allein durch Erziehung programmiert, nichts sei ihm angeboren, und er sei durch Erziehung demnach in jede gewünschte Richtung gleich leicht zu formen, entspricht offenbar dem Machtstreben milieutheoretisch ausgerichteter Erzieher, die dem Menschen jede Autonomie absprechen, um ihn nach ihren Idealvorstellungen zu prägen. Die letzten Jahre haben eine Fülle von Fakten erbracht, die die von Lorenz verfochtenen Thesen bestätigen. Sie sind zum Teil in dem von uns gemeinsam verfaßten Beitrag über »Stammesgeschichtliche Grundlagen menschlichen Verhaltens« angeführt (siehe ferner I. Eibl-Eibesfeldt, 1973, 1976, 1978). Die Befunde haben dem biologischen Denken auch in den Verhaltenswissenschaften vom Menschen zum Durchbruch verholfen. Nur einige unentwegte Ideologen wie M. F. A. Montagu und H. Selg scheinen nicht viel dazugelernt zu haben.

Die Ablehnung von dieser Seite dürfte einerseits auf das schon besprochene Bedürfnis nach Macht über andere seitens ideologisch ausgerichteter Erzieher, andererseits auch auf das dem Menschen eigene Bedürfnis zurückzuführen sein, sich von inneren und äußeren Zwängen zu befreien. Als Kulturwesen zeigt der Mensch das Bestreben, alle Bereiche seines Daseins zu kultivieren. Das geht so weit, daß er möglichst jeder leiblichen Gebundenheit zu entrinnen trachtet. In Tänzen, wie zum Beispiel dem balinesischen Legong, zwingt er seinem Körper neue Bewegungskoordinationen auf, die zunächst so künstlich sind, daß sie dem Schüler durch Führung des Lehrers eingedrillt werden müssen. Schließlich beherrscht der Schüler dann die neuen Koordinationen. Offenbar genießt der Mensch diesen Triumph der Selbstbeherrschung. Was sich dieser Beherrschbarkeit entgegenstellt, bereitet ihm Ärger. Solche Unfreiheiten will der Mensch nicht wahrhaben. So kommt es, daß er seine Triebe, die vorgezeichneten Geschlechtsrollen, ja jegliches biologisches Verhaftetsein gerne übersieht. Er will sich emanzipiert wissen. Daß ihm eine solche Emanzipation um so besser gelingen kann, je mehr er über sich und das ihm Angeborene Bescheid weiß, entgeht im allzu leicht in seinem Bestreben, in einer Art Freiheitsgläubigkeit jegliches Verhaftetsein von vorneherein abzuleugnen.

Die Aussagen von Konrad Lorenz basieren im wesentlichen auf Tierbeobachtungen. Im Verlaufe dieser Untersuchungen stieß er auf zahlreiche verblüffende Analogien – Beispiele sind in dem Aufsatz über moralanaloges Verhalten bei Tieren und in der Arbeit über Ritualisierung zu finden. Man hat gegen diese Analogieschlüsse verschiedentlich Einwände erhoben. Liest man diese Kritiken allerdings sorgfältig, dann stellt man fest, daß deren Verfasser in der Regel mit der Methodik des biologischen Vergleichens nur recht unzureichend vertraut sind. Ihr Argument läuft im allgemeinen darauf hinaus, daß man wohl aus dem Verhalten der Menschenaffen für uns Menschen Relevantes erfahren könne, denn diese seien mit uns verwandt. Graugänse und Buntbarsche dagegen hätten allfällige Ähnlichkeiten mit dem Menschen, etwa im Paarbildungsverhalten und in der Brutpflege, ganz sicherlich unabhängig voneinander entwickelt. Schlüsse von einer Art auf die andere seien daher unzulässig.

Hier wird offensichtlich das Wesen der Analogieforschung verkannt. Wer stammesgeschichtlich altes Erbe im menschlichen Verhalten aufdecken möchte, also Homologieforschung betreibt, ist sicher gut beraten, sich in erster Linie mit anderen Primaten zu befassen. Wer jedoch gerade an den unabhängig von jeder Verwandtschaft gültigen, allgemeineren Gesetzlichkeiten des Verhaltens interessiert ist, etwa am Phänomen der Ritualisierung an sich, der tut gut daran, sich eben diese Erscheinung an möglichst vielen verschiedenen und keineswegs nur an näher miteinander verwandten Arten anzusehen. Aus der weiten verwandtschaftsunabhängigen Verbreitung gelangt er zu Aussagen über Regeln von allgemeingültigem Wert. Analogien spiegeln ja parallele Anpassungen an ähnliche Anforderungen seitens der Umwelt wider. Die die Ausprägung solcher Merkmale bestimmenden Funktionsgesetze sind daher in allen Fällen die gleichen. Analogieforschung vermittelt demnach Einblick in funktionelle Zusammenhänge. Der Analogieforscher geht in diesem Fall bei seinem Vergleich so vor wie ein Biotechniker, der die Funktionsgesetze ergründen will, nach denen Flügel gebaut sind. Er kann dazu so verschiedene Flügel wie jene der Insekten, die aus einer Epidermisfalte gebildet wurden, jene der Vögel, die eine umgebildete Tetrapodenextremität darstellen, und schließlich sogar die kulturell entwickelten Flügel eines Flugzeuges vergleichen. Das gilt ebenso für Verhaltensmerkmale wie Rangordnung, Monogamie und andere Besonderheiten der Sozialstruktur, auch für die vieldiskutierte innerartliche Aggression, die sich im Dienste des Abstandhaltens und der Verdrängung unabhängig bei den verschiedensten Tiergruppen entwickelte und die beispielsweise dennoch überall ähnliche Ritualisierungen erfährt, durch die der Mord am Artgenossen verhindert wird. Zwei der von uns ausgewählten Aufsätze befassen sich mit dieser Erscheinung.

Die im letzten Teil unserer Schriftensammlung abgedruckten Arbeiten kritisieren Zustände unserer Gesellschaft, die unsere weitere Existenz möglicherweise gefährden. Lorenz wies insbesondere auf jene Entwicklung hin, die wir als Involution negativ bewerten, obgleich deren Ergebnis ebenfalls perfekte Anpassung ist. Eine solche Entwicklung führte zum Beispiel zu den parasitischen Krebsen. Den Vertretern der Gattung *Sacculina* würde man ihre Krebsnatur wahrlich nicht mehr ansehen. Die den Hinterleib von Krabben durchwachsenden Parasiten bestehen nurmehr aus einem den Wirtskörper wurzelartig durchdringenden Gewebe und den Keimdrüsen. Nur die Larven der *Sacculina* verraten ihre Herkunft. Sie haben noch Augen, Ruderbeine, Antennen, ein koordiniertes Nervensystem, kurz alles, was Krebstiere als höher organisierte Gliedertiere auszeichnet. Haben sie sich am Wirt festgesetzt, verlieren sie alle diese Differenzierungen. Wir betrachten solche Entwicklungen, die zu einem Differenzierungsverlust führen, mit einer gewissen Abneigung. Aufgrund eines uns vielleicht angeborenen Wertempfindens bewerten wir Involutionserscheinungen negativ. Vielleicht ist dies eine Sicherung, die unsere Art vor ähnlichen Entwicklungen schützen soll und die uns hilft, unsere Differenziertheit und Universalität zu bewahren, ja vielleicht sogar zu steigern. Die Notwendigkeit einer solchen Absicherung ergibt sich unter anderem aus der Tatsache, daß der Mensch durch geänderte Auslesebedingungen Gefahr läuft, in einem Prozeß der Selbstdomestikation involutive Änderungen des Verhaltens und des Körperbaus zu erleben, die den Domestikationserscheinungen der Haustiere in manchen Punkten verblüffend ähneln.

Lorenz prangert des weiteren unsere Verschwendungssucht an. Wir vergeuden Rohstoffe, die sich in Jahrmillionen zu abbauwürdigen Vorkommen anhäuften, und speisen damit kurzfristig eine Bevölkerungsexplosion, die zur Zerstörung des biologischen Gleichgewichts und zum Zusammenbruch führen muß. Das ist keineswegs ein in der Natur einmaliger Vorgang. Der Mensch folgt hier blind der an sich bewährten Strategie des Lebensstromes, dessen Träger, angehcizt durch Konkurrenz, opportunistisch jede Möglichkeit zur Vermehrung der arteigenen Biomasse ausschöpfen. Durch diese ihm eigene Dynamik verästelt sich dieser Strom – bildlich gesprochen – über seine Ufer tretend in unzählige Rinnsale und drängt sich in alle nur möglichen ökologischen Nischen. Bevölkerungszusammenbrüche bremsen diese Entwicklung nur vorübergehend; und mag dabei die eine oder andere Art zugrunde gehen, der Strom bleibt erhalten. Es ist nur zu fragen, ob wir aus diesem blinden, unsere eigene Existenz gefährdenden Zufallsspiel aussteigen können. Theoretisch ist die Möglichkeit einer vernunftgesteuerten kulturellen Evolution durchaus gegeben. Eine solche vorausplanende Entwicklung könnte zu perfekter Anpassung führen, was allerdings die Gefahr enthält, daß als Ergebnis die adaptive Breite der Menschheit eingeengt würde. Die rasche Fähigkeit zu kultureller Anpassung könnte dies jedoch kompensieren.

Für die kulturelle Evolution gilt es, ein ausgewogenes Verhältnis zwischen bewahrenden und verändernden Kräften zu erreichen. Der jugendliche Mensch drängt mutig auf Veränderung, der ältere Mensch weiß um den Wert der Tradition, die Sicherheit und Geborgenheit vermittelt. Es ist ja auch unwahrscheinlich, daß von einer Generation auf die andere alles Überkommene auf einmal seine Angepaßtheit einbüßt. Daher wird es zweckmäßig sein, wenn der an sich als durchaus positiv zu bewertenden explorativen Aggression, die auf Veränderung drängt, konstruktiver Widerstand geleistet wird. Sie ist ja in ihrem Wesen nach zugleich auch Anfrage. Unterbleibt die Antwort, dann eskaliert die Anfrage, und die Gefolgsverweigerung kann bis zum Traditionsabriß führen. Ob der Leser mit allen Formulierungen der letzten Kapitel einverstanden ist oder nicht, die Ausführungen von Lorenz regen zum Nachdenken an; sie belegen das tiefempfundene Anliegen: die Sorge um die Zukunft des Menschen. Der Biologe will dazu gehört werden.

Anmerkung

1 Siehe dazu Hans Hass: Das Energon. Wien 1970, und H. Hass und H. Lange-Prollius: Die Schöpfung geht weiter. Stuttgart 1978.

Manfred Eigen/Ruthild Winkler

Schöpfung oder Offenbarung?

Der Göttinger Physiker Robert Wichard Pohl pflegte in seinen Vorlesungen nach Klarlegung eines Sachverhaltes zu sagen: »Und darüber kann man sich gar nicht genug wundern.« Er meinte damit nicht etwa den Umstand, daß ein gerade ausgeführtes Experiment gelungen war, was in der Tat zuweilen als Wunder erscheinen mochte, wenn man bedachte, mit wie einfachen Mitteln er auch die komplexesten Sachverhalte darzustellen wußte. Das Eindrucksvolle war, daß er den Satz aussprach, *nachdem* alles aufgeklärt schien, *nachdem* man gerade glaubte, sich nicht mehr wundern zu müssen.

Ist das »Sichwundern« nicht die Quelle aller Erkenntnis? Zuerst stehen wir staunend und hilflos zugleich vor dem Unbegreiflichen. Neugier und Wissensdrang wachsen, je tiefer wir in das geheimnisvolle Dunkel eindringen und je mehr Tatsachen erhellt werden. Nachdem wir sie zur Kenntnis genommen haben, beginnen wir zu sichten, zu vergleichen und zu korrelieren, um schließlich den übergeordneten Zusammenhang zu verstehen. Aber bedeutet das notgedrungen auch das Ende des Wunders? Werden auf diese Weise einmal alle Wunder aus unserem Leben verschwinden?

Der englische Neurophysiologe Herbert James Campbell[1] beschreibt in seinem Buch »The Pleasure Areas« all jene Erkenntnisse, die man im Laufe der letzten Jahre über die Lokalisation von Lust und Schmerz im Zentralnervensystem der höheren Lebewesen sowie über deren verhaltenssteuernde Rolle gewonnen hat. Der Titel der deutschen Übersetzung »Der Irrtum mit der Seele« suggeriert ein Ende allen »Sichwunderns«. Die aufregenden Ergebnisse der neurophysiologischen Forschung auf dem Gebiet der Empfindungen beinhalten keineswegs, daß das Wundervolle dadurch zu existieren aufhört, daß man es begreift. Das Erkennen von Zusammenhängen bringt nach wie vor keine Antwort auf die von Leibniz gestellte Frage: »Warum etwas und nicht nichts ist.«

Das zentrale Thema dieses Kapitels ist die »Wunder-volle« Ordnung des Lebenden, allerdings nicht so sehr im Sinne einer Ordnung in Raum und Zeit – obwohl das Leben in räumlicher Gestalt, obwohl es in zeitlichem Rhythmus in Erscheinung tritt – als vor allem im Sinne von Organisation, Information und Einzigartigkeit. Schon jedes einzelne Proteinmolekül repräsentiert eine »Singularität«; es wurde aus einer unübersehbar komplexen Vielfalt von alternativen Strukturen und Verbindungen ausgewählt, in denen dieselben Bausteine lediglich in geänderter Zusammenstellung und Reihenfolge »systematisch« geordnet sind. Wollte man alle möglichen Proteinstrukturen, jede mit einer einzigen Kopie, darstellen, so hätte man es mit einer Menge zu tun, die sich auch bei dichtester Packung im gesamten Universum nicht unterbringen ließe. Der Bruchteil von Proteinstrukturen, der in der gesamten Erdgeschichte je entstanden sein kann, ist tatsächlich so verschwindend klein, daß die Existenz effizienter Enzymmoleküle an cin Wunder grenzt.

Der Mensch ist bestrebt, »Wunder« sogleich einzuordnen. Er versieht sie mit einem Adjektiv und weist ihnen damit einen Platz in seiner Weltanschauung zu:

unbegreiflich	– Gott	– Religion
gesetzmäßig	– Materie	– Dialektik
zufällig	– Nichts	– Existentialismus

Diese Kombinationen sind keineswegs fixiert, die Begriffe können ohne weiteres auch in anderer Weise miteinander in Beziehung gebracht werden.

Gott und Naturgesetz: »Ich glaube an den Gott Spinozas, der sich in der Harmonie alles Seins erweist, nicht an einen Gott, der sich mit den Schicksalen und Handlungen von Menschen befaßt.«[2]

oder:

Nichts und Dialektik: »Wir stimmen überein in dem Punkt, daß es keine menschliche Natur gibt; anders gesagt, jede Epoche entwickelt sich nach dialektischen Gesetzen, und die Menschen sind von ihrer Zeit abhängig und nicht von einer menschlichen Natur.«[3]

Jacques Monod wendet sich – und wir meinen zu Recht – gegen jeden Versuch einer anthropozentrischen Deutung des Phänomens Leben, wie sie seiner Meinung nach den meisten Weltanschauungen und Religionen zu eigen ist. Er sieht im Animismus – »dem Bewußtsein, welches der Mensch aus der stark teleonomischen Wirkungsweise seines eigenen Zentralnervensystems ableitet und in die unbeseelte Natur projiziert« – schlichtweg eine Vergewaltigung jeder objektiven Erkenntnis.

Doch ist der Weg von einer Beschwörung des absoluten, blinden Zufalls[4]:

»Der reine Zufall, nichts als der Zufall, die absolute, blinde Freiheit als Grundlage des wunderbaren Gebäudes der Evolution ...«,

bis hin zur apriorischen Verbannung jeglichen Versuchs[5]:

»aufgrund von thermodynamischen Berechnungen zu beweisen, daß der Zufall *allein* die Auswahl in der Evolution nicht erklären kann«,

nicht weit. Ein solcher Versuch, wäre er erfolgreich, könnte in der Tat Monods Konzept zerstören, nämlich aus »objektiver wissenschaftlicher Erkenntnis« die Notwendigkeit »zu einer existentiellen Einstellung zum Leben und zur Gesellschaft« zu folgern. Ist dies nicht wieder der Versuch, eine auf den Menschen bezogene Seinslehre aus dem Verhalten der Materie abzuleiten, ein neuer Animismus also? Otto Friedrich Bollnow hat diese Lehre in bezug auf den Menschen folgendermaßen charakterisiert[6]:

»Wenn man den anthropologischen Grundsatz der Existenzphilosophie mit wenigen Worten zu umschreiben versucht, so könnte man ihn dahin bestimmen, daß es im Menschen einen letzten, innersten, von ihr mit dem für sie charakteristischen Begriff als *Existenz* bezeichneten Kern gibt, der sich grundsätzlich jeder bleibenden Formung entzieht, weil er sich immer nur im Augenblick realisiert, aber auch mit dem Augenblick wieder dahinschwindet. In der existentiellen Ebene, so heißt die Behauptung, gibt es grundsätzlich keine Stetigkeit der Lebensvorgänge und darum auch kein Bewahren des einmal Erreichten über den Augenblick hinaus und noch weniger darum einen stetigen Fortschritt, sondern immer nur den einzelnen Aufschwung, der sich aus der gesammelten Kraft im Augenblick vollzieht, und danach wieder den Absturz in einen Zustand uneigentlichen Dahinlebens, aus dem sich im späteren Augenblick gegebenenfalls ein neuer Aufschwung erheben kann.«

Wir sollten versuchen, die Frage nach dem »Gewicht« von Zufall und Notwendigkeit aus jeder ideologischen Polarisierung zu lösen, die ihr nur von denen aufgezwungen wurde, die aus der Antwort eine naturgesetzliche Rechtfertigung ihrer Argumentation erwarteten.

Es sind vor allem zwei Gesichtspunkte zu berücksichtigen:

1. Die Ordnungsrelationen, die sich aus dem zweiten Hauptsatz und seinen speziellen Anwendungen auf »offene« Nichtgleichgewichtssysteme ergeben, können nur statistisch interpretiert werden. Sie beziehen sich insbesondere auf eine Halbordnung (im Sinne der Mengenlehre), die unvergleichbare Alternativen enthält.

2. Die Zahl der möglichen Zustände ist so groß, daß sie innerhalb der räumlichen und zeitlichen Grenzen unseres Universums nicht »realisierbar« ist.

Aus diesen Gegebenheiten ist zu schließen, daß es zwar möglich ist, Gesetzmäßigkeiten in der Form von »Ordnungsrelationen« aufzustellen – etwa: »Die Entropie eines abgeschlossenen Systems nimmt zu, solange dieses nicht im Gleichgewicht ist«, oder: »Der Selektionswert in einem abgegrenzten ökologischen Raum (zum Beispiel dem Evolutionsreaktor) strebt einem Optimum zu, das den jeweiligen Umweltbedingungen angepaßt ist« – daß aber die dadurch festgelegte Ordnung durch eine große Zahl individueller Strukturvarianten gekennzeichnet sein muß. Denn die Zahl der insgesamt möglichen Alternativen ist so groß, daß jede tatsächliche, historische Abfolge in unserer begrenzten Wirklichkeit »individuelle« Einmaligkeit besitzen muß. Das Gesetz schreibt also lediglich vor, *daß* sich etwas in einer bestimmten Richtung vollzieht, nicht aber *wie* es im einzelnen geschieht.

Gerade dieses Verhalten wird durch die Prototypen unserer statistischen Kugelspiele repräsentiert. Allerdings vermögen uns diese auch nicht annäherungsweise einen Begriff von der Komplexität der Wirklichkeit zu vermitteln.

Ganz allein die historisch bedingte Einzigartigkeit ist es, auf die Monods Feststellung vom »absoluten und blinden Zufall« zutrifft. Sie ist hier absolut, da die Auslösung einer Mutation und ihre Bewertung auf ganz verschiedenen Ebenen erfolgen, was jede nur mögliche Kausalkette zwischen beiden Ereignissen ausschließt. Nichtsdestoweniger bleibt es bei einem vom Gesetz gesteuerten Ablauf. Die Zahl der »erlaubten« Routen, so groß sie absolut sein mag, ist relativ klein, wenn man sie mit der Gesamtzahl der möglichen vergleicht. Die durch selektive Bewertung erzwungene Vorzugsrichtung bedeutet eine enorme Einschränkung der aufgrund der Verzweigungen bestehenden Möglichkeiten. Gesetz bedeutet hier Lenkung, wenn nicht gar Zähmung des Zufalls. So sind auch wir Menschen ebensosehr das Produkt dieses Gesetzes wie das des historischen Zufalls, das heißt *weder* des einen *noch* des anderen *allein*.

Nun könnte man vielleicht einwenden, daß diese Einschränkung des Zufalls *quantitativ* immer noch nicht ausreicht, aus der historischen Tatsache der Existenz des Lebens ein im Prinzip wahrscheinliches Ereignis zu machen, das sich innerhalb der räumlichen und zeitlichen Grenzen der Erde (oder des Universums) mit endlichem Erwartungswert auch tatsächlich einstellt. Monod sagt hierzu: »Unsere Losnummer kam beim Glücksspiel heraus. Ist es da verwunderlich, daß wir unser Dasein als sonderbar empfinden – wie jemand, der im Glücksspiel eine Milliarde gewonnen hat?«

Dem müssen wir aber entgegenhalten:

Auf den Haupttreffer kam es zunächst gar nicht an; es mußte lediglich *irgendein* Treffer gezogen werden.

Hierfür ist allein entscheidend, wie viele Gewinnlose – im Verhältnis zu den Nieten – sich insgesamt im Loskasten befanden. Es sind die Gesetzmäßigkeiten der Selektion und Evolution, die die Zahl der Nieten begrenzten, die aufgrund des Konkurrenzverhaltens die Mehrzahl der Nieten von vornherein »aus dem Kasten fernhielten«. Jeder Glückstreffer bedeutete »Weiterspielen«, und zwar auf einer neuen »Gewinnebene«. So kam am Ende ein ansehnlicher Evolutionsgewinn, eben der Mensch, heraus.

Unter den Molekularbiologen herrscht keineswegs Einigkeit

darüber, *wie groß* die Wahrscheinlichkeit für das Eintreten der entscheidenden Ursprungsereignisse war. Letzten Endes werden solche Fragen allein durch das Experiment geklärt. Das geschieht nicht etwa, indem man versucht, die Evolution im Laboratorium nachzuvollziehen. Das wäre von vornherein ein aussichtsloses Unterfangen. Es geht vielmehr darum, das Experiment so zu gestalten, daß es eine einzelne, ausgewählte Frage an die Natur beantwortet. Erst mit Hilfe einer Theorie können die gewonnenen Einzelantworten zu einer Gesamtaussage zusammengefaßt werden. Man lernt dabei, welche Prozesse möglich sind und welche von vornherein ausgeschieden werden können. Die *historische Ereigniskette* kann jedoch auch auf diesem Wege im Detail niemals rekonstruiert werden.

Als wesentliches Ergebnis aller bisherigen Evolutionsexperimente finden wir eine große Fülle phänotypischer Ausdrucksmöglichkeiten auf der Ebene der biologischen Makromoleküle, und zwar nicht nur bei den funktionellen Strukturen, den Proteinen, sondern vor allem auch in den legislativen Bauplänen, den Nukleinsäuren. In jeder hinreichend großen Menge »de novo« synthetisierter Makromoleküle gibt es immer solche Varianten, die innerhalb der Population optimal den Umweltbedingungen angepaßt sind und daher reproduzierbar selektiert werden. Daraus ist zu schließen, daß die Selbstorganisationsfähigkeit der Materie bisher eher unter- als überschätzt wurde. Es ist wahrscheinlicher, daß »etwas« als daß »nichts« geschieht. Dieses Faktum verleiht der »Notwendigkeit« ein sehr viel größeres Maß an Bedeutung und damit der Tatsache der Evolution Gewißheit bzw. Unabwendbarkeit. Allerdings ist die individuelle Route dadurch nur noch unbestimmter – denn sie ist jetzt lediglich *eine von vielen möglichen*.

Erinnert uns das nicht sehr stark an eine Situation in der Statistik der Gleichgewichtszustände? Eine der wesentlichen Voraussetzungen für die Gültigkeit der Gesetzmäßigkeiten des Gleichgewichts ist die »Ergodizität«, die besagt, daß im Laufe der Zeit jeder Mikrozustand, also jede Detailkonstellation der statistischen Verteilung (in beliebiger Näherung) reproduziert wird. Beim Nachrechnen der Zeiten aber, die zur Reproduktion einer bis ins kleinste fixierten Verteilungskonstellation nötig sind – der Physiker nennt diese die (Poincaréschen) Wiederkehrzeichen –, kommt heraus, daß diese im allgemeinen größer als das Lebensalter des Universums sind, das ist größer als zehn Milliarden Jahre. Boltzmann berechnete, daß man für eine Reproduktion der Lagekoordinaten aller Atome innerhalb von zehn Å sowie für eine Reproduktion der Geschwindigkeiten innerhalb von 0,2 Prozent ihres mittleren Wertes in einem Kubikzentimeter eines verdünnten Gases (ca. $1/30$ des Atmosphärendrucks) bereits mehr als $10^{10^{19}}$ Jahre benötigen würde.

Ein anderes Beispiel ist die individuelle Verschiedenheit aller Kristalle aufgrund von Fehlordnungserscheinungen. Die in Abb. 1 gezeigten Schneekristalle unterscheiden sich deshalb voneinander, weil im Moment der Kristallisation sehr verschiedene Einbaumöglichkeiten der Wassermoleküle vorhanden sind. Eine Schneeflocke besteht aus (über) 10^{18} Wassermolekülen. Wäre nur ein Milliardstel dieser Moleküle im Kristall fehlgeordnet, so ergäbe das mehr als eine Milliarde Fehlstellen, die man in $10^{10\,000\,000\,000}$fach verschiedener Weise auf die 10^{18} Gitterplätze verteilen könnte.

Die Beispiele zeigen, daß auch *jede* mikroskopische Repräsentation eines Gleichgewichtszustandes als im Detail *einmalig* anzusehen ist. Diese individuelle »historische« Einmaligkeit widerspricht keineswegs der makroskopischen Gesetzmäßigkeit.

Auch die Evolution der Ideen und die Evolution der Gesellschaftssysteme haben ihre eigenen Gesetzmäßigkeiten, so wie sie ihre individuelle und auch »historische« Freiheit besitzen. *Wollten wir eine Ethik aus objektiver Erkenntnis allein ableiten, so sollten wir uns weder auf eine starre Ordnung eines gemäß den Eigenschaften »dialektischer Materie« vorgezeichneten (historischen) Weltablaufs noch auf die Willkür einer zufälligen Existenz berufen.*

Wenn wir von materieller »Selbstorganisation« sprechen [7], so meinen wir *nicht* eine aporische dialektische Begabung der Materie, von der – wenn es sie gäbe – ihre frühen Apologeten nicht die geringste Ahnung gehabt haben könnten. Es ist geradezu rührend festzustellen, wie sich in diesem Punkt selbst so ausgezeichnete Philosophen und Theoretiker des Marxismus wie

Max Raphael[8] winden, etwa indem sie zugestehen, daß der aller Materie innewohnende »Geist« anfänglich »sehr wenig entwickelt« gewesen sei, aber »doch schon die Fähigkeit abzubilden besessen haben müsse«, oder wie marxistische Physiker beflissen die auf die Eigenbewegung zurückzuführende »innere Widersprüchlichkeit« der Materie beschwören.

Wir verstehen – um es ganz klar zu sagen – unter »Selbstorganisation der Materie« nichts anderes als die aus definierten Wechselwirkungen und Verknüpfungen bei strikter Einhaltung gegebener Randbedingungen resultierende Fähigkeit spezieller Materieformen, selbstreproduktive Strukturen hervorzubringen. Dies ist als Voraussetzung für eine Evolution bis hin zur Ausbildung sozialer Systeme *notwenig*, doch *keineswegs hinreichend*, daraus auch die Unabdingbarkeit eines *bestimmten* historischen Ablaufs herzuleiten. So erscheint das apriorische Dogma von einer Dialektik der Materie als ein Hineininterpretieren von Eigenschaften, die erst auf höheren Organisationsstufen durch Superposition und Integration unter ganz spezifischen Bedingungen erworben werden.

Doch interpretiert auch Sartre die Materie in »animistischem« Sinne, wenn er sagt[9]:

»Die Welt der Objekte ist nur Anlaß von Mißgeschicken, ohne jegliche Handhabe, im Grund gleichgültig, ein dauernder Komplex von Wahrscheinlichkeiten, mit anderen Worten genau das Gegenteil von dem, was sie für den marxistischen Materialismus bedeutet.«

So wenig »objektive Erkenntnis« für die Begründung einer gesellschaftlichen Unabwendbarkeitslehre hergibt, so unbedeutend ist ihr Beitrag für die Untermauerung einer nihilistischen Seinslehre. So wenig die Naturwissenschaften einen Gottesbeweis hergeben, so wenig postulieren sie etwa, daß der Mensch »eines Gottesglaubens nicht bedarf«. Eine Ethik – so sehr sie mit Objektivität und Erkenntnis im Einklang sein muß – sollte sich eher an den Bedürfnissen der Menschheit als am Verhalten der Materie orientieren. Auch glauben wir nicht, daß eine ethische Ordnung absolut sein kann. Sie wird immer verschiedene

Aspekte haben und kann nicht einfach von ihren historischen Wurzeln abgeschnitten werden.

Komplementarität ist von Niels Bohr klar definiert worden: Ob in der Quantenmechanik die Antwort Welle oder Korpuskel lautet, hängt im Experiment einzig und allein von der Fragestellung ab. Der Physik ist diese Dichotomie nicht erspart geblieben, und aus der Biologie ist sie erst recht nicht fortzudenken. *Das Leben ist weder Schöpfung noch Offenbarung, es ist keines von beiden, weil es beides zugleich ist.*

Wie wollten wir dann aber den Anspruch auf absolute Gültigkeit einer Ethik der objektiven Erkenntnis erheben? Ob wir die »Gesetzlichkeit materiellen Daseins« oder das »All der menschlichen Ichheit« in den Vordergrund stellen, die »gerechte« menschliche Ordnung bedarf zu ihrer Verwirklichung nicht nur der objektiven – stets aber unvollkommenen – Erkenntis, sondern auch eines auf Hoffnung, Barmherzigkeit und Liebe bauenden Humanismus.

Anmerkungen

1 H. J. Campbell: Der Irrtum mit der Seele. (Original: The Pleasure Areas). München – Wien 1973.
2 Antwort Albert Einsteins auf die telegraphische Frage des New Yorker Rabbi H. S. Goldstein: »Glauben Sie an Gott?«
3 Jean Paul Sartre in einer Diskussion zu seinem Essay: »Ist der Existentialismus ein Humanismus?« (J. P. Sartre: Drei Essays. Frankfurt/M. – Berlin – Wien 1973).
4 J. Monod: Zufall und Notwendigkeit. München 1971.
5 J. Monod: L'évolution microscopique. Vortragsbericht Neue Zürcher Zeitung, 19. 2. 1975.
6 O. F. Bollnow: Existenzphilosophie und Pädagogik. Stuttgart 1959.
7 M. Eigen: Selforganization of Matter and the Evolution of Biological Macromolecules. In: Naturwissenschaften 58, 1971, S. 465–522.
8 M. Raphael: Theorie des geistigen Schaffens auf marxistischer Grundlage. Frankfurt/M. 1974.
9 J. P. Sartre: Drei Essays, a. a. O.

Bernhard Hassenstein
Erkunden, Neugierde, Spielen

Erkunden aus eigenem Antrieb, Neugierverhalten und Spielen bilden eine eigene, selbständige Gruppe von untereinander verwandten Verhaltensweisen. Bei vielen höher organisierten Säugetieren und auch beim Menschen ist ein ganzer Lebensabschnitt vorwiegend diesen Verhaltensweisen gewidmet: die Entwicklungsphase zwischen der frühen Kindheit und dem Erreichen des Erwachsenenalters.

Erkunden, Neugierverhalten und Spielen stehen zueinander in einem ähnlichen Verhältnis wie unregelmäßiges Suchen, gerichtete Annäherung und Endhandlung: *Erkunden* ist Herumstreifen und Wahrnehmen dessen, dem das Lebewesen begegnet; *Neugierverhalten* heißt *gerichtetes Aufsuchen* und Untersuchen von Gegebenheiten, die auffällig und unbekannt sind; beim *Spielen* schließlich liegt die Vielfalt im *Verhalten*, sei es beim Bewegungsspiel, beim Spiel mit Gegenständen oder mit Partnern.

1. Erkunden

Unregelmäßiges *Suchen* kommt als erster Teil des *Appetenzverhaltens* vor. Es kann mit dem *Kennenlernen* des beim Suchen durchstreiften Gebietes, also einem *Lernprozeß*, einhergehen und dadurch den Charakter des *Erkundens* bekommen. Die Impulse zu diesem Verhalten liefern in diesem Fall die Antriebe zur Nahrungsaufnahme, zur sexuellen Partnersuche usw.

Doch gibt es auch ein Erkunden aus eigenem Antrieb[1]. Hierfür drei Beispiele: Versetzt man ein Säugetier, z. B. einen Dachs, in eine fremde Umgebung, so wird er vielfach zunächst vom Erkundungsverhalten völlig beherrscht; das Tier geht erst dann zur Nahrungsaufnahme oder zum Spielen mit seinem menschlichen Partner über, wenn es seine neue Umgebung genau kennengelernt hat[2]. – Will man Goldhamster dressieren, z. B. um ihre Sinnesleistungen kennenzulernen, so ist die wirksamste Belohnung: sie gleich nach jeder »richtigen« Wahl auf einer Tischplatte zwischen den Klötzchen eines Baukastens herumlaufen, also ihrem Drang, Unbekanntes zu erkunden, folgen zu lassen[3]. – Haben Ratten ein verwickeltes Gangsystem (ein Labyrinth), ohne daß sie belohnt wurden, kennengelernt, so lernen sie später einen belohnten Weg darin schneller; sie hatten also zuvor ohne Belohnung aus eigenem Antrieb bereits Informationen aufgenommen und gespeichert, die sie jetzt anwenden können (latentes Lernen).

Das Erkunden geht vielfach auf besondere, artgemäße Weise vor sich: Hunde beschnuppern, Eichhörnchen benagen die Gegenstände ihrer Umgebung, um die für sie wichtigen Merkmale kennenzulernen; junge Schimpansen berühren neue Gegenstände bevorzugt mit den Händen und führen sie an die Lippen.

2. *Neugierverhalten*

Macht sich in einer an sich bekannten Umgebung etwas Neues bemerkbar, so kann es, falls es nicht abschreckend wirkt, bei den Vertretern mancher Tierarten ein *gezieltes* Erkunden auslösen, das man in Parallele zu dem entsprechenden menschlichen Antrieb *Neugierverhalten* nennt. Hierfür drei Beispiele:

Ein junger, von Menschen aufgezogener Wolf fand an jedem Morgen eine Schale mit Wasser zum Trinken vor. Eines Tages war, als er trinken wollte, zum erstenmal in seinem Leben im Wassernapf Eis, und er betastete es mit seiner Pfote. Gleich darauf wurde Wasser zum Trinken darübergeschüttet. Der Wolf begann aber daraufhin nicht, wie sonst, sofort zu trinken, sondern steckte erst wieder die Pfote hinein und untersuchte das Eis abermals. Hier setzte sich also die Neugierde gegen eine andere (wenn auch vielleicht nur schwach aktivierte) Verhaltenstendenz durch. – Eine nicht hungrige Maus findet einen Nahrungsbrocken; sie untersucht ihn, prüft seinen Geschmack, läßt ihn dann aber liegen (vielleicht um ihn bei Hunger wieder zu suchen und zu verzehren). – Die Neugierreaktion tritt bei Schimpansen so zuverlässig ein, daß man darauf eine Methode gründete, ihr visuelles Unterscheidungsvermögen zu untersuchen: Erkennen Schimpansen an einem ihnen vorgelegten Gegenstand, der einem schon bekannten ähnelt, einen Unterschied, so untersuchen sie ihn neugierig; bemerken sie keinen Unterschied, so bleiben sie gleichgültig (»oddity method«).

3. Spielen

Erkunden und Neugierverhalten gehen fließend ins Spielen über, vor allem sofern ein neugiererregender Gegenstand oder ein Partner irgend etwas mit sich machen läßt oder wenn auf ein eigenes Verhaltenselement irgendwelche Reaktionen aus der Umwelt folgen. Das Spielen umschließt angeborenes und erlerntes Verhalten. Es umfaßt so viele Handlungsvarianten wie sonst keine Verhaltensweise, und es kann Elemente aus allen übrigen Verhaltensbereichen enthalten. Manche angeborenen Verhaltensweisen erscheinen, wenn sie im Spiel vorkommen, in etwas abgewandelter Form; diese Änderungen sind dann von der Art, daß sie das betreffende Verhalten zu einem geeigneten Bestandteil des Spielens machen.

Daß das Spielen den Schwerpunkt einer Phase der Jugendentwicklung ausmacht, wird an anderer Stelle ausführlich beschrieben, vor allem am Beispiel junger Löwen. Die folgende Zusammenstellung von Verhaltenselementen des Spielens ist darauf angelegt zu zeigen, inwiefern die innere Organisation des Spielverhaltens dem biologischen Ziel dient, anwendbare Erfahrung zu gewinnen. Dabei folge ich im wesentlichen der Schweizer Verhaltensforscherin M. Meyer-Holzapfel[4]. Mehrere Beispiele stammen von jungen Wölfen, die von dem amerikanischen Ehepaar L. und F. Crisler[5] in der Tundra Alaskas, dem natürlichen Lebensraum der Wölfe, aufgezogen und beobachtet wurden; diese Tiere hatten zuvor niemals erwachsene Wölfe gesehen.

Spiel-Appetenz. Es gibt ein speziell auf Spielen gerichtetes *Appetenzverhalten* sowie besondere Gesten der Spielaufforderung (manche angeboren, andere erlernt). Zootiere betteln um Spiel mit dem Wärter. Jeder Hundekenner weiß von seinem Hund, welche Gebärden bei ihm der Spielaufforderung dienen. Tiermütter, z. B. die Löwin, fordern ihre Jungen zum Spielen auf (und umgekehrt).

Angeborene Anteile des Spielens. Als angeboren lassen sich bei spielenden jungen Löwen *Anschleichen* und *gezieltes Anspringen* des Beutetiers(= Spielpartners) erkennen; es entwickelt sich schon zu Zeiten, wo es noch nicht bei den Erwachsenen beobachtet und durch Nachahmung erlernt werden kann. Im Verfolgungsspiel jagen sich junge Eichhörnchen gegenseitig wie bei »ernster« Flucht derart, daß das fliehende Tier stets die Sicht-Deckung vor dem Verfolger, z. B. hinter einem Baumstamm, zu erlangen sucht[6]. Junge Robben verfügen über Spielelemente, die sonst nur bei Landraubtieren vorkommen[7]. Das hängt sicherlich damit zusammen, daß die Robben stammesgeschichtlich aus Landraubtieren hervorgegangen sind; von ihnen dürften auch die Spielhandlungen noch herstammen. Sie sind mit Sicherheit genetisch vererbt; Nachahmung ist hier ausgeschlossen, weil die erwachsenen Tiere keinerlei Vorbild für diese Spiele liefern.

Angeborene Verhaltenselemente im Spiel vor dem Reifen der zugehörigen Bereitschaft. Im Spiel von Tierjungen kommen Teilhandlungen aus Verhaltensbereichen vor (z. B. aus dem Beutefang- und Sexualverhalten), für welche die inneren Bedingungen erst im Erwachsenenalter voll ausreifen. Ein Beispiel: Ein älteres Löwenjunges, das im Spiel schon Beutefanghandlungen ausführte, fand zufällig eine neugeborene Gazelle, die nicht flüchtete. Der kleine Löwe faßte sie am Nacken und schüttelte sie, zeigte damit also das angeborene Verhaltenselement »Totschütteln«. Hatte er »Blut geleckt«? Würde er zum Ernstverhalten übergehen und die Beute zerreißen? Nein, er trug sie zu den anderen Jungtieren und forderte diese mit Schwanzschlagen zur spielerischen Verfolgung auf[8]! Das Tier hatte also zwar »Beutefang« am passenden Gegenstand ausgeführt, aber die zum Ernstfall gehörigen weiteren Verhaltensweisen wie Töten, Zerreißen und Nahrungsaufnahme blieben aus. Die beim erwachsenen Tier für den Beutefang zuständige

Bereitschaft war also nicht aktiviert, und zwar sicherlich darum, weil sie noch gar nicht ausgereift war. Die kleine Gazelle wurde nicht als Beute, sondern als Spielobjekt behandelt.

Im Spiel abgewandelte angeborene Verhaltenselemente. Angeborenes Verhalten offenbart sich im Rahmen des Spielens bisweilen in abgewandelter Form: Angriffs- und Kampfverhalten ist dahingehend abgeändert, daß die Spielpartner einander nicht verletzen. Hierher gehören die »Beißhemmung« des spielenden Hundes und die eingezogenen Krallen beim Prankenschlag spielender Löwen. Durch die Abwandlung der verletzenden angeborenen Verhaltenselemente werden die Verhaltensweisen des Beutefangs im sozialen Spiel durchführbar; denn jetzt können Spielpartner die Rolle von Beutetieren spielen, ohne dabei gefährdet zu werden. Nur das Töten der Beute kann durch spielerische Erfahrung mit Artgenossen nicht vervollkommnet werden.

Im Spiel abgewandelte innere Faktoren (Valenz, Dynamik). Wenn angeborenes Verhalten im Spiel vorkommt, so können seine inneren verhaltenssteuernden Bedingungen andere funktionelle Eigenschaften aufweisen. Das ist beim Verfolgungsspiel augenfällig: Im Ernstfall versucht der Verfolgte, dem Gegner zu entkommen; wenn das gelungen ist, erlischt die Fluchtbereitschaft mehr oder weniger bald. Im Spiel dagegen läuft der Flüchtende zwar mit aller Kraft; wenn aber der Partner von der Verfolgung abläßt, so versucht er ihn zu erneuter Verfolgung anzureizen. Der Verfolger wird also nicht gemieden, sondern geradezu gesucht. Seine Valenz hat im Ernstfall und im Spiel das »umgekehrte Vorzeichen«. Durch die spielbedingte Umkehrung des Vorzeichens der Valenz des Verfolgers wandelt sich das Fluchtverhalten zum *Spiel zwischen Partnern*, die trotz des Fliehens räumlich zusammenbleiben und das Spiel beliebig lange fortsetzen können. Dazu kommt, daß die Rollen des Verfolgers und des Fliehenden oft sprunghaft wechseln; hierin liegt eine für das Spielen kennzeichnende Dynamik, die dem Ernstverhalten nicht zukommt.

Offenheit des Spiels für Anreize jeder Art. Bei besonders spielbegabten Tierarten kann fast jedweder Sinneseindruck, insbesondere wenn er auffällig und für das Lebewesen neu ist, spielerisches Verhalten anregen: Einer der von den Crislers aufgezogenen jungen Wölfe blieb während eines Spazierganges lange bei einer frisch aufgeblühten roten Blüte stehen, streifte mit der Nase darüber und berührte sie mit der Pfote. Die von dem Zoologen Gustav Kramer freifliegend gehaltenen Kolkraben »beschäftigten sich« mit den verschiedensten Dingen: Sie jagten einer Bachstelze nach, hoben blaue Papierschnitzel auf, stahlen eine Pfeife aus dem Zimmer oder zerrissen Windeln, die zum Trocknen aufgehängt waren. Vielleicht kommen sogar alle Wahrnehmungen, die überhaupt von Sinnesorganen gemacht werden können, als Anreize für das Spielen in Frage, einschließlich der Rückmeldungen aus dem eigenen Körper über besondere Haltungen und Bewegungen, z. B. bei Bewegungsspielen.

Umweltreaktionen veranlassen Wiederholen der Spielhandlungen. Spielverhalten neigt schon von sich aus zur Wiederholung von Einzelhandlungen (»Funktionslust«). Das steigert sich noch, sobald die Gegenstände oder Partner auf eine Spielhandlung in irgendeiner Weise *reagieren*, wenn also ein besonderer Laut entsteht, das Spielobjekt einen besonderen Anblick bietet oder der Spielpartner etwas Auffälliges tut. Reaktionen der Umwelt wirken gleichsam als »Belohnung«. So gefiel sich eine Großstadt-Taube darin, Nägel aus einem Kasten auf einer Baustelle zu nehmen und sie in ein metallenes Regen-Fallrohr fallen zu lassen, wo sie klirrende Töne verursachten. Hiermit hängt auch zusammen, daß das Spielen eines Partners seine Altersgenossen zum Mitspielen anregt; Spielen ist »ansteckend«. – Das spielbedingte Reagieren auf jedwedes Geschehnis, das auf irgendeine eigene Aktivität folgt, und die Art dieses Reagierens, nämlich das Wiederholen des soeben durchgeführten eigenen Verhaltens, lassen die Lebewesen gesetzmäßige Konsequenzen ihres eigenen Verhaltens kennenlernen. In diesem angeborenen Funktionsprinzip ist eine Verfahrensregel des naturwissenschaftlichen Experimentierens vorweggenommen: Allein das *Wiederholen* von Experimenten befähigt dazu, zufälliges Zusammentreffen von gesetzmäßigen Beziehungen zu unterscheiden.

Spielbedingte Tendenz zum Abwechseln und zum Abwandeln

von Spielhandlungen. Zugleich neigt Spielverhalten aber auch zum häufigen Wechseln und zum Abwandeln des Verhaltens gegenüber Gegenständen oder Spielpartnern. Dabei geht der Übergang von einer Verhaltensweise zu einer anderen, vielleicht sogar entgegengesetzten, z. B. von Flucht zur Verfolgung und umgekehrt, im Spiel anders, und zwar viel schneller vor sich als im Ernstfall. Körperbewegungen werden, vor allem bei Affen und Menschenaffen, in so vielfältiger Weise abgewandelt, wie das motorisch nur irgend möglich ist (Klettern, Purzelbäume). Auch die uns schon bekannten jungen Wölfe zeigten besonders vielfältige *Bewegungsspiele*: Abhänge hinauf- und hinunterlaufen; Purzelbäume vornüber, rückwärts und seitlich; ein Jungtier faßte ein anderes mit dem Fang am Hinterbein, legte sich auf die Flanke und ließ sich einige Meter weit mitschleifen. Kennzeichnend für das Spielen der *Schimpansen* ist es, daß sie mit einem neu in ihren Bereich gelangten Gegenstand zunächst alles tun, was ihnen motorisch möglich ist, vom Prüfen mit den Zähnen bis zum Reiben an der eigenen Haut oder am Untergrund. Ein Schimpanse, der einen Bleistift erhielt, fand auf diese Weise, daß dieser beim Reiben Farbe abgab. Dieser unerwartete Effekt führte ihn zu einer neuen Richtung seines Spiels: Er bemalte die ganze Umgebung und versuchte, auch sich selbst schwarz zu färben.

Erlernte und erfundene Spiele, Spielmoden. Als *erlernt* offenbaren sich vor allem solche Spiele, die ein Tier neu »erfindet« und dann lange Zeit als »Mode« beibehält. Bei mehreren Tierarten (Gemsen, Fischottern, Dachsen) wurde beobachtet, daß sie steile Abhänge im Schnee herunterrutschen oder eine Schlitterbahn auf Eis benutzen, beides in dauernder Wiederholung. Seelöwen warfen – auch in freier Natur – Steinchen in die Luft und fingen sie wieder auf. Von den beiden zusammen aufgezogenen jungen Wölfen begann oft der eine zu graben, blickte zum Spielgefährten, ob er zusähe, wühlte dann betont heftig weiter, hielt inne und schnüffelte, als ob er einer Maus auf der Spur wäre; er tat dies so lange, bis der andere herbeikam, um zu sehen, was er habe. Dieses Spiel – einmal »erfunden« – wurde in der Folge lange Zeit häufig wiederholt.

Schwache Durchsetzungsfähigkeit gegen andere Verhaltens-

tendenzen. Die drei zusammengehörenden Verhaltensweisen Erkunden, Neugierverhalten und Spielen besitzen wie sonstiges Verhalten die Fähigkeit, sich gegen andere Verhaltenstendenzen durchzusetzen; doch ist diese Durchsetzungsfähigkeit im allgemeinen nur schwach im Vergleich zu allen anderen Bereitschaften, die ja in der Regel *aktuellen* biologischen Bedürfnissen dienen. Ein Beispiel, in dem sich eine Spielhandlung doch gegen wenn auch geringfügige Angst durchsetzte, stammt wieder von einem der jungen Wölfe: Er trat zufällig auf einen stäubenden Bovist, sprang zunächst erschreckt zurück, ging aber vorsichtig gleich wieder heran und patschte mit der Pfote noch einmal darauf. – Wenn aber wirkliche Furcht aufkommt, wird jedes Erkunden, Spielen und spielerische Nachahmen sofort unterdrückt.

Nachahmen im Rahmen des Spielens. Im Rahmen des Spielens besteht bei höheren Säugetieren die Tendenz, Wahrgenommenes (Akustisches und Visuelles) nachzuahmen, vor allem das Verhalten der Elterntiere. Die spielerische Tendenz, das Verhalten von Artgenossen *nachzuahmen*, dabei also Wahrgenommenes in eigenes Verhalten zu übersetzen und es dabei zugleich zu lernen, gesellt der Weitergabe von genetischer Information die biologische Basis für das Tradieren erworbener Information hinzu.

4. Verhaltensweisen des Spielbereichs: Zusammenfassende Betrachtung

Wollte jemand den Lehrsatz aufstellen: Alle Verhaltensweisen der Tiere dienen *unmittelbar* bestimmten Notwendigkeiten – die Existenz der Verhaltensweisen des Spielbereichs würde ihn widerlegen. Das Gegenteil ist der Fall: Treten während des Spielens starke aktuelle Bedürfnisse auf wie Hunger oder Gefahr, so wird das Spiel sofort abgebrochen. Das Spielen scheint sogar den grundlegenden Lebensbedürfnissen eher zu widersprechen: Es *verbraucht Stoffwechselenergie*; und Spielen ist sicherlich *gefährlicher* als Nichtstun. Spielerisches Verhalten scheint nur um seiner selbst willen da zu sein; im Haushalt der

Natur erscheint es wie ein Luxus. Trotzdem bildet es gerade bei höchststehenden Tieren den wesentlichen Inhalt einer ganzen Entwicklungsphase. Wir fragen: Welchen biologischen Sinn haben die Verhaltensweisen des Spielbereichs?

Vielfalt der spielerischen Verhaltenssteuerung. Im Bereich des spielerischen Verhaltens kommen dermaßen unterschiedliche Prinzipien der Verhaltenssteuerung nebeneinander vor, daß man darin zunächst gar keine gemeinsamen Gesichtspunkte findet. Das zeigt sich besonders deutlich, wenn man einige der Kurzformulierungen, die die einzelnen Absätze der vorangegangenen Seiten einleiten, unmittelbar nebeneinanderstellt:

- Angeborene Anteile des Spielens
- Im Spiel abgewandelte innere Faktoren
- Offenheit des Spiels für Anreize jeder Art
- Umweltreaktionen veranlassen das Wiederholen der Spielhandlungen
- Tendenz zum Abwechseln und Abwandeln von Spielhandlungen
- Erlernte und erfundene Spiele, Spielmoden
- Schwache Durchsetzungsfähigkeit gegen andere Verhaltenstendenzen
- Nachahmen im Rahmen des Spielens.

Man könnte in dieser Zusammenstellung sogar gewisse Widersprüche sehen: zwischen den angeborenen Anteilen des Spiels und der Offenheit für Anreize jeder Art; sowie zwischen der Wiederholungstendenz (im Fall von Umweltreaktionen) und der Tendenz zum Abwechseln. Durch bloßes Vergleichen der Funktionsprinzipien kommen wir dem Verständnis des Spielbereichs nicht näher.

Aktionsprogramm zum Gewinnen von Erfahrung. Die scheinbar zusammenhanglose Vielfalt bekommt jedoch sofort einen Sinn, wenn man sie als naturgegebenes Aktionsprogramm zum Kennenlernen der Umwelt, zum Entwickeln und Erhalten der motorischen Geschicklichkeit und zum Aneignen von Fähigkeiten älterer Artgenossen auffaßt. Unter Verwendung des Informationsbegriffs läßt sich das auch so ausdrükken: Alle genannten Verhaltenselemente tragen unmittelbar oder mittelbar dazu bei, daß die Lebewesen aktiv Information

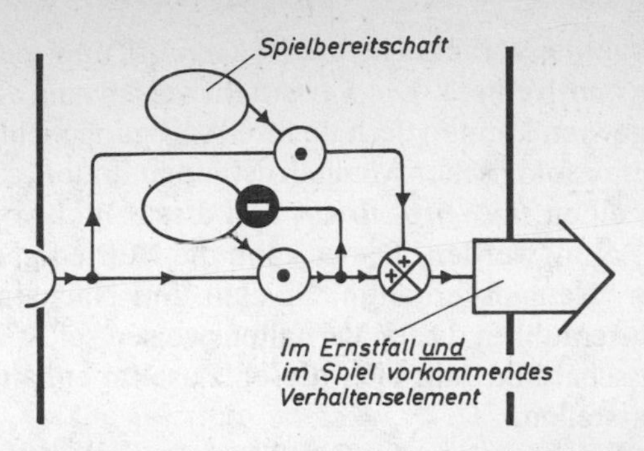

Abb. 1. Stark vereinfachtes, idealisiertes Funktionsschaltbild für die funktionelle Einbindung einer eigenen Bereitschaftsinstanz für das Spielen. Der Funktionsweg »umgeht« gleichsam die ursprüngliche, »eigentliche« Bereitschaftsinstanz für solche Verhaltenselemente, die sowohl in Abhängigkeit von ihrem primären Antrieb als auch im Spiel vorkommen.

gewinnen und speichern. Man kann die Verhaltenselemente, eines nach dem anderen, durchgehen und wird diese Aussage bei jedem einzelnen bestätigt finden.

Faßt man den Bereich des Spielverhaltens als *aktiven Informationserwerb* auf, so paßt dazu auch die Offenheit gegenüber Sinneseindrücken und Verhaltensweisen aller Art, auch solchen, die gewiß keinen Überlebenswert für die betreffenden Tiere gewinnen können: Die beste Strategie, um *anwendbare* Information zu gewinnen, besteht ja darin, *möglichst unbeschränkt* Information aufzunehmen; denn unter dieser Voraussetzung ist darin mit der größten Wahrscheinlichkeit auch die nützliche Information enthalten. Dies erklärt in den Augen des Biologen, warum die Selektion (natürliche Auslese) die Entwicklung eines Verhaltenssystems zum Gewinnen von Information zugelassen hat, das keine Auswahl zwischen »voraussichtlich nützlich« und »biologisch wertfrei« trifft.

Daraus folgt etwas besonders Wichtiges: Das biologische *Funktionsziel*, um dessentwillen sich das Spielverhalten im Daseinskampf erhält, kann in der *Verhaltenssteuerung* gar nicht repräsentiert oder programmiert sein; denn kein natürlicher Antrieb für ein Verhalten kann von dessen *möglichem* und zukünftigem Nutzen gesteuert werden (allein der Mensch hat eine beschränkte Voraussicht in die Zukunft und leitet daraus Verhaltensmotive her). Die Verhaltensweisen zum aktiven Erfahrungsgewinn können deshalb ihre Anregung nicht in gegenwärtigen physiologischen Mangelzuständen finden, sondern sie brauchen einen *eigenen Antrieb*; und dieser muß von sich aus (spontan) aktiv werden. Daher kann die Befriedigung für das Erkunden, Neugierverhalten, Spielen und Nachahmen auch nur im Durchführen dieser Verhaltensweisen selbst liegen. Im Funktionsschaltbild läßt sich dieser Zusammenhang wie auf Abb. 1 darstellen.

Die Verhaltensweisen des Spielbereichs sind also – nach der hier vorgetragenen Auffassung – auf möglichen *zukünftigen* Nutzen zugeschnitten; ihr biologischer Wert liegt nicht im jeweiligen Augenblick. Hiernach ist es auch verständlich, warum im Ernstfall alle sonstigen biologischen Triebbefriedigungen Vorrang haben (was in der nur schwachen Hemmwirkung der Verhaltenstendenzen des Spielbereichs gegenüber allen anderen Verhaltenstendenzen zum Ausdruck kommt). Zukunftsbezogenes Verhalten füllt – in der Regel – sinnvollerweise nur die Pausen zwischen den Handlungen aus, die der aktuellen Lebensbewältigung dienen.

Die in den letzten beiden Absätzen dargelegten Eigenschaften der Verhaltenssteuerung im Bereich »aktiver Informationserwerb« gelten jedoch nicht nur hier, sondern sind weit verbreitet: Auch ein Fuchs oder ein Eichhörnchen, die Vorräte anlegen, handeln für ihre eigene Zukunft; und eine Grabwespe, die Raupen zur Ernährung ihrer Larven einträgt, oder ein Vogel, der sein Nest baut, handeln nicht einmal für die *eigene* Zukunft, sondern für die ihrer Nachkommen. Auch hier ist die innere Antriebsinstanz nicht an die Gegenwart von physiologischen Mangelzuständen gebunden.

Nach der dargestellten Auffassung ist der Spielbereich – als ein sinnreiches System aus unterschiedlichen Einzelfunktionen – auf folgendes zugeschnitten: die Lebewesen, ohne sie zu gefährden, ein Höchstmaß von Erfahrungen machen zu lassen und dabei die allgemeine Geschicklichkeit zu vervollkommnen und durch »Training« auf ihrem Stand zu halten. Die vier Verhaltensweisen Erkunden, Neugierde, Spielen und Nachahmen

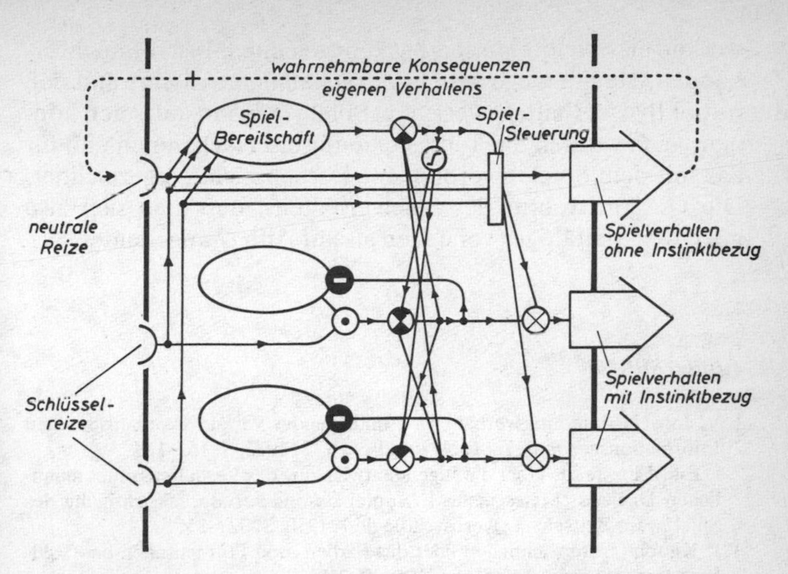

Abb. 2. Idealisierte, stark vereinfachte Darstellung einiger Funktionselemente des Spielverhaltens. In dem Teilsystem »Spielsteuerung« sind viele nicht gesondert formulierte Steuerfunktionen repräsentiert, z. B. das Abwechseln zwischen verschiedenen Spielhandlungen.

erfüllen diesen biologischen Sinn gerade dadurch am besten, daß sie zum Teil auf *Offenheit* und damit auf *mögliche* Anwendung jedes einzelnen Informationsgewinns ausgerichtet sind. Sie müssen folglich ihre *augenblickliche* Befriedigung in sich selbst tragen.

Funktionsschaltbild für das Spielverhalten, Abb. 2, versucht, einige kennzeichnende Aspekte des Spielverhaltens in einem Funktionsschaltbild darzustellen: Eine *eigene Instanz der Spielbereitschaft* aktiviert instinktives Verhalten unter Umgehung von dessen eigenen Bereitschaftsinstanzen. In diesem Funktionsschaltbild sind ferner berücksichtigt: die relative Schwäche der von der Spieltendenz ausgehenden Hemmwirkungen durch ein *Begrenzungselement* an den betreffenden Bahnen, sowie die Wiederholungstendenz nach Umweltreaktionen durch einen über die Außenwelt geschlossenen *positiven Rückwirkungskreis.* Im Schaltbild blieb jedoch unberücksichtigt, daß die als Spielbereitschaft gekennzeichnete Instanz auch Erkunden, Neugierverhalten und Nachahmen aktiviert und daß instinktive Verhaltensweisen im Spiel *verändert* auftreten können; auch wurden die Teilsysteme für das Nachahmen und für das mit dem Spielen verbundene Lernen nicht eingezeichnet. Die Gesamtstruktur des Spielverhaltens muß man sich also noch weit vielfältiger vorstellen als auf Abb. 2 angedeutet.

Anmerkungen

1 V. Johst: Erkundungsverhalten – grundlegendes Verfahren organismischen Informationsgewinns. In: Biol. Rundschau 13, 1975, S. 161–173.
2 I. Eibl-Eibesfeldt: Über die Jugendentwicklung des Verhaltens eines männlichen Dachses (Meles meles L.) unter besonderer Berücksichtigung des Spieles. In: Zeitschr. f. Tierpsychologie 7, 1950, S. 327–355.
3 J. Knopp: Untersuchungen über das Farben- und Formensehen bei Goldhamstern. In: Zool. Beiträge 1, 1954, S. 219–239.
4 M. Meyer-Holzapfel: Über die Bereitschaft zu Spiel- und Instinkthandlungen. In: Zeitschr. f. Tierpsychologie 13, 1956, S. 442–462.
5 L. Crisler: Wir heulten mit den Wölfen. Wiesbaden 1960; Taschenbuch dtv Nr. 74 (gekürzt).
6 I. Eibl-Eibesfeldt: Beobachtungen zur Fortpflanzungsbiologie und Jugendentwicklung des Eichhörnchens (Sciurus vulgaris L.). In: Zeitschr. f. Tierpsychologie 8, 1951, S. 370–400.
7 K. M. Schneider: Von südafrikanischen Seebären. In: Der Zool. Garten NF 14, 1942, S. 69.
8 R. Schenkel: Play, exploration and territoriality in the wild lion. In: Jewell, P. A., und Loizos, C.: Play, Exploration and Territory in Mammals. London/New York (Academic Press) 1966.
9 Dieses Schaltbild ist mit den Lernschaltbildern (Abb. 21, 24 usw.) des Bandes, dem dieser Beitrag entnommen wurde, kombiniert zu denken.

Werner Heisenberg
Die Bedeutung des Schönen in der exakten Naturwissenschaft[1]

Wenn ein Vertreter der Naturwissenschaft bei einer Veranstaltung der Akademie der Schönen Künste das Wort nehmen soll, so kann er es kaum wagen, zum Thema Kunst Meinungen zu äußern; denn die Künste liegen ja seinem eigenen Arbeitsgebiet fern. Aber vielleicht darf er das Problem des Schönen aufgreifen. Denn das Epitheton »schön« wird hier zwar zur Charakterisierung der Künste verwendet, aber der Bereich des Schönen reicht ja über ihr Wirkungsfeld weit hinaus. Er umfaßt sicher auch andere Gebiete des geistigen Lebens; und die Schönheit der Natur spiegelt sich auch in der Schönheit der Naturwissenschaft.

Vielleicht ist es gut, wenn wir zunächst ohne jeden Versuch einer philosophischen Analyse des Begriffs »schön« einfach fragen, wo im Umkreis der exakten Wissenschaften uns das Schöne begegnen kann. Hier darf ich vielleicht mit einem persönlichen Erlebnis beginnen. Als ich als kleiner Junge die untersten Klassen des Max-Gymnasiums hier in München besuchte, interessierte ich mich für Zahlen. Es machte mir Freude, ihre Eigenschaften zu kennen, z. B. zu wissen, ob sie Primzahlen seien oder nicht, und zu probieren, ob sie vielleicht als Summen von Quadratzahlen dargestellt werden können, oder schließlich zu beweisen, daß es unendlich viele Primzahlen geben muß. Da mein Vater nun meine Lateinkenntnisse viel wichtiger fand als meine Zahleninteressen, brachte er mir einmal von der Staatsbibliothek eine lateinisch geschriebene Abhandlung des Mathematikers Kronecker mit, in der die Eigenschaften der ganzen Zahlen in Beziehung gesetzt wurden zu dem geometrischen Problem, einen Kreis in eine Anzahl gleicher Teile zu teilen. Wie mein Vater gerade auf diese Untersuchung aus der Mitte des vorigen Jahrhunderts verfallen ist, weiß ich nicht. Aber das Studium der Kroneckerschen Abhandlung machte mir einen tiefen Eindruck; denn ich empfand es ganz unmittelbar als schön, daß man aus dem Problem der Kreisteilung, dessen einfachste Fälle uns ja aus der Schule bekannt waren, etwas über die ganz andersartigen Fragen der elementaren Zahlentheorie lernen konnte. Ganz in der Ferne glitt wohl auch schon die Frage vorbei, ob es die ganzen Zahlen und die geometrischen Formen gibt, d. h. ob es sie außerhalb des menschlichen Geistes gibt oder ob sie nur von diesem Geist als Werkzeuge zum Verständnis der Welt gebildet worden sind. Aber über solche Probleme konnte ich damals noch nicht nachdenken. Nur der Eindruck von etwas sehr Schönem war ganz direkt, er bedurfte keiner Begründung oder Erklärung.

Aber was war hier schön? Schon in der Antike gab es zwei Definitionen der Schönheit, die in einem gewissen Gegensatz zueinander standen. Die Kontroverse zwischen diesen beiden Definitionen hat besonders in der Renaissance eine große Rolle gespielt. Die eine bezeichnet die Schönheit als die richtige Übereinstimmung der Teile miteinander und mit dem Ganzen. Die andere, auf Plotin zurückgehend, ohne jede Bezugnahme auf Teile, bezeichnet sie als das Durchleuchten des ewigen Glanzes des »Einen« durch die materielle Erscheinung. Wir werden uns bei dem mathematischen Beispiel zunächst an die erste Definition halten müssen. Die Teile, das sind hier die Eigenschaften der ganzen Zahlen, Gesetze über geometrische Konstruktionen, und das Ganze ist offenbar das dahinterstehende mathematische Axiomensystem, zu dem die Arithmetik und die Euklidische Geometrie gehören; also der große Zusammenhang, der durch die Widerspruchsfreiheit des Axiomensystems garantiert wird. Wir erkennen, daß die einzelnen Teile zusammenpassen, daß sie eben als Teile zu diesem Ganzen gehören, und wir empfinden die Geschlossenheit und Einfachheit dieses Axiomensystems ohne jede Reflexion als schön. Die Schönheit hat also zu tun mit dem uralten Problem des »Einen« und des »Vielen«, das – damals in engem Zusammenhang mit dem Problem von »Sein« und »Werden« – im Mittelpunkt der frühen griechischen Philosophie gestanden hat.

Da auch die Wurzeln der exakten Naturwissenschaft eben an

dieser Stelle liegen, wird es gut sein, die Denkbewegung jener frühen Epoche in groben Umrissen nachzuzeichnen. Am Anfang der greichischen Naturphilosophie steht die Frage nach dem Grundprinzip, von dem aus die bunte Vielfalt der Erscheinungen verständlich gemacht werden kann. Die bekannte Antwort des Thales »Wasser ist der materielle Urgrund aller Dinge« enthält , so seltsam sie uns anmutet, nach Nietzsche drei philosophische Grundforderungen, die in der späteren Entwicklung wichtig geworden sind; nämlich erstens, daß man nach einem solchen einheitlichen Grundprinzip suchen solle, zweitens, daß die Antwort nur rational, d. h. nicht durch den Hinweis auf einen Mythos gegeben werden dürfe, und schließlich drittens, daß die materielle Seite der Welt hier eine entscheidende Rolle spielen müsse. Hinter diesen Forderungen steht natürlich unausgesprochen die Erkenntnis, daß Verstehen immer nur heißen kann: Zusammenhänge, d. h. einheitliche Züge, Merkmale der Verwandtschaft, in der Vielfalt zu erkennen.

Wenn es aber einen solchen einheitlichen Urgrund aller Dinge gibt, so wird man unweigerlich zu der Frage gedrängt – und das war der nächste Schritt auf diesem Denkwege –, wie denn aus ihm die Veränderung verständlich gemacht werden kann. Die Schwierigkeit ist besonders in der berühmten Paradoxie des Parmenides zu erkennen. Nur das Seiende ist; das Nichtseiende ist nicht. Wenn aber nur das Seiende ist, so kann es auch nichts außerhalb des Seienden geben, das dieses Seiende gliedert, das Veränderungen veranlassen könnte. Also müßte das Seiende ewig, einförmig, zeitlich und räumlich unbegrenzt gedacht werden. Die Veränderungen, die wir erleben, könnten also nur Schein sein.

Bei dieser Paradoxie konnte das griechische Denken nicht lange stehenbleiben. Der ewige Wechsel der Erscheinungen war unmittelbar gegeben, ihn galt es zu erklären. Bei dem Versuch, diese Schwierigkeit zu überwinden, wurden von verschiedenen Philosophen verschiedene Richtungen eingeschlagen. Ein Weg führte zur Atomlehre des Demokrit. Neben dem Seienden kann es das Nichtseiende doch als Möglichkeit geben, nämlich als Möglichkeit zu Bewegung und Form, und das heißt:

als leeren Raum. Das Seiende ist wiederholbar, und so kommt man zu dem Bild der Atome im leeren Raum – dem Bild, das später als Grundlage der Naturwissenschaft so unendlich fruchtbar geworden ist. Aber von diesem Weg soll hier nicht weiter die Rede sein. Vielmehr soll der andere Weg genauer geschildert werden, der zu den Ideen Platos geführt hat und der uns unmittelbar an die Probleme des Schönen heranbringt.

Dieser Weg beginnt in der Schule des Pythagoras. In ihr soll der Gedanke entstanden sein, daß die Mathematik, die mathematische Ordnung, das Grundprinzip sei, von dem aus die Vielfalt der Erscheinungen verständlich gemacht werden könnte. Von Pythagoras selbst ist nur wenig bekannt. Sein Schülerkreis scheint eher eine religiöse Sekte gewesen zu sein, und mit Sicherheit lassen sich nur die Lehre von der Seelenwanderung und die Aufstellung gewisser religiös-sittlicher Gebote und Verbote auf Pythagoras zurückführen. In diesem Schülerkreis aber spielte – und das war für die spätere Zeit das Entscheidende – die Beschäftigung mit Musik und Mathematik eine wichtige Rolle. Hier soll von Pythagoras die berühmte Entdeckung gemacht worden sein, daß gleichgespannte schwingende Saiten dann harmonisch zusammenklingen, wenn ihre Längen in einem einfachen rationalen Zahlenverhältnis stehen. Die mathematische Struktur, nämlich das rationale Zahlenverhältnis als Quelle der Harmonie – das war sicher eine der folgenschwersten Entdeckungen, die in der Geschichte der Menschheit überhaupt gemacht worden sind. Das harmonische Zusammentönen zweier Saiten ergibt einen schönen Klang. Das menschliche Ohr empfindet die Dissonanz durch die aus den Schwebungen entstehende Unruhe als störend, aber die Ruhe der Harmonie, die Konsonanz, als schön. Die mathematische Beziehung war damit auch die Quelle des Schönen.

Die Schönheit ist, so lautet die eine der antiken Definitionen, die richtige Übereinstimmung der Teile miteinander und mit dem Ganzen. Die Teile sind hier die einzelnen Töne, das Ganze ist der harmonische Klang. Die mathematische Beziehung kann also zwei zunächst unabhängige Teile zu etwas Ganzem zusammenfügen und damit Schönes hervorbringen. Es war diese Entdeckung, die in der Lehre der Pythagoreer den

Durchbruch zu ganz neuen Formen des Denkens bewirkt und dazu geführt hat, daß als Urgrund alles Seienden nicht mehr ein sinnlicher Stoff – wie das Wasser bei Thales –, sondern ein ideelles Formprinzip angesehen wurde. Damit war ein Grundgedanke ausgesprochen, der später das Fundament aller exakten Naturwissenschaften gebildet hat. Aristoteles berichtet in seiner »Metaphysik« über die Pythatoreer: »Sie beschäftigten sich zuerst mit der Mathematik, förderten sie, und, in ihr aufgezogen, hielten sie die mathematischen Prinzipien für die Prinzipien alles Seienden. Und in den Zahlen die Eigenschaften und Gründe der Harmonie erblickend, da ihnen das andere seiner ganzen Natur nach den Zahlen nachgebildet erschien, die Zahlen aber das Erste in der ganzen Natur, so faßten sie die Elemente als die Elemente aller Dinge auf und das ganze Weltall als Harmonie und Zahl.«

Das Verständnis der bunten Mannigfaltigkeit der Erscheinungen soll also dadurch zustande kommen, daß wir in ihr einheitliche Formprinzipien erkennen, die in der Sprache der Mathematik ausgedrückt werden können. Damit wird auch ein enger Zusammenhang zwischen dem Verständlichen und dem Schönen hergestellt. Denn wenn das Schöne als Übereinstimmung der Teile untereinander und mit dem Ganzen erkannt wird und wenn andererseits alles Verständnis erst durch diesen formalen Zusammenhang zustande kommen kann, so wird das Erlebnis des Schönen fast identisch mit dem Erlebnis des verstandenen oder wenigstens geahnten Zusammenhangs.

Der nächste Schritt auf diesem Wege ist von Plato durch die Formulierung seiner Ideenlehre getan worden. Plato stellt den unvollkommenen Gebilden der körperlichen Sinneswelt die vollkommenen mathematischen Formen gegenüber, etwa den unvollkommenen Kreisbahnen der Gestirne den vollkommenen mathematisch definierten Kreis. Die materiellen Dinge sind die Abbilder, die Schattenbilder der idealen wirklichen Gestalten; und, so wären wir heute versucht fortzusetzen, diese idealen Gestalten sind wirklich, weil und insofern sie im materiellen Geschehen »wirk«sam werden. Plato unterscheidet also hier in voller Klarheit ein den Sinnen zugängliches körperliches Sein und ein rein ideelles Sein, das nicht durch die Sinne, sondern nur in geistigen Akten erfaßbar wird. Dabei bedarf dieses ideelle Sein keinesweg des menschlichen Denkens, um von ihm hervorgebracht zu werden. Es ist im Gegenteil das eigentliche Sein, dem die körperliche Welt und das menschliche Denken erst nachgebildet sind. Das Erfassen der Ideen durch den menschlichen Geist ist, wie schon ihr Name sagt, mehr ein künstlerisches Schauen, ein halbbewußtes Ahnen als ein verstandesmäßiges Erkennen. Es ist eine Wiedererinnerung an Formen, die dieser Seele schon vor ihrem Erdendasein eingepflanzt worden sind. Die zentrale Idee ist die des Schönen und Guten, in der das Göttliche sichtbar wird und bei deren Anblick die Flügel der Seele wachsen. An einer Stelle im »Phaidros« wird der Gedanke ausgesprochen: Die Seele erschrickt, sie erschauert beim Anblick des Schönen, da sie spürt, daß etwas in ihr aufgerufen wird, das ihr nicht von außen durch die Sinne zugetragen worden ist, sondern das in ihr in einem tief unbewußten Bereich schon immer angelegt war.

Aber kehren wir wieder zum Verstehen und damit zur Naturwissenschaft zurück. Die bunte Vielfalt der Erscheinungen kann verstanden werden, so sagen Pythagoras und Plato, weil und insofern hier einheitliche Formprinzipien zugrunde liegen, die einer mathematischen Darstellung zugänglich sind. Damit ist eigentlich schon das ganze Programm der heutigen exakten Naturwissenschaft vorweggenommen. Aber es konnte im Altertum nicht durchgeführt werden, da die empirische Kenntnis der Einzelheiten im Naturgeschehen weitgehend fehlte.

Der erste Versuch, sich auch in diese Einzelheiten zu vertiefen, ist bekanntlich in der Philosophie des Aristoteles unternommen worden. Aber bei der unendlichen Fülle, die sich dem beobachtenden Naturforscher hier zunächst darbot, bei dem völligen Fehler irgendwelcher Gesichtspunkte, von denen aus eine Ordnung hätte erkennbar werden können, mußten die einheitlichen Formprinzipien, nach denen Pythagoras und Plato gefragt hatten, jetzt gegenüber der Beschreibung der Einzelheiten zurücktreten. So tut sich schon in jener Zeit der Gegensatz auf, der sich bis heute etwa in der Diskussion zwischen der experimentellen und der theoretischen Physik gehalten hat; der Gegensatz zwischen dem Empiriker, der durch sorgfältige und gewissenhafte Kleinarbeit erst die Voraussetzungen für ein Verständnis der Natur schafft, und dem Theoretiker, der mathematische Bilder entwirft, nach denen er die Natur zu ordnen und damit zu verstehen sucht – mathematische Bilder, die sich nicht nur durch die richtige Darstellung der Erfahrung, sondern vor allem auch durch ihre Einfachheit und Schönheit als die wahren, dem Naturgeschehen zugrunde liegenden Ideen erweisen. Schon Aristoteles sprach als Empiriker kritisch über die Pythagoreer, die, wie er sagte, »nicht im Hinblick auf die Tatsachen nach Erklärungen und Theorien suchten, sondern im Hinblick auf gewisse Theorien und Lieblingsmeinungen an den Tatsachen zerrten und sich, man möchte sagen, als Mitordner des Weltalls aufspielten.« Rückblickend auf die Geschichte der exakten Naturwissenschaft kann man vielleicht feststellen, daß sich die richtige Darstellung der Naturerscheinungen gerade aus der Spannung zwischen den beiden gegensätzlichen Auffassungen entwickelt hat. Die reine mathematische Spekulation wird unfruchtbar, weil sie aus einem Spiel mit der Fülle der möglichen Formen nicht mehr zurückfindet zu den ganz wenigen Formen, nach denen die Natur wirklich gebildet ist. Und die reine Empirie wird unfruchtbar, weil sie schließlich in endlosen Tabellenwerken ohne inneren Zusammenhang erstickt. Nur aus der Spannung, aus dem Spiel zwischen der Fülle der Tatsachen und den vielleicht dazu passenden mathematischen Formen können die entscheidenden Fortschritte kommen.

Aber diese Spannung konnte in der Antike nicht mehr aufgenommen werden, und so trennte sich der Weg zur Erkenntnis für lange Zeit von dem Weg zum Schönen. Die Bedeutung des Schönen für das Verständnis der Natur wurde erst wieder deutlich sichtbar, als man mit dem Beginn der Neuzeit von Aristoteles zu Plato zurückgefunden hatte. Und erst durch diese Wendung offenbarte sich die ganze Fruchtbarkeit der von Pythagoras und Plato eingeleiteten Denkweise.

Schon die berühmten Fallversuche, die Galilei wohl doch nicht am schiefen Turm zu Pisa vorgenommen hat, zeigen das aufs deutlichste. Galilei beginnt mit sorgfältigen Beobachtungen ohne Rücksicht auf die Autorität des Aristoteles, doch er versucht, den Lehren des Pythagoras und Platos folgend, mathematische Formen zu finden, die den empirisch gewonnenen Tatsachen entsprechen, und so gelangt er zu seinen Fallgesetzen. Aber er muß, und das ist ein entscheidender Punkt, um die Schönheit mathematischer Formen in den Erscheinungen wiederzuerkennen, die Tatsachen idealisieren oder, wie Aristoteles tadelnd formuliert hatte, sie verzerren. Aristoteles hatte gelehrt, daß alle bewegten Körper ohne Einwirkung von äußeren Kräften schließlich zur Ruhe kommen, und das war die allgemeine Erfahrung. Galilei behauptet im Gegenteil, daß die Körper ohne äußere Kräfte im Zustand gleichförmiger Bewegung verharren. Galilei konnte diese Verzerrung der Tatsachen wagen, weil er darauf hinweisen konnte, daß bewegte Körper ja stets einem Reibungswiderstand ausgesetzt sind und daß die Bewegung in der Tat um so länger bestehen bleibt, je besser die Reibungskräfte ausgeschaltet werden können. Er gewann für diese Verzerrung der Tatsachen, für diese Idealisierung, ein einfaches mathematisches Gesetz, und das war der Anfang der neuzeitlichen exakten Naturwissenschaft.

Einige Jahre später gelang es Kepler, in den Ergebnissen seiner sehr sorgfältigen Beobachtungen über die Planetenbahnen neue mathematische Formen zu entdecken und seine berühmten drei Keplerschen Gesetze zu formulieren. Wie nahe sich Kepler bei diesen Entdeckungen den alten Gedankengängen des Pythagoras fühlte und wie sehr die Schönheit der Zusammenhänge bei ihrer Formulierung ihn leitete, geht schon daraus hervor, daß er die Umschwünge der Planeten um die Sonne mit Schwingungen einer Saite verglich und von einem harmonischen Zusammenklang der verschiedenen Planetenbahnen sprach, von der Harmonie der Sphären, und daß er schließlich am Ende seines Werkes über die Weltharmonie in den Jubelruf ausbricht: »Dir sage ich Dank, Herrgott unser Schöpfer, daß Du mich die Schönheit schauen läßt in Deinem Schöpfungswerk.« Kepler war zutiefst ergriffen davon, daß er hier auf einen ganz zentralen Zusammenhang gestoßen war, der nicht von Menschen erdacht und den zum erstenmal zu erkennen ihm vorbehalten war, einen Zusammenhang von höchster Schönheit. Einige Jahrzehnte später hat Isaac Newton in England diesen Zusammenhang vollends freigelegt und in seinem großen Werk »Philosophiae naturalis principia mathematica« im einzelnen beschrieben. Damit war der Weg der exakten Naturwissenschaft für fast zwei Jahrhunderte vorgezeichnet.

Aber handelt es sich hier nur um Erkenntnis oder auch um das Schöne? Und wenn es sich auch um das Schöne handelt, welche Rolle hat es beim Aufdecken der Zusammenhänge gespielt? Erinnern wir uns wieder an die eine antike Definition: »Die Schönheit ist die richtige Übereinstimmung der Teile miteinander und mit dem Ganzen.« Daß dieses Kriterium auf ein Gebilde wie die Newtonsche Mechanik in höchstem Maße zutrifft, braucht kaum erklärt zu werden. Die Teile, das sind die einzelnen mechanischen Vorgänge; jene, die wir durch Apparate sorgfältig isolieren, ebenso wie jene, die im bunten Spiel der Erscheinungen unentwirrbar vor uns ablaufen. Und das Ganze ist eben das einheitliche Formprinzip, dem sich alle diese Vorgänge fügen und das von Newton in einem einfachen System von Axiomen mathematisch festgelegt worden ist. Einheitlichkeit und Einfachheit sind zwar nicht genau dasselbe. Aber die Tatsache, daß in einer solchen Theorie dem Vielen das Eine gegenübergestellt wird, daß in ihm das Viele vereinigt wird, hat doch wohl von selbst zur Folge, daß sie von uns auch zugleich als einfach und schön empfunden wird. Die Bedeutung des Schönen für das Auffinden des Wahren ist zu allen Zeiten erkannt und hervorgehoben worden. Der lateinische Leitsatz: »simplex sigillum veri«, »Das Einfache ist das Siegel des Wahren«, steht in großen Lettern im Physikhörsaal der Universität Göttingen als Mahnung für jene, die Neues entdekken wollen, und der andere lateinische Leitsatz: »pulchritudo splendor veritatis«, »Die Schönheit ist der Glanz der Wahrheit«, kann auch so gedeutet werden, daß der Forscher die Wahrheit zuerst an diesem Glanz, an ihrem Hervorleuchten erkennt.

Noch zweimal in der Geschichte der exakten Naturwissenschaft ist dieses Aufleuchten des großen Zusammenhangs das entscheidende Signal für den bedeutenden Fortschritt geworden. Ich denke hier an zwei Ereignisse in der Physik unseres Jahrhunderts, die Entstehung der Relativitätstheorie und der Quantentheorie. In beiden Fällen ist eine verwirrende Fülle von Einzelheiten nach jahrelangen vergeblichen Bemühungen um Verständnis fast plötzlich geordnet worden, als ein zwar reichlich unanschaulicher, aber doch in seiner Substanz letzthin einfacher Zusammenhang auftauchte, der durch seine Geschlossenheit und abstrakte Schönheit unmittelbar überzeugte – alle jene überzeugte, die eine solche abstrakte Sprache verstehen und sprechen können.

Aber wir wollen den historischen Hergang jetzt nicht weiter verfolgen, sondern lieber ganz direkt fragen: Was leuchtet hier auf? Wie kommt es, daß an diesem Aufleuchten des Schönen in der exakten Naturwissenschaft der große Zusammenhang erkennbar wird, noch bevor er in den Einzelheiten verstanden ist, bevor er rational nachgewiesen werden kann? Worin besteht die Leuchtkraft, und was bewirkt sie im weiteren Verlauf der Wissenschaft?

Vielleicht sollte man hier zunächst an ein Phänomen erinnern, das man die Entfaltung abstrakter Strukturen nennen kann. Es kann am Beispiel der Zahlentheorie erläutert werden, von der schon am Anfang die Rede war, aber man kann auch auf vergleichbare Vorgänge in der Entwicklung der Kunst hinweisen. Für die mathematische Begründung der Arithmetik, der Zahlenlehre, genügen einige wenige einfache Axiome, die eigentlich nur genau definieren, was Zählen heißt. Aber mit diesen wenigen Axiomen ist doch schon die ganze Fülle der Formen gesetzt, die erst im Laufe einer langen Geschichte ins Bewußtsein der Mathematiker getreten sind, die Lehre von den Primzahlen, von den quadratischen Resten, von den Zahlenkongruenzen usw. Man kann sagen, daß sich die mit dem Zählen gesetzten abstrakten Strukturen erst im Laufe der Geschichte der Mathematik sichtbar entfaltet haben, daß sie die Fülle von Sätzen und Zusammenhängen hervorgebracht haben, die den Inhalt der komplizierten Wissenschaft der Zahlentheorie ausmachen. In ähnlicher Weise stehen ja auch am Anfang eines Kunststils, etwa in der Architektur, gewisse einfache Grundformen, z. B. der Halbkreis und das Quadrat in der romanischen Architektur. Aus diesen Grundformen entstehen im Laufe der Geschichte neue, kompliziertere, auch veränderte Formen, die doch irgendwie als Variationen zum gleichen Thema aufgefaßt werden können; und so entfaltet sich aus den Grundstrukturen eine neue Weise, ein neuer Stil des Bauens. Man hat das Gefühl, daß diesen ursprünglichen Formen doch die Entfaltungsmöglichkeiten schon zu Beginn angesehen werden können; denn sonst wäre es kaum verständlich, daß viele begabte Künstler sich sehr schnell entschließen, diesen neuen Möglichkeiten nachzugehen.

Eine solche Entfaltung der abstrakten Grundstrukturen hat zweifellos auch in den Fällen stattgefunden, die ich für die Geschichte der exakten Naturwissenschaften aufgezählt habe. Dieses Wachstum, das Entwickeln immer neuer Zweige hat bei der Newtonschen Mechanik bis in die Mitte des letzten Jahrhunders gedauert. In der Relativitätstheorie und in der Quantentheorie haben wir Ähnliches in diesem Jahrhundert miterlebt, und das Wachstum ist noch nicht abgeschlossen.

Dabei hat dieser Prozeß in der Wissenschaft wie in der Kunst noch eine wichtige soziale und ethische Seite; denn an ihm können viele Menschen aktiv teilnehmen. Wenn im Mittelalter eine große Kathedrale gebaut werden sollte, so waren viele Baumeister und Handwerker beschäftigt. Sie waren erfüllt von der Vorstellung von Schönheit, die durch die ursprünglichen Formen gesetzt war, und sie waren durch ihre Aufgabe gezwungen, im Sinne dieser Formen genaue sorgfältige Arbeit zu leisten. In ähnlicher Weise hatten in den zwei Jahrhunderten nach der Newtonschen Entdeckung viele Mathematiker, Physiker und Techniker die Aufgabe, einzelne mechanische Probleme nach den Newtonschen Methoden zu behandeln, Experimente auszuführen oder technische Anwendungen vorzunehmen, und auch hier wurde stets äußerste Sorgfalt verlangt, um das im Rahmen der Newtonschen Mechanik Mögliche zu erreichen. Vielleicht darf man allgemein sagen, daß durch die zugrunde liegenden Strukturen, in diesem Falle die Newtonsche Mechanik, Richtlinien gezogen oder sogar Wertmaßstäbe gesetzt werden, an denen objektiv entschieden werden kann, ob eine gestellte Aufgabe gut oder schlecht gelöst worden ist. Gerade dadurch, daß hier präzise Forderungen gestellt werden, daß der einzelne durch kleine Beiträge mitwirken kann an dem Erreichen großer Ziele, daß über den Wert seines Beitrags objektiv entschieden werden kann, entsteht die Befriedigung, die von einer solchen Entwicklung für den großen beteiligten Kreis von Menschen ausgeht. Daher darf man auch die ethische Bedeutung der Technik für die heutige Zeit nicht unterschätzen.

Aus der Entwicklung von Naturwissenschaft und Technik ist z. B. auch die Idee des Flugzeugs hervorgegangen. Der einzelne Techniker, der irgendein Teilgerät für das Flugzeug konstruiert, der Arbeiter, der es herstellt, weiß, daß es auf die äußerste Genauigkeit und Sorgfalt bei seiner Arbeit ankommt, daß vielleicht sogar das Leben vieler Menschen von seiner Zuverlässigkeit abhängt. Daher gewinnt er den Stolz, den eine gut geleistete Arbeit gewährt, und er freut sich mit uns an der Schönheit des Flugzeugs, wenn er empfindet, daß in ihm das technische Ziel mit den richtigen angemessenen Mitteln verwirklicht ist. Schönheit ist, so lautete die nun schon mehrfach zitierte antike Definition, die richtige Übereinstimmung der Teile miteinander und mit dem Ganzen, und diese Forderung muß auch in einem guten Flugzeug erfüllt werden.

Aber mit dem Hinweis auf die Entfaltung der schönen Grundstruktur, auf die ethischen Werte und Forderungen, die im geschichtlichen Verlauf der Entfaltung später auftauchen, ist doch die vorher gestellte Frage noch nicht beantwortet, was denn in diesen Strukturen aufleuchtet, woran der große Zusammenhang erkannt wird, noch bevor er rational im einzelnen verstanden ist. Dabei soll von vornherein die Möglichkeit eingeschlossen werden, daß auch dieses Erkennen Täuschungen unterliegen kann. Aber daß es dieses ganz unmittelbare Erkennen gibt, dieses Erschrecken vor dem Schönen, wie es bei Plato im »Phaidros« heißt, daran kann wohl nicht gezweifelt werden.

Unter allen denen, die über diese Frage nachgedacht haben, scheint Einigkeit darüber bestanden zu haben, daß dieses unmittelbare Erkennen nicht über das diskursive, d. h. rationale Denken erfolgt. Ich möchte hier zwei Äußerungen zitieren, die eine von Johannes Kepler, von dem vorhin die Rede war, die andere aus unserer Zeit von dem Züricher Atomphysiker Wolfgang Pauli, der mit dem Psychologen C. G. Jung befreundet war. Der erste Text steht in Keplers Werk »Kosmische Harmonie« und lautet: »Jenes Vermögen, das die edlen Maßverhältnisse in dem sinnlich Gegebenen und den anderen außerhalb seiner gelegenen Dinge wahrnimmt und erkennt, ist dem unteren Bereich der Seele zuzurechnen. Es steht sehr nahe dem Vermögen, das den Sinnen die formalen Schemata liefert, oder noch tiefer, also dem bloß vitalen Vermögen der Seele, welches nicht diskursiv, d. h. in Schlüssen, denkt, wie die Philosophen, und sich keiner überlegenen Methode bedient, daher nicht bloß den Menschen eigen ist, sondern auch den wilden Tieren und dem lieben Vieh innewohnt ... Nun könnte man fragen, woher jenes Seelenvermögen, das am begrifflichen Denken nicht teilhat und daher auch kein eigentliches Wissen von harmonischen Verhältnissen haben kann, die Fähigkeit haben soll, in der Außenwelt Gegebenes zu erkennen. Denn erkennen heißt, das sinnlich Wahrnehmbare außen mit den Urbildern innen vergleichen und es damit als übereinstimmend zu beurteilen. Proklos hat hierfür einen sehr schönen Ausdruck in den Bildern des Erwachens wie aus einem Traum. So, wie nämlich die in der Außenwelt sinnlich gegebenen Dinge uns diejenigen, die wir vorher im Traum wahrgenommen haben, in Erinnerung bringen, so locken auch in der Sinnlichkeit gegebene mathematische Beziehungen jene intelligiblen Urbilder hervor, die schon von vornherein innerlich gegeben sind, so daß sie jetzt wirklich und leibhaftig in der Seele aufleuchten, während sie vorher nur nebelhaft in ihr vorhanden waren. Wie aber sind sie ins Innere gelangt? Hierauf antworte ich« – so fährt Kepler fort –: »Alle reinen Ideen oder Urformbeziehungen des Harmonischen, wie die bisher besprochenen, wohnen denen inne, die zu ihrer Erfassung fähig sind. Aber sie werden nicht erst durch ein begriffliches Verfahren ins Innere aufgenommen, vielmehr entstammen sie einer gleichsam triebhaften reinen Größenanschauung und sind diesen Individuen eingeboren, wie dem Formprinzip der Pflanzen etwa die Zahl ihrer Blütenblätter oder die Zahl der Fruchtkammern dem Apfel eingeboren ist.«

Soweit Kepler. Er weist uns hier also auf die Möglichkeiten hin, die schon im Tier- und Pflanzenreich gegeben sind, auf angeborene Urbilder, die das Erkennen von Formen herbeiführen. In unserer Zeit hat besonders Portmann solche Möglichkeiten geschildert. Er beschreibt etwa bestimmte Farbmuster, die im Gefieder von Vögeln verwirklicht sind und die doch nur dann einen biologischen Sinn haben können, wenn sie auch von den anderen Vögeln dieser Art wahrgenommen werden. Die Fähigkeit zur Wahrnehmung muß also wohl ebenso angeboren sein wie das Muster selbst. Man kann hier auch an den Gesang der Vögel denken. Zunächst wird hier biologisch wohl nur ein bestimmtes akustisches Signal gefordert sein, das etwa der Partnersuche dient und das vom Partner verstanden wird. Aber in dem Maße, in dem die unmittelbare biologische Funktion an Wichtigkeit verliert, kann es zu einer spielerischen Erweiterung des Formenschatzes kommen, zu einer Entfaltung der zugrunde liegenden Melodiestruktur, die dann als Gesang auch ein so artfremdes Wesen wie den Menschen entzückt. Die Fähigkeit, dieses Formenspiel zu erkennen, muß jedenfalls der betreffenden Vogelart angeboren sein, sie bedarf sicher nicht des diskursiven rationalen Denkens. Dem Menschen ist, um ein anderes Beispiel zu nennen, wahrscheinlich die Fähigkeit angeboren, gewisse Grundformen der Gestensprache zu verstehen und etwa danach zu entscheiden, ob der andere freundliche oder feindliche Absichten hegt – eine Fähigkeit, die für das Zusammenleben der Menschen von größter Bedeutung ist.

Ähnliche Gedanken wie bei Kepler sind in einem Aufsatz von Wolfgang Pauli ausgesprochen. Pauli schreibt: »Der Vorgang des Verstehens in der Natur, sowie auch die Beglückung, die der Mensch beim Verstehen, d. h. beim Bewußtwerden einer neuen Erkenntnis, empfindet, scheint demnach auf einer Entsprechung, einem Zur-Deckung-Kommen von präexistenten inneren Bildern der menschlichen Psyche mit äußeren Objektiven und ihrem Verhalten zu beruhen. Diese Auffassung der Naturerkenntnis geht bekanntlich auf Plato zurück und wird ... auch von Kepler in sehr klarer Weise vertreten. Dieser spricht in der Tat von Ideen, die im Geist Gottes präexistent sind und die der Seele, als dem Ebenbild Gottes, mit eingeschaffen wurden. Diese Urbilder, welche die Seele mit Hilfe eines angeborenen Instinktes wahrnehmen könne, nennt Kepler archetypisch. Die Übereinstimmung mit den von C. G. Jung in die moderne Psychologie eingeführten, als Instinkte des Vorstellens funktionierenden urtümlichen Bildern oder Archetypen ist sehr weitgehend. Indem die moderne Psychologie den Nachweis erbringt, daß jedes Verstehen ein langwieriger Prozeß ist, der lange vor der rationalen Formulierbarkeit des Bewußtseinsinhalts durch Prozesse im Unbewußten begleitet wird, hat sie die Aufmerksamkeit wieder auf die vorbewußte archaische Stufe der Erkenntnis gelenkt. Auf dieser Stufe sind an Stelle von klaren Begriffen Bilder mit starkem emotionalem Gehalt vorhanden, die nicht gedacht, sondern gleichsam malend geschaut werden. Insofern diese Bilder ein Ausdruck für einen geahnten, aber noch unbekannten Sachverhalt sind, können sie entsprechend der von C. G. Jung aufgestellten Definition des Symbols auch als symbolisch bezeichnet werden. Als anordnende Operatoren und Bildner in dieser Welt der symbolischen Bilder funktionieren die Archetypen eben als die gesuchte Brücke zwischen den Sinneswahrnehmungen und den Ideen und sind demnach auch eine notwendige Voraussetzung für die Entstehung einer naturwissenschaftlichen Theorie. Jedoch muß man sich davor hüten, dieses Apriori der Erkenntnis ins Bewußtsein zu verlegen und auf bestimmte, rational formulierbare Ideen zu beziehen.«

Pauli schildert dann noch im weiteren Verlauf seiner Untersuchungen, daß Kepler die Überzeugung von der Richtigkeit des Kopernikanischen Systems primär nicht aus den einzelnen astronomischen Beobachtungsergebnissen gewonnen habe, sondern aus der Übereinstimmung des Kopernikanischen Bildes mit einem Archetypus, der von C. G. Jung als Mandala bezeichnet wird und der auch von Kepler als Symbol der heiligen Dreieinigkeit gebraucht wird. Gott steht im Zentrum einer Kugel als das primär Bewegende, die Welt, in der der Sohn wirkt, wird mit der Oberfläche der Kugel verglichen, und der heilige Geist entspricht den Strahlen, die vom Mittelpunkt zur Kugeloberfläche laufen. Natürlich gehört es zum Wesen dieser Urbilder, daß man sie nicht eigentlich rational oder etwa gar anschaulich beschreiben kann.

Wenn Kepler die Überzeugung von der Richtigkeit des Kopernikanischen Systems also auch aus solchen Urbildern gewonnen hat, so bleibt es doch eine entscheidende Voraussetzung jeder brauchbaren wissenschaftlichen Theorie, daß sie hinterher der empirischen Nachprüfung und der rationalen Analyse standhält. An dieser Stelle sind die Naturwissenschaften in einer glücklicheren Lage als die Künste, da es für die Naturwissenschaft ein unabdingbares und unerbittliches Wertkriterium gibt, dem sich keine Arbeit entziehen kann. Das Kopernikanische System, die Keplerschen Gesetze und die Newtonsche Mechanik haben sich hinterher bei der Deutung der Erfahrungen, der Beobachtungsergebnisse und in der Technik in einem solchen Umfang und mit einer solch extremen Genauigkeit bewährt, daß an ihrer Richtigkeit seit Newtons »Principia« nicht mehr gezweifelt werden konnte. Aber es handelt sich doch auch hier um eine Idealisierung, so wie Plato es für notwendig gehalten und Aristoteles es getadelt hatte.

Das hat sich in voller Deutlichkeit erst vor etwa fünfzig Jahren herausgestellt, als man aus den Erfahrungen in der Atomphysik erkannte, daß die Newtonsche Begriffsbildung nicht mehr ausreicht, um an die mechanischen Phänomene im Inneren der Atome heranzukommen. Seit der Planckschen Entdekkung des Wirkungsquantums im Jahre 1900 war in der Physik ein Zustand der Verwirrung entstanden. Die alten Regeln, nach denen man über zwei Jahrhunderte lang die Natur erfolgreich beschrieben hatte, wollten nicht mehr zu den neuen Erfahrungen passen. Aber auch diese Erfahrungen selbst waren in sich widersprüchlich. Eine Hypothese, die sich in einem Experiment bewährte, versagte in einem anderen. Die Schönheit und Geschlossenheit der alten Physik schien zerstört, ohne daß man aus den oft divergierenden Versuchen einen wirklichen Einblick in neue und andersartige Zusammenhänge hätte gewinnen können. Ich weiß nicht, ob es erlaubt ist, den Zustand der Physik in jenen fünfundzwanzig Jahren nach Plancks Entdeckung, die ich als junger Student noch miterlebt habe, mit den Zuständen der heutigen modernen Kunst zu vergleichen. Aber ich muß gestehen, daß sich mir dieser Vergleich immer wieder aufdrängt. Die Ratlosigkeit bei der Frage, was man mit den verwirrenden Erscheinungen tun solle, die Trauer über die verlorenen Zusammenhänge, die doch immer noch so überzeugend aussehen, all dieses Unbefriedigende hat doch das Gesicht der beiden so verschiedenen Bereiche und Epochen in ähnlicher Weise bestimmt. Dabei handelt es sich offenbar um ein notwendiges Zwischenstadium, das nicht übersprungen werden kann und das die späte Entwicklung vorbereitet. Denn, so hieß es bei Pauli, jedes Verstehen ist ein langwieriger Prozeß, der lange vor der rationalen Formulierbarkeit des Bewußtseinsinhalts durch Prozesse im Unbewußten eingeleitet wird. Die Archetypen funktionieren als die gesuchte Brücke zwischen den Sinneswahrnehmungen und den Ideen.

In dem Moment aber, in dem die richtigen Ideen auftauchen, spielt sich in der Seele dessen, der sie sieht, ein ganz unbeschreiblicher Vorgang von höchster Intensität ab. Es ist das staunende Erschrecken, von dem Plato im »Phaidros« spricht, mit dem die Seele sich gleichsam an etwas zurückerinnert, was sie unbewußt doch immer schon besessen hatte. Kepler sagt: »geometria est archetypus pulchritudinis mundi«, »Die Mathematik«, so dürfen wir wohl verallgemeinernd übersetzen, »ist das Urbild der Schönheit der Welt.« In der Atomphysik hat sich dieser Vorgang vor nicht ganz fünfzig Jahren abgespielt und hat die exakte Naturwissenschaft wieder in den Zustand harmonischer Geschlossenheit unter ganz neuen Voraussetzungen zurückgebracht, der für ein Vierteljahrhundert verlorengegangen war. Ich sehe keinen Grund, warum Ähnliches nicht auch eines Tages in der Kunst geschehen sollte. Aber man muß wohl warnend hinzufügen: So etwas kann man nicht machen, es muß von selbst geschehen.

Verehrte Anwesende, ich habe Ihnen diese Seite der exakten Naturwissenschaft geschildert, weil an ihr die Verwandtschaft zu den Schönen Künsten am deutlichsten sichtbar wird und weil hier dem Mißverständnis vorgebeugt werden kann, es handele sich in Naturwissenschaft und Technik nur um die genaue Beobachtung und um das rationale, diskursive Denken. Zwar gehören dieses rationale Denken und das sorgfältige Messen zur Arbeit des Naturforschers so wie Hammer und Meißel zur Arbeit des Bildhauers. Aber sie sind in beiden Fällen nur Werkzeug, nicht Inhalt der Arbeit.

Vielleicht darf ich ganz am Schluß noch einmal an die zweite Definition des Begriffs »Schönheit« erinnern, die von Plotin stammt und in der von den Teilen und vom Ganzen nicht mehr die Rede ist: »Die Schönheit ist das Durchleuchten des ewigen Glanzes des ›Einen‹ durch die materielle Erscheinung.« Es gibt wichtige Epochen der Kunst, zu denen diese Definition besser paßt als die erstgenannte, und oft sehnen wir uns nach solchen Epochen zurück. Aber in unserer Zeit ist es schwer, von dieser Seite der Schönheit zu sprechen, und vielleicht ist es eine gute Regel, sich an die Sitten der Zeit zu halten, in der man zu leben hat, und über das schwer Sagbare zu schweigen. Eigentlich sind die beiden Definitionen ja auch nicht allzu weit voneinander entfernt. Lassen wir es also bei der ersten, mehr nüchternen Definition der Schönheit bewenden, die sicher auch in der Naturwissenschaft verwirklicht wird, und stellen wir fest, daß sie in der exakten Naturwissenschaft ebenso wie in den Künsten die wichtigste Quelle des Leuchtens und der Klarheit ist.

Anmerkungen

1 Vortrag, gehalten vor der Bayerischen Akademie der Schönen Künste, München 1970. Zuerst veröffentlicht in einer bibliophilen Ausgabe (in Deutsch und Englisch) in der Sammlung Belser-Presse, »Meilensteine des Denkens und Forschens«. Stuttgart 1971.

Erich von Holst
Über Freiheit

Das Wort »Freiheit« hat im täglichen Leben sehr mannigfache Inhalte. Wenn man verschiedene Leute befragt, was ihnen dabei in den Sinn kommt, so hört man etwa von politischer Freiheit, oder von der Lösung innerer seelischer Zwangszustände, oder von der Freiheit zu ethisch oder religiös bestimmtem Tun, oder von der Unabhängigkeit der Willenshandlung vom Naturgesetz reden – je nachdem ob der Befragte Zeitungsleser, psychoanalytisch beeinflußt, religiös gebunden oder philosophisch interessiert ist. Soll der Biologe, der sich mit vielerlei Lebewesen beschäftigt, zum Problem der Freiheit etwas sagen, so gilt es zunächst zu klären, ob die Biologie selbst als Lehre vom Leben oder als Glied der Naturwissenschaft ihre Anhänger zu einem bestimmten Aspekt des Problems hinführt oder wenigstens einen solchen nahelegt. Die erste Frage ist leichter beantwortet, wenn wir uns zuvor deutlich machen, daß die verschiedenen Anwendungen des Freiheitsbegriffes in nicht mehr als zwei große Kategorien zerfallen: Die erste meint Freiheit als Erlebnis, als primäre Gegebenheit des Ich; sie spricht gewöhnlich von Willensfreiheit. Die zweite umfaßt alle wirklich oder angeblich objektiv feststellbaren Formen der Freiheit, also der Loslösung von diesem oder jenem Zwang, etwa dem eines Naturgesetzes, zu folgen. Zur ersten Kategorie, in welcher Freiheit als erlebte auftritt, kann der Naturwissenschaftler, der Biologe, der Verhaltensforscher grundsätzlich keine Aussage machen. Denn es gibt keinerlei Verfahren, in das Erleben, in die Seele anderer Organismen einzusteigen, sie gleichsam miterleben. Alle Versuche, bestimmte Verhaltenskriterien als Beweis für (oder als Beweis gegen) erlebte Willensfreiheit festzulegen, sind vollkommen willkürlich und ohne jegliche Beweiskraft. Wenn z. B. ein hungriger Hahn, der angesichts eines Futterbrockens entweder selbst zuschnappen oder aber sein Hühnervolk herbeilocken kann, nach einigem Schwanken sich für eines davon entscheidet, so wäre der Schluß, hier habe Willensfreiheit geherrscht, gänzlich unbegründet. Und umgekehrt die immer wiederholte Behauptung, Tiere können überhaupt keine Willensfreiheit besitzen, denn ihr Tun sei triebgebunden, ist genauso unzulässig; wer sagt denn, daß sie sich nicht gleichwohl als völlig frei handelnd erleben, genau wie ein Mensch, der triebgebunden etwa seinen Durst löscht, sich schlafen legt oder einem ertrinkenden Kind in den Fluß nachspringt? Behauptungen für und wider erlebte Freiheit bei Organismen lassen keinerlei Schluß zu über den behaupteten Tatbestand, wohl aber oft einen über die Geistesverfassung des Behauptenden.

Das Gesagte gilt im Grunde auch noch für den Mitmenschen, über dessen Erleben wir ja höchstens durch ein sehr vages Miterleben etwas zu wissen meinen. Über zweieinhalb Jahrtausende ist es her, daß der weise Kuan Tse sagte: »Siehe, wie glücklich sind die Fische im Wasser!« – Sein Begleiter aber meinte: »Woher weißt du, daß sie glücklich sind, du bist nicht ein Fisch?«, und Kuan Tse erwiderte: »Woher weißt du, daß ich es nicht weiß, du bist nicht ich?« – Diese kleine Unterhaltung erläutert wunderbar die Unerreichbarkeit fremden Seelenlebens; und kein Wissen, keine Technik kann daran etwas ändern.

So bleibt also jedem, auch dem Tierforscher, die »Freiheit«, sich über das Erleben der Tiere seine persönliche Meinung zu bilden – und ich verrate kein Geheimnis, wenn ich sage, daß gerade die erfolgreichsten Tierforscher nicht umhin können, höheren Tieren ein Erleben zuzugestehen und die Behauptung, Tiere seien an Triebe gefesselt, allein der Mensch sei frei, für eine Ausgeburt menschlicher Hybris zu halten.

Die zweite Kategorie, in der Freiheit als ein meßbares Geschehen betrachtet wird, müssen wir etwas genauer ansehen; denn hier in der Tat hat die Naturwissenschaft, und zwar weniger die Biologie als die Physik, sich lebhaft beteiligt bei der Meinungsbildung, und sie tut es noch heute. Leider! muß ich allerdings sagen, denn es wäre viel Verwirrung vermieden worden, hätten die Wissenschaft und ihre Verehrer sich immer an die klaren Grenzen ihrer Zuständigkeit gehalten.

Als im vorigen Jahrhundert die Physik aufblühte, da gab es eine lange Zeitspanne, in der die Ansicht, alles Geschehen folge festen Naturgesetzen, sei determiniert (d. h. im Prinzip vorhersagbar), allgemein war. Nun ist aber das, was Menschen sagen und tun, natürlich auch ein Geschehen, also auch Gesetzen unterworfen. Und – nun kommt der unerlaubte Sprung – da ja der handelnde Mensch sich zumeist als frei erlebt, so muß die Willensfreiheit in Wirklichkeit eine Illusion sein, ein Ding, das es eigentlich nicht gibt, für das in der Natur kein Platz ist. Dieser Gedanke ist besonders dann fatal, wenn man versucht, ihn konsequenter zu durchdenken, als es meist geschah. Denn für gewöhnlich nahm der so Schließende ja seine eigene Person und ihr Tun oder doch mindestens dieses sein Denken über das Problem der Freiheit von dem Schluß aus, zu dem er gelangte. Und dadurch kamen dann so absurde Themen auf wie die, daß der Verbrecher ja eigentlich unschuldig sei und nicht bestraft werden dürfe – als ob nicht, wenn man Ernst macht mit der Determiniertheit, das, was der Verbrecher tut, das, was die Geschworenen empfinden, wie der Richter urteilt und alles, was ich eben denke und sage, in gleicher Weise festgelegt ist – und damit also alles beim alten bleibt und nur ein paar Worte einen veränderten, schwerer faßbaren Hintersinn bekommen, die Worte Freiheit, Verantwortung, Schuld.

Indessen wurde mit Beginn dieses Jahrhunderts die These der Alldeterminiertheit von der Physik selbst aufgegeben, als sie mikrophysikalische Geschehnisse entdeckte, die offenbar in gewissen Grenzen nicht determinierbar sind. Manche Physiker halten es für sehr möglich, daß der Absturz einer Lawine und ähnliche Ereignisse durch feinste Vorgänge solcher Art in Gang kommen können – so daß die Idee einer grundsätzlichen Voraussagbarkeit allen Geschehens sich nicht mehr halten läßt. In der Biologie sind es vor allem die sprunghaften, meist sehr kleinen Änderungen des Erbmaterials, Mutationen genannt, die auf ähnlich feinen Vorgängen beruhen. Und auch hier folgt offenbar, daß einer Voraussage künftiger tierischer oder menschlicher Entwicklung eben damit Grenzen gesetzt sind.

Nun sind aber, und damit kommen wir zum Thema Freiheit zurück, einige Physiker auf die listige Idee gekommen, solche nicht determinierbaren Quantensprünge könnten auch im menschlichen Hirn stattfinden, und zwar immer dann, wenn ein Akt der Willensfreiheit erlebt wird. So hätte also der freie Wille im Naturgeschehen des Hirns seinen bestimmten Ort; und die Physik hätte damit selbst die Ketten wieder gelöst, die sie früher der menschlichen Willensfreiheit angelegt hatte.

Gedanken dieser Art haben weithin eine große Anhängerschaft gefunden; man hat sie als Erlösung, als den entscheidenden Schritt der Physik aus niederem Materialismus in die Welt des Geistigen gepriesen.

Allein – all dieses ist ein Kartenhaus, das sofort zerfällt, wenn wir nur etwas näher hinschauen, was Naturwissenschaft, was Physik eigentlich ist. Physik, oder sagen wir Naturwissenschaft, ist eine bestimmte Betätigung des menschlichen Geistes, eine unter vielen anderen. Sie versucht, in einer Fülle von meßbaren Erscheinungen der Außenwelt eine Ordnung nach bestimmten, möglichst weitreichenden Regeln herzustellen. Was sie nicht registrieren, quantifizieren kann, das kann ihr nicht angehören. Darum ist alles Qualitative unseres Erlebens, wie Freude, Schmerz, Hoffnung, Erinnerung, alle Werte und Urteile grundsätzlich ihrem Griff entzogen. Diese menschlichen Bereiche gibt es, ob Physik da ist oder nicht; sie sind schon vor ihr da, und sie gehen neben oder über ihr weiter. In diesen Bereich von primär Gegebenem gehört aber auch das Erlebnis des freien Willens und alles, was an Folgen daran hängt. Was Naturwissenschaft an Vorgängen im Hirn findet oder behauptet, ist ohne Einfluß auf diese nicht-physikalische, nämlich erlebte Welt.

Mein Schmerz und mein Wollen bleiben sich gleich, was auch immer der Mann im weißen Kittel, der gleichzeitig meine Hirnvorgänge studiert, für wissenschaftliche Aussagen tun mag. Darum ist es ein Unding, wenn frühere Physiker meinten, die Determiniertheit allen Geschehens mache die Willensfreiheit zunichte; und es ist das gleiche Unding, nur mit anderem Vorzeichen, wenn sie behaupten, die mögliche Nicht-Determiniertheit gestatte wieder die Existenz meiner Willensfreiheit. Verbot und Erlaubnis aus diesem Lager sind Grenzüberschreitungen, die das Urphänomen der Freiheit nicht berühren können.

Gewiß kann man – davon unabhängig – die Frage stellen, ob vielleicht nicht Determiniertes im Hirn vorkommen könnte. Die Antwort ist heute ziemlich eindeutig. Wir können nämlich durch zarte elektrische Reize über feine ins Stammhirn schmerzlos eingeführte Drähte die Stimmungen und das Verhalten von Tieren nach eigenem Wunsch steuern, und bei Gelegenheit von Operationen hat man auch an wachen Menschen solche (übrigens ganz unschädliche) Experimente gemacht. Es zeigte sich, daß man Reizpunkte findet, die den Patienten etwa sehr vergnügt, andere, die ihn z. B. heiratslustig machen, wieder andere, die uralte Erinnerungen heraufholen, und dergleichen mehr; und all dies wird nicht als von außen aufgezwungen, sondern als spontanes Geschehen eines freien Ich erlebt.

So werden wir uns wohl an den für viele sicher merkwürdigen Gedanken gewöhnen müssen, daß das Erlebnis freien, spontanen Denkens oder Tuns gebunden ist an bestimmte Aktivitätsformen bestimmter Hirnregionen, welche ihrerseits durchaus naturwissenschaftlich determiniert sein mögen. Mit den Worten Schopenhauers hieße das: Der Mensch kann zwar tun, was er will, aber er kann nicht wollen, was er will. Doch diese Tatsache würde ja nur aufs neue bestätigen, wie absurd es ist, sich von der Naturwissenschaft sein Fühlen und Wollen, seine Weltanschauung und seine ethischen Prinzipien verbieten oder gestatten zu lassen. Wie faszinierend die Wissenschaft auch immer sein mag, wir sollten uns stark machen, daß wir nicht in falsche Anbetung ihrer Macht verfallen, die uns nur guttut, solange sie unsere Sklavin bleibt; das ist jedenfalls meine – eines Wissenschaftlers – Überzeugung.

Konrad Lorenz
Die Vorstellung einer zweckgerichteten Weltordnung

Es erscheint vielen Menschen ganz undenkbar, daß es im Universum Vorgänge gibt, die nicht nach bestimmten Zwecken ausgerichtet sind. Weil wir bei uns selbst sinnloses Handeln für einen Unwert erachten, stört es uns, daß es ein Geschehen gibt, das jeden Sinnes entbehrt. Vor allem aber kränkt es den Menschen in seinem Selbstgefühl, daß er und seine Belange dem kosmischen Geschehen absolut gleichgültig sind. Weil er merkt, daß im Weltgeschehen das Sinnlose überwiegt, befürchtet er, das Unsinnige müsse schon rein mengenmäßig über die menschlichen Bestrebungen der Sinngebung triumphieren. Aus dieser Furcht entspringt der Denkzwang, in allem, was geschieht, einen verborgenen Sinn zu vermuten. »Der Mensch will«, wie Nicolai Hartmann sagt, »der Härte des Realen als des gegen ihn absolut Gleichgültigen nicht ins Gesicht sehen. Er meint gleich, das Leben lohne sich sonst nicht.« An anderer Stelle sagt der Philosoph: »Himmelfern liegt es ihm, auch nur zu ahnen, daß Sinngebung ein Vorrecht des Menschen sein könnte, und daß vielleicht gerade er in seiner Ahnungslosigkeit sich selbst um dieses Vorrecht bringt.«

Paradoxerweise ist die Abneigung gegen ein nicht zweckgerichtetes, »final determiniertes« Weltgeschehen auch von der Furcht motiviert, der freie Wille des Menschen könne sich als eine Illusion erweisen, was nicht nur erkenntnistheoretisch unsinnig ist, sondern auch, was eine zweckgerichtete Weltordnung betrifft, völlig verkehrt: »Die widerspruchslos hingenommene Vorstellung von einer von vornherein durchgehend final determinierten Welt schließt ja ebenfalls jegliche Freiheit des Menschen aus« und läßt ihm nur das Verhalten eines Schienenfahrzeugs offen, das bloß nicht zu entgleisen braucht, um zum vorbestimmten Ziele zu gelangen. Das bedeutet selbstverständlich auch die Vernichtung des Menschen als eines verantwortlichen Wesens.

Final determinierte Vorgänge gibt es im Kosmos ausschließlich im Bereich des Organischen. Eine im Hartmannschen Sinne kategoriale Analyse des Finalnexus läßt sich nur vom Wirkungsgefüge des Gesamtverlaufes einer zweckgerichteten Geschehenskette geben, für die drei Akte charakteristisch sind. Diese kann man allerdings nicht voneinander trennen und unabhängig betrachten, denn sie bilden eine funktionelle Einheit, die aus folgenden Akten besteht: erstens der Setzung eines Zweckes mit Überspringen des Zeitflusses als einer Antizipation von etwas Künftigem; zweitens einer von diesem gesetzlichen Zweck her erfolgenden Auswahl der Mittel, die also gewissermaßen rückläufig determiniert werden; drittens der Realisation des Zweckes durch die kausale Aufeinanderfolge der ausgewählten Mittel.

Immer müssen, wie Nicolai Hartmann mit stärkster Betonung sagt, ein »Träger« der Akte, ein »Setzer« des Zweckes und ein »Wähler« der Mittel vorhanden sein, ja, es kommt dazu, daß der »dritte Akt«, die Verwirklichung des Zweckes, meist noch »überwacht« werden muß; denn in der Auswahl der Mittel können Irrtümer eingetreten sein, dann aber tritt irgendwo in der Reihe eine Abweichung von der vorgezeichneten Linie auf, die ihrerseits durch neue Mittel ausgeglichen werden muß.

Nicolai Hartmann meint, daß der Träger der Akte und Setzer der Zwecke immer nur ein Bewußtsein sein könne, denn, so sagt er, »nur ein Bewußtsein hat Beweglichkeit in der Anschauungszeit, kann den Zeitlauf überspringen, kann vorsetzen, vorwegnehmen, Mittel seligieren und rückläufig gegen die übersprungene Zeitfolge bis auf das ›Erste‹ zurückverfolgen«. Seit Nicolai Hartmann diese Sätze geschrieben hat, haben die Biochemie, die Erforschung der Morphogenese und die des tierischen Appetenzverhaltens Vorgänge aufgedeckt, in denen auch bei sicher nicht bewußtseinsbegleiteten Vorgängen die von ihm geforderten drei Akte in ihrem typischen Wirkungsgefüge gegeben sind. Die Art und Weise, in der die im Genom vorgegebene »Blaupause« die Erzeugung eines neuen Organismus vorwegnimmt, entspricht durchaus dem ersten Akt der Zielsetzung, und die Verwirklichung des Zieles, bei der in höchst regulativer Weise je nach Angebot des Milieus sehr verschiedene Mittel und Wege die endgültige Verwirklichung des Bauplanes erreichen, entspricht zweifellos genau dem von Hartmann postulierten Gefüge dreier Akte, wenn auch sicher auf einer kategorial niedrigeren Ebene als der des bewußten, menschlichen Zweckverhaltens. Zwischen diesen beiden Ebenen liegt das zweckgerichtete Verhalten von Tieren – aber auch von Menschen, das in einer stufenlosen Reihe von ungerichtetem Suchen zum komplexesten methodischen Vorgehen des Menschen reicht.

Die Tatsache, daß sich in der individuellen Entwicklung eines Lebewesens ein echtes Finalgeschehen, die Verwirklichung eines vorgegebenen Planes, vollzieht, verführt allzuleicht zu der Meinung, daß für die stammesgeschichtliche Entwicklung der Lebewesen Gleiches gelte. Schon das Wort Entwicklung oder Evolution legt diese Vorstellung nahe. Uns allen sind wunderschöne schematische Darstellungen vom Stammbaum der Lebewesen bekannt, der bei Einzellern beginnt, in unzähligen Verzweigungen über niedrige zu höheren Organismen emporstrebt und schließlich im Menschen als Zweck und Krone endet. Und damit finis! Es wird dabei über das große Werden des Organischen, das sich allerdings tatsächlich auf diesen Bahnen vollzogen hat, post festum ein Richtungspfeil angebracht, der den Menschen als das von Anfang an vorbestimmte Ziel des Weltgeschehens erscheinen läßt.

Der Versuch, Sinn und Richtung in das evolutive Geschehen hineinzuinterpretieren, ist genauso verfehlt wie die Bestrebungen so vieler sonst wissenschaftlich denkender Menschen, aus geschichtlichen Ereignissen Gesetzlichkeiten zu abstrahieren, die es erlauben, den weiteren Verlauf der Geschichte vorauszusagen, etwa in dem Sinne, wie die Kenntnis gewisser Gesetze der Physik eine Voraussage physikalischer Geschehnisse ermöglicht. Die Meinung, daß eine theoretische Geschichtswissenschaft in gleichem Sinne möglich sei wie eine theoretische Physik, ist immer noch nicht ganz ausgestorben, obwohl Karl Popper sie als Aberglauben entlarvt hat: Ohne Zweifel beeinflußt menschliches Wissen den Gang der Menschheitsgeschichte, und da gerade der Zuwachs an Wissen völlig unvoraussagbar ist, ist es auch der zukünftige Verlauf der Geschichte. Wie Karl Popper in seinem Buch »The Poverty of Historicism« unwiderleglich zeigt, kann kein zu Voraussagen befähigter kognitiver Apparat – Menschenhirn oder Rechenmaschine – je seine eigenen zukünftigen Ergebnisse voraussagen. Alle Versuche, dies zu tun, liefern ein Ergebnis immer nur nach dem Ereignis, post festum, und verlieren damit den Charakter der Voraussage. »Weil dieses Argument rein logisch ist«, sagt Karl Popper, »ist es auf alle wissenschaftlichen ›Voraussager‹ von beliebiger Komplikation anwendbar, einschließlich von ›Sozietäten‹ miteinander in Wechselwirkung stehender ›Voraussager‹.« (»This argument, being purely logical, applies to scientific predictors of an complexity, including societies of interacting predictors«).

All dies gilt ebenso für den Verlauf der Phylogenese wie für den der menschlichen Historie. Auch die Stammesgeschichte wird entscheidend von dem Erwerb von Wissen beeinflußt, und dieser ist noch in einem anderen Sinn unvoraussagbar, als es menschlicher Wissensgewinn ist. Mutationen vollziehen sich in einem Größenbereich chemischer und physikalischer Vorgänge, in dem es durchaus nicht ausgeschlossen ist, daß akausale Quantensprünge eine Wirkung auf das Geschehen ausüben. Der Weg, den das Werden der Organismenwelt seit Entstehung des Lebens beschreitet, kann also gar nicht schicksalhaft vorgeschrieben sein. Die winzigste Erbänderung, die einen Gewinn an anpassender Information bedeutet, verändert den weiteren Verlauf der Phylogenese auf alle Zukunft und in nicht reversibler Weise. Ben Akibas berühmter Aphorismus, daß alles schon dagewesen sei, ist das Gegenteil der historischen Wahrheit: *Nichts* ist schon dagewesen.

Das organische Werden vollzieht sich auch nicht, wie vereinfachte Darstellungen des Evolutionsgeschehens oft glauben lassen, in einer Reihe stufenloser, fließender Übergänge. Schon auf physikalischer Ebene hat die Integration zweier präexistenter Untersysteme zu einer einzigen Funktionsganzheit die Entstehung von absolut neuen Systemeigenschaften zur Folge, die bei keinem der beiden Untersysteme vorhanden waren, und zwar auch nicht in Andeutungen oder Vorstufen. So entsteht in einem solchen *historisch* einmaligen Akt jeweils etwas absolut Neues, nie Dagewesenes. Für diesen Vorgang besitzt unsere Sprache keinen Ausdruck, da sie zu einer Zeit gewachsen ist, zu der die Ontogenese der einzige bekannte Entwicklungsvorgang war. Als erster hat wohl Ludwig von Bertalanffy diese Eigenart des organischen Werdens erkannt, William H. Thorpe spricht von »unity out of diversity«, und Teilhard de Chardin hat ebenso schön wie richtig gesagt »créer c'est unir«.

Im übrigen aber hat dieser liebenswerte Denker fest an die von mir hier bestrittene vorgegebene Zweckgerichtetheit geglaubt, die den Lebensstammbaum von unten nach oben wachsen läßt. So wächst er aber gar nicht! Von jeder erreichten Sprosse der Lebensleiter führen ebenso viele Wege wieder nach abwärts wie weiter nach aufwärts. So entsteht beispielsweise für jedes neu evoluierte höhere Lebenwesen eine ganz Anzahl von Parasiten, ja selbst zum Nicht-Lebendigen kann das organische Werden zurückführen: Wie moderne Erforscher der Viren meinen, sind diese halb- oder nicht-lebendigen Wesen Abkömmlinge lebender Zellen.

Auf Schritt und Tritt begegnet der vergleichende Stammesgeschichtsforscher »Irrtümern« der Evolution, Fehlkonstruktionen von einer Kurzsichtigkeit, die man keinem menschlichen Konstrukteur zutrauen würde. Gustav Kramer hat in seiner Schrift über das Unzweckmäßige in der Natur viele Beispiele für dieses Phänomen gebracht, von denen hier nur eines angeführt sei. Beim Übergang vom Wasserleben zum Landleben wurde die Schwimmblase der Fische zum Atemorgan. Beim Fisch, ja schon bei den kieferlosen Zyklostomen sind im Kreislauf Herz und Kiemen hintereinander geschaltet, das heißt, das ganze vom Herzen gepumpte Blut muß zwangsläufig die Kiemen passieren, und das sauerstoffreiche Blut wird nun unvermischt in den Körperkreislauf geleitet. Da die Schwimmblase ein vom Körperkreislauf versorgtes Organ ist, läuft zunächst, auch nachdem sie zur Lunge, das heißt zum alleinigen Atemorgan, des Tieres geworden ist, das aus ihr kommende Blut in den Körperkreislauf zurück, der daher dem Herzen gemischtes, teils aus dem Körper kommendes Blut zuführt. Dies ist eine technisch höchst unbefriedigende Lösung, wurde aber dennoch von allen Lurchen und beinahe allen Reptilien beibehalten. Alle diese Tiere sind, was selten zusammenfassend betont wird, im höchsten Grade *ermüdbar*. Ein Frosch, der nach einer Anzahl von Sprüngen nicht das Wasser oder Deckung erreicht hat, kann leicht angegriffen werden, das gleiche gilt auch von den gewandtesten und schnellsten Echsen. Kein Lurch und kein Reptil sind einer andauernden Muskelarbeit fähig, wie sie jeder Hai, jeder Knochenfisch und jeder Vogel zu leisten vermögen.

Unter den Reptilien sind es nur die Krokodile, die eine vollständige Scheidewand ausgebildet haben, die das rechte vom linken Herzen und damit den Lungenkreislauf vom Körperkreislauf trennt. Sie sind aber merkwürdigerweise Abkömmlinge eines auf zwei Beinen gehenden und recht bewegungsfähigen Reptilienstammes, der den Ahnenformen der Vögel in mancher Beziehung nahesteht. Außer den Krokodilen sind es nur die Vögel und Säugetiere, bei denen der Atemkreislauf vom Körperkreislauf völlig getrennt ist, so daß das Blut hintereinander durchläuft, die Lungenvenen also frisch durchlüftetes, rein arterielles Blut führen, das in das linke Herz fließt und von da in den Körperkreislauf gepumpt wird, während das rechte Herz venöses Blut aus dem Körperkreislauf erhält und in die Lunge pumpt. Es hat also von der Entstehung der ersten Landwirbeltiere bis zu der der höchsten Reptilien und der Vögel gedauert, bis die »Notkonstruktion«, den Lungenkreislauf »im Nebenschluß« zum Körperkreislauf zirkulieren zu lassen, einer Lösung wich, die in ihrem Wirkungsgrad ebensogut war, wie das zusammen mit der Kiemenatmung verlassene Zirkulationssystem der Fische schon gewesen war!

Die Evolution ist insofern geradezu das Gegenteil von zweckgerichtet, als sie überhaupt keinen Vorgriff in die Zukunft tun kann. Sie ist nicht imstande, um eines zukünftigen Vorteiles willen auch nur die geringsten gegenwärtigen Nachteile in Kauf zu nehmen, mit anderen Worten, sie kann nur solche Maßnahmen ergreifen, die einen unmittelbaren Selektionsvorteil erbringen, ebenso wie auch ein gutwilliger Politiker nur solche Maßnahmen zu ergreifen imstande ist, die ihm einen unmittelbaren »Elektionsvorteil« verschaffen.

Das Material aber, an dem die Selektion angreift, ist immer nur die rein zufällige Veränderung oder Neukombination von Erbanlagen. Es ist formal richtig und dennoch irreführend, zu sagen, daß die Evolution nur nach den Prinzipien des blinden Zufalls und der Ausmerzung vorgehe. So ausgedrückt, erscheint diese an sich unbestreitbare Tatsache jedem Fernerstehenden unwahrscheinlich, schon weil die wenigen Milliarden Jahre der Existenz unseres Planeten nicht auszureichen scheinen, um auf diesem Wege die Entstehung des Menschen aus einem virusähnlichen Vorlebewesen möglich zu machen. Der Zufall ist indessen in eigenartiger Weise »gezähmt«, wie Manfred Eigen sich ausdrückt, und zwar durch den Gewinn, den er erbringt. Wohl ist eine Mutation, welche die Überlebenschancen eines Organismus vermehrt, von einer Unwahrscheinlichkeit, die von berufenen Genetikern mit der Unwahrscheinlichkeit von 10^{-8} beziffert wird, doch macht sich diese Erbänderung, die dem Organismus eine neue Möglichkeit der Beherrschung seiner Umwelt eröffnet, in noch großzügigerer Weise bezahlt. Jede derartige Erbänderung bedeutet nicht mehr und nicht weniger, als daß eine neue Information über seine Umwelt in den Organismus gelangt ist. Anpassung ist also ein essentiell kognitiver Vorgang. Jede Anpassung bedeutet einen Wissensgewinn. Dieser Wissensgewinn seinerseits erhöht nicht nur die Chancen weiteren »Kapitalgewinnes«, das heißt des Zuwachses an Zahl der Nachkommen, die der glückliche Besitzer der neuen Anpassung in die Welt setzt, vielmehr wächst mit deren Zahl auch die Wahrscheinlichkeit, daß sich unter ihnen einer findet, der einen weiteren »Haupttreffer« macht. Es besteht also ein Verhältnis positiver Rückkoppelung zwischen Kapitalgewinn und Wissensgewinn. Man macht diese doppelte Leistung des Lebendigen besser verständlich, wenn man sagt, jede Art von Lebewesen gleiche einem kommerziellen Unternehmen (wie etwa der BASF oder der IG-Farben), das stets einen erheblichen Teil seines Reingewinnes in seinen Laboratorien investiert, in der berechtigten Annahme, daß der so erreichte Wissensgewinn sich durch weiteren Kapitalgewinn bezahlt machen würde.

Welchen Weg die Entwicklung eines solchen »Unternehmens« nimmt, hängt völlig vom Zufall ab. Das Lebensgeschehen ist, um nochmals Manfred Eigen zu zitieren, ein Spiel, in dem nichts festliegt außer den Spielregeln. Der Stammbaum des Lebendigen ist ein typisches Beispiel dessen, was die Spieltheoretiker einen »Entscheidungsbaum« nennen, als dessen reales Beispiel Manfred Eigen das Mündungsdelta des Colorado-River abbildet. Milliarden von Zufälligkeiten bestimmen, welchen Verlauf ein einzelnes Rinnsal nimmt und wo es ins Meer mündet. Nur *daß* es dies schließlich tut und somit doch eine Allgemeinrichtung beibehält, ist in den Spielregeln bedingt.

Dieses Gleichnis hinkt in einem wesentlichen Punkte, wenn wir es auf den Stammbaum des Lebens anwenden. Das Wasser rinnt nur abwärts, die Entwicklung des Lebens jedoch geht, wie schon gesagt, keineswegs nur aufwärts, es besitzt keine inhärente Tendenz zur Höherentwicklung. Wir können es als Tatsache hinnehmen, daß die jeweils höchsten Lebewesen einer Erdepoche uns als höhere Tiere erscheinen als die der vorhergehenden. Zweifellos sind Haifische höhere Lebewesen als Trilobiten, Lurche höhere als Haifische, Reptilien höhere als Lurche usw. Es ist also gewissermaßen nur die Tangente, durch welche die höchsten Lebewesen der aufeinanderfolgenden Erdepochen miteinander verbunden werden können, welche nach aufwärts weist. Keine allgemeine Richtungstendenz, sondern ein Spiel unzähliger Wechselwirkungen ist es, welches das organische Werden kreativ werden läßt. Was nach »oben drängt«, ist die schlichte Tatsache, daß »unten« alles besetzt ist. Es ist ein weit verbreiteter Irrtum, die Vollkommenheit des Angepaßtseins irgendeines Lebewesens mit der Höhe seiner Evolution zu verwechseln. Schon Jakob von Uexküll hat gesagt: »Die Amöbe ist ebenso gut angepaßt wie das Pferd.« Wo eine Tierart durch keinen Konkurrenten in ihrem Lebensraum bedrängt wird, kann sie schier unbegrenzte Zeiten unverändert darin sitzen bleiben. Manche Blattfußkrebse, *Phyllopoda*, haben sich als unwahrscheinliche Lebensnische Süßwassertümpel erkoren, die nur bei besonderen Gelegenheiten, oft in Abständen von mehreren Jahrzehnten, Wasser führen. Der Krebs *Triops cancriformis*, der mehrere Zentimeter lang wird, ist in meiner Heimat im Jahre 1909, dann 1938 aufgetreten, das nächste Mal 1956. Die Trockenperioden überdauert die Art im Stadium von Eiern, die über die genannten Zeiträume und möglicherweise noch länger auf günstige Bedingungen zum Schlüpfen warten können. Eine so »ausgerissene« Anpassung »erfindet« begreiflicherweise nicht so leicht eine zweite Tierart, und so kommt es, daß *Triops cancriformis* seit der Trias unverändert geblieben ist, und zwar, wohlgemerkt, als Art, nicht nur als Gattung, wie aus den Einzelheiten wohl erhaltener Fossilien eindeutig hervorgeht.

Es ist die Vielzahl der ins Gefüge der Wechselwirkungen eingreifenden Mitlebewesen, die es für jede einzelne, in dem betreffenden Biotop lebende Art nötig macht, eine entsprechende Anzahl von Anforderungen zu berücksichtigen. Das ist es, was große Genetiker als *kreative Selektion* bezeichnen. Mein vorher gebrauchtes Gleichnis vom Besetztsein der unteren Etagen, das keinen anderen Ausweg läßt, als eine höhere darüber zu bauen, kann auch anders ausgedrückt werden: Wenn zwei verschiedene Anforderungen, deren jede für sich recht einfach zu erfüllen ist, an dasselbe Lebewesen herantreten, so kann es genötigt werden, eine nächsthöhere Integrationsebene darüber zu bauen. Es gibt beispielsweise Tiere, die sich ausgezeichnet in räumlicher komplizierter Umgebung zurechtfinden, auf niedriger Stufe, etwa Seesterne, manche Krebse usw., ebenso gibt es recht einfache Tiere, die in freiem Wasser ungemein schnell zu schwimmen vermögen, etwa Pfeilwürmer. Wenn wir aber nun nach einem Tier suchen, das *beides* kann, blitzschnell schwimmen und komplexe Raumstrukturen beherrschen, so sind gewisse stachelflossige Fische, Chaetodonten, Pomacentriden und ähnliche, die *niedrigsten* Wesen, die das können, und diese Fische setzen den Fachkundigen immer wieder durch ihre unerwartet hohe »unfischhafte« Intelligenz in Erstaunen.

Dasselbe Prinzip waltet schon auf niedrigsten Stufen der nervösen Organisation: Ein nicht-zentralisiertes Nervensystem, wie etwa das eines Seeigels, läßt diesen als eine »Reflexrepublik« erscheinen, wie Jakob von Uexküll so schön gesagt hat. Der Mangel einer höheren Kommandostelle macht es für solche Wesen unmöglich, eine von mehreren potentiell möglichen

Verhaltensweisen total unter Hemmung zu setzen und sich zu einer anderen zu »entschließen«. Eben dies ist aber, wie Erich von Holst am Regenwurm so überzeugend demonstriert hat, die ursprünglichste und wichtigste Leistung eines »gehirnähnlichen« Zentrums, wie es bei diesem Wurm durch das Oberschlundganglion repräsentiert wird. Diese »Kommandostelle« hält die dauernd von endogenen Reizproduktionen »angebotenen« Bewegungsweisen des Tieres unter Hemmung und läßt nur derjenigen »die Zügel schießen«, die unter den augenblicklich obwaltenden Umständen ihre Arterhaltungsleistung entfalten kann. Die »Kommandostelle« wird von den Sinnesorganen darüber informiert, welche Umweltsituation zur Zeit gegeben ist, und sie besitzt die Information darüber, welche von den verschiedenen Bewegungsweisen auf diese »paßt«. Je mehr Verhaltensmöglichkeiten einem Wesen zur Verfügung stehen, desto vielseitigere und »höhere« Leistungen werden naturgemäß von dem sie gewissermaßen verwaltenden Zentralorgan gefordert.

Erwarten Sie bitte nicht, daß ich Ihnen nun eine Definition dessen gebe, was ich im Vorangegangenen als »höher« oder »nach oben« bezeichnet habe. In diesen Worten stecken *Werturteile*, und Werte lassen sich nun einmal nicht in der quantifizierenden Terminologie der Naturwissenschaften ausdrücken. Eine der schwersten Geisteskrankheiten der heutigen Menschheit liegt in der weit verbreiteten Überzeugung, daß etwas, was sich nicht quantifizieren und nicht in der Sprache der sogenannten »exakten« Naturwissenschaft ausdrücken läßt, *keine reale Existenz* besitze. Damit wird allem, was Wert hat, der Charakter des Wirklichen abgesprochen, von einer Menschheit, die, wie Horst Stern so prachtvoll gesagt hat, »den Preis von allem und den Wert von gar nichts kennt«. Werte in der Sprache der Ratio definieren zu wollen gleicht dem Versuch, mit einem heißen Messer aus Schnee oder Eis eine bestimmte Figur zu schnitzen: Das, was man zum Ausdruck zu bringen sucht, schmilzt einem unter den Händen zu nichts zusammen.

Werte kann man nicht definieren, man kann sie nur *empfinden*, ihre Beschreibung ist daher legitimerweise Aufgabe der Phänomenologie. Diese Wissenschaft kann genaugenommen nur jeder für sich betreiben, und wenn der Mitmensch, dem er die erlebten Phänomene schildert, diese nicht kennt, so ist deren Existenz keineswegs widerlegt: Das zu bezweifeln, was man in sich unmittelbar vorfindet, ist, wie Wolfgang Metzger richtig betont, der größte aller erkenntnistheoretischen »Irrtümer«. Wenn ich hier meine eigenen Erlebnisse der Wertempfindung zu schildern versuche, wie »niedrigere« und »höhere« Tiere sie bei mir auslösen, und insbesondere jene, die auf das »Aufwärts« und »Abwärts« stammesgeschichtlichen Geschehens ansprechen, so erwarte ich zwar, daß einige diese Phänomene aus eigenem Erleben kennen, bin aber nicht enttäuscht, wenn viele dies nicht tun.

Ein Maßstab für den Wert, den ich in höheren Lebewesen empfinde, liegt in meiner Hemmung, eins von ihnen zu töten. Eine Miesmuschel zu schlachten macht mir nicht mehr Schwierigkeiten als das Schälen eines Apfels, einen Fisch umzubringen fällt mir bereits ziemlich schwer, besonders, wenn er mir individuell bekannt ist, einen Hund zu töten, was ich einmal in meinem Leben getan habe und nie wieder tun werde, kam einer Selbtschädigung gleich, an der ich heute noch leide, obwohl ich damit meiner Hündin, die an den letzten Stadien einer Krebserkrankung litt, die denkbar größte Wohltat erwiesen habe.

Diese Erlebnisse werden sicherlich viele mit mir teilen, weniger sicher bin ich dessen bezüglich der Empfindungen, die von der *Richtung* stammesgeschichtlicher Veränderungen bei mir hervorgerufen werden. Die »abwärts« führenden Wege der Evolution, wie sie von vielen Parasiten beschritten werden, erregen meinen Abscheu. Als Wissenschaftler und Erforscher von Anpassungsvorgängen mag ich es wundervoll finden, wenn etwa der parasitische Krebs, *Sacculina carcini*, als typische Naupliuslarve, mit Gehirn, Sinnesorganen, drei Paaren von Extremitäten, Mund und Verdauungsorganen, aus dem Ei schlüpft, ausgestattet mit allen Verhaltensweisen, die nötig sind, einen Wirt, nämlich eine Strandkrabbe, zu finden, und wenn er, sobald dies geschehen ist, alle diese Organe abbaut und ein Netz von Gewebesträngen, nicht unähnlich einem Pilzmyzel, in den Körper der Krabbe hineinwachsen läßt, mittels dessen er sich osmotisch ernährt. Als einziges, noch wichtiges

Organ hat er eine riesige Geschlechtsdrüse, die es ermöglicht, unzählige Nachkommen zu produzieren. Als empfindender Mensch muß ich gestehen, daß mich vor dem Vieh namenlos grault, ja, daß ich, wenn ich eines am Strande finde, nicht umhin kann, die parasitierte Strandkrabbe von ihm zu befreien; hier wird mir das Töten fast zum Vergnügen.

Was meine Bewunderung und Ehrfurcht erregt, ist das freie, unvoraussagbare Wachsen des Lebensbaumes, dessen Verzweigungsform bei objektiver Darstellung schon äußerlich so sehr der des »Entscheidungsbaumes« gleicht, den Manfred Eigen mit dem Luftbild des Colorado-Deltas exemplifiziert. Dabei ist gerade das Frei-Sein von jeder vorgegebenen Zwecksetzung für meine Wertempfindung wesentlich. Es scheint mir des tiefsten Nachdenkens würdig, daß ein Mensch, der die »Spielregeln« des organischen Geschehens einigermaßen durchschaut, gerade das als höchsten Wert *empfindet*, was dieses Geschehen seit eh und je *tut*!

Der Versuch, Werte zu definieren, ist, wie gesagt, vergebens. Doch ist es legitim und vielleicht aufschlußreich, das schöpferische Geschehen im engen Raum des Menschengeistes mit jenem zu vergleichen, das sich in der außersubjektiven Welt vollzieht. Der »Geist« des Menschen, jenes überindividuelle Wissen, Können und Wollen, das mit der Entstehung des begrifflichen Denkens und der syntaktischen Sprache in die Welt gekommen ist, verdankt sein Dasein ganz sicher der kreativen Selektion. Das heißt in anderen Worten, daß er im Dienste des zweckgerichteten Verhaltens entstand, unter dem Selektionsdruck, den dieses auf die Verstandesleistungen ausübte.

Unsere wertschätzende Bewunderung wird gewiß auch von zweckgerichteten Vorgängen wachgerufen, die auf mehr oder weniger bestimmten Bahnen auf ein von vornherein gestecktes Ziel hin verlaufen. Aber wenn wir beispielsweise ehrfürchtig die wunderbaren Vorgänge in der Embryogenese betrachten, die auf Grund der im Genom gegebenen, in Sequenzen von Nukleotiden kodierten Planskizze aus dem scheinbar so strukturlosen Inhalt eines frischen Eies ein Gänschen werden lassen, dessen Inventar angeborener Verhaltensweisen es instand setzt, den Eltern nachzulaufen, Futter zu finden, sich auf den elterlichen Warnlaut hin zu verstecken usw. usf., so gilt die Bewunderung des Wissenden wohl noch mehr dem Geschehen, das all diese Planungen werden ließ, als ihrer aktuellen Verwirklichung.

Wir können unsere wertende Bewunderung auch dem final determinierten Verhalten des Menschen nicht versagen, des Homo faber, der als aktiver Arbeiter seine Umwelt fast ebensosehr bestimmt, wie er von ihr bestimmt wird. Ich gestehe, daß klug ausgedachtes Menschenwerk, auch wenn es rein »utilitaristisch« vom Zwecke eines Lebensvorteils her bestimmt ist, meine Bewunderung, wenn auch nicht meine Ehrfurcht erwecken kann. Immer aber hängt dem rein zweckgerichteten Verhalten von Mensch und Tier die Neigung an, sich zur Gewohnheit zu konsolidieren, zur »Routine« zu erstarren.

Nun aber kommt der springende Punkt – im wahrsten Sinne des Wortes –, denn es handelt sich um das Auftreten von etwas Niedagewesenem, um das, was ich als »Fulguration« bezeichnet habe: Es ist fraglich, ob es beim Menschen ein »rein« zweckgerichtetes Verhalten überhaupt gibt, ob sich nicht in alle seine Arbeit ein anderes Geschehen einschleicht, dessengleichen sich im vormenschlichen Bereich niemals im Verhalten des Individuums abgespielt hat und das dem Spiel der Faktoren analog ist, von denen die kreative Selektion bewirkt wird.

Die mannigfachen Untersysteme des Könnens und Erkennens, der einzeln erlernten, gekonnten Bewegungsweisen und der in Tradition kumulierten Fähigkeiten des Wissenserwerbs, erlangen im Menschen eine Selbständigkeit, die sie bei keinem anderen Lebewesen besitzen, und werden damit dem zweckstrebenden Menschen unabhängig voneinander verfügbar und damit frei kombinierbar. Sie alle werden begrifflich faßbar, und der Mensch beginnt mit ihnen zu *spielen*. Schon bei der Herstellung einfachster zweckdienlicher Gegenstände können Menschen einfachster Kulturstufen nicht umhin, *Schönes* zu schaffen. Als einziges Beispiel eines rein zweckmäßigen, völlig unverzierten und nicht einmal über die Erfordernisse der Zweckmäßigkeit hinaus regelmäßig gestalteten Werkzeugs vermag ich den Bumerang der australischen Ureinwohner zu nennen. Es ist die *Kunst*, die allmählich in alle Herstellung zweckmäßiger Werkzeuge einschleicht und die sich offenbar schon sehr früh, zu prähistorischer Zeit, verselbständigt hat – vielleicht unterstützt von Zauber und Ritus.

Im Erkennen des Menschen spielt sich Analoges ab wie in seinem Können. Kognitive Leistungen verschiedener Art, alle jene, aus deren Integration das begriffliche Denken einst erwuchs, und viele neue besonderer Art treten miteinander in eine vielfache Wechselwirkung, die in engerem Sinne als die, in der Manfred Eigen das Weltgeschehen als solches bezeichnet, ein *Spiel* genannt zu werden verdient. Getrieben von der Neugier, von der Hauptmotivation des Spiels in seinem ursprünglichsten und speziellsten Sinn, die schon bei Tieren eine wesentliche Rolle spielt und die entscheidend zur Entstehung des begrifflichen Denkens beigetragen hat, erblüht im denkenden Menschen ein Spiel der Gedanken, das merkwürdig ähnlichen Regeln gehorcht wie das große Spiel der Wechselwirkungen, das den Menschen geschaffen hat. So schöpferisch wie in diesem wirken Zufall und Gesetz auch in dem Spiel des Erkenntnisstrebens zusammen, die Regeln, denen es folgt, sind ähnlich. Das Prinzip von Versuch und Irrtum, das im stammesgeschichtlichen Werden die Form von Erbänderung und Selektion annimmt, findet sich auf der höheren Integrationsebene des menschlichen Erkenntnisstrebens als Hypothesenbildung und Falsifikation wieder. Vor allem aber ist der Modus, in dem neue Gedanken, neue Erkenntnisse entstehen, prinzipiell identisch mit jenem, der im Evolutionsgeschehen Niedagewesenes entstehen läßt. Fast immer ersteht die neue Erkenntnis daraus, daß zwei bereits existente Gedankengänge zu einer Einheit integriert werden, die neue Systemeigenschaften besitzt. Die Ausdrücke der gewachsenen Sprache, wie »Gedankenblitz« oder »es ist mir ein Licht aufgegangen«, sind, wie ich nachträglich festgestellt habe, meinem mühsam gesuchten Terminus »Fulguration« sehr ähnlich.

Im Geist des Menschen spielen sich also echt schöpferische Vorgänge ab, die genausowenig final determiniert sind wie die im kosmischen Geschehen sich vollziehenden. Nichts von »finaler Determination«! *Finis* bedeutet Ende, *determinare* beendigen, jedes Ende aber würde Verzweiflung sein!

Das Schöpferische im Menschengeist ist nicht nur wesensverwandt mit dem großen organischen Werden, es ist ein spezieller Fall von ihm, doch erhebt es sich auf eine kategorial höhere Ebene dadurch, daß es *reflektiert* wird. »Im Menschen wird sich die Evolution ihrer selbst bewußt« – so lautet die schöne Formulierung, die Hans Tuppy für diese Erkenntnis gefunden hat. Erst mit diesem Bewußtsein erwacht, als Vorrecht und Verpflichtung des Menschen, die *Sinngebung*: Es ersteht für ihn die Welt der *Werte*. Gleichzeitig aber bürdet sich auf seine Schultern die Last der Verantwortung, nicht nur für seine Spezies oder gar nur für seine Person, sondern für das gesamte organische Geschehen im Gesamtbereich seiner gefährlich groß gewordenen Macht.

Jacques Monod
Erkennen und Ethik

Einige hunderttausend Jahre lang stimmte das Schicksal eines Menschen mit dem Los seiner Horde, seines Stammes überein, außerhalb dessen er nicht überleben konnte. Der Stamm konnte nur überleben und sich verteidigen durch seinen Zusammenhalt. Deshalb hatten die Gesetze, mit deren Hilfe die Geschlossenheit des Stammes organisiert und garantiert wurde, eine so ungeheure Gewalt über die einzelnen. Vielleicht konnte der Mensch die Gesetze manchmal übertreten, aber sicher hätte niemand daran gedacht, sie in Frage zu stellen. Bei der immensen Bedeutung, die derartige Sozialstrukturen für die Selektion notwendig annehmen mußten und die sie während so langer Zeiträume innehatten, kommt man schwerlich um den Gedanken herum, daß sie die genetische Evolution der angeborenen Kategorien des menschlichen Gehirns beeinflußt haben müssen. Durch diese Evolution mußte nicht nur die Bereitschaft gesteigert werden, das Stammesgesetz zu akzeptieren; sie mußte auch das *Bedürfnis* wecken, es durch eine mythische Erklärung zu begründen und ihm dadurch Herrschaftsgewalt zu verleihen. Wir sind die Nachfahren dieser Menschen. Von ihnen haben wir zweifellos das Bedürfnis nach einer Erklärung geerbt – jene Angst, die uns zwingt, den Sinn des Daseins zu erforschen. Diese Angst ist die Schöpferin aller Mythen, aller Religionen, aller Philosophien und selbst der Wissenschaft.

Was mich angeht, so zweifle ich kaum daran, daß dieses gebieterische Bedürfnis angeboren ist, daß es irgendwo in der Sprache des genetischen Codes verzeichnet steht und sich spontan entwickelt. Außerhalb der menschlichen Gattung findet man nirgendwo im Tierreich sehr hoch differenzierte Sozialorganisationen, es sei denn bei bestimmten Insekten: den Ameisen, den Termiten und den Bienen. Die Stabilität der Institutionen hängt bei den sozial lebenden Insekten fast überhaupt nicht von einem kulturellen Erbe, völlig dagegen von der genetischen

Überlieferung ab. Das soziale Verhalten ist gänzlich angeboren und automatisch.

Beim Menschen sind die gesellschaftlichen Institutionen rein kulturbedingt und werden niemals eine derartige Stabilität erreichen können. Wer wollte das übrigens auch wünschen? Die Erfindung der Mythen und Religionen und die Errichtung gewaltiger philosophischer Systeme waren der Preis, um den der Mensch als soziales Lebewesen hat überleben können, ohne sich einem reinen Automatismus zu unterwerfen. Aber das bloß kulturelle Erbe allein war nicht sicher und nicht stark genug, um die sozialen Strukturen abzustützen. Es brauchte eine genetische Unterlage, damit daraus die Nahrung wurde, die der Geist benötigt. Wäre es nicht so, wie wollte man erklären, daß die Religion bei unserer gesamten Art den Gesellschaftsstrukturen zugrunde liegt? Wie wollte man im übrigen erklären, daß in der unermeßlichen Vielfalt der Mythen, Religionen und philosophischen Lehren stets die gleiche Grund-»Form« wiederkehrt?

Es ist unschwer zu sehen, daß alle die »Erklärungen«, die das Gesetz begründen und die Angst beschwichtigen sollen, »Geschichten« oder genauer: Ontogenien, Entwicklungsgeschichten, sind. Die ersten Mythen beziehen sich fast alle auf mehr oder weniger göttliche Helden, mit deren großer Tat die Entstehung der Gruppe erklärt und ihre Sozialstruktur auf unantastbare Traditionen gegründet wird: denn man arbeitet die Geschichte nicht um. Die großen Religionen haben die gleiche Form; sie besteht in der Lebensgeschichte eines begnadeten Propheten, der, wenn er nicht selber der Begründer aller Dinge ist, für diesen spricht und die Geschichte wie die Bestimmung der Menschen verkündet. Von allen großen Religionen ist die jüdisch-christliche in ihrem historischen Aufbau sicherlich die »primitivste«; sie knüpft, bevor sie durch einen göttlichen Propheten bereichert wird, direkt an die Heldentat eines Beduinenstammes an. Der Buddhismus ist dagegen viel differenzierter und knüpft in seiner ursprünglichen Gestalt ausschließlich an das Karma an, das transzendentale Gesetz, das das Schicksal des einzelnen regiert. Er ist mehr eine Geschichte der Seelen als eine Geschichte der Menschen.

Von Platon bis Hegel und Marx bieten die großen philosophischen Systeme alle eine gesellschaftliche Ontogenese, die zugleich explikativer und normativer Natur ist. Bei Platon ist es freilich eine Entstehungsgeschichte im umgekehrten Sinne; er sieht in der Geschichte nur einen allmählichen Verfall der idealen Formen, und in der »Republik« will er schließlich eine Maschine in Gang setzen, mit der sich die Zeit zurückdrehen läßt.

Für Marx wie für Hegel läuft die Geschichte nach einem immanenten, notwendigen und positiven Plan ab. Daß die marxistische Ideologie einen so ungeheuren Einfluß auf die Geister hat, ist nicht allein darauf zurückzuführen, daß sie das Versprechen einer Befreiung des Menschen enthält, sondern auch und sicherlich vor allem darauf, daß sie eine Ontogenese enthält, daß sie eine vollständige und detaillierte Erklärung der vergangenen, gegenwärtigen und zukünftigen Geschichte gibt. Beschränkt auf die menschliche Geschichte und selbst mit den Sicherheiten der »Wissenschaft« ausstaffiert, blieb der historische Materialismus etwas Bruchstückhaftes. Es mußte der dialektische Materialismus hinzutreten, der seinerseits die umfassende Erklärung liefert, die der Geist benötigt: Die Geschichte des Menschen und die des Kosmos sind darin vereint, als gehorchten sie beide den gleichen ewigen Gesetzen.

Wenn es stimmt, daß das Bedürfnis nach einer umfassenden Erklärung angeboren ist und daß das Fehlen einer solchen Erklärung eine Ursache tiefer Angst ist; wenn die Angst nur durch eine Erklärung beschwichtigt werden kann, die in Gestalt einer umfassenden Geschichte die Bedeutung des Menschen aufzeigt, indem sie ihm einen notwendigen Platz in den Plänen der Natur zuweist; wenn die »Erklärung«, um den Eindruck einer wirklichen, bedeutsamen und beruhigenden Erklärung zu machen, aus der langen animistischen[1] Tradition hervorgehen muß – dann ist es begreiflich, daß so viele Tausende von Jahren vergehen mußten, bis die Idee der objektiven Erkenntnis als der *einzigen* Quelle authentischer Wahrheit im Reich der Ideen erschien.

Diese strenge und nüchterne Idee, die keine Erklärung bietet, sondern einen asketischen Verzicht auf jede weitere geistige Nahrung fordert, konnte die angeborene Angst nicht beruhigen; im Gegenteil – sie steigerte die Angst aufs höchste. Sie wollte eine hunderttausendjährige, ganz dem menschlichen Wesen assimilierte Tradition mit einem Schlage auslöschen; sie hob den alten animistischen Bund des Menschen mit der Natur auf und hinterließ anstelle dieser unersetzlichen Verbindung nur ein ängstliches Suchen in einer eisigen, verlorenen Welt. Wie konnte eine solche Idee, für die nichts als eine puritanische Anmaßung zu sprechen schien, akzeptiert werden? Sie ist nicht akzeptiert worden, bis heute noch nicht. Wenn sie sich trotzdem durchgesetzt hat, dann allein aufgrund ihrer erstaunlichen Leistungsfähigkeit.

In drei Jahrhunderten hat die durch das Objektivitätspostulat begründete Wissenschaft ihren Platz in der Gesellschaft erobert: in der Praxis wohlgemerkt, aber nicht im Geiste der Menschen. Die moderne Gesellschaft ist auf der Grundlage der Wissenschaft errichtet; ihr verdankt sie ihren Reichtum, ihre Macht und die Gewißheit, daß dem Menschen morgen, so er will, noch viel größere Reichtümer und Möglichkeiten zur Verfügung stehen können. So wie eine grundlegende »Entscheidung« in der biologischen Evolution einer Art die Zukunft ihrer gesamten Nachkommenschaft festlegen kann, hat aber die ursprünglich unbewußte Entscheidung für eine wissenschaftliche *Praxis* die Entwicklung der Kultur ebenfalls in eine Einbahnstraße gelenkt. Der »wissenschaftliche« Fortschrittsglaube des 19. Jahrhunderts meinte, diese Bahn müsse unfehlbar zu einer wunderbaren Entfaltung der Menschheit führen; wir sehen heute, wie ein finsterer Abgrund sich vor uns auftut.

Die Gesellschaft der Neuzeit hat die Reichtümer und Möglichkeiten akzeptiert, welche die Wissenschaft ihr eröffnete. Doch die wichtigste Botschaft der Wissenschaft hat sie nicht akzeptiert, sie hat sie kaum wahrgenommen: daß eine neue und ausschließliche Quelle der Wahrheit bestimmt worden ist; daß die Grundlagen der Ethik einer totalen Revision bedürfen; daß mit der animistischen Tradition radikal gebrochen werden muß; daß der »Alte Bund« definitiv aufzugeben und ein neuer Bund zu schmieden ist. Unsere Gesellschaft ist mit allen Möglichkeiten ausgerüstet, die die Wissenschaft ihr gibt, sie genießt alle Reichtümer, die ihr die Wissenschaft schenkt, aber sie versucht noch, Wertsysteme zu praktizieren und zu lehren, die schon an der Wurzel durch eben diese Wissenschaft zerstört sind.

Vor unserer Gesellschaft hat keine andere eine ähnliche Zerrissenheit erlebt. In den primitiven wie in den klassischen Kulturen fielen die Quellen der Erkenntnis und der Wertvorstellungen in der animistischen Überlieferung zusammen. Zum erstenmal in der Geschichte soll eine Zivilisation entstehen, die auf den überlieferten Animismus als Quelle der Erkenntnis, als Ursprung der *Wahrheit* verzichtet, aber in der Begründung ihrer Wertvorstellungen hoffnungslos an ihn gebunden bleibt. Die »liberalen« Gesellschaften des Westens verkünden als Grundlage ihrer Moral nach außen immer noch eine abstoßende Mischung aus jüdisch-christlicher Religiosität, »wissenschaftlicher« Fortschrittsgläubigkeit, »natürlichen« Menschenrechten und utilitaristischem Pragmatismus. Die marxistischen Gesellschaften bekennen sich noch immer zur materialistischen und dialektischen Religion der Geschichte. Ihre moralische Verfassung ist anscheinend solider als jene der liberalen Gesellschaften, aber auch verletzlicher – vielleicht gerade wegen der Strenge, die bisher ihre Stärke ausgemacht hat. Ungeachtet dessen lassen sich alle diese im Animismus verwurzelten Systeme nicht mit der objektiven Erkenntnis und der Wahrheit vereinbaren; sie stehen der Wissenschaft gleichgültig und schließlich sogar *feindselig* gegenüber: sie wollen sich die Wissenschaft zunutze machen, aber sie wollen sie nicht respektieren und ihr dienen. So groß ist die Kluft und so offenkundig die Lüge, daß es das Gewissen eines jeden Menschen quält und zerreißt, der über einige Kultur und Intelligenz verfügt und von jener moralischen Angst nicht losgelassen wird, die die Ursache allen Schaffens ist. Das trifft alle jene, die für die Entwicklung der Gesellschaft und der Kultur Verantwortung tragen oder tragen werden.

Die geistige Not der Moderne – das ist diese Lüge, die dem moralischen und gesellschaftlichen Dasein zugrunde liegt. Dieses mehr oder weniger undeutlich diagnostizierte Leiden ruft das Gefühl von Furcht, wenn nicht gar Haß hervor – auf jeden

Fall ein Gefühl der Entfremdung, das heute so viele Menschen angesichts der wissenschaftlichen Zivilisation empfinden. Die Aversion kommt offen zumeist gegenüber den technischen Nebenprodukten der Wissenschaft zum Ausdruck: der Bombe, der Zerstörung der Natur und der bedrohlichen Bevölkerungsentwicklung. Es läßt sich natürlich leicht erwidern, daß die Technik nicht die Wissenschaft ist und daß im übrigen die Nutzung der Atomenergie bald für das Überleben der Menschheit unerläßlich sein wird; daß die Zerstörung der Natur nicht zuviel, sondern eine unzulängliche Technik verrät; daß die Bevölkerungsexplosion darauf zurückgeht, daß jedes Jahr Millionen Kinder vom Tode gerettet werden: sollte man sie wieder sterben lassen?

Was ist das für eine oberflächliche Rede, die die Anzeichen mit den tieferen Ursachen des Übels verwechselt. Die Absage richtet sich deutlich gegen die wichtigste Botschaft der Wissenschaft. Man fürchtet sich vor dem Sakrileg, vor dem Anschlag auf die Wertvorstellungen. Diese Furcht ist völlig gerechtfertigt. Es ist schon richtig, daß die Wissenschaft die Wertvorstellungen antastet. Nicht direkt zwar, denn sie gibt keine Urteile über sie ab und *soll* sie auch ignorieren; aber sie zerstört alle mythischen oder philosophischen Ontogenien, auf denen für die animistische Tradition – von den australischen Ureinwohnern bis zu den materialistischen Dialektikern – die Werte, die Moral, die Pflichten, Rechte und Verbote beruhen sollten.

Wenn er diese Botschaft in ihrer vollen Bedeutung aufnimmt, dann muß der Mensch endlich aus seinem tausendjährigen Traum erwachen und seine totale Verlassenheit, seine radikale Fremdheit erkennen. Er weiß nun, daß er seinen Platz wie ein Zigeuner am Rande des Universums hat, das für seine Musik taub ist und gleichgültig gegen seine Hoffnungen, Leiden oder Verbrechen.

Aber wer bestimmt denn, was ein Verbrechen ist? Wer benennt das Gute und das Böse? In allen überlieferten Systemen gingen die Ethik und die Wertvorstellungen über die Verstandeskraft des Menschen hinaus. Er war nicht Herr über die Werte: Sie waren ihm aufgezwungen, und er war ihnen unterworfen. Nun weiß er, daß sie allein seine Sache sind, und macht er sie sich schließlich untertan, dann scheinen sie sich in der gleichgültigen Leere des Universums aufzulösen. Darum wendet der moderne Mensch sich von der Wissenschaft ab oder vielmehr gegen sie; er kann jetzt ihre schreckliche Zerstörungskraft ermessen, die sich nicht nur gegen den Leib, sondern gerade gegen den Geist richtet.

Wo ist Abhilfe? Muß man ein für allemal zugeben, daß die objektive Wahrheit und die Lehre von den Werten auf ewig getrennte Bereiche bleiben, die nichts miteinander zu tun haben? Diese Einstellung scheint bei einem großen Teil der modernen Denker vorzuherrschen, seien sie nun Schriftsteller, Philosophen oder selbst Wissenschaftler. Ich halte sie nicht nur für unannehmbar für die meisten Menschen, bei denen sie nur die Angst aufrechterhalten und schüren kann, sondern für absolut falsch, und zwar aus zwei wichtigen Gründen: Zunächst natürlich, weil Wertvorstellungen und Erkenntnis im Handeln wie in der Rede immer und notwendig miteinander verknüpft werden; dann und vor allem, weil *schon die Definition der »wahren« Erkenntnis letzten Endes auf einer ethischen Forderung beruht.*

Jeder dieser beiden Punkte verlangt eine kurze Ausführung. Die Ethik und die Erkenntnis werden unvermeidlich im Handeln und durch das Handeln miteinander verbunden. Das Handeln bringt *gleichzeitig* das Wissen und die Werte ins Spiel. Jede Handlung drückt eine Ethik aus, dient bestimmten Werten oder ist ihnen abträglich, stellt eine Wertentscheidung dar oder gibt es vor. Andererseits aber setzt jede Handlung notwendig ein Wissen voraus, und umgekehrt ist die Handlung eine der beiden unerläßlichen Quellen der Erkenntnis.

In einem animistischen System entsteht kein Konflikt durch die gegenseitige Durchdringung von Ethik und Erkenntnis, denn der Animismus vermeidet jegliche scharfe Unterscheidung zwischen diesen beiden Kategorien: Er betrachtet sie als zwei Aspekte einer Wirklichkeit. Eine derartige Haltung offenbart sich in der Vorstellung einer Sozialethik, die auf angeblichen »Naturrechten« des Menschen gründet; noch viel systematischer und deutlicher zeigt sie sich jedoch in den Versuchen, die unausgesprochene Moral des Marxismus explizit zu machen.

In dem Augenblick, wo die Forderung der Objektivität als der notwendigen Bedingung für jegliche Wahrheit der Erkenntnis erhoben wird, wird eine radikale Trennung zwischen den Bereichen der Ethik und der Erkenntnis eingeführt, die für die Erforschung der Wahrheit auch unerläßlich ist. Die eigentliche Erkenntnis ist über jegliches Werturteil, das sich nicht auf den »erkenntnistheoretischen Wert« bezieht, erhaben, während die ihrem Wesen nach *nicht objektive* Ethik für immer vom Objektbereich der Erkenntnis ausgeschlossen ist.

Die Wissenschaft entstand dadurch, daß die radikale Unterscheidung dieser beiden Bereiche zum Axiom erhoben wurde. Wenn dieses einmalige Ereignis in der Kulturgeschichte sich eher im christlichen Abendland als innerhalb einer anderen Kultur vollzogen hat, so bin ich versucht, an dieser Stelle anzumerken, daß dies vielleicht teilweise darauf zurückgeht, daß die Kirche zwischen den Bereichen des Heiligen und des Profanen einen grundlegenden Unterschied machte. Durch diese Unterscheidung wurde es nicht nur der Wissenschaft ermöglicht, sich ihren eigenen Weg zu suchen (unter der Bedingung, daß sie nicht in den sakralen Bereich eindrang); durch die Unterscheidung wurde der Geist auch auf die sehr viel radikalere Unterscheidung vorbereitet, die mit dem Objektivitätsgrundsatz aufgestellt wurde. Dem Abendländer mag es einige Mühe bereiten zu begreifen, daß es den Unterschied zwischen dem Sakralen und dem Profanen für manche Religionen nicht gibt und nicht geben kann. Für den Hinduismus gehört alles zum Bereich des Heiligen; schon der Begriff des »Weltlichen« ist ihm unverständlich.

Kommen wir nach dieser Abschweifung zur Sache zurück. Durch die Forderung nach Objektivität wurde der »Alte Bund« aufgehoben und damit gleichzeitig jegliche Verwechslung oder Vermischung von Erkenntnis- und Werturteilen untersagt. Es gilt jedoch weiterhin, daß diese beiden Kategorien im Handeln und damit auch in der Rede unvermeidlich miteinander verknüpft werden. Um unserem Grundsatz treu zu bleiben, bestimmen wir daher, daß eine Rede (oder ein Handeln) nur dann (oder in dem Maße) als gültig, als authentisch betrachtet werden soll, wenn (oder wie) es die Unterscheidung der beiden Kategorien, die es miteinander verbindet, deutlich macht und aufrechterhält. So definiert, wird der Begriff der Authentizität zu dem Bereich, in dem Ethik und Erkenntnis sich treffen, in dem die Wertungen und die Wahrheit sich miteinander verbinden, aber nicht vermischen, wo sie dem Menschen, der aufmerksam ihre Untertöne wahrnimmt, ihre volle Bedeutung enthüllen. Die nicht-authentische Rede, in der die beiden Kategorien miteinander vermengt, nicht auseinandergehalten werden, kann umgekehrt nur zum schlimmsten Unsinn und zur frevelhaftesten Lüge führen, selbst wenn sie ungewollt sind.

Es ist ganz deutlich, daß diese gefährliche Verquickung systematisch und immer wieder in der »politischen« Rede (»Rede« verstehe ich hier immer im Sinne von Descartes' »Discours«) vollzogen wird, und zwar nicht nur von den Berufspolitikern. Selbst Wissenschaftler zeigen sich außerhalb ihres Gebietes oft in gefährlicher Weise unfähig, zwischen Wertkategorien und Erkenntniskategorien zu unterscheiden.

Aber kehren wir nach dieser weiteren Abschweifung zu den Quellen der Erkenntnis zurück. Der Animismus, so hatten wir gesagt, kann und will übrigens auch nicht eine absolute Unterscheidung zwischen Erkenntnisaussagen und Werturteilen treffen; denn welchen Sinn hätte eine derartige Unterscheidung, wenn man unterstellt, daß im Universum eine zwar verborgene, aber doch vorhandene Absicht herrscht? In einem objektiven System ist dagegen jegliche Vermischung von Erkenntnis und Wertung *verboten*. Aber dieses Verbot, dieses »erste Gebot«, durch das die objektive Erkenntnis begründet wird, ist selber nicht objektiv und kann es nicht sein: Es ist eine moralische Regel, eine *Verhaltensvorschrift*. (Hierin liegt grundsätzlich das logische Verbindungsglied zwischen Erkenntnis und Wertung.) Die wahre Erkenntnis kennt keine Wertung, doch um sie zu begründen, bedarf es eines Werturteils oder vielmehr eines wertenden *Axioms*. Die Aufstellung des Objektivitätspostulats als Bedingung wahrer Erkenntnis stellt offensichtlich *eine ethische Entscheidung und nicht ein Erkenntnisurteil* dar, denn *dem Postulat zufolge konnte es vor dieser unausweichlichen Entscheidung keine »wahre« Erkenntnis geben.* Das Objektivitätspostulat stellt die *Norm* für die Erkenntnis auf und legt dafür einen *Wert* fest, der in der objektiven Erkenntnis selbst besteht. Wenn man das Objektivitätspostulat akzeptiert, dann trifft man folglich das grundlegende Urteil einer Ethik – der *Ethik der Erkenntnis*.

In der Ethik der Erkenntnis wird *die Erkenntnis durch die ethische Entscheidung für einen grundlegenden Wert begründet*. Darin liegt ein radikaler Unterschied zu den animistischen Systemen der Ethik, die alle dadurch begründet sein wollen, daß sie für den Menschen zwingende religiöse oder »natürliche« Gesetze »erkennen«. Die Ethik der Erkenntnis zwingt sich dem Menschen nicht auf; es ist im Gegenteil *der Mensch, der sie sich selbst auferlegt*, indem er sie *axiomatisch* zur Bedingung für die Authentizität, die Wahrhaftigkeit aller Rede und allen Handelns macht. Die »Abhandlung über die Methode« (»Discours de la Méthode«) von Descartes enthält eine normative Erkenntnistheorie, doch muß man sie auch und vor allem als eine moralische Meditation verstehen, als eine Askeseübung des Geistes.

Die authentische Rede nun begründet die Wissenschaft und gibt dem Menschen jene ungeheuren Möglichkeiten in die Hand, die ihn heute bereichern und bedrohen, die ihm Freiheit geben, aber ihn ebenso unterjochen können. Die moderne Gesellschaft ist von der Wissenschaft durchwoben; sie lebt von deren Produkten und ist davon so abhängig geworden wie ein Süchtiger von der Droge. Ihre materielle Stärke verdankt sie jener Ethik, die die Erkenntnis begründet, ihre moralische Schwäche jenen Wertsystemen, auf die sie sich noch immer zu berufen versucht und die durch die Erkenntnis selbst zerstört wurden. Dieser Widerspruch ist tödlich; er reißt jenen Abgrund auf, der sich unter unseren Füßen öffnet. Allein die Ethik der Erkenntnis, durch die die Welt von heute geschaffen wurde, läßt sich mit dieser Welt vereinbaren; allein diese Ethik kann, wenn sie einmal verstanden und akzeptiert worden ist, die Entwicklung dieser Welt lenken.

Doch kann diese Ethik jemals verstanden und akzeptiert werden? Wenn es – wie ich glaube – wahr ist, daß die Angst vor der Verlassenheit und das Bedürfnis nach einer zwingenden, umfassenden Erklärung angeboren sind und daß dieses aus der Tiefe der Zeiten überkommene Erbe ein nicht nur kulturelles, sondern mit Sicherheit ein genetisches Erbe ist – ist es da denkbar, daß diese nüchterne, abstrakte und hochmütige Ethik die Angst beschwichtigen und das Bedürfnis stillen kann? Ich weiß es nicht; vielleicht ist es schließlich doch nicht völlig ausgeschlossen. Vielleicht hat der Mensch mehr noch als das nach einer »Erklärung«, welche die Ethik der Erkenntnis nicht vermitteln kann, das Bedürfnis, über sich selbst hinauszugehen, das Bedürfnis nach Transzendenz? Die Wirkung des großen Traumes vom Sozialismus, der noch immer in den Herzen der Menschen lebendig ist, scheint das klar zu beweisen. Kein Wertsystem kann von sich sagen, eine wirkliche Ethik darzustellen, wenn es nicht zumindest ein Ideal enthält, das über den einzelnen so weit hinausgeht, daß seine Aufopferung für das Ideal im Notfall gerechtfertigt ist.

Die Ethik der Erkenntnis kann vielleicht, gerade weil sie ein so hohes Ziel verfolgt, dieses Bedürfnis nach Transzendenz befriedigen. Sie legt einen überragenden Wert fest und gibt dem Menschen auf, nicht sich seiner zu bedienen, sondern ihm von nun an durch eine freie und bewußte Entscheidung dienstbar zu sein. Die Ethik der Erkenntnis ist indessen auch ein Humanismus, denn sie achtet im Menschen den Schöpfer und Bewahrer dieser Transzendenz.

In einem Sinne ist die Ethik der Erkenntnis gleichermaßen eine »Erkenntnis der Ethik«, der Antriebe und Leidenschaften, der Bedürfnisse und Grenzen des biologischen Wesens Mensch. Sie kann in ihm das nicht so sehr absurde, aber doch sonderbare und gerade aufgrund seiner Sonderbarkeit einmalige Tier erkennen; ein Wesen, das gleichzeitig zwei Herrschaften unterworfen ist: dem Reich der belebten Natur und dem Reich der Ideen; ein Wesen, das sich zugleich gepeinigt und bereichert sieht durch jenen Zwiespalt, der sich in Kunst und Dichtung und in der menschlichen Liebe ausdrückt.

Die animistischen Systeme haben im Gegensatz dazu alle

mehr oder weniger den biologischen Menschen nicht zur Kenntnis nehmen wollen, sie haben ihn erniedrigt und ihm Gewalt angetan; sie haben ihn dahin bringen wollen, gewisse Merkmale, die seiner tierischen Beschaffenheit innewohnen, mit Schrecken und Abscheu an sich wahrzunehmen. Die Ethik der Erkenntnis dagegen ermutigt den Menschen, dieses Erbe zu achten und auf sich zu nehmen, es aber auch, wenn es sein muß, zu beherrschen. Was die höchsten menschlichen Eigenschaften angeht: den Mut, die Nächstenliebe, die Großmut und den schöpferischen Ehrgeiz, so gibt die Ethik der Erkenntnis zu, daß sie soziobiologischen Ursprungs sind, sie bestätigt aber auch ihren überragenden Wert im Dienste des von ihr festgelegten Ideals.

Die Ethik der Erkenntnis ist schließlich in meinen Augen die zugleich rationale und bewußt idealistische Haltung, auf der allein wirklicher Sozialismus begründet werden könnte. Dieser große Traum des 19. Jahrhunderts lebt in den Herzen der Jugend noch immer mit schmerzlicher Heftigkeit fort – schmerzlich deshalb, weil dieses Ideal so oft verraten worden ist, und wegen der Verbrechen, die in seinem Namen begangen wurden. Es ist tragisch, doch es war vielleicht unvermeidlich, daß diese großartige Bestrebung ihren philosophischen Ausdruck nur in Gestalt einer animistischen Ideologie gefunden hat. Man erkennt leicht, daß die »geschichtlichen« Prophezeiungen, die sich auf den dialektischen Materialismus stützen, von Anfang an mit den Gefahren behaftet waren, die dann schließlich auch eingetreten sind. Der historische Materialismus beruht vielleicht in noch stärkerem Maße als die anderen animistischen Lehren auf einer totalen Verwirrung von Wert- und Erkenntniskategorien. Gerade aufgrund dieser Verwirrung kann er dann in seiner Rede, die jeder Authentizität entbehrt, proklamieren, er habe die historischen Gesetze »wissenschaftlich« festgestellt und der Mensch könne ihnen nur noch gehorchen, wolle er nicht ins Wesenlose fallen.

Auf diese kindliche, wenn nicht sogar tödliche Illusion muß ein für allemal verzichtet werden. Wie kann ein wahrer Sozialismus jemals auf einer ihrem Wesen nach unwahrhaftigen Ideologie errichtet werden – einer Karikatur der Wissenschaft, auf die sie sich nach der aufrichtigen Meinung ihrer Anhänger zu stützen vorgibt? Der Sozialismus hat nur dann eine Hoffnung, wenn er die Ideologie, die ihn seit mehr als einem Jahrhundert beherrscht, statt sie zu »revidieren«, total aufgibt.

Wo sonst soll man die Quelle der Wahrheit und die moralische Inspiration eines wirklich *wissenschaftlichen* sozialistischen Humanismus finden, wenn nicht bei den Quellen der Wissenschaft selbst – in der Ethik, welche die Erkenntnis dadurch begründet, daß sie sie in freier Entscheidung zum höchsten Wert, zum Maß und Garanten aller übrigen Werte macht? Diese Ethik begründet die moralische Verantwortlichkeit auf der Freiheit jener grundsätzlichen Entscheidung. Allein die Ethik der Erkenntnis wird, wenn man sie als Basis der gesellschaftlichen und politischen Institutionen und damit als den Maßstab ihrer Wahrheit und ihrer Geltung akzeptiert, zum Sozialismus führen können. Die von dieser Ethik verlangten Institutionen sind der Verteidigung, Erweiterung und Entfaltung des transzendenten Reiches der Ideen, der Erkenntnis und der Schöpfung gewidmet. Dieses Reich ist im Menschen, und hier würde er, von materiellen Zwängen wie auch von der Knechtschaft der animistischen Lüge immer mehr befreit, endlich sein wahres Leben entfalten können; er würde von Institutionen geschützt, die in ihm den Untertan und zugleich den Schöpfer des Reiches sähen und die ihm in seinem einmaligen, unwiederbringlichen Wesen dienen müßten.

Das ist vielleicht eine Utopie, aber es ist kein unzusammenhängender Traum. Diese Vorstellung drängt sich allein durch die Stärke ihrer logischen Geschlossenheit auf; sie ist die Schlußfolgerung, zu der die Suche nach dem Wahren unausweichlich führt. Der Alte Bund ist zerbrochen; der Mensch weiß endlich, daß er in der teilnahmslosen Unermeßlichkeit des Universums allein ist, aus dem er zufällig hervortrat. Nicht nur sein Los, auch seine Pflicht steht nirgendwo geschrieben. Es ist an ihm, zwischen dem Reich und der Finsternis zu wählen.

Anmerkung

1 Dieses Adjektiv verwendet der Autor in einem besonderen, in Kap. II des Buches, dem der Beitrag entnommen wurde (vgl. ebda., S. 38), definierten Sinne.

Edgar Morin
Scienza nuova

Das neue Weltbild der Fundamental-Anthropologie setzt voraus, daß die gesamte Erkenntnis in ihren internen Beziehungen umstrukturiert wird. Es geht um sehr viel mehr als lediglich eine Anknüpfung diplomatischer und wirtschaftlicher Beziehungen zwischen Einzeldisziplinen, die doch ihre jeweilige Souveränität behalten würden. Es gilt, das Prinzip der Einzeldisziplinen in Frage zu stellen, durch die wie mit einem Hackmesser der komplexe Gegenstand zerlegt wird, der ja wesentlich in den Wechselbeziehungen, den Wechselwirkungen, den Interferenzen, den Komplementärbeziehungen und den Gegensätzen zwischen konstitutiven Elementen besteht, die jeweils Gefangene einer Einzeldisziplin sind. Um einen wirklich interdisziplinären Zusammenhang zu schaffen, müssen die Einzeldisziplinen sich miteinander verbinden und für die komplexen Phänomene öffnen, und es bedarf selbstverständlich einer entsprechenden Methodologie. Es bedarf gleichfalls einer transdisziplinären Theorie – eines transdisziplinären Denkens –, das sich bemüht, den einzigen, sowohl kontinuierlichen als auch diskontinuierlichen Gegenstand der Wissenschaft zu umfassen – die *Physis*.

Es gilt also nicht nur, die Wissenschaft vom Menschen, sondern eine neue Konzeption der Wissenschaft zu schaffen, die nicht nur die bestehenden Grenzen, sondern auch die grundlegenden Vorstellungen und in einem gewissen Sinne sogar die Wissenschaft als Institution in Frage stellt und überwindet. Wir wissen, daß eine Idee, die Unruhe schafft, stets unwillkommen ist, und daß wir uns mit unseren Vorschlägen den Unwillen all jener zuziehen werden, welche die gegenwärtige Wissenskonzeption für ewig und unantastbar halten. Nun wissen wir aber auch, daß der Wissenschaftsbegriff sich gewandelt hat, und wir spüren immer stärker, daß er sich wandeln muß.

Ich hatte am Anfang meiner Bekehrung selbst geglaubt, eine

neue Wissenschaft vom Menschen könnte sich auf den Fels der Biologie stützen. Ich erkenne jetzt immer mehr, daß sowohl der Biologismus als auch der Anthropologismus überwunden werden müssen und daß eine »Kettenreorganisation« nötig ist, wenn die *Scienza nuova* entstehen soll. Die *Scienza nuova* oder allgemeine Wissenschaft von der *Physis* wird die Verbindung zwischen der Physik und dem Leben herstellen, also zwischen der Entropie und der Negentropie, zwischen der mikrophysikalischen Komplexität (Uneindeutigkeit von Korpuskular- und Wellencharakter, Unbestimmtheitsrelation) und der makrophysikalischen Komplexität (Selbstorganisation). Sie soll die Verbindung zwischen dem Lebendigen und dem Menschlichen herstellen, zwischen der Negentropologie und der Anthropologie, da der Mensch der Negentrop par excellence ist.

Gleichzeitig muß die Reform eine erkenntnistheoretische sein und die Wissenschaftslehre zum integrierenden Bestandteil der Wissenschaft selbst machen, die immer hin- und hergerissen ist zwischen dem Empirismus, der glaubt, es direkt mit den Gegenständen zu tun zu haben, und dem pragmatischen Idealismus, der glaubt, lediglich wirkungsvolle Begriffe zu handhaben. Nun entdecken wir immer mehr, daß das Schlüsselproblem der Wissenschaft auf einem höheren Niveau das jeglicher Erkenntnis ist: das Verhältnis des beobachtenden Subjekts zum beobachteten Objekt. In der Mikrophysik, in der Informationstheorie, in der Geschichte und der Ethnographie begreift man immer mehr, daß das Objekt vom Beobachter konstruiert wird, daß es stets durch die zerebrale Beschreibung vermittelt ist. Diese zerebrale Beschreibung ist deswegen keine reine Phantasie, doch enthält sie eine gewisse Uneindeutigkeit und Unentscheidbarkeit, die nur durch eine Beschreibung der Beschreibung und eine Charakterisierung des Beschreibenden erhellt werden können. Es geht also darum, das Metasystem des Wissenschaftssystems zu errichten. Genau das ist die neue Meta-Physik, die sicher nicht die Überwindung, aber ein besseres Verständnis jener erschreckenden Kluft ermöglichen wird, die sich zwischen der Wissenschaft und den Werten (Ethik), der Wissenschaft und der Finalität (Anthropolitik) auftut.

Nach unserer Auffassung sind also die grundlegenden Probleme der Anthropologie und der *Scienza nuova* nicht voneinander zu trennen. Für uns ist die Wissenschaft vom Menschen nicht ein Gebäude, das zu vollenden wäre, sondern eine Theorie, die noch zu errichten ist. Eine ungeheure Aufgabe von besorgniserregender Dringlichkeit. Tatsächlich sind die heutigen Probleme so bedrängend geworden, daß wir eine Politik des Menschen definieren müssen, eine Politik, die wir aber nicht allein mit Hilfe gutgemeinter Entschlüsse, frommer Beschwörungen, empirischer Regeln, technokratischer Rezepte oder mit Hilfe eindimensionaler Doktrinen oder der Religion erreichen können, die natürlich, wie jede Religion, behauptet, die einzige wahrhafte Wissenschaft zu sein. Wir können heute erkennen, wie verhängnisvoll die Rückwirkung der anthropo-soziohistorischen Realität auf die besten evolutionären und revolutionären Absichten gewesen ist, und unser einziger Trost besteht darin, daß er für die schlimmsten reaktionären Absichten ebenso fatal gewesen sein mag. Wir müssen heute wissen, daß das entscheidende Problem in einer Politik des Menschen besteht, daß es eine Politik des Menschen ohne Theorie des Menschen nicht gibt und daß wir noch keine Theorie des Menschen haben.

Die Wissenschaft vom Menschen wird indes nicht das Wunderrezept sein, mit dessen Hilfe das praktische Problem der Politik des Menschen gelöst wird. Wir wissen bereits, daß keine, auch keine wissenschaftliche Theorie, die Wirklichkeit vollständig zu erfassen und ihren Gegenstand restlos zu erklären vermag. Sie muß notwendig offen bleiben, und das heißt unvollendet, unzureichend, offen auf das Ungewisse und Unbekannte hin, daß sie aber auch durch diese Lücke hindurch, die zugleich wie ein begieriger Schlund wirkt, ihre Suche fortsetzen, eine Metatheorie entwickeln muß, die ihrerseits wiederum ...

Andererseits wissen wir, daß die Wissenschaft, die ihre Wirksamkeit auf die Trennung zwischen Subjekt und Objekt, zwischen Tatsachen und Werten stützt, sich der Selbstkontrolle, d. h. der Kontrolle der Wissenschaftler entzogen hat, die zu Beamten geworden sind. Die Atomphysik ist von den blinden und unberechenbaren Kräften manipuliert worden, die unsere historischen Gesellschaften beherrschen und einander streitig machen; auch die Biologie wird manipulierbar sein und manipuliert werden. In noch gravierenderem Maße wird das mit der Anthropologie geschehen, sobald sie zu einer echten Wissenschaft wird.

Das Problem der Natur des Menschen, der Einheit des Menschen, der Natur und der Gesellschaft stellt sich deshalb heute auf dramatische, unberechenbare Weise. Auch hier stoßen wir wieder auf die anthropologische Lücke, in der das Spiel von Wahrheit und Irrtum sich vollzieht.

Nun ist dieses Spiel kein epiphänomenales Spiel auf der Oberfläche eines undurchsichtigen Systems, in dem mechanische Kräfte am Werke sind. Ein selbstorganisiertes System ist auch ein System der Kommunikation zwischen seinen konstitutiven Elementen und mit der äußeren Umwelt. Es produziert sich selbst nur, wenn sein generatives System dem phänomenalen System richtige Instruktionen übermittelt und wenn dieses richtige Informationen aus der Umwelt aufnimmt. Der biologische Tod ist nichts anderes als das fatale Ergebnis einer Häufung von Irrtümern infolge zufälliger mikrophysikalischer Störungen, welche die generative Botschaft entstellen und zur Desorganisation der Stoffwechselfunktionen führen.

So einfach ist das Problem des Irrtums indessen nicht abzutun, denn im Falle der positiven Evolution (Steigerung der Komplexität) bringt die Mutation – ein »Irrtum« für das System, in dem sie sich ereignet hat – die »Wahrheit« des neuentstandenen Systems hervor. Die Umwandlung des Irrtums in einen Informationszuwachs findet sich in der menschlichen Evolution auch auf einer anderen Ebene: »Du suchst – Indien, du entdeckst – Amerika!«

Das große Problem besteht demnach in der vorgegebenen Unentscheidbarkeit zwischen dem fruchtbaren Irrtum und dem fatalen Irrtum. Nun ist das widerspruchsvolle Spiel des Lebens nicht bloß ein Spiel der Kräfte, sondern vor allem ein Spiel der Täuschung. Raubtier und Beutetier versuchen beide, den Feind in die Irre zu führen, und das Leben im Ökosystem schwirrt von falschen Informationen. Selbst innerhalb eines Organismus kann ein eingedrungenes Virus sich ausbreiten, wenn das immunologische System es chemisch als »selbst« zu erkennen glaubt – so wie eine Wache den Feind eindringen läßt, der das Losungswort besitzt. Es geht sogar soweit, daß das immunologische System die Entwicklung des Krebses, den es bekämpfen müßte, schützt – ob es dabei getäuscht wird oder ob es sich täuscht, das läuft aufs gleiche hinaus.

Die Menschheit hat in ihrer Entwicklung stets mit beiden Arten des Irrtums zu tun gehabt: dem ambivalenten Irrtum im Hinblick auf eine generative Botschaft, der schließlich die Entwicklung zu höherer Komplexität bewirkt, und der Täuschung, die zu Niederlage und Untergang führt. In der gigantischen Krise heute, die vielleicht eine vierte Geburt der Menschheit möglich macht, hat das Problem der Eindeutigkeit und Ungewißheit zwischen Irrtum und Wahrheit seinen Höhepunkt erreicht. Alles, was für ein auf Zwang beruhendes System von geringer Komplexität Wahrheit ist, bedeutet für ein (auf der Verringerung der Zwänge beruhendes) hyperkomplexes System einen lebensgefährlichen Irrtum. Alles, was für ein hyperkomplexes System wahr ist, ist für ein System von geringer Komplexität ein Irrtum. Aber auch jede List, mit der ein System von geringer Komplexität sich den täuschenden Anschein eines Systems von hoher Komplexität gibt, birgt die Regression in sich.

Nun tritt die Wissenschaft in das ungewisse Spiel des Selbstbewußtseins ein. Vor allem in einer Zeit der Krise schwankt das Bewußtsein hektisch zwischen seiner Natur als Epiphänomen und seiner Natur als Epizentrum hin und her, stürzt es sich in den Wahn oder befreit sich im Gegenteil plötzlich daraus. Ein weiterer Widerspruch steckt übrigens darin, daß das Bewußtsein heute als notwendige Voraussetzung für eine Steigerung der sozialen Komplexität erscheint, die indessen allein die Bedingungen seiner Entwicklung zu schaffen vermag. Das bedeutet aber, daß das Bewußtsein von dem Spiel abhängt, das in der Politik und von der Politik gespielt wird. Jedoch muß man auch hier wieder sagen, daß die Dialektik der Interaktion und Interferenz von Wissenschaft, Bewußtsein und Politik nicht zu Ende ist, da sie ins Innere jener gigantischen Dialektik der historischen Desorganisation/Reorganisation gehört, die im planetaren Maßstab alle Gesellschaften und die gesamte Menschheit bewegt. Innerhalb dieser umfassenden Dialektik vermag das schöpferische Spiel der Selbstorganisation die neuen Gefüge, die noch unbekannten Formen, die spontanen Ansätze und die verfrühten, aber prophetischen Blüteerscheinungen der Metagesellschaft hervorzubringen. Die Chance einer neuen Geburt des Menschen liegt daher in der Verbindung der unbewußten sozialen Morphogenesen des kollektiven Genies mit der Wissenschaft, dem Bewußtsein und der Politik.

Hier muß der Ausdruck *Geburt* ganz ernstgenommen und die heutige Auffassung zerstört werden, die sowohl für die Wissenschaft als auch für das Bewußtsein und die Gesellschaft nur *Reifungs*-Probleme sieht. Die Wissenschaft hat noch nicht ihre höchste Entfaltung erreicht, sie steht erst an einem Neuanfang. »Die Wahrheit«, wie die religiösen, metaphysischen und politischen Dogmen sie kennen, bringt sie nicht. Ihre eigenen elementaren Probleme der Wahrheit, der Ethik und des Verhältnisses zu den gesellschaftlichen Zwecken sind ungelöst. Sie stammelt und stottert, sobald sie ihre Gleichungen verläßt, in denen sie phantastische Kräfte manipuliert. Wir stehen an den Anfängen der Erkenntnis. Wir stehen ebenso – und das haben wir jetzt genügend wiederholt – an den Anfängen des Bewußtseins. Und schließlich befinden wir uns nicht in einer möglichen Entfaltung der historischen Gesellschaften, sondern in der Vorzeit einer wahrhaften sozialen Hyperkomplexität.

Adolf Portmann

Die Biologie als technische Weltmacht

1

Vor etwa 40 Jahren fand sich noch in keinem unserer Adreßbücher die Bezeichnung Biologe oder Zoologe, denn beides wurde nicht als Beruf angesehen. Heute sind alle meine Schüler, soweit sie nicht längst höhre Statussignaturen führen, zumindest als Zoologen oder Biologen in den Adreßbüchern verzeichnet, ein bescheidenes Zeichen einer Veränderung, die sich in diesen Jahrzehnten vollzogen hat.

So ist es wohl gerechtfertigt, wenn man nach vier Jahrzehnten biologischer Arbeit nicht nur zurück-, sondern auch vorausblickt und versucht, die Rolle zu bedenken, die der Biologie im ganzen heute zufällt.

Biotechnik ist uralt. Eine der wichtigsten Epochen der Menschheitsgeschichte war der Übergang der frühen Sammler und Jäger zu Ackerbau und Viehzucht. Es stellte ein eminent biotechnisches Faktum dar, daß man Gärungsprozesse zur Brotbereitung oder alkoholische Gärungen zu Rauschmöglichkeiten verwendete. Schon früh gab es Praktiken biotechnischer Art zur Verhütung der Befruchtung und zur Abtreibung der Frucht. Alexander von Humboldt schildert in seinen Reiseberichten über die Äquinoktialgegenden und die sogenannten Naturvölker im Urwald von Südamerika mit Erstaunen die zahlreichen Praktiken der Abtreibung.

Aus wilder Vegetation Nutzpflanzen, aus wilden Tieren Haustiere von immer höherem Wert für unsere Erhaltung zu züchten, ist eine vorwissenschaftliche Leistung von Jahrtausenden – die Leistung von Menschen, die nicht von ›Biologie‹ sprachen. Nicht umsonst weisen die rabiaten Menschenzüchter unter den Wissenschaftlern darauf hin, daß unsere Vorfahren Milchkühe herangezüchtet haben, ohne jede Hilfe einer Vererbungswissenschaft.

Längst bevor es Ergotamin in unseren Laboratorien gab, hat man das Mutterkorn praktisch verwendet; längst bevor es Digitalispräparate und schließlich Coramin gab, wurde von Pflanzenkundigen der Fingerhut benutzt. Ich erwähne dies alles, damit wir ja nicht davon ausgehen, die Biotechnik sei eine neue Erscheinung.

Im 20. Jahrhundert hat jedoch eine Revolution begonnen, welche der Umwälzung im letzten Jahrhundert durch die physikalische und chemische Technik entspricht. Heute befinden sich Biochemie und Biophysik in voller Entfaltung und sind zu selbständigen und vielschichtigen Fachgebieten geworden. Eine dritte Macht ist im Aufstieg!

Der Astronom Fred Hoyle soll kürzlich einmal gesagt haben, wenn er heute zur Welt käme, würde er in zwanzig Jahren nicht Biologe werden wollen. Denn er vermute, daß dann alle Biologen in geheimen Laboratorien hinter Stacheldraht mit allerhand düsteren Experimenten beschäftigt seien. Er dachte dabei an die bereits bestehende biologische Kriegstechnik. Das hindert nicht, daß von unseren jungen Studenten der biologischen Fächer jeder zweite Molekularbiologie betreiben will, unbekümmert darum, ob es dieses Fach an der von ihm besuchten Hochschule überhaupt gibt.

Die Entwicklung ist also in Gang gekommen, und wir haben uns zu fragen, ob man sie fördern soll oder ob sie da und dort verhindert werden muß. Die Historiker berichten von Petrarca, daß er im 14. Jahrhundert gegen den Gebrauch von Feuerwaffen und dessen Konsequenzen protestiert habe. Sein Protest ist nicht sehr wirksam gewesen, und so fürchte ich, daß auch unsere Proteste gegen mögliche Mißbräuche der Biologie erfolglos bleiben werden.

Es ist noch gar nicht lange her, daß die US-Army $ 376000.– Schadenersatz an Farmer in Squaw Valley im Staate Utah bezahlen mußte, weil etwa 6000 Schafe durch das Nervengas VX umgekommen waren. Das Gas hatte sich in jenem Tal ausgebreitet und war durch ein Zusammentreffen von Zufällen über eine Bergkante in die Gegend gelangt, in der die Schafe weideten. Zunächst wurde in der Öffentlichkeit über diese Angelegenheit nichts berichtet. Inzwischen sind aber Millionen von

Menschen von den Dingen, die sich um uns herum abspielen, alarmiert worden.

Die Biologie ist jetzt so weit, daß sie in beschleunigtem Tempo viele Vorgänge im Protoplasma und im Zellkern, also im gesamten lebenden Stoffbereich in die Hand bekommt. Die Erzeugung von Leben aus unbelebtem Stoff befindet sich in einem Stadium, das man sich vor wenigen Jahrzehnten noch nicht hat träumen lassen. Die Entwicklung neuer Vorstellungen über die Bedingungen im Ozean jener frühen Erdzeit, in der wir die ersten Vorstufen des Lebens vermuten, hat anfangs der fünfziger Jahre zur experimentellen Herstellung organischer Stoffe geführt, die als Komponenten einfachster Vorstadien des Lebens gelten können. Wichtige Schritte auf diesem Weg sind 1953 in Chicago verwirklicht worden. Liest man in der Ausgabe von 1934 des Handbuches der Naturwissenschaften unter dem Stichwort ›Urzeugung‹ nach, kann man die Wegstrecke ermessen, die seitdem bis zu den Experimenten von Chicago durchlaufen wurde. Heute stehen die Möglichkeiten, Lebensmaschinen, Plasma-Maschinerien zu ersinnen und Stoffwechselvorgänge nachzuahmen sowie die Synthese von neuen Stoffen, auch von Nahrungsmitteln, zu erzielen, ernsthaft vor uns. Es geht um die künstliche Fortpflanzung, die künstliche Besamung und um die Aufzucht der Keime außerhalb des Mutterkörpers. Es geht darum, die Plazentation aus dem Mutterleib heraus in den Brutschrank zu verlegen, das Geschlecht des Keims zu bestimmen und die Immunitätsschranke, die bisher die Transplantationen von Geweben von einem Individuum auf das andere verhindert, zu überbrücken. Man beschäftigt sich damit, die Hirnstruktur zu verändern und die Lebensgrenze hinauszuschieben. Man will einerseits die Wahrscheinlichkeit steigern, daß die heute bereits möglichen Lebensgrenzen auch wirklich erreicht werden, andererseits sucht man nach Eingriffen, welche die Lebensgrenze schlechthin erweitern. Man forscht danach, wie die Psyche zu beeinflussen sei; man erfindet Vernichtungsmittel für die Vegetation, um weite Regionen zu sterilisieren; man erfindet biologische Waffen, die für die Kriegsführung völlig neue Probleme aufwerfen.

2

Dieser Katalog ist nicht der eigentliche Gegenstand unserer Umschau, obwohl wir bei der Prüfung der sozialen Situation selbstverständlich an diese Einzelheiten denken müssen. Ich möchte versuchen, die Dinge aus der anthropologischen Sicht zu betrachten, wie sie sich im Laufe von Jahrzehnten zoologischer Arbeit als eine wichtige Linie meines Schaffens ergeben hat. Diese Sicht ist auf das Gesamtbild des Lebendigen in unserer Welt gerichtet. Daher muß ich die Aufmerksamkeit darauf lenken, daß wir eine neue Ökologie brauchen. Wir müssen die Verhältnisse innerhalb der Tierwelt, die der Tiere zur Pflanzenwelt und zu den Menschen besser und intensiver kennenlernen, wenn wir den Reichtum an Formen erhalten wollen, den wir gegenwärtig zu vergeuden und zu vernichten im Begriff sind.

Lassen Sie mich hierzu ein aktuelles Beispiel nennen. Noch vor gar nicht so langer Zeit dachte niemand an die Möglichkeit, daß sich ein Phänomen wie die Tollwut wieder über Mitteleuropa ausbreiten könnte. Dennoch ist es geschehen. Ich bin oft erstaunt, wie dürftig unsere Kenntnisse von den ökologischen Faktoren sind, die eine Ausbreitung dieser Seuche bewirken. Auch angesichts der Vergasungstechnik und ähnlicher Prozeduren muß man sich immer wieder wundern, wie wenig an faktischem ökologischem Wissen in der breiteren verantwortlichen Öffentlichkeit vorhanden ist. Zwischen Nahrungsangebot und Fortpflanzung etwa der Säuger und Vögel existieren Zusammenhänge, welche selbst die Biologen erst in großen Linien kennen. Andere Zusammenhänge bestehen zwischen der massenhaften Vernichtung von Schädlingen und der vermehrten Ausbreitung der Überlebenden!

Seit Jahren kreuzen an die vierzig Forschungsschiffe im Indischen Ozean, um eine der letzten großen Quellen für die menschliche Ernährung zu erschließen. Wir kommen mit der Verarbeitung der aus den Tiefen des Weltmeeres heraufgeholten Ergebnisse kaum nach. Hier tun sich unheimliche Möglichkeiten der Ausbeutung und des Raubbaues auf, doch es bietet sich auch Gelegenheit, die wesentlichen Zusammenhänge sinnvoll zu ergründen. Beides ist Teil der Biotechnik. Selbst die Schweiz unterhält heute eine bescheidene Hochseeflotte und hat in Basel ein Seeschiffahrtsamt. Man wundert sich bei uns manchmal, daß in der Schweiz eine Anzahl ausgefallener Zoologen marin arbeitet. Es gibt aber im Grunde genommen in Europa kein Binnenland im ursprünglichen Sinne des Wortes mehr.

Ich durfte mein wissenschaftliches Leben am Rhein zubringen. Dort hat Friedrich Miescher im Laboratorium, in dem ich arbeite, im Jahre 1869 begonnen, die Nukleinsäuren zu erforschen. Damals lag die mikroskopische Kenntnis der Befruchtung noch nicht vor; das Wort Chromosom trat im Jahre 1888 zum erstenmal auf, und erst um 1919 entstand nach der Wiederentdeckung der Mendelschen Gesetze und nach den ersten Schritten der Mutationslehre eine umfassende Chromosomentheorie der Vererbung. Die Entdeckung der Nukleinsäuren im Jahre 1869 blieb ein Einzelfaktum. Erst während des Zweiten Weltkrieges und dann von 1950 an kam der Durchbruch zu der schwindelerregenden Folge von Forschungen über Strukturen der Chromosomen und der Nukleinsäure als Glied der Erbsubstanz. Man muß sich einmal die Reihe der Nobelpreise vor Augen stellen, die in wenigen Jahren allein auf diesem Arbeitsfeld vergeben wurden, um die stürmische Entwicklung auf diesem Gebiet zu ermessen, das sich zunächst jahrzehntelang langsam darauf vorbereitet hatte.

Ich habe im engeren Rahmen eine solche Entwicklung selbst beobachtet. Zu Beginn meiner Amtstätigkeit arbeiteten einzelne meiner Studenten bei Drogen-Experimenten mit. Sie wurden den unterschiedlichsten psychologischen Einflüssen ausgesetzt. Ich habe dann in Basel mit großem Anteil die Untersuchungen der Pilze aus Mexiko miterlebt, die dramatischen Begegnungen mit den mexikanischen Indianern, von denen man den Gebrauch der Pilzgifte erfahren wollte. Damals habe ich sogar veranlaßt, daß man von kompetenter Seite im Basler Stadtbuch die Öffentlichkeit über diese wunderbaren Untersuchungen unterrichtete. Wir dachten seinerzeit vor allem an die große Leistung, welche diese Synthese darstellt.

Wenige Jahre später standen wir der völlig veränderten Situation gegenüber, daß selbst die Firma, die diese Versuche unternommen hatte, die Herausgabe der Substanz LSD unterband. Man begann, sich mit Entsetzen über die Wirkungen dieser Droge zu äußern. Innerhalb weniger Jahre ist also eine Tatsache von unbestrittenem positiven Forschungswert zu einem gewaltigen Sozialproblem für unsere Zeit geworden. Dieses Faktum dürfte gleichsam ein Symbol für das sein, was in unserem heutigen Überblick zur Diskussion steht. Das Problem der Drogen ist in unseren technisierten Ländern zu einem sozialen Faktum erster Ordnung, die Droge zu einem Instrument im Kampf der Jugend um Selbständigkeit ihrer Lebensführung geworden. Die Diskussion der Erwachsenen endet unentschieden: die gegensätzlichen Möglichkeiten lassen nicht mehr jene Vereinfachung zu, welche einst in Schwarzweißmanier zwischen Gut und Schlecht zu entscheiden vermochte.

Ein soziales Problem erster Ordnung sehe ich darin, daß die Anpassung der Gesellschaft an die Forschungsergebnisse mit dieser stürmischen Entwicklung nicht Schritt hält. Es geht doch darum, wie wir mit den Erfindungen und Entdeckungen der Biologie fertig werden, wobei ich offenlasse, ob sie sich positiv oder negativ auswirken. Seit geraumer Zeit wird zum Beispiel die künstliche Besamung durchgeführt, ohne daß die vielen juristischen und menschlichen Probleme, die dieses Verfahren aufwirft, im entferntesten geklärt sind. Daraus resultiert eine Zwangssituation.

Die Keimentwicklung außerhalb des Mutterkörpers kommt auf uns zu. Manche Prognosen setzen auf das Jahr 2000, andere gehen fünfzig Jahre weiter, wieder andere sprechen bereits von 1985. Ich halte es für unsere Aufgabe, der Öffentlichkeit jetzt schon bestimmte Dinge zur Kenntnis zu bringen – falls die Gesellschaft als Ganzes gewillt sein sollte, derartige Wege zu beschreiten. Sie müßte erfahren, daß die Studien über die Verlegung der Keimzelle aus dem Mutterkörper heraus im Gange sind und daß man begonnen hat, Forschungen über die Beherrschung der Physiologie des Mutterkuchens, der Plazenta, anzustellen. Man muß wissen, daß versucht wird, die gesamte Entwicklung des Keimes außerhalb des Körpers zu verlegen. Innerhalb der Forschung wird von diesen Möglichkeiten gesprochen, und die Gesellschaft darf sich den Luxus nicht leisten, darüber lediglich in der Art von Science Fiction zu reden oder sie gar zu ignorieren. Und es darf bei dieser Orientierung nicht nur darum gehen, die technischen Erfindungen der Forschung als Erleichterung unserer Lebensführung zu preisen. Es gilt auch, die Folgen nach allen Seiten zu überprüfen, die sich für den Alltag ergeben, die Folgen für das Erleben sowohl wie für die Lebensgestaltung der Frau, um nur eine Konsequenz herauszuheben. Man zieht die Keimverlegung nach außen ohne weiteres als eine Entlastung der Frau in Betracht; aber die ganze Skala der weiblichen Gefühlswelt, die Frage der hormonalen Beziehungen, die den mütterlichen Lebenslauf weitgehend mitbestimmen, spielen in diesen Erwägungen nur eine dürftige Rolle neben der technischen Phantasie und den Überlegungen, was durch die biotechnischen Möglichkeiten tatsächlich alles vollzogen werden kann.

Ich denke weiterhin daran, daß die Biologie damit beschäftigt ist, die Einflüsse auf das Nervensystem zu studieren und unter anderem auch die Vermehrung der Gehirnzellen zu prüfen. Der Vergleich von verwandten Tierformen mit verschiedener Zellenzahl in ihren höchsten Gehirnzentren erlaubt uns wohl den unbestrittenen allgemeinen Schluß auf die Bedeutung dieser Zellvermehrung für die Evolution der Tiere. Aber jedes dieser Gehirne ist harmonisches Ergebnis eines in langer Evolution gewordenen Zusammenwirkens der Elemente. Niemand kann zur Zeit voraussagen, was geschieht, wenn wir den Zellreichtum vermehren, in die bestehende Harmonie eingreifen.

Ähnliches gilt von der Möglichkeit der Beschleunigung, der Verfrühung der Hirnentwicklung. Es gibt die umstrittenen, in den Einzelheiten noch lange nicht geklärten Experimente, die zu der Annahme führen, daß durch die Unterdrucksituation bei der Mutter in bestimmten Embryonalphasen die Gehirnentwicklung beschleunigt wird. Ich kann mir über die Versuche von Professor Heinz und anderen in Südafrika kein Urteil anmaßen und weiß nicht, ob selbst die Fachkollegen darüber zu urteilen vermögen. Jedenfalls werden solche Dinge diskutiert, und wir müssen mit Ergebnissen rechnen, die zu neuen Versuchen verlocken. Ursprünglich ging man davon aus, dem Mutterkörper in der letzten Zeit der Schwangerschaft Erleichterung zu verschaffen. Aber bereits heute haben diese Versuche eine ganz andere Bedeutung gewonnen.

Überall trifft man auf eine allzu einseitige Orientierung über die Bedeutung des Nervenlebens. Zum Beispiel will man den Intelligenzquotienten erhöhen, ohne sich darüber Gedanken zu machen, daß das gesamte Seelenleben eine innere Einheit darstellt und man nicht nur einzelne Sektoren fördern kann oder sollte. Auch bei der Frage, wie man Stimmungen durch Drogen lenken könnte, wird nur auf bestimmte Absichten gezielt und nicht etwa die Harmonie eines ganzen menschlichen Daseins mit einbezogen.

Die sozialen Einblicke und Einsichten in den tatsächlichen Fortschritt der Forschungen hinken nach. So hat sich zum Beispiel die Wahrscheinlichkeit gewaltig erhöht, eine unserem natürlichen Lebensprozeß entsprechende Altersgrenze zu erreichen. Die zur Beurteilung der sozialen Auswirkung dieses Problemkreises erforderlichen Anstrengungen sind jedoch keineswegs in gleichem Ausmaß verstärkt worden. Die Öffentlichkeit macht sich noch zu wenig ernsthafte Gedanken darüber, welche Folgen dieses verlängerte Alter haben wird; letztlich hat doch die kommende Jugend eines Tages diesen erhöhten Anteil an alten Menschen durch ihre Leistungen zu tragen.

Dieses Problem wird aber noch dramatischer, wenn man sich vor Augen hält, daß bereits eine Durchbrechung der absoluten Altersgrenze, die wir bisher noch gelten ließen, angestrebt wird. In den Prognosen spricht man von Altersmöglichkeiten, die bis zu 150 Jahre betragen. Dabei will ich auf die Prognosen, die den Tod aus der Welt schaffen wollen und Unsterblichkeit suchen, gar nicht eingehen, auch nicht darauf, daß man sich in tiefgefrorenem Zustand über gewisse traurige Perioden der Menschheitsgeschichte hinweghelfen möchte. Bei einem Lebensalter von 150 Jahren würden nebeneinander die Generationen der 150jährigen, der 120-, 90-, 60- und 30jährigen leben. Die heute bereits bestehenden Generationsprobleme würden dann noch beträchtlich härter und schwerer lösbar sein. Wer also das eine will, muß auch das andere akzeptieren und sich diesen neuen Fragen stellen. Was wie eine harmlose Mathematik über Altersprobleme aussieht, wirft in Wirklichkeit ungeheure Fragen auf.

Der biologische Fortschritt geht also viel rascher vor sich, als wir in der Lage sind, uns ihm sozial anzupassen. Wir erleben die Conterganprozesse. Wie umstritten auch die Wirkungen des Thalidomids im einzelnen sein mögen – sie wurden zum Glück relativ früh entdeckt. Es hat nicht viel gefehlt, so hätten wir nicht rechtzeitig erkannt, was hier alles auf dem Spiel steht. Dennoch stehen wir vor Fragen, auf die noch immer keine Antworten gefunden worden sind: wenn man nur daran denkt, wie etwa in Westdeutschland um das Schicksal dieser Contergankinder gekämpft werden muß, ein Schicksal, das uns doch alle angeht!

Auf dem Gebiet der Geschlechtsbiologie hat die Beeinflussung der Fortpflanzung längst eine Trennung des reinen individuellen Lustgewinns von den ursprünglich arterhaltenden Zielen zur Folge gehabt. Die Bewältigung dieser Probleme durch Gesetzgebung und durch Spielregeln der Daseinsführung ist aber noch nicht gelungen.

Die tierhafte Anlage auch der menschlichen Fortpflanzung zielt auf Arterhaltung und Vermehrung – ein Ziel, das auch in frühen menschlichen Entwicklungsphasen ernsthaft als das Ziel der Sexualvorgänge gesehen werden konnte, als ein Spiel der Natur, in dem das lustvolle Erleben der Vereinigung der Geschlechter als eine List der Natur erscheint, als eine Falle, als die Upton Sinclair die Liebe in seinem Roman »Love's Pilgramage« schildert.

Wir müssen heute nicht nur einsehen, daß die Lust des Erlebens in steigendem Maße ihre von der Fortpflanzung unabhängige Erfüllung fordert, sondern daß auch die Fortpflanzung selber im Hinblick auf die Zukunft der Erdbevölkerung die relative Unabhängigkeit von Arterhaltung und Lustgewinn gebieterisch verlangt. Daß damit schwere Fragen des sozialen Lebens auftreten, darf uns nicht hindern, die Forderungen der neuen, heutigen Wirklichkeit zu erkennen. Daß während Jahrhunderten die Gebote der christlichen Moral mehr oder weniger den ursprünglichen Zielen des Geschlechtslebens entsprachen –

wenn auch früher schon voller Problematik – das ist Vergangenheit. Die Fragen, die heute das Leben der reifenden jungen Menschen an die Gesellschaft stellt, können nicht mehr einfach mit dem Hinweis auf eine gültige Moral der Enthaltsamkeit gelöst werden.

Wir müssen aber auch an die Folgen denken, die unsere freie Entscheidung über andere Phänomene der Fortpflanzung mit sich bringt. Ich denke an die Möglichkeit der freien Bestimmung des Geschlechts unserer Nachkommen – eine Entscheidung, für die Mittel und Wege in Zukunft in steigendem Maß bereitstehen dürften. Wo ist die entscheidende Instanz, wenn sich in einer Menschengruppe das Geschlechtsverhältnis sehr auffällig verschiebt? Ein Fragenkomplex, der hinüberweist zu gewissen Erwägungen der Menschenzüchter, durch Beeinflussung der psychischen Entwicklung künstlich Menschen verschiedenen Niveaus zu erzielen und so manche soziale Wunschträume von Herrenmenschen zu erfüllen. Der Nobelpreisträger Francis Crick sagte in einer Diskussion über derartige Probleme einmal zu Recht, daß durch diese Forschungen die Zerstörung der hergebrachten Ethik des Okzidents eingesetzt habe. Er betonte aber auch: »it is not easy to see what we put in their place«. Das ist die andere Seite des Problems.

Auf der einen Seite steigert sich stetsfort die Geschwindigkeit der Forschungsprozesse, für die immer größere Mittel in den Dienst gestellt werden, während auf der anderen Seite nur langsam die Bereitschaft der Juristen, der sozialen Behörden und der politisch Verantwortlichen wächst, sich mit diesen Problemen in der nötigen Ernsthaftigkeit auseinanderzusetzen. Deshalb geht es mir vor allem darum, die Grundlagen für eine Besinnung zu schaffen und ein Wort zu der geistigen Einstellung gegenüber dem Problem des Lebendigen, primär des Menschen, zu sagen.

3

Ich bin nirgends mit eigener Forschung auf den Gebieten tätig gewesen, um die es in der spezifischen biotechnischen Sicht geht. Andererseits bin ich aber immerhin seit einigen Jahrzehnten daran beteiligt, die Situation der menschlichen Geburt und die Frühphase der menschlichen Entwicklung zu überprüfen und zu einem Verständnis der Eigenart unserer Ontogenese zu kommen. Ich habe versucht, die Komplexität unseres Geburtszustandes und seiner Entwicklungsbedingungen zu klären. Es ist kein Zufall, daß diese Erkenntnisse zumindest im Kreise der darin am meisten Interessierten, nämlich der Kinderärzte, ein beträchtliches Echo gefunden haben.

Wir entwickeln uns im Mutterleib viel rascher als unsere nächsten tierischen Verwandten, die großen Menschenaffen. Der neugeborene Mensch erreicht in annähernd gleicher Entwicklungszeit nahezu das doppelte Gewicht eines Orangs, Schimpansen oder Gorillas im Geburtsmoment. Wir können nachweisen, daß diese Beschleunigung des Wachstums im Zusammenhang mit der bedeutenden Hirngröße steht, die bereits bei der Geburt erreicht wird. Die rasche Entwicklung geht weiter bis zum Ende des ersten Jahres nach der Geburt. Die biologische Forschung weist auf die Bedeutung dieses Erstjahres hin, das bei rein tierischer Wesensart im Mutterleib durchlaufen werden müßte. Früh in die mitmenschliche Umwelt versetzt, erlangt das Menschenkind erst im sozialen Umgang die Kennzeichen unserer Daseinsform: die aufrechte Haltung, die Sprache und die einsichtige denkende Weltbeziehung.

Unsere erste Wachstumsperiode vor der Pubertät gliedert sich zwei Epochen, davon eine verlangsamte nach dem stürmischen Erstjahr. Es zeigt sich, daß diese Verlangsamung ihren biologischen Sinn in der Übernahme eines gewaltigen Traditionsgutes hat. Die letzten zehn Jahre der Anthropoidenforschung haben gewisse Entsprechungen dieser Art im Bereich der höheren Primaten gezeigt. Auch deren Entwicklung beruht auf einer Verlängerung des Jugendalters und des intensiven Kontaktes der Kinder zu den Eltern sowie zu der gesamten Gruppe. Auch der kleine Menschenaffe lernt früh schon im Sozialkontakt, doch erwirbt er nicht erst in dieser Zeit die für seine Art kennzeichnende Haltung; in der Zeit nach der Geburt, in der unser Kind entscheidende Schritte des Menschwerdens vollzieht, bleibt das junge Affenkind ein Anthropoide, auch wenn es in menschlicher Umwelt heranwächst.

Die lange Dauer unserer Kindheit wird mitunter als ein zu

überwindender Nachteil unserer Naturanlage beurteilt, und der Biotechniker macht sich mit ihrer Beschleunigung zu schaffen. Und doch müßten wir einsehen, daß diese langen Jahre eine soziale Notwendigkeit sind, daß in dieser Zeit das komplexe Kulturgut der Gruppe, die Sprache, das Benehmen, das Weltbild vom werdenden Menschen in langsamem Üben und in vielen kleinen Schritten erworben und gefestigt werden müssen. Ich warne davor, eine Beschleunigung gerade dieser Entwicklung positiv zu beurteilen. Das Lesenlernen von Zweieinhalb- und Dreijährigen sollte man nicht als Segnung betrachten.

Diese frühe Entwicklungsperiode steht im Zeichen einer völlig anderen Weltsicht als diejenige, die sich nach der Pubertät stürmisch in uns entfaltet. Es ist die primäre Welt, in der das traumhafte Erleben, das Gefühlsleben, dominiert. In ihr beherrscht die Wahrheit der Sinne das Feld. Nur sehr langsam bricht die rationale Einsicht in diese dem unmittelbaren Sinn erschlossene Wirklichkeit ein. Die Entwicklung in die sekundäre Welt ist ein Teil jenes viel besprochenen Prozesses der Entfremdung vom ursprünglichen Naturzustand. Dieser Prozeß ist im Gegensatz zu den Annahmen mancher Soziallehren nicht umkehrbar. Das hat bereits Rousseau klar erkannt, während Marx es nicht sehen wollte und die Hoffnung bewahrte, daß wir durch eine Spirale in der späteren Sozialentwicklung auf höherer Ebene wieder in einen, dem ursprünglichen Zustand verwandten zurückversetzt werden könnten.

Das ferne Leitbild der klassenlosen Gesellschaft ist seit geraumer Zeit am Verblassen. Aber es wäre an der Zeit, den auch biologisch faßbaren Anlaß der Entfremdung deutlich zu sehen und sich darauf einzurichten, daß dieses Geschehen ein Schicksal des Menschen ist, dessen Schwere freilich erst seit Beginn der Herrschaft von Wissenschaft und Technik in ihrer vollen Wucht spürbar wird. Dieses Geschick, das neue Fülle des Erlebens und Gestaltens bringt, schafft auch neue Bedrohungen von gleichem Ausmaß. Das Wort von der Entfremdung ruft nach den Wegen des Heimfindens. Es ist an der Zeit, die Endgültigkeit unseres Auszugs aus einer primären Welt zu sehen und auch die unvermeidlichen Wandlungen der Sozialstruktur in diesen Zusammenhang einzuordnen.

Die heutige Unruhe der Jugend steht unter anderem im Zusammenhang mit einer mächtig wirkenden, wenn auch oft sehr unbestimmten Ahnung von diesem Menschenschicksal. So sucht diese Jugend Halt in der besonderen Welt ihrer Lebensphase; sie hofft auf neue Lösungen notfalls durch Zerstören aller geltenden Ordnungen und sucht Verwirklichung im Leben der kleinen Gruppe. Die Verfrühung der geschlechtlichen und physischen Reifung verlängert die Zeitspanne der jugendlichen Unrast stark. Daß diese Verlängerung durch die späte Sozialreife noch gesteigert wird, macht die Situation nicht einfacher.

4

Mit dem Hineinwachsen in die sekundäre Welt, die in steigendem Maße von der Denkart und den Ergebnissen der Wissenschaft beherrscht wird, treten an den Menschen Entscheidungen heran, die von verantwortungsbewußten Gremien getroffen werden müssen. Die Frage ist, ob wir an eine beharrende Norm des menschlichen Daseins in seiner jetzigen Form glauben oder ob wir überzeugt sind, daß es notwendig sei, für das biotechnische Abenteuer der Umformung des Menschen und seiner Daseinsform die Bahn freizugeben. Diese Entscheidung scheint mir von zentraler Bedeutung zu sein.

Ich selbst stehe auf dem Standpunkt, daß es eine solche zu bewahrende Norm gibt. Angesichts der Komplexität unserer heutigen Lebensform und angesichts der Tatsache, daß wir das Problem der Umformung des Menschen nur sehr partiell durchschauen, müssen wir – so scheint es mir – diese Norm noch für sehr lange Zeit bewahren. Diese Ansicht hat nichts mit einer christlichen Überzeugung von einer Heiligkeit unserer Norm zu tun; sie geht lediglich von der Einsicht in die Komplexität des menschlichen Daseins aus. Ich darf darauf hinweisen, daß im christlichen Bereich ein Forscher wie Teilhard de Chardin durchaus an die Umformung des Menschen, an die Notwendigkeit derselben glaubt. Seine Vision sucht ja die Evolution der Naturformen als ein von der höchsten Schöpfermacht durch die Materie verwirklichtes Geschehen zu zeigen, mit dem im Einklang zu leben auch unserer religiösen Überzeugung aufgegeben sei. Auch Teilhard de Chardin sieht keine andere Schranke der Transformation, als diejenige, an welcher sich die fortschreitende Wissenschaft stoßen wird. Auch von ihm werden keine anderen Schranken gesehen als diejenigen, die sich im Laufe der wissenschaftlichen Orientierung von selber ergeben.

Wenn ich hier von einer zu wahrenden Norm spreche, wird man mir vielleicht vorwerfen, das sei eine negative Einstellung gegenüber der Forschung oder eine Flucht, eine Angst vor dem großen Neuen. Das alles würde ich verneinen! Die Forschung wird auf alle Fälle weitergehen. Es geht darum, die gesellschaftlichen Konsequenzen der Forschungsergebnisse zu bedenken. Wir alle bleiben durch die Fortschritte des Wissens auf bestimmten Sektoren in steigendem Maße Unmündige. Wir müssen uns in solcher Lage immer an andere wenden, an die »Sachverständigen«. Muß ich an die Schwierigkeiten dieser Situation erinnern, an die Krise des Expertenwesens? Heute haben die Gremien, die in der politischen Verantwortung stehen, in zunehmendem Maße undemokratische Entscheidungen zu treffen.

Wenn Spitäler in einem Umfang gebaut werden müssen, der heute etwa von den kommenden Transplantationsexperimenten her gefordert werden müßte, und wenn dann sowohl der Platz wie auch das Material für Transplantationen nicht ausreichen, dann muß entschieden werden, wer bevorzugt wird. Vielleicht teilt man Nummern aus, oder es wird für den Säugling bereits bei der Geburt eine Präferenzzahl vorgemerkt. Möglicherweise richtet man sich dabei nach Prinzipien, die wir noch nicht kennen und die wiederum bestimmte Menschen diskriminieren müssen. Jedenfalls drängen die Tatsachen zu Entscheidungen, um die keine Gesellschaft herumkommt. Dabei müssen wir damit rechnen, daß notwendige Entschlüsse infolge der Rückständigkeit der politischen und sozialen Strukturen im rechten Zeitpunkt ausbleiben, daß wir als Sozietät den Fortschritten der Forschung und Technik nicht gewachsen sein werden.

Meine Einstellung zugunsten einer Norm ist in einer Gewißheit begründet, die sich im Laufe meiner biologischen Arbeit auch am Evolutionsproblem immer mehr gefestigt hat: daß nämlich die Zeiten, die zur wirklichen Transformation der Organismen notwendig sind, weit über die Zeiträume hinausgehen, die unser Verstand überblicken kann, und erst recht über die Zeiträume hinaus, in denen die so wechselvolle Haltung der Menschen etwa folgerichtige Ausleseprozesse durchführen könnte.

Dazu kommt die Sicherheit, daß in absehbarer Zeit keines selbst der wissenschaftlich begründeten Projekte zur Transformation des Menschen irgendeine Aussicht auf generelle Anerkennung und Befolgung hat. Ich sage das unbekümmert darum, ob ich diese Projekte an sich für gut oder schlecht halte. Wer die Kämpfe verfolgt, die um eine Beschränkung der Bevölkerungsvermehrung geführt werden, wer die trübe Aussicht vor Augen hat, daß auch in Zukunft Menschenproduktion ein wichtiger Faktor im Spiel um die Macht bleiben wird, der wird skeptisch bleiben müssen in Hinsicht auf weltweite Ordnung von Eingriffen in menschliches Sein, zu denen auch die Umformung des Menschen gehört.

Daher ist mein Schluß: Hände weg von einer Lebensform, die wir nicht selbst geschaffen haben. In der menschlichen Gesellschaft werden Natur-Evolutionen weitergehen, sie werden langsam arbeiten, weit jenseits unserer gesicherten Beobachtung. Da uns selbst aber eine neue Macht zugunsten viel rascherer Umformungen gegeben ist, gilt es, diese Macht im Zaum zu halten. Sie ist im Begriff, die herrlichen Naturgestalten zu vernichten, die heute noch mit uns leben; sie ist daran, die Grundbedingungen unserer Existenz zu untergraben. Wir werden Mühe genug haben, die drohendsten dieser Katastrophen zu verhindern. Wie sollte der Biologe nicht zu größter Scheu mahnen vor dem Zugriff, der den Menschen verändern will.

Die werdende Biotechnik hat genug heilende Aufgaben: Hilfe für die Bewahrung der Natur um uns, Hilfe für die faktischen Leiden des Menschen. Diese dringenden Aufgaben stelle ich all den leichtsinnigen Plänen voran, die auf Umzüchtung des Menschen zielen. In diesem Sinne soll der Ruf nach einer Norm nochmals ergehen – eine Norm, die nicht einfach ein christlicher oder ein marxistischer Mensch ist, die aber auch nicht vom Menschenbild indischer oder chinesischer Denkart geliefert wird.

An der Einsicht in eine solche Norm der jetzt und hier auf Erden lebenden Menschen arbeitet wissenschaftliche Forschung. Ob es ihr gelingt, verbindliche Aussagen zu machen, welche einer kommenden Biotechnik Schranken weisen können? Unsere Zukunft hängt davon ab.

Ilya Prigogine/Isabelle Stengers
Die Herausforderung an die Wissenschaft

Erwin Schrödinger hat zur Empörung zahlreicher Wissenschaftstheoretiker einmal geschrieben: »... es gibt eine Neigung zu vergessen, daß die gesamte Wissenschaft an die menschliche Kultur überhaupt gebunden ist und daß wissenschaftliche Entdeckungen, mögen sie im Augenblick auch überaus fortschrittlich und esoterisch und unfaßlich erscheinen, außerhalb ihres kulturellen Rahmens sinnlos sind. Eine theoretische Wissenschaft, die sich nicht dessen bewußt ist, daß die Begriffe, die sie für relevant und wichtig hält, letztlich dazu bestimmt sind, in Begriffe und Worte gefaßt zu werden, die für die Gebildeten verständlich sind, und zu einem Bestandteil des allgemeinen Weltbildes zu werden – eine theoretische Wissenschaft, sage ich, in der dies vergessen wird und in der die Eingeweihten fortfahren, einander Ausdrücke zuzuraunen, die bestenfalls von einer kleinen Gruppe von Partnern verstanden werden, wird zwangsläufig von der übrigen Kulturgemeinschaft abgeschnitten sein; auf lange Sicht wird sie verkümmern und erstarren, so lebhaft das esoterische Geschwätz innerhalb ihrer fröhlich isolierten Expertenzirkel auch weitergehen mag.«[1]

Es ist eine der Hauptthesen dieses Buches, daß zwischen den Problemen, die eine ganze Kultur kennzeichnen, und den begrifflichen Entwicklungen in der Wissenschaft, die dieser Kultur angehört, eine starke Wechselwirkung besteht. Im Mittelpunkt der Wissenschaft stehen Probleme von Zeit, Werden und Irreversibilität, Probleme, auf die jede Philosophen- und Wissenschaftlergeneration eine Antwort zu geben versuchte.

Können wir den Fortschritt der Wissenschaft als einen Bruch, eine Loslösung oder eine Negation deuten, als eine Entwicklung, die von der konkreten Erfahrung fort zu einer immer schwerer faßbaren Abstraktion führt? In einer solchen Deutung drückt sich erkenntnistheoretisch die wirkliche geschichtliche Lage aus, in der sich die klassische Wissenschaft befand, nämlich ihre Unfähigkeit, weite Bereiche der Erfahrung, die durch das Verhältnis zwischen dem Menschen und seiner Umwelt bestimmt waren, theoretisch zu beschreiben. Doch die als unsinnig betrachteten Fragestellungen wurden keineswegs dadurch erledigt, daß man sie verleugnete oder für illegitim erklärte.

Zweifellos gibt es eine abstrakte Entwicklung von wissenschaftlichen Theorien. Doch die begrifflichen Neuerungen, die für die Entwicklung der Wissenschaft entscheidend waren, sind nicht unbedingt von dieser Art. Oft rühren sie daher, daß eine neue Dimension der Wirklichkeit erfolgreich in den Korpus der Wissenschaft eingegliedert wird, wie es zum Beispiel mit der Einführung des Begriffs der Irreversibilität oder des Begriffs der Quantisierung der Fall war. In diesen beiden Fällen – und die Bemerkung ließe sich verallgemeinern – äußert sich in der Neuerung ganz deutlich der Einfluß des kulturellen, man könnte sogar sagen, des »ideologischen« Kontextes, äußert sich also auch Offenheit der Wissenschaft für die Umgebung, innerhalb deren sie sich entwickelt hat.

Wenn man eine solche Offenheit behauptet, gerät man in Gegensatz zu einer anderen verbreiteten Vorstellung über die Wissenschaft. Danach entwickelt sie sich, indem sie sich von überkommenen Formen des Naturverständnisses freimacht (indem sie sich von vermeintlichen Vorurteilen reinigt, die dem denkfaulen Alltagsverstand zugeschrieben werden, um sie deutlicher von der »Askese« der Vernunft abzuheben). Daraus wird dann der Schluß gezogen, daß die Wissenschaft eine Sache von abgesonderten Gemeinschaften sein sollte, die nicht in die Angelegenheiten der Welt verstrickt sind. Die ideale wissenschaftliche Gemeinschaft sollte vor den Ansprüchen, Bedürfnissen und Forderungen der Gesellschaft abgeschirmt werden. Der Fortschritt der Wissenschaft wäre dann ein im Grunde eigenständiger Prozeß, der durch »äußere« Einflüsse, auch durch Interessen, die aus der Teilnahme des Wissenschaftlers an sonstigen kulturellen, gesellschaftlichen oder wirtschaftlichen Aktivitäten erwachsen, nur gestört oder verzögert würde.

Dieses Ideal der Abstraktion und der Zurückgezogenheit

des Wissenschaftlers geht oft Hand in Hand mit einem anderen Ideal, demzufolge die Berufung des »wahren« Forschers sich durch den Wunsch auszeichnet, den Wechselfällen der Welt entzogen zu sein. Einstein[2] beschreibt den Typ des Wissenschaftlers, der vor dem »Engel Gottes«, erhielte dieser die Aufgabe, alle »Unwürdigen« (in welcher Hinsicht, wird nicht präzisiert) aus dem »Tempel der Wissenschaft« zu vertreiben, Gnade finden würde: »Etwas sonderbare, verschlossene, einsame Kerle sind es zumeist, die einander trotz dieser Gemeinsamkeiten eigentlich weniger ähnlich sind als die aus der Schar Vertriebenen. Was hat sie in den Tempel geführt?

Ich glaube, daß eines der stärksten Motive, die zur Kunst und Wissenschaft hinführen, eine Flucht ist aus dem Alltagsleben mit seiner schmerzlichen Rauhheit und trostlosen Öde, fort aus den Fesseln der ewig wechselnden eigenen Wünsche. Es treibt den feiner Besaiteten aus dem persönlichen Dasein heraus in die Welt des objektiven Schauens und Verstehens; es ist dies Motiv mit der Sehnsucht vergleichbar, die den Städter aus seiner geräuschvollen, unübersichtlichen Umgebung nach der stillen Hochgebirgslandschaft unwiderstehlich hinzieht, wo der weite Blick durch die stille reine Luft gleitet und sich ruhigen Linien anschmiegt, die für die Ewigkeit geschaffen scheinen.

Zu diesem negativen Motiv aber gesellt sich ein positives. Der Mensch sucht in ihm irgendwie adäquaterweise ein vereinfachtes und übersichtliches Bild der Welt zu gestalten und so die Welt des Erlebens zu überwinden, indem er sie bis zu einem gewissen Grad durch dieses Bild zu ersetzen strebt.«

Der von Einstein so deutlich empfundene Gegensatz zwischen der asketischen Schönheit, nach der die Wissenschaft strebt, und dem unerfreulichen Wirbel des Alltagslebens, wird zuweilen noch verstärkt durch einen dann unverhüllt manichäischen Gegensatz zwischen Wissenschaft und Gesellschaft, oder genauer, zwischen der freien Kreativität des Menschen und der politischen Macht. Die Forschung müßte danach nicht in einer isolierten Gemeinschaft oder in einem Tempel stattfinden, sondern in einer Festung – oder in einem Irrenhaus, wie es sich Dürrenmatt in seinem Stück »Die Physiker« hat einfallen lassen. In dem Stück diskutieren drei Physiker darüber, wie man die Physik vorantreiben und zugleich die Menschheit vor den schrecklichen Konsequenzen bewahren könnte, zu denen es kommen müßte, wenn die politische Macht sich die Ergebnisse dieses Fortschritts aneignete. Sie gelangen zu dem Schluß, daß die einzige Taktik die ist, die einer von ihnen bereits gewählt hat, und so beschließen sie alle, weiterhin als Verrückte zu gelten und sich im Irrenhaus zu verbergen. Wie es das Schicksal will, stellt sich ihre letzte Zuflucht am Ende des Stücks als eine Illusion heraus. Die Leiterin des Irrenhauses bespitzelt ihren Patienten, bemächtigt sich seiner Resultate und ergreift die Weltherrschaft.

Dürrenmatts Stück führt uns zu einer dritten Konzeption der wissenschaftlichen Aktivität: Der Fortschritt der Wissenschaft besteht darin, die Komplexität der Wirklichkeit auf eine verborgene, gesetzmäßige Einfachheit zu reduzieren. Was der Physiker Möbius im Irrenhaus zu verschleiern sucht, ist die Tatsache, daß es ihm gelungen ist, das Problem der Gravitation zu lösen, die einheitliche Theorie der Elementarteilchen und schließlich das System aller möglichen Erfindungen zu entdekken, die Quelle absoluter Macht. Darin steckt sicherlich eine gewisse dramatische Übertreibung, doch wird nach verbreiteter Ansicht im Tempel der Wissenschaft nichts Geringeres gesucht als die »Formel« der Welt. Aus dem Mann der Wissenschaft, den man sich bereits als einen Asketen vorstellt, wird nun so etwas wie ein Magier, der potentiell den Universalschlüssel zu allen physikalischen Erscheinungen und damit ein allmächtiges Wissen besitzt. Damit kommen wir auf ein bereits angesprochenes Thema zurück: Nur in einer einfachen Welt (und besonders in der Welt der klassischen Wissenschaft, die nur scheinbar komplex ist), kann ein Wissen zu einem Universalschlüssel werden.

Die Herausforderung an die Wissenschaft ist heute umfassend. Es erscheint uns deshalb widersinnig, sie von der Gesellschaft zu trennen. Wir müssen im Gegenteil die wissenschaftliche Aktivität in die Gesellschaft integrieren. Wir müssen versuchen, Wissenschaft und Gesellschaft so weit wie möglich durchlässig füreinander zu machen. Einer der Wege zu diesem Ziel ist die Herstellung zusätzlicher Kommunikationsmöglichkeiten. In diesem Sinne ist das vorliegende Buch zu verstehen. Der Mensch ist dabei, in einem nie dagewesenen Umfang seine natürliche Umgebung zu revolutionieren oder, wie Serge Moscovici[3] sagt, eine »neue Natur« zu schaffen. Das läßt sich nicht vermeiden. Gerade jetzt steckt unsere Welt in einer Bevölkerungskrise. Zu Beginn dieses Jahrhunderts noch anderthalb Milliarden, wird die Weltbevölkerung am Ende fast sechs Milliarden betragen. In den nächsten siebzig Jahren wird sie vermutlich auf acht bis neun Milliarden anwachsen. Das allein macht schon neue Beziehungen zwischen Mensch und Natur sowie zwischen Mensch und Mensch notwendig. Es müssen sich neue Formen der Rationalität entwickeln.

Dschuang Dsi schrieb schon vor zweitausend Jahren[4]: »Des Himmels Kreislauf, der Erde Beharren, die Art, wie Sonne und Mond einander in ihren Bahnen folgen: Wer ist's, der sie beherrscht? Wer ist's, der sie zusammenbindet? Wer ist es, der weilt ohne Mühe und alles das in Gang erhält? Manche denken, es sei eine Triebkraft die Ursache, daß sie nicht anders können ...«

Wir gehen einer neuen Synthese entgegen, einer neuen Naturauffassung, in der die abendländische Tradition, die das Experiment und die quantitative Formulierung betont, sich mit der chinesischen Tradition verknüpft, in deren Mittelpunkt die Auffassung von einer spontan sich selbst organisierenden Welt steht. Jede große Epoche der Wissenschaft hat ein bestimmtes Modell der Natur entwickelt. Für die klassische Wissenschaft war es die Uhr, für die Wissenschaft des 19. Jahrhunderts, der Epoche der industriellen Revolution, war es ein Motor, der irgendwann nicht mehr weiterläuft. Was könnte für uns das Symbol sein? Wir stehen vielleicht den Vorstellungen Platons näher, der die Natur mit einem Kunstwerk verglich. Statt die Wissenschaft durch den Gegensatz zwischen Mensch und Natur zu definieren, sehen wir in der Wissenschaft eher eine Kommunikation mit der Natur.

Zu Beginn dieser Einleitung zitierten wir Monod. Seine Schlußfolgerung lautete: »Der Alte Bund ist zerbrochen; der Mensch weiß endlich, daß er in der teilnahmslosen Unermeßlichkeit des Universums allein ist, aus dem er zufällig hervortrat.« Vielleicht hatte Monod recht. Der Alte Bund ist zerbrochen. Wir sehen unsere Rolle nicht darin, dem Vergangenen nachzuweinen. Wir sehen sie darin, neue Bündnisse zu stiften zwischen dem Menschen, seiner Erkenntnis, seinen Träumen und den erfinderischen Aktivitäten der Natur.

Anmerkungen

1 E. Schrödinger: Are there Quantum Jumps? In: The British Journal for the Philosophy of Science, vol. III, S. 109–110; dieser Text wurde voller Entrüstung zitiert von P. W. Bridgmann in seinem Beitrag zu: Determinism and Freedom in the Age of Modern Science. Hrsg. v. S. Hook. New York 1958.

2 A. Einstein: Prinzipien der Forschung. Rede zum 60. Geburtstag von Max Planck (1918). In: Mein Weltbild. Berlin 1977, S. 107–110.

3 S. Moscovici: Essai sur l'histoire humaine de la nature. Paris 1977.

4 Zitiert in: C. A. Ronan: A Shorter Science and Civilization in Chine, Bd. I. Cambridge 1978, S. 87.

Rupert Riedl
Die Kosten von Sinn und Freiheit

> Bei wem soll ich mich nun beklagen?
> Wer schafft mir mein erworbnes Recht?
> Du bist getäuscht in deinen alten Tagen,
> Du hast's verdient, es geht dir grimmig schlecht.
> (*Mephistopheles*, Faust II 11830)

Will ich versuchen, das Bild von der Strategie zu runden, so muß noch einmal gefragt werden, was von der Genesis schlechthin zu halten sei. Es ist das gerade jene Frage, die wir zu allem Anfang stellten. Wir mögen zwar nun auf so manche die Antwort wissen: aber auf eine der wichtigsten steht sie noch aus. Zu nahe steht sie unserem eigensten Anliegen: zu wissen, ob die Strategie dieser Genesis, samt der steten Ambivalenz all ihrer Kreation, letztlich uns Hoffnung gibt oder ob sie uns diese doch schließlich nehmen muß. Und noch einmal erscheint vor uns ein antagonistisches System: in der Frage nach der Genesis von Sinn und Freiheit.

Und nun zweifle ich nicht mehr, daß selbst der wohlmeinendste Leser befremdet sein wird ob der Abgebrauchtheit, der Uferlosigkeit des Themas, der Ungewißheit des zu betretenden Grundes. Sind wir damit nicht zurückgekehrt zu der dreifachen Betrüblichkeit der Ausgangsfrage? Weil sie gelöst sein müßte für den Gläubigen, jedoch unlösbar für den Naturwissenschaftler; und weil sie nichts Gutes verspricht, wenn man sie dennoch stellt, was eben noch zu den Geschäften der Philosophen zählen mag? Muß es nicht wieder eine grausige Apokalypse sein, die uns zu zeichnen bevorsteht?

Ich darf versichern, daß es gerade dieser Verlust von Grund und Ufer, dieses Unschlichtbare der Kontroverse und das Schweben der Apokalypse sind, die auch mir die Ruhe nicht ließen; die mir halfen, die Naturgeschichte vom Sinn und von der Freiheit zu sehen. Tatsächlich haben wir die Fakten schon erarbeitet. Wir brauchen nur mehr dieselben Prinzipien, dieselbe Strategie aus Zufall und Notwendigkeit, deren unveränderte Natur wir durch all ihre Schichten verfolgten, in jenen Ausdrücken weiter anzuwenden, die unser subjektives Erleben bezeichnen; die Frage, ob uns diese Evolution wohl mit einem Sinn versehen und dennoch die Freiheit verbürgt oder aber ob sie uns entweder durch den Erhalt eines Sinnes die Freiheit oder für den Erhalt der Freiheit den Sinn genommen hätte. Und wenn wir nun den Bereich der Naturgeschichte nicht verlassen, sondern sie nur übersetzen, dann läßt sich der Grund wieder finden, die Kontroverse schlichten; selbst dem Gelächter mögen wir entkommen, dem Gelächter des Geistes, der stets verneint.

Dabei haben wir noch dreierlei zu erwarten. Die Anwendbarkeit der Prinzipien hat sich zu runden. Die Geschichte des Natürlichen muß ihr vorläufiges Ende finden. Aber in einer sich selbst steuernden Evolution muß auch eine Voraussicht möglich sein. Alle drei betreffen unser Thema; aber gerade die Voraussicht betrifft uns am meisten. Denn wenn es beunruhigte, daß uns Galilei an den Rand des Kosmos und Darwin uns ins Tierreich stellte, so war es doch weniger unsere Vergangenheit, sondern die Konsequenz, die dies für unsere Zukunft haben mochte.

Das Thema selbst ist wieder so alt wie unsere Kultur. Seinen statischen Ausdruck bilden Weltanschauungen: Determinismus und Indeterminismus; seinen dynamischen das Wesen von Finalität, Zweck oder Teleonomie und deren Antagonisten.

Das Für und Wider um den Determinismus ist aus verschiedenen Quellen genährt worden, wissenschaftlichen wie metaphysischen; aus der Vorhersehbarkeit der Ereignisse in dieser Welt. Die eine entspringt der mechanistischen Auslegung der wachsend entdeckten Naturgesetze. Wir haben doch selbst festgestellt, daß aus hundert Quanten nur drei zum Aufbau der Materie, aus ihren vielen möglichen Kombinationen kaum hundert an dem der Elemente mitwirkten, daß aus astronomischen Zahlen möglicher Moleküle und Organismen, Denkarten, Sprachen und Ideologien das Repertoire immer wieder auf noch winzigere Ausschnitte selektiert wird. Haben wir nicht selbst gefunden, daß die Gesetze aller tieferen Schichten für alle höheren völlig festgelegt sind? Sollte dann der Laplacesche

Geist, wenn er Richtung und Beschleunigung aller Teilchen kennt, nicht alle Zukunft vorhersehen können? Können wir selbst nicht sogar des Nachbarn Handlungen vorhersehen? Was sollte es außer Naturgesetzen, denen alles folgt, sonst noch geben?

Die anderen Quellen entspringen der Metaphysik. Der Glaube fragte nach der Prädestination: Ob, wenn ein Schöpfer diese Welt gewollt und geplant hat, wohl ein Rest bleiben könnte, der ungeplant oder planlos, vielleicht sogar ungewollt entstanden wäre? Wie haben seiner Allmacht die Schlange und Luzifer entgehen können? Der philosophische Idealismus und Vitalismus wiederum, die ihre Gesetze auch aus einer obersten Schicht zu beziehen haben, müssen bei einer prästabilierten Harmonie enden, und ebenso alles als vorgesehen erachten. Und nicht minder müssen militante Ideologien bei einer fatalen Zwangsläufigkeit des Weltgeschehens landen, weil, wie wir gesehen haben, irgendeine höchste Instanz schließlich die »wirkliche Wahrheit« zu dekretieren hat.

Wie aber nun immer diese Welt, sei es mechanistisch von der einen Seite, oder aber durch Prädestination, Prästabilisation oder Dekretierung von der anderen, determiniert sein sollte – wir würden uns zwar voll des vorgegebenen Sinns oder Zwekkes, aber gleichzeitig als mechanische Puppen erweisen, deren Aufgabe nur darin bestehen könnte, bis zum vorgesehenen Todestag vorprogrammiert durch das Theater dieser Welt zu tanzen. Selbst die Willensfreiheit und die Verantwortlichkeit des Menschen würden fraglich. Folglich ist die Zahl der lupenreinen Deterministen klein geblieben. Nur die der Quasi-Deterministen ist groß. Und den Preis für den evolutiven Sinn zahlen wir mit der Verunsicherung unserer evolutiven Freiheit, mit Trott und Fatalismen.

Das Für und Wider um den Indeterminismus ist aus ganz ähnlichen Quellen gespeist, wissenschaftlichen wie metaphysischen, nun aber aus den Unvorhersehbarkeiten dieser Welt. Die älteste Quelle ist wohl die Entdeckung des freien Willens. Ja es mag gerade die Unvorhersehbarkeiten der Handlung des Nachbarn gewesen sein, aus deren Ungewißheit das Postulat der persönlichen Verantwortlichkeit vor Gott und Gesellschaft die notwendige Folge war. Zeigte sich hier nicht zu deutlich der gesetzlose Zustand, der erst durch das Moralgesetz zu steuern war? Philosophie, Theologie und Gesellschaft sind nicht müde geworden, dies immer wieder neu zu bestimmen.

Die naturwissenschaftliche Quelle des Indeterminismus ist ungleich jünger. Wir verdanken sie der modernen Physik. Die Quantentheorie weist nach, daß die Einzelreaktionen der Elementarteilchen, die Quantensprünge, keine gesetzmäßige Vorherbestimmung zulassen. Dabei ist die Ungewißheit nicht auf menschliches Unwissen, sondern auf die Wahrscheinlichkeitsgesetze der Mikrophysik zurückzuführen. Eine Revolution des physikalischen Weltbildes war die Folge[1], deren Konsequenzen bald über allen Naturwissenschaften[2], bis in die Biologie sichtbar wurden[3]. Namentlich die Erkenntnis des mikrophysikalischen Charakters der Mutation durch die molekulare Genetik erlaubt es, mit einer Auslotung nun auch des biologischen Indeterminismus zu beginnen. Und haben wir nicht selbst jede neue Schicht, das Werden aller Gesetze, Denkweisen und Kreationen als im Prinzip unvorhersehbar gefunden? Und gab nicht jegliche neue Schicht immer größere Freiheit?

Wie aber auch immer der Indeterminismus, von der Weite der Willensfreiheit aus gesehen, dem menschlichen Weltgefühl entgegenkommt, von der Naturwissenschaft aus betrachtet, begann auch er es zu unterminieren. Sobald sich nämlich sein Fortwirken in den Bereich der biologischen Evolution als gewiß erwies, konnte allein »der reine Zufall, nichts als der Zufall, die absolute, blinde Freiheit als Grundlage des wunderbaren Gebäudes der Evolution« und als ihre einzig verbleibende Erklärung angesehen werden. Und wenn man »diese Botschaft in ihrer vollen Bedeutung aufnimmt«, so folgert Jacques Monod selbst, »dann muß der Mensch endlich aus seinem tausendjährigen Traum erwachen und seine totale Verlassenheit, seine radikale Fremdheit erkennen. Er weiß nun, daß er seinen Platz wie ein Zigeuner am Rande des Universums hat, das für seine Musik taub ist, und gleichgültig gegen seine Hoffnungen, Leiden oder Verbrechen.«[4] In einer vom Zufall regierten Welt herrscht also Freiheit, aber ein Sinn könnte in ihr nie entstehen.

Nun ist zwar auch die Sekte der lupenreinen Indeterministen

klein geblieben; Monod selbst wägt ja »Zufall und Notwendigkeit«. Aber die Zahl der Quasi-Indeterministen ist wieder groß. Der Preis für evolutive Freiheit wird nun bezahlt mit einer Verunsicherung unseres evolutiven Sinns. Hat nämlich schon der Darwinismus manche Ideologie eines Zufallsrechtes des Stärkeren gefördert, so muß eine Menschheit ohne Bestimmung im Existentialismus landen, oder, wird auch der nicht verstanden, wieder in Trott und Nihilismus.

Da sind wir nun zwischen den -Ismen; und es bleibt dem philosophisch »Unverborgenen« zunächst nicht mehr als das Gefühl, daß das alles zusammen nicht stimmen kann. Und wir blieben wieder mit der Unwägbarkeit unserer Ahnungen im Ungewissen, wüßten wir nicht schon, daß all solche Logik längst vom Leben selbst widerlegt ist; durch ein System aus Sinn und Freiheit.

Den Nihilismus des Zwecklosen widerlegt das Leben mit der unaufhaltsamen Entwicklung seiner Zwecke, die von den einfachsten zweckvollen Schaltungen bis zu unseren höchsten ethischen Zielen reichen. Wer kann denn jenes Bewegende übersehen; jene getretene Pflanze, die sich immer wieder aufrichtet, jenes Käfigtier, das ein Leben lang den Ausweg sucht, den Gefangenen, der seine Hoffnung nicht begraben kann. Ihr aller Sinn ist, wenn auch durch den Zufall, festgelegt in der Notwendigkeit, in der Ordnung ihrer lebenserhaltenden Gesetze.

Den Fatalismus der Unfreiheit wiederum widerlegt das Leben mit der unauslöschlichen Erhaltung schöpferischer Freiheit, deren über Versuchen und Irren erzeugte Kreationen wieder von der Erfindung des molekularen Codes über die Erfüllung aller nur erdenklichen Lebensformen, über Bewußtsein und Sprache bis zur Relativitätstheorie reichen. Und kann man hier das Bewegende übersehen, das vom unablässigen Suchen der Mutationen bis zum Suchen nach unserer eigenen Bestimmung reicht? Die Freiheit ist verankert in der notwendigen Erhaltung des Zufalls.

Ein Rückkoppelsystem zweier Antagonisten steuert die Evolution – die zufällige Notwendigkeit und den notwendigen Zufall – zufällig geforderten Sinns und notwendig erhaltener

Freiheit. Aber betrachten wir zurückschauend nochmals die Entwicklung: wie der Zufall zur Freiheit und die Notwendigkeit zum Sinn geworden ist.

Die Naturgeschichte unserer Freiheit hängt damit zusammen, daß die Strategie der Genesis dem Lebendigen den mikrophysikalischen Zufall erhält. Dieser gleicht sich zwar bereits in Materiemengen, die uns winzig erscheinen, in einem Maße aus, daß für sie die deterministischen Gesetze der klassischen Physik gelten, im Verhalten der Quanten und Atome bleibt Indetermination aber immer vorhanden. Der eine Weg, den das Leben gefunden hat, sich die Freiheit des molekularen Zufalls zu erhalten, beruht auf der Codierung der Erbinformation in einem molekularen Faden. Durch ihn wird jene Freiheit der Zufallsänderung konserviert, die wir Mutation nennen; obwohl das Einzelmolekül mit seinem System für so große Materiemengen codiert, nämlich die Phäne eines Organismus, daß diese wieder den Notwendigkeiten der klassischen Naturgesetze folgen. Damit haben Biophysik und Molekulargenetik bewiesen, daß diese Freiheit des Experimentes aller Entwicklung, von den Strukturen bis zu den Schaltungen, erhalten bleibt.

Ein zweiter Weg, wahrscheinlich ein ganzes System von Wegen, erhält den mikrophysikalischen Zufall durch die Etablierung langer Kausalketten. Dies hat man sich noch zuwenig klargemacht. Ich verdanke die Einsicht in die physikalische Notwendigkeit dieses Zusammenhanges Roman Sexl, der den Nachweis führt, daß auf Grund der Heisenbergschen Unschärferelation auch in einem ideal gedachten Billard, in einer Kette sich stoßender Kugeln die siebente die achte nicht mehr mit Sicherheit treffen kann[5]. Die Unschärfe der Lage der sich stoßenden Oberflächenmoleküle erreicht nach achtfacher Potenzierung die Größe der Billardkugel. Damit enthüllt sich eine ganze Welt evolutiven Zufalls.

Am augenfälligsten sind diese Freiheiten, wenn wir die Länge von Kausalketten, zumeist außerhalb der Organismen, meinen überblicken zu können. Wir haben sie schon seit der kosmischen Evolution in allen Schichten gefunden. War bereits das Auseinanderrasen der Quanten eine Notwendigkeit, so erwies sich ihre Endverteilung, ihre Ballung zu Galaxien schon als zufällig. Nicht minder erweisen sich die Ketten befolgter Notwendigkeiten, die in einer Richtung einen bestimmten Organismus, in einer anderen ein bestimmtes Milieu die deterministisch notwendige Folge sein lassen, als so lang, vielleicht hundertgliedrig, daß über ihre Wiederbegegnung weder uns noch dem Laplaceschen Geist eine Voraussicht möglich wäre. Also bleibt der Evolution des Lebendigen auch das Experimentierfeld der Außenbedingungen erhalten[6].

In diesem Sinne errechnet sich auch der Zufall aus Jacques Monods berühmten Beispiel, wie es Manfred Eigen zitert: »Ein Arzt wird zu einem neu erkrankten Patienten gerufen (erste Folge). Ein Dachdecker läßt bei der Arbeit seinen Hammer fallen (zweite Folge). Der Hammer trifft den Kopf des Arztes (Verknüpfung beider Folgen auf Grund zufälliger Koinzidenz).«[6] Selbst wenn die Generationenketten beider Männer aus durchdeterminierten Puppen bestünden und schon im Mittelalter demselben Ahnen entsprängen, die Kausalketten ihrer Lebensumstände wären zu lang, um ihren Koinzidenzpunkt vorhersehen zu können.

Nicht minder aber muß die Erhaltung des molekularen Zufalls eine Folge der Komplexität sein; denn Komplexität ist ja wieder nur eine Bezeichnung für sehr umfängliche notwendige Zusammenhänge mit der gleichzeitigen Entschuldigung unseres Mangels an detaillierter Kenntnis.

Wenn man sich erinnert, daß unser Gehirn mindestens 10^{12}, also Billionen, Einzelzellen enthält, daß darin schon jede Purkinjesche Zelle von etwa 200000 Parallelfasern durchwachsen ist und daß bereits beim einfachsten Denkvorgang große Teile des Gehirns in vielen Wellen durchströmt werden[8], wer wollte da noch mit der hundertsten Kugel die hundertste treffen; wer will voraussehen können, was ihm im nächsten Augenblick alles durch den Kopf gehen wird. Auch in der Komplexität sichert sich die Evolution ihre Freiheit; und sie durchzieht alles Lebendige bis zu unserem Denken und Wollen und damit auch noch alle Bereiche unserer Kultur.

Niemals aber könnte die Freiheit des Zufalls der Notwendigkeit hoher Trefferchance entsprechen, wenn ihr Repertoire nicht mit jeder neuen Freiheit auch in jeweils neuer Weise drastisch verengt würde; wenn nicht jener getreue Antagonist, den wir in den einzelnen Ebenen Molekular-, Struktur- und Schaltordnung, Denk-, Sozial- und Individualgesetze nannten, die Grenzen, in welchen der Zufall suchen darf, mit unumgänglicher Strenge verengte; mit Determinanten, die wir selbst wieder schichtenweise Erhaltungsbedingungen, Selektion, Einsicht und Moral genannt haben. Selbst die höchste Freiheit entfaltet ihre schöpferische Chance nicht im Ausufern von Kopflosigkeit und Anarchie, sondern in den strengsten Eigengesetzen der Persönlichkeit. Zufall ohne Grenze ist Chaos, seine oberste Begrenzung unser höchstes Gut.

Was nun zum Schluß die Naturgeschichte unseres Sinns betrifft, so hängt diese mit der Evolution der Systembedingungen zusammen; Sinn in dem Sinne, einen Zweck, ein Ziel zu besitzen, einschließlich der Erwartung, dieses auch erreichen zu können; und das sind im Sinne von Monods Teleonomie »alle Strukturen, alle Leistungen, alle Tätigkeiten, die zum Erfolg des eigentlichen Projektes beitragen«[9]. Es geht also um eine Naturgeschichte der Finalität. Und daß die menschliche Vorstellung vom Sinn naturgeschichtlich so notwendig und so alt wie der Mensch sein muß, das haben wir bereits festgestellt.

In diesem gewiß begründeten Wortsinn finden wir Sinn oder Zweck tatsächlich nur im Naturbereich des Organismischen; dies aber von den höchsten Produkten des Menschen abwärts bis zu den niedersten Strukturen der Urlebewesen. Zu behaupten, daß das Unbelebte einen Sinn hätte, hat so wenig Sinn wie die Behauptung, daß es denken könnte. Das Unbelebte erhält seinen Sinn erst, indem es dem Leben dient. So sind alle Strukturen eines Organismus sinnvoll, hinunter bis zu den Molekülen, ja bis zu jeder Wasserstoffbrücke, sagen wir, des Gen-Originals. Ebenso gewinnen Wasser, Stein oder Höhle erst mit unserer Absicht Sinn, sie zu verwenden. So zieht Materie durch die Organismen hindurch oder an ihnen vorbei, gewinnt dienend Sinn und – abgeschieden oder verlassen – verliert ihn wieder.

Verfolgt man den Sinn der Zusammenhänge nun aufwärts, so dienen alle Einrichtungen eines Organismus der Erhaltung des Individuums oder, mit anderen Individuen, der Erhaltung einer Art. Noch weiter aufwärts kann eine Art den Zwecken eines übergeordneten Systems dienen, wenn sie in diesem mit anderen zu einer Schicksalsgemeinschaft verflochten ist. Das zeigen die Symbiosen. Alle lebensbezogenen Schicksalsgemeinschaften von Subsystemen, die gemeinsam den Erhaltungs- oder Überlebenschancen ihres Supersystems dienen, verdienen die Bezeichnung des Zweckmäßigen. Schon die Einseitigkeit des Nutzens strapaziert den Begriff. Daß es etwa der Zweck des Hasen wäre, den Fuchs, der Zweck der Vegetation, die Biosphäre zu ernähren, oder unser Lebenszweck, Steuern zu zahlen, das wird man nicht sofort anerkennen; obwohl die Erhaltungschancen des Fuchses, der Biosphäre und des Staates tatsächlich vom Hasen, von der Vegetation und von unseren Steuern abhängen. Wenn wir aber in den Systemen noch einen Schritt aufwärts tun und fragen, worin wohl der Zweck der Biosphäre oder des Lebendigen bestünde, dann finden wir entweder keinen oder treten, in begreiflicher Ratlosigkeit, hinüber in die fiktiven Welten der Metaphysik.

Naturwissenschaftlich finden wir zuoberst nur das Supersystem »Leben« oder »Biosphäre«, das eine Anzahl von Formbedingungen setzt, welchen seine Subsysteme zu entsprechen haben, wenn es um ihre gemeinsamen Erhaltungsbedingungen geht. Dies mag zunächst ernüchternd klingen; doch löst es das Paradoxon, daß wir an der Spitze einer gewaltigen hierarchischen Pyramide von Lebenszwecken keinen Zweck mehr fänden; und es zeigt sich, daß es sich um eine völlig lückenlose Hierarchie von Formursachen handelt; von der causa formalis des gesamten Ökosystems bis zu jeder der letzten molekularen Erhaltungsbedingungen des Lebendigen.

Zweck- und Formursache kommen weitgehend zur Dekkung. Einmal erweist sich die Zweckursache als eine achtungsvolle Bezeichnung für jene Formursachen, in welchen wir unser eigenes Handeln wiederfinden; eine Verbeugung, die – ähnlich den Begriffen von Harmonie und Schönheit – eine Bewunderung befriedigter Erwartung, letzten Endes eine Bewunderung für uns selbst ausdrückt. Ein andermal ist die Finalursache das Allgemeinere zur Formursache, weil die Formursachen von Schicht zu Schicht andere Gesetzmäßigkeiten formulieren, während die Finalursache als Erhaltungszweck schlechthin stets dieselbe bleibt; ähnlich wie sich die Materialursachen schichtenweise wandeln, während die Antriebsursache durchgehend als Energie beschrieben werden kann.

In dieser Auffassung, daß der Finalnexus in den Kausalnexus als Ganzes aufgehen muß, finde ich Stütze in der evolutionistischen wie der kybernetischen Erkenntnislehre und besonders bei Campbell, Lorenz, Oeser, Popper und Ernst von Weizsäcker[10]. So wird von der biologischen System- und Regeltheorie erwartet, daß schon die Selektion zum Paradigma einer »universellen und unteleologischen Erklärung teleologischer Errungenschaften endgelenkter Prozesse« werde[11]. »Daß grundsätzlich jede teleologische Erklärung eines Tages auf kausale zurückgeführt werden oder ihrerseits erklärt werden kann.«[12] Und daß die Selektion durch die Formbedingungen des übergeordneten Systems nicht nur in der ersten Evolution der Mutanten wirkt, sondern auch in der zweiten Evolution des Denkens, welche den Vorteil bringt, die Idee stellvertretend für sich selbst sterben lassen zu können, das ist uns ja auch schon bekannt.

Wir müssen aber noch einen Schritt weiter gehen; denn wenn wir es unternehmen, den Sinn allein aus dem Kausalitätsgefüge bis in die Höhe unseres eigenen Gefühls zu verfolgen, so fehlt noch das Zukunfts- oder Richtungsweisende, das er hier einschließt. Zwar enthält, um bei Carl Friedrich von Weizsäckers Beispiel zu bleiben, die Formbedingung, die der Form des Holzes überlagert wird, bereits den Sinn des Tisches. Aber die richtungslose Wandelbarkeit dieser Formursache, die ihn zur Tafel wie auch zur Werkbank, zum Hackstock, ja zu Brennholz machen kann, unterscheidet sie noch sehr von dem Sinn, den wir etwa in uns selber zu finden meinen; so wie das kopflose Rennen des Huhns, der unvorhersehbare Wechsel unserer Meinungen und Moden wohl seinen Zweck, aber noch nicht die Würde eines Sinns haben mögen.

Hier nun greift die Systemwirkung tief in das Geschehen. Dieses Richtungshafte und Zielbildende, das, was die Selbstbestimmung unseres Sinn-Erlebnisses ausmacht, erweist sich nun wiederum als die ausschließliche Konsequenz der Evolution der Systembedingungen. Wir haben die Entwicklung dieser Rückwirkung von der Form- auf die Materialursache bereits von der Komplexitätsebene selbstreproduzierender Biomoleküle an verfolgt und festgestellt, daß mit der wachsenden Organisation immer neue Formbedingungen die neuen Freiheiten in Schranken halten. Die Formgesetze von Organismus, Tier, Vielzeller, Wirbeltier, Säuger, Primat legten sich übereinander und führten zur Kanalisation des akzeptierbaren Zufalls, zu den Bahnen der Evolution. Mit diesen Bahnen wird der Richtungssinn des Möglichen, das Zielfeld des Erreichbaren immer deutlicher, und mit ihnen evolviert das Teleonomische, der Sinn, in einer sich selbst vertiefenden Weise. Aber auch hier steht mein Systemmodell kausaler Finalität nicht mehr allein. Ernst von Weizsäcker hat jüngst ein kybernetisches entwickelt, das denselben Mechanismus vorsieht wie mein naturhistorisches. Die Epizyklen, mit welchen Eigen und Rechenberg die Selbstorganisation des Lebendigen beschreiben[13], reichen nach Ernst von Weizsäcker noch nicht aus, »um die Evolution zu garantieren. Es stimmt, daß damit das Rätsel der Entstehung von komplexen Molekülen aus einfachen Bestandteilen gelöst ist. Was ist aber das Ende, bzw. das Entwicklungsziel einer Evolution gemäß dieser Theorie?« Das Werden eines Zieles findet auch Ernst von Weizsäcker im Mechanismus »einer positiv-rückgekoppelten biologischen Evolution«, den er als Ultrazyklus beschreibt. Und erst »der Ultrazyklus ist somit für die Entwicklung von Finalität, von Zwecken ›in unserem Sinne‹ verantwortlich.«[14]

Im Menschen haben sich über jenen, bis zum Primaten erworbenen Richtungssinn noch die Richtungskomponenten des Homo, des Homo sapiens, der Sozialstrukturen und ihrer Kulturen gelegt. Und es ist schon nach diesen Formgesetzen objektiv vorauszusehen, daß die Evolution auch unseren Zukunftschancen davon keine Abweichung gestatten wird. An dem Punkt kann man erkennen, daß eben diese vier objektiven Komponenten des Richtungssinns völlig jenen entsprechen, die uns subjektiv längst als das Ziel unserer Entwicklung als

Menschheit, Vernunft, Humanität und als die Aufgaben der Kultur vorschweben.

Derselbe Systemcharakter und sein Werden sind es ja auch, die nicht nur den Menschen, sondern aller belebten Natur den Charakter der Selbstbestimmung, einer vernetzten Sinngebung verleihen, der zu jener poststabilierten Harmonie führt, von deren übergeordnetem ›Sinn‹ wir Menschen wieder nur einer sind. Denn kein letzter Sinn erscheint vorgesehen. Sinn entsteht nur mit seinen Systemen.

Aber selbst im neu geschaffenen Sinn ist die Wechselwirkung mit seinem Antagonisten, der Freiheit, unerläßlich. Denn ein dekretierter Sinn, sei er auch in Prästabilisation, Prädestination oder Ideologie verpackt, ist noch nicht Sinn in unserem Sinne. Es wären nicht unsere eigenen Zwecke, die wir verfolgten, es wären die Zwecke dessen, der sie verfügte. Dem trägt auch die Theologie Rechnung. Dies umschifft auch der philosophische Idealismus; und die militante Ideologie versucht, die Sache zu verbergen. Sinn hat ohne Freiheit keinen Sinn; so wie Freiheit ohne Sinn keine Freiheit ist. Die Konsequenzen der Strategie der Genesis haben ihren Kreis geschlossen.

So können wir nun auch die Frage, was denn von dieser Genesis schlechthin zu halten wäre, beantworten.

Die Genesis der Systeme schafft uns alles, sogar das Höchste, das wir selbst zu besitzen meinen: sie schuf unseren Sinn, und sie erhielt unsere Freiheit. Da sie aber alle ihre Schöpfungen aus deren eigenen Antagonismen entstehen läßt, können auch wir Menschen unseren Sinn und unsere Freiheit nur aus unseren eigenen Systemen entwickeln. Wir gaben sie uns, und wir müssen sie uns auch in aller Zukunft selber geben. Aussicht auf Erfolg wird aber unsere Fortbildung nurmehr innerhalb der festgelegten Determinanten des reinen Menschentums haben: in den schöpferischen Freiheiten der gezielten Fortbildung eines Milieus, eines Geistes, einer Gesellschaft und einer Kultur des Humanen. Während die wirren, dunklen Ahnungen einander noch immer bekriegen, lehrt die Tiefe unserer Geschichte den uns gangbaren Weg durch diese Natur. Es muß es uns wert sein, sie noch tiefer zu erkennen.

»Denn dafür«, schließt Nicolai Hartmann, »daß die Welt,

wie sie ist, Einheits- und Systemcharakter hat, fehlt es im Erkennen an Hinweisen nicht. Man darf nur nicht erwarten, daß schon die ersten Schritte beginnenden Eindringens das Geheimnis offenbaren müßten.«[15] Vertrauen wir darauf, daß einmal wird gesagt werden können: »Siehe, der Mensch ist geworden wie einer von uns.«[16] Die Chance dazu ist uns erhalten: durch die Strategie der Genesis.

> Ich habe schimpflich mißgehandelt,
> Ein großer Aufwand schmählich! ist vertan.
> (*Mephistopheles*, Faust II 11836)

Anmerkungen

1 Vergleiche z. B. E. Schrödinger: Über Indeterminismus in der Physik. Leipzig 1932, und M. Planck: Determinismus oder Indeterminismus (Vorträge). Leipzig 1965.
2 Man konsultiere W. Heisenberg: Das Naturbild der heutigen Physik. Hamburg 1966.
3 Vergleiche z. B. P. Jordan: Die Physik und das Geheimnis des organischen Lebens. Braunschweig 1948, und J. Monod: Zufall und Notwendigkeit. Philosophische Fragen der modernen Biologie. München-Zürich 1971.
4 Die beiden letzten Zitate aus Monod, a. a. O., S. 141 und 211.
5 Vortrag vor dem naturwissenschaftlichen Seminar der Universität Wien 1975.
6 Einen ähnlichen Gedanken findet man bei F. Dessauer, z. B.: Naturwissenschaftliches Erkennen. Frankfurt 1958, S. 317.
7 M. Eigen in: J. Monod, a. a. O., S. 13.
8 Man vergleiche z. B. V. Braitenberg: Gehirngespinste. Neuroanatomie für kybernetisch Interessierte. Berlin-Heidelberg-New York 1973, und G. Guttman: Einführung in die Neuropsychologie. Berlin-Stuttgart-Wien 1972.
9 Zitat aus Monod, a. a. O., »Projet« in der Originalausgabe, also Projekt im Sinne von Plan, Auftrag und Absicht.
10 Man vergleiche K. Lorenz: Die Rückseite des Spiegels. Versuch einer Naturgeschichte menschlichen Erkennens. München-Zürich 1973; E. Oeser und R. Schubert-Soldern: Die Evolutionstheorie. Geschichte – Argumente – Erklärungen. Wien-Stuttgart 1974; auch das Puppen-Modell bei F. Jacob: Die Logik des Lebenden. Von der Urzeugung zum genetischen Code. Frankfurt 1972, und K. Zimen: Elemente und Strukturen der Natur. München 1970.
11 Zitiert aus D. Campbell: Evolutionary Epistemology. In P. Schilpp (Ed.): The library of living philosophers. Vol. 14, I und II: The philosophy of

Karl Popper, Vol. I, S. 413–463. Lasalle/Illinois 1974, S. 420 – nach K. Popper:
Of clouds and clocks. Washington University, St. Louis, Missouri 1966.

12 Zitiert aus K. Popper: Objektive Erkenntnis. Ein evolutionärer Entwurf. Hamburg 1973, S. 265.

13 Vergleiche M. Eigen: Selforganization of matter and the evolution of biological macromolecules. In: Naturwissenschaften 58, 1971, S. 465–523; und M. Eigen und R. Winkler: Das Spiel. Naturgesetze steuern den Zufall. München-Zürich 1975; vgl. auch I. Rechenberg: Evolutionsstrategie, Optimierung technischer Systeme nach Prinzipien der biologischen Evolution. Stuttgart 1973.

14 Die letzten drei Zitate aus E. v. Weizsäcker, in E. v. Weizsäcker (Hrsg.): Offene Systeme I. Beiträge zur Zeitstruktur von Information, Entropie und Evolution. Stuttgart 1974, S. 247, 248 und 257. Man muß aber auch anerkennen, wie mir Manfred Eigen zeigte, daß das Hyperzyklen-Modell gar nicht für das Werden von Orthogenese und Zielbildung in der Evolution beansprucht wurde. Dennoch, so glaube ich, liegt das im Stufenbau der Zyklen im Prinzip schon vor. Vergleichbare Vorstellungen äußerten aber auch schon J. Baldwin 1902, E. Schrödinger 1961, C. Waddington 1969, G. Simpson 1972 und F. Jacob 1972, K. Popper 1973, a. a. O., z. B. S. 296.

15 Zitiert aus N. Hartmann: Der Aufbau der realen Welt. Grundriß der allgemeinen Kategorienlehre. Berlin [3]1964, S. 522.

16 1. Buch Moses 3 (22).

II. DENKEN · DEUTEN · DIALOG

Ernest Ansermet/Claude Piguet
Die Entfaltung der abendländischen Musik

Piguet: Im vorhergehenden Gespräch haben wir uns mit der Entstehung der abendländischen Musik beschäftigt; heute möchte ich Sie über die Entwicklung dieser unserer Musik befragen, über ihre Entfaltung, in der sich, wie ich meine, zwei Momente deutlich abzeichnen. Zunächst einmal der Übergang von der Einstimmigkeit zur Mehrstimmigkeit und zweitens der Übergang von der polyphonen zur harmonisch bestimmten Musik. Beginnen wir jedoch, wenn es Ihnen recht ist, mit dem Beginn der Mehrstimmigkeit im Abendland.
Ansermet: Um Ihre Frage zu beantworten, muß ich etwas zurückgreifen. Das Logarithmensystem, von dem ich das letzte Mal gesprochen habe, hat, wie wir sagten, die Tonpositionen bestimmt, aus denen sich die auf- und absteigende siebentönige Tonleiter aufbaut. Diese Tonleiter aus auf- und absteigenden Oktaven ist keine Melodie, aber sie bezeichnet gewissermaßen den schematischen Verlauf aller Melodik insofern, als die Melodie ein freier Verlauf im Raum ist, der von einer beliebigen Position der Tonleiter ausgeht und zu dieser zurückkehrt, nachdem in wechselnd auf- und absteigender Bewegung die verschiedenen Tonpositionen durchlaufen sind, die das Logarithmensystem in dieser Tonleiter fixiert. In den ersten Jahrhunderten des abendländischen Zeitalters entstand eine Fülle von geistlichen und weltlichen Melodien, denen diese Tonleiter zugrundeliegt.
Piguet: Nach Ihrer Ansicht hat also die heptatonische Tonleiter, das heißt die Tonleiter der Töne ohne Erhöhung und Erniedrigung, allen Melodien der ersten Jahrhunderte des christlichen Zeitalters als Grundlage gedient, und auf dieser Basis erhebt sich dann die Polyphonie.
Ansermet: Die Mehrstimmigkeit entstand im Abendland aus der Vorliebe der Mönche, beim Chorgesang eine Stimme oder Stimmgruppe in höherer oder tieferer Lage parallel zum ei-

gentlichen Chor mitlaufen zu lassen. Dieses Phänomen war aber nur dadurch möglich, daß diese parallele Zwei- oder Dreistimmigkeit als Gesamtes, als eine Einheit, vom Hörbewußtsein aufgefaßt werden konnte.
Piguet: Diese ganzheitliche Erfassung mußte auf bestimmten Vorbedingungen beruhen, die das gleichzeitige Erklingen mehrerer Stimmen regeln.
Ansermet: Die Voraussetzung bestand zu diesem Zeitpunkt darin, daß die verschiedenen Stimmen zu ein und demselben Logarithmensystem gehören, das heißt zur selben Siebentonleiter, und daß die Bewegungen der einzelnen Stimmen in bestimmten Abständen in den harmonischen Intervallen der Quinte, Quarte oder Oktave aufeinandertreffen. Diese Intervalle sind aber eben die Basen unseres Logarithmensystems, und dadurch sind sie unsere Grundkonsonanzen. Unser Logarithmensystem wird also jetzt in der Gleichzeitigkeit der Töne angewandt, so wie es bis dahin in der Aufeinanderfolge der Töne angewandt worden war. Es stimmt die Stimmen in der Gleichzeitigkeit aufeinander ab, wie es bisher die Tonpositionen in der Aufeinanderfolge miteinander verbunden hatte.
Piguet: Das Bewußtsein mußte sich jetzt sozusagen teilen, je nachdem, ob die Töne sukzessiv-melodisch oder simultanharmonisch miteinander verbunden waren. Es muß also von nun an zwei getrennte Bewußtseinstätigkeiten gegeben haben.
Ansermet: Das Phänomen der Polyphonie setzt tatsächlich eine Zweiteilung der affektiven Tätigkeit, das heißt der Bewußtseinstätigkeit, voraus. Das zu begreifen ist von großer Wichtigkeit. Durch die Verinnerlichung des Phänomens ist die reine melodische Linie ein klanglicher Verlauf, der vom Hörbewußtsein in seiner Eigenschaft als Dingbewußtsein wahrgenommen wird, und zugleich der Existenzverlauf desselben Bewußtseins, aber diesmal in seiner Eigenschaft als affektives Selbstbewußtsein. Das Bewußtsein ist immer der Welt gegenwärtig und zugleich auch seiner eigenen Existenz gegenwärtig. Es ist Dingbewußtsein in seiner Eigenschaft als affektives, mentales oder wahrnehmendes Selbstbewußtsein und zu glei-

cher Zeit auch Selbstbewußtsein in seiner Eigenschaft als Dingbewußtsein.
Piguet: Das Bewußtsein hat zwei Aspekte; darauf haben die Philosophen aufmerksam gemacht. Einerseits habe ich beispielsweise Bewußtsein von einem Baume. Auf der anderen Seite aber habe ich Bewußtsein meiner selbst in meiner Beziehung zu dem Baum, den ich sehe. Auf der einen Seite »setze« ich den Baum, wie die Phänomenologen sagen, und in diesem Fall nennen sie das Bewußtsein »thetisches« Bewußtsein; auf der anderen Seite bin ich es selbst, der da ist, der den Baum gesehen und ihn »gesetzt« hat, ich habe Bewußtsein meiner selbst, ohne daß ich mich selbst sehen muß oder aufhören muß, den Baum zu sehen. Diesen doppelten Aspekt des Bewußtseins meinen Sie doch, nicht wahr?
Ansermet: Ja. Aber dieses Sehen, von dem Sie sprechen, ist genaugenommen reines subjektives Erleben, das nicht als solches reflektiert wird. Das Bewußtsein kann seine Intention nicht gleichzeitig auf diese beiden Aspekte seiner Tätigkeit richten, auf das Sehen und auf das Gesehene. Einer dieser beiden Aspekte bleibt also unreflektiert, ohne deswegen aufzuhören, ein Bewußtseinserlebnis zu sein. Dieses affektive Selbstbewußtsein, das in dem Augenblick unreflektiert bleibt, wo es zum Bewußtsein einer Melodie wird, dieses affektive Selbstbewußtsein haben die ethischen Lehren Christi zur Autonomie und zur Aktivität erweckt. Deshalb konnte es sich im Abendland vom Dingbewußtsein abheben, ohne sich von ihm loszulösen.
Piguet: Wie geht aber in der Musik, genauer gesagt: in der mehrstimmigen Musik, diese Zweiteilung des Bewußtseins vor sich?
Ansermet: In der Mehrstimmigkeit kann das Bewußtsein dem Verlauf einer der Stimmen folgen und als affektives Selbstbewußtsein aus dem Verlauf dieser einen Stimme seinen Existenzweg machen, und von da aus, in seiner Eigenschaft als Bewußtsein des melodischen Verlaufs, den Verlauf der übrigen Stimmen wahrnehmen. Denn alle Stimmen, auch die, deren Verlauf das Bewußtsein folgt, werden vom inneren Ohr wahrgenommen und lassen in ihm auf den verschiedenen Ebenen

des cochlearen Ganges gleichzeitige, nebeneinander verlaufende Wellen entstehen. Aber eine dieser Wellen wird irgendwie zur Bezugswelle, zu der die anderen Wellen in der Gleichzeitigkeit auf die eine oder andere Weise in einem harmonischen Verhältnis stehen. Diese Bezugswelle in der abendländischen Vokalpolyphonie ist die Tenorstimme, die deswegen auch diesen Namen – Halter, Haltestimme – trägt. Der Tenor war in der Mehrstimmigkeit zunächst die Achse des polyphonen Geschehens.

Piguet: Es ist also eine Frage des Bezugspunktes, des Bezugssystems. Der Beginn der Mehrstimmigkeit bedeutet in dieser Hinsicht eine radikale Änderung des Bezugssystems, das in der Einstimmigkeit im Gebrauch gewesen war, und im Grunde genommen entspricht diese Änderung in gewisser Weise dem, was Kopernikus in der Astronomie geleistet hat. Anstatt die Bewegung der Sonne in Beziehung zu einer als unbeweglich gedachten Erde zu setzen, kehrte Kopernikus das Bezugssystem um und setzte die Bewegung der Erde in Beziehung zur unbeweglich vorgestellten Sonne. Der Anbruch der Polyphonie bringt also gewissermaßen eine kopernikanische Wende mit sich. Ist das nicht auch Ihre Ansicht?

Ansermet: Ja. Diese Zweiteilung des Bewußtseins, die der Übergang vom melodischen Bewußtsein zum mehrstimmig-melodischen Bewußtsein voraussetzt, hat mit der kopernikanischen Wende das gemein, daß sich das Selbstbewußtsein abhebt vom Bewußtsein der erfaßten Dinge. Bei Kopernikus ging es jedoch um eine Denkoperation. Sein Auge sagte ihm, daß sich die Sonne um die Erde dreht, sein Verstand dagegen, der selbständig geworden war und sich der Unterwerfung unter das Zeugnis der Sinne befreit hatte, interpretierte diese Bewegung als eine nur scheinbare, die sich aus der Drehung der Erde um sich selbst ergibt.

Piguet: Diese kopernikanische Wende läßt mir keine Ruhe, ich muß noch etwas näher darauf eingehen. Darf ich unseren Hörern ganz kurz erläutern, was es mit dieser kopernikanischen Wende auf sich hat, nicht in der Astronomie, sondern in der Philosophie; denn auch in der Philosophie spricht man von einer kopernikanischen Wende. Der Astronom Kopernikus hat

1543 als erster die Ansicht begründet, daß die Sonne der Mittelpunkt des Universums sei, um den die Erde kreise. Auf einem ganz anderen Gebiet hat dann Kant im Jahre 1781, also kurz vor der Französischen Revolution, unter Bezug auf Kopernikus erklärt, wir seien bei unseren Versuchen, die Welt durch unser Denken zu erkennen, von der Gewohnheit ausgegangen, dieses Denken sozusagen um die als Bezugspunkte genommenen Dinge kreisen zu lassen. Kant fragte sich nun, ob es nicht mehr zum Fortschritt der Erkenntnis beitrage, wenn man annähme, daß die Dinge um unseren als unbeweglich gedachten Geist kreisen. Damit wollte er sagen, daß das Bezugszentrum nicht das sei, was wir erkennen wollen, sondern unser Geist, unser Bewußtsein, das erkennen will.

Darin besteht – zusammengefaßt – die kopernikanische Wende bei Kant. Ihre Ausführungen nun haben uns gezeigt, daß es eine kopernikanische Wende nicht nur in der Astronomie und in der Philosophie gibt, sondern auch in der Musik. Das ist erstaunlich.

Ansermet: Im Abendland trat nun zur Autonomie des mentalen Selbstbewußtseins die Autonomie des affektiven Selbstbewußtseins hinzu. Dies ermöglichte die Umwandlung des melodischen Bewußtseins in ein harmonisches Bewußtsein und – um 1600 – den Übergang vom melodisch-einstimmigen und melodisch-mehrstimmigen Zeitalter der abendländischen Musik zum harmonischen Zeitalter.

Piguet: Sie präzisieren diese so verführerische Parallele zwischen der Autonomie des mentalen Bewußtseins, der Intelligenz und des wissenschaftlichen Denkens, für die der Aufschwung der exakten Wissenschaften seit der Renaissance das beste Zeugnis ist, und der Autonomie des Affektivbewußtseins, des menschlichen Gefühls, das in der Musik zur Blüte kommt. Diese Gegenüberstellung wird immer interessanter.

Ansermet: Dem abendländischen Bewußtsein kommt eine zweifache Erfahrung zugute: Erfahrung des griechischen Denkens und die der christlichen Lehre. Das griechische Denken hat im Menschen die Autonomie seines Denkens, sein mentales Selbstbewußtsein geweckt, und die christliche Lehre hat die Autonomie seines affektiven Selbstbewußtseins geweckt.

Piguet: Ist also der Anbruch des harmonischen Zeitalters in der Musik eine Konsequenz dieser kopernikanischen Wende? Sie haben vorhin so etwas angedeutet.
Ansermet: Es ist tatsächlich eine Konsequenz dieses Ereignisses, daß im musikalischen Akt das affektive Selbstbewußtsein sich vom affektiven Dingbewußtsein abhebt. Dies geschieht im musikalischen Ereignis bei der Differenzierung zwischen harmonischem und melodischem Bewußtsein. In der polyphonen Praxis des 10. bis 16. Jahrhunderts waren in den mehrstimmigen Strukturen der Dur- und der Mollakkord aufgetreten. Der Akkord ist nun nicht bloß eine einfache Wahrnehmung harmonischer Intervalle zwischen gleichzeitig erklingenden Tonpositionen, sondern er wird als Synthese von Tonpositionen wahrgenommen; denn er läßt sogleich die Harmonie empfinden, die sich aus der Verschmelzung dieser simultanen Tonpositionen zu einem Ganzen ergibt. Und warum entsteht diese Verschmelzung? Weil der vollständige Dreiklang mit einem Schlag die Basis des dem menschlichen Ohre eigentümlichen Logarithmensystems setzt, nämlich das Verhältnis zwischen Quinte und Quarte in der Oktave, zu dem eine Terz tritt, die die Richtung der Oktave bestimmt. Deshalb hat diese harmonische Synthese auch zwei Formen: die Dur-Form *c-e-g-c* und die Moll-Form, die ursprünglich in absteigender Folge, zum Beispiel als *e-c-a-e*, erscheint und so der Umkehrung der Dur-Form entspricht und deshalb in der umgekehrten Richtung des cochlearen Energiestroms wahrgenommen wird. Beide Formen sind also korrelativ zu einer in der Dauer stabilisierten, in einer Richtung verlaufenden cochlearen Welle. Diese harmonische Synthese bildet eine in der Dauer stabilisierte Oktavspannung zwischen zwei Höhenlagen in der Cochlea und wird vom affektiven Selbstbewußtsein als ein stabiler affektiver Zustand erfahren. Die zwei Formen dieses Akkordes bilden also die beiden grundsätzlichen Arten unseres Affektivzustandes: die Extraversion, die Öffnung zur Welt, und die Introversion, die Hinwendung auf sich selbst. Jeder andere Akkord außer dem vollständigen Dur- oder Molldreiklang wird als ein labiler, unbeständiger Affektivzustand erlebt, der in uns das Verlangen weckt, wieder zur Beständigkeit des Grundakkordes zurückzukehren.

Piguet: Hier müßte man also den Ursprung der Vorstellungen von Konsonanz und Dissonanz suchen.
Ansermet: Sicherlich, und es ist aufschlußreich festzustellen, daß diese Unterscheidung in Konsonanz und Dissonanz erst im Abendland geschieht. Aber, wie wir gesehen haben, gewinnt die Musik nur als in der Zeit sich entfaltende Gefühlstätigkeit einen Sinn. Es ist also undenkbar, daß sie sich auf harmonische Verhältnisse allein reduzieren ließe. Nehmen wir doch einmal an, ein Musikstück ginge von einem C-Dur-Akkord aus: Von C, von G, von E und vom tieferen C gehen melodische Linien aus, die in ihrem Verlauf neue Harmonien entstehen lassen. Seit der Entdeckung und Anwendung der simultanen Harmonie hat das cochleare Phänomen einen ganz anderen Aspekt gewonnen: Die melodischen Wellen entfalten sich longitudinal in der Zeit auf der transversalen Welle der Harmonie und auf dem sich bewegenden Hintergrund der Harmonik. Die melodische Welle moduliert sich dem harmonischen Feld der Cochlea auf, so wie sich beim Telefonieren die in Energieschwankungen umgesetzte Stimme dem Stromkreis in der Leitung aufmoduliert. Wie wir aber gleich zu Anfang bemerkt haben, ist die Harmonie etwas Gefühltes und die Melodie etwas Wahrgenommenes. Deshalb unterscheiden sich die beiden Aspekte des affektiven Bewußtseins, die dem Hörphänomen Sinn verleihen, definitiv voneinander. Als Dingbewußtsein ist es Bewußtsein des *Melos*, und als affektives Selbstbewußtsein ist es harmonisches Bewußtsein, Bewußtsein der harmonischen Bewegung. Und da das affektive Selbstbewußtsein, also das Gefühl als solches, dem Phänomen Sinn verleiht, ist es die harmonische Bewegung, die von nun an das melodische Geschehen leitet.
Piguet: Die harmonische Bewegung hat also Vorrang vor dem melodischen Verlauf. Aber war das nicht auch implicite schon der Fall bei der autonomen Melodie?
Ansermet: Ja, es war eben das harmonische Gefühl, das die Töne in der Melodie miteinander verband; aber jetzt hat es phänomenale Gestalt angenommen, es signifiziert sich durch den Akkord. Die harmonische Bewegung jedoch wird ihrerseits bestimmt durch die Bewegung der Grundtöne der Akkorde: C im *c-e-g*-Klang und A im *a-c-e*-Klang; denn diese Grund-

töne sind in der Gleichzeitigkeit der Ausgangspunkt für die Logarithmen, so wie die Anfangsposition in der Oktavleiter der Ausgangspunkt für die Logarithmen in der Aufeinanderfolge der Töne ist. Aber diese Bewegungslinie der Grundtöne ist eine nur virtuelle Linie, weil der Grundton eines Klanges nicht immer im Baß liegt. Der Akkordgrundton kann von einer Stimme zur anderen wandern, und er kann sogar fehlen, ohne daß ein Akkord etwas von seiner dominantischen oder subdominantischen Wirkung einbüßte. Daher signifiziert das affektive Selbstbewußtsein seinen melodisch-harmonischen Weg durch die Linie der Baßtöne der Klänge, die manchmal, aber nicht immer, mit den Grundtönen dieser Klänge zusammenfallen, und zwar um so weniger, je mehr Akkordumkehrungen verwendet werden, wie dies ständig bei Sept-, Non- und alterierten Akkorden der Fall ist.

Piguet: Lassen Sie mich zusammenfassen, was Sie gesagt haben. Die Entfaltung der harmonischen Musik verlangt also, wenn ich recht verstanden habe, die Unterscheidung zwischen drei verschiedenen Bewußtseinswegen. Es gibt eine melodische Linie, dann den Verlauf der Akkordgrundtöne, die von Stimme zu Stimme springen können, und schließlich die Linie der tatsächlichen Baßtöne der Akkorde. Grob gesprochen also könnte man sagen: oben ist die Melodie, unten die Linie der tiefsten Akkordtöne, und zwischen beiden sind die von Stimme zu Stimme wechselnden Akkordgrundtöne.

Ansermet: Vergessen Sie aber nicht, daß die melodische Hauptlinie sich auch in mehrere Stimmen aufspalten kann; denn das *Melos* besteht aus einem Stimmenkomplex, und ein solcher Stimmenkomplex ist das Höchstmaß dessen, was an Differenzierung für die musikalischen Strukturen möglich ist. Eine solche Differenzierung kann zur Polytonalität führen, das heißt zur Möglichkeit gleichzeitig erklingender, aber zu verschiedenen Logarithmensystemen gehörender Tonstrukturen. Darauf möchte ich hier allerdngs nicht näher eingehen.

Piguet: Worauf gründet sich Ihre Ansicht, daß hiermit der höchstmögliche Differenzierungsgrad erreicht ist? Könnte man nicht auch noch darüber hinausgehen?

Ansermet: Nein, und zwar deshalb nicht, weil das schöpferische

Musikbewußtsein seine Strukturen, wenigstens seine Teilstrukturen, nur aus Elementen bilden kann, die zum selben Logarithmensystem gehören, das heißt also aus dem, was wir tonale Strukturen nennen; und weil es andererseits in seinem bezugsetzenden Vermögen begrenzt ist, so daß die musikalischen Strukturen einer sehr strengen Bedingtheit unterworfen sind. Man kann mit den musikalischen Tönen nicht machen, was man will, solange die aus ihnen entstehenden Strukturen in ihrer Ganzheit wahrnehmbar bleiben sollen. Diese Struktur, auf einem harmonischen Hintergrund, ist der höchste Organisationsgrad wahrnehmbarer Strukturen. Muß man eigens darauf hinweisen, daß bei den Atonalen dieser Hintergrund fehlt? Aber gehen wir weiter. Der Sachverhalt, den ich eben angedeutet habe, bezeichnet also den Abschluß der historischen Entwicklung der Strukturen, nicht aber das Ende der Musik. Denn von jetzt an ist der schöpferischen Tätigkeit die Bahn geöffnet, die sie, unter denselben Bedingungen wie bisher, unbegrenzt weiterverfolgen kann. Wir müssen uns klarmachen, daß wir immer neue musikalische Werke erleben werden, aber keine Neuerung auf dem Gebiet der Struktur, wenn die Musik Musik bleiben will.

Sie fragten mich, wie die Musik ihre Möglichkeiten entdeckt hat? Nun, das Musikbewußtsein, dieses affektive Bewußtsein, das sich auf die Tätigkeit des Hörbewußtseins gleichsam aufpfropft, hat sic spontan geschaffen. Es hat selbst, in seiner Eigenschaft als unreflektiertes Selbstbewußtsein, seine Tonstrukturen im Verlaufe einer langen Geschichte geschaffen, die mit dem Beginn der Menschheitsgeschichte anhebt. Und diese Geschichte erklärt sich aus der Finalität des Musikbewußtseins, das heißt daraus, daß es auf ein Ziel ausgerichtet war. In seiner Endstufe hat es durch tonale Strukturen die affektive Tätigkeit signifiziert, die unserer Existenz in der Welt zugrunde liegt. Und die harmonisch-melodische Struktur, zu der es endlich geführt hat, bedeutet den höchsten Grad an Wirklichkeit, den es in seiner Absicht erreichen konnte. Unsere Gefühlstätigkeit nimmt tatsächlich Gestalt an vor dem Hintergrund eines Affektivzustandes, der ständig in uns wechselt, und genau dasselbe geschieht auch in der harmonisch-melodischen Struktur. Nur würde unser Affektivzustand keine Änderung erfahren, wenn wir nicht in der Welt handelten und uns zu ihr nicht in einer affektiven Beziehung befänden. Unsere seelische Aktivität ist nicht sichtbar und offenbart sich einzig durch unser Handeln in der Welt und durch die Bahn, die sie in uns zeichnet. So ist auch die Bewegung der Akkordgrundtöne nur eine virtuelle Linie, die wir lediglich in der Gliederung der harmonischen Kadenzen spüren; denn das affektive Selbstbewußtsein ist dieser seelische Körper, der sich im musikalischen Akt durch die Harmonik und ihre Bewegung signifiziert und dessen Existenzakt sich abzeichnet in der nicht wahrgenommenen, aber empfundenen Bewegung der Akkordgrundtöne. Seine Gefühlstätigkeit signifiziert sich also äußerlich, in der Extraversion, wie wir sagten, in den melodischen Linien, die von verschiedenen Tonpositionen der Harmonie ausgehen, und innerlich, in der Introversion, in der melodischen Linie der Baßtöne, die zur Harmonik gehört und dem ganzen melodisch-harmonischen Geschehen zugrunde liegt. Diese Struktur ist daher in ihrer Gesamtheit ein abstraktes Abbild unserer seelischen Existenz. Aber da sie im musikalischen Erlebnis verinnerlicht und als Rhythmus und Tempo existentiell erlebt wird, wird sie zur konkreten Struktur unserer Existenz in der Musik. Die Untersuchung des Musikbewußtseins lehrt uns, daß unsere seelische Existenz im Detail aus affektiven Grundspannungen besteht, die aktiv oder passiv, extravertiert oder introvertiert sind und verschiedene Spannungsgrade haben. Da das musikalische Gefühl also, wenn man so sagen darf, Gefühl im Reinzustand ist, dessen musikalisches Abbild ein reiner Reflex im Spiegel der Töne darstellt, ist es ein vollkommenes Gefühl, das uns stets und ständig, wie es auch sei, in Entzücken versetzt. Deshalb ist Musik immer ein Genuß, ob sie traurig oder heiter ist, und deshalb ist sie auch immer schön, jedenfalls soweit sie nicht verfehlt ist; ebenso wie die Mathematik immer wahr ist, solange ihre Gleichungen stimmen. Diese meine Ausführungen antworten also eigentlich schon auf die letzte Frage, die Sie mir stellen wollten: Was ist Musik?

Hannah Arendt
Wo sind wir, wenn wir denken?

»Tantôt je pense et tantôt je suis« (Valéry): das Nirgendwo

Wenn das Denken seinen Zweck in sich selbst hat und die einzige für es passende Metapher – der gewöhnlichen Sinneserfahrung entnommen – das Gefühl des Lebendigseins ist, dann folgt, daß alle Fragen über das Ziel oder den Zweck des Denkens so unbeantwortbar sind wie Fragen über das Ziel oder den Zweck des Lebens. Ich stelle die Frage, wo wir sind, wenn wir denken, nicht deshalb ans Ende unserer Unterhaltung, weil die Antwort zu irgendeinem Schluß führen könnte, sondern nur deshalb, weil die Frage selbst und die Erwägungen, zu denen sie Anstoß gibt, allein im Zusammenhang dieses ganzen Ansatzes sinnvoll sind. Da sich das, was jetzt folgen soll, so stark auf meine vorangehenden Überlegungen stützt, möchte ich diese kurz in Aussagen zusammenfassen, die nur als dogmatisch erscheinen können, aber nicht so gemeint sind.

Erstens: Das Denken ist stets außer der Ordnung, es unterbricht alle gewöhnlichen Tätigkeiten und wird durch sie unterbrochen. Das beste Beispiel dafür ist wohl immer noch die alte Geschichte, daß Sokrates die Gewohnheit hatte, plötzlich »seinen Geist auf sich selbst zu richten«, den Kontakt mit anderen abzubrechen und, wo er sich gerade befand, »taub gegen die nachdrücklichste Ansprache« zu werden und das fortzusetzen, was er vorher getan hatte[1]. Einmal, so erzählt Xenophon, blieb er in einem Militärlager 24 Stunden lang völlig unbeweglich, tief in Gedanken versunken, wie wir sagen würden.

Zweitens: Die authentischen Erfahrungen des denkenden Ichs äußern sich auf vielfältige Weise. Da gibt es die metaphysischen Trugschlüsse, etwa die Zwei-Welten-Theorie, oder die – interessanteren – nicht-theoretischen Beschreibungen des Denkens als einer Art Sterbens, oder umgekehrt die Vorstellung, daß man beim Denken zu einer anderen, noumenalen

Welt gehöre – die uns andeutungshaft selbst in der Finsternis des wirklichen Hier und Jetzt gegenwärtig ist –, oder die Aristotelische Definition des bios theōrētikos als bios xenikos, als das Leben des Fremden. Dieselben Erfahrungen spiegeln sich in dem Cartesischen Zweifel an der Wirklichkeit der Welt, in Valérys »Manchmal denke ich, und manchmal bin ich« (als ob Wirklichsein und Denken Gegensätze wären), in Merleau-Pontys Aussage: »Wir sind nur dann wirklich allein, wenn wir es nicht wissen; gerade dieses Nichtwissen ist unsere [der Philosophen] Einsamkeit.«[2] Und es stimmt, daß das denkende Ich, was immer es erreichen mag, niemals zur Wirklichkeit als Wirklichkeit durchdringen oder sich davon überzeugen wird, daß überhaupt etwas wirklich existiert und das Leben, das menschliche Leben, mehr als ein bloßer Traum ist. (Dieser Verdacht, daß das Leben nur ein Traum sei, gehört natürlich zu den hervorstechendsten Zügen der asiatischen Philosophie; aus der indischen Philosophie gibt es zahlreiche Beispiele. Ich möchte ein chinesisches Beispiel anführen, das durch seine Knappheit besticht. Es ist eine Geschichte über den taoistischen [d. h. anti-konfuzianischen] Philosophen Tschuang Tsu. Dieser »träumte einmal, er sei ein Schmetterling, der, glücklich mit sich selbst, umherflattert und tat, was ihm gefiel. Er wußte nicht, daß er Tschuang Tsu war. Auf einmal wachte er auf, und nun war er unverkennbar der Tschuang Tsu aus Fleisch und Blut. Aber er wußte nicht, ob er Tschuang Tsu sei, der geträumt hatte, er sei ein Schmetterling, oder ob er ein Schmetterling sei, der träumte, er sei Tschuang Tsu. Aber zwischen Tschuang Tsu und einem Schmetterling muß es doch *irgendeinen* Unterschied geben!«[3])

Die Intensität der Denkerfahrung dagegen zeigt sich in der Leichtigkeit, mit der der Gegensatz zwischen Denken und Wirklichkeit umgekehrt werden kann, derart, daß nur das Denken als wirklich erscheint, alles bloß Seiende aber als so flüchtig, daß es ist, als wäre es gar nicht: »Was gedacht ist, ist; und was ist, ist nur, insofern es Gedanke ist.«[4] Das Entscheidende aber ist hier, daß alle diese Zweifel verschwinden, sobald das Alleinsein des Denkers durchbrochen wird und der Ruf der Welt und der Mitmenschen die innere Dualität des

Zwei-in-einem wieder zum Einen macht. Daher ist die Vorstellung, daß alles Seiende ein bloßer Traum sein könnte, entweder der aus der Denkerfahrung entspringende Alptraum oder der tröstliche Gedanke, der beschworen wird, nicht wenn man sich von der Welt zurückgezogen hat, sondern wenn die Welt sich zurückgezogen hat und unwirklich geworden ist.

Drittens: Diese merkwürdigen Verhältnisse beim Denken ergeben sich aus dem Rückzug, der allen Geistestätigkeiten eigen ist; das Denken beschäftigt sich immer mit Abwesendem und entfernt sich vom Gegenwärtigen und Zuhandenen. Das beweist natürlich nicht die Existenz einer anderen Welt als der, zu der wir im gewöhnlichen Leben gehören; es bedeutet aber, daß Wirklichkeit und Existenz, die wir uns nur in Zeit und Raum vorstellen können, zeitweilig ausgesetzt werden können, womit sie ihr Gewicht verlieren und mit diesem auch ihren Sinn für das denkende Ich. Was jetzt, während des Denkens, Sinn gewinnt, sind Destillate, Ergebnisse der Entsinnlichung, und das sind keine bloßen abstrakten Begriffe; man sprach einst vom »Wesen«.

Das Wesen hat keinen Ort. Bemächtigt sich seiner das menschliche Denken, so verläßt es die Welt der Einzeldinge und macht sich auf die Suche nach etwas allgemein *Sinnvollem*, wenn auch nicht notwendig Allgemeingültigem. Das Denken »verallgemeinert« stets, es preßt aus den vielen Einzeldingen – die es dank der Entsinnlichung handlich zusammenfassen kann – allen Sinn heraus, der in ihnen stecken könnte. Verallgemeinerung steckt in jedem Gedanken, auch wenn dieser den uneingeschränkten Vorrang des Einzelnen betont. Mit anderen Worten, das »Wesenhafte« ist das überall Anwendbare, und dieses »Überall«, das dem Denken sein besonderes Gewicht verleiht, ist, räumlich gesprochen, ein »Nirgends«. Das denkende Ich, das sich unter Universalien, unter unsichtbaren Essentien bewegt, ist, streng genommen, nirgends; es ist heimatlos in einem ganz nachdrücklichen Sinne – was die frühe Entstehung eines kosmopolitischen Geistes bei den Philosophen erklären könnte.

Der einzige mir bekannte große Denker, der diese Heimatlosigkeit ausdrücklich als etwas für das Denken Natürliches bezeichnet hat, ist Aristoteles – vielleicht weil er den Unterschied zwischen Handeln und Denken (den entscheidenden Unterschied zwischen der politischen und der philosophischen Lebensweise) so genau gekannt und so klar ausgesprochen hat und eine naheliegende Konsequenz zog, nämlich sich weigerte, »das Schicksal des Sokrates zu teilen« und die Athener »sich ein zweites Mal gegen die Philosophie vergehen zu lassen«. Als gegen ihn ein Verfahren wegen Gotteslästerung eingeleitet wurde, verließ er Athen und »zog sich nach Chalkis zurück, das fest unter makedonischem Einfluß stand«[5]. Er hatte die Heimatlosigkeit zu den großen Vorzügen der philosophischen Lebensweise gezählt, und zwar im »Protreptikos«, einem sehr frühen Werke, das in der Antike noch wohlbekannt war, uns aber nur noch in Fragmenten überliefert ist. Dort rühmt er den bios theōrētikos, weil diese Lebensweise »weder eine Ausrüstung noch bestimmte Orte zur Ausübung verlangt; wo immer auf Erden jemand sich dem Denken widmet, da wird er die Wahrheit erlangen, als wäre sie dort anwesend«. Die Philosophen lieben dieses »Nirgends«, als wäre es ein Land (philochōrein), und sie wollen alle anderen Tätigkeiten fahren lassen um des »scholazein« willen (des Nichts-Tuns, wie wir sagen würden), weil das Denken oder Philosophieren etwas so Süßes ist[6]. Diese glückliche Unabhängigkeit hat ihren Grund darin, daß die Philosophie (die Erkenntnis kata logon) nicht mit Einzeldingen zu tun hat, die den Sinnen gegeben sind, sondern mit Universalien (kath' holou), die keinen Ort haben[7]. Es wäre völlig falsch, solche Universalien in der Sphäre des Praktisch-Politischen suchen zu wollen; da geht es immer um einzelnes, und »allgemeine« Aussagen, die überall gleichermaßen anwendbar wären, würden alsbald zu leeren Allgemeinheiten werden. Das Handeln hat mit einzelnem zu tun, und nur partikuläre Aussagen können auf dem Gebiet der Ethik oder Politik gültig sein[8].

Mit anderen Worten, es könnte durchaus sein, daß unsere Frage nach dem Ort des denkenden Ichs abwegig war. Aus der Sicht der alltäglichen Erscheinungswelt ist das Überall des denkenden Ichs – das alles vor sein Angesicht lädt, was es nur will, aus jeder zeitlichen oder räumlichen Entfernung, die der Gedanke ja rascher als mit Lichtgeschwindigkeit durchmißt – ein

Nirgends. Und da dieses Nirgends keineswegs identisch ist mit jenem zwiefachen Nirgends, aus dem wir mit der Geburt plötzlich auftauchen und in das wir fast ebenso plötzlich mit dem Tode wieder hinabtauchen, läßt es sich höchstens als die Leere begreifen. Und die absolute Leere kann ein letzter Grenzbegriff sein; sie ist zwar nicht unvorstellbar, aber undenkbar. Wenn es absolut nichts gibt, dann kann es offenbar keinen Gegenstand für das Denken geben. Daß wir solche letzten Grenzbegriffe haben, die unser Denken als unübersteigbare Mauern einschließen – dazu gehört der Begriff eines absoluten Anfangs oder eines absoluten Endes –, das zeigt uns lediglich, daß wir in der Tat *endliche* Wesen sind. Wollte man aus diesen Grenzen einen Ort für das denkende Ich herleiten, so wäre das bloß eine weitere Form der Zwei-Welten-Theorie. Die Endlichkeit des Menschen, die unwiderruflich gegeben ist durch seine kurze Dauer in einer unendlichen Zeit, die sich in die Vergangenheit und in die Zukunft erstreckt, sie bildet gewissermaßen die Infrastruktur aller geistigen Tätigkeiten: sie zeigt sich als die einzige Wirklichkeit, die das Denken als Denken erfassen kann, wenn sich das denkende Ich von der Erscheinungswelt zurückgezogen und das dem sensus communis eigene Wirklichkeitsempfinden verloren hat, mit dem wir uns in dieser Welt orientieren.

Mit anderen Worten, Valérys Bemerkung – wenn wir denken, *sind* wir nicht – wäre richtig, wenn unser Wirklichkeitsempfinden völlig von unserer räumlichen Existenz bestimmt wäre. Das Überall des Denkens ist in der Tat ein Nirgends. Doch wir sind nicht nur im Raum, wir sind auch in der Zeit, wir erinnern, wir sammeln und holen wieder aus dem »Bauch des Gedächtnisses« (Augustinus), was nicht mehr gegenwärtig ist, wir denken voraus und planen in der Weise des Wollens, was noch nicht ist. Vielleicht war unsere Frage, wo wir seien, wenn wir denken, deshalb fehl am Platze, weil die Frage nach dem topos dieser Tätigkeit rein räumlich orientiert ist – als hätten wir Kants berühmte Erkenntnis vergessen, daß »die Zeit nichts anderes [ist] als die Form des inneren Sinnes, d. i. des Anschauens unserer selbst und unseres inneren Zustandes«. Für Kant bedeutete das, daß die Zeit nichts mit den Erscheinungen als solchen zu tun hat – »weder [mit] einer Gestalt oder Lage«, wie sie unseren Sinnen gegeben ist –, sondern nur mit den Erscheinungen, sofern sie unseren »inneren Zustand« beeinflussen, in welchem die Zeit »das Verhältnis der Vorstellungen« bestimmt[9]. Und diese Vorstellungen – mit denen wir vergegenwärtigen, was in der Erscheinung nicht gegenwärtig ist – sind natürlich Gedankendinge, d. h. Erfahrungen oder Begriffe, die die Entmaterialisierung durchgemacht haben, mit der der Geist seine Gegenstände zubereitet und durch »Verallgemeinerung« auch ihrer räumlichen Eigenschaften entkleidet.

Die Zeit bestimmt die Art, wie diese Vorstellungen zueinander in Beziehung stehen, indem sie sie in eine Reihenfolge zwingt, und diese Abfolgen nennen wir gewöhnlich Gedankengänge. Alles Denken ist diskursiv, und sofern es einem Gedankengang folgt, könnte man es analog durch eine »sich ins Unendliche erstreckende Gerade« darstellen, mit der wir uns gewöhnlich auch den Abfolgecharakter der Zeit veranschaulichen. Doch um eine solche Gedankenlinie herzustellen, müssen wir das *Nebeneinander*, in dem uns die Erfahrungen gegeben sind, in ein *Nacheinander* lautloser Worte verwandeln – das einzige Medium, in dem wir denken können –, und das bedeutet, daß die ursprüngliche Erfahrung nicht nur entsinnlicht wird, sondern auch enträumlicht.

Die Lücke zwischen Vergangenheit und Zukunft: das nunc stans

In der Hoffnung, herauszufinden, wo das denkende Ich in der Zeit angesiedelt ist und ob seine rastlose Tätigkeit zeitlich bestimmbar ist, wende ich mich einer von Kafkas Parabeln zu, in der es nach meiner Auffassung genau um diese Frage geht. Sie gehört zu einer Sammlung von Aphorismen mit dem Titel »Er«[10].

»Er hat zwei Gegner: Der erste bedrängt ihn von hinten, vom Ursprung her. Der zweite verwehrt ihm den Weg nach vorn. Er kämpft mit beiden. Eigentlich unterstützt ihn der erste im Kampf mit dem zweiten, denn er will ihn nach vorn drängen, und ebenso unterstützt ihn der zweite im Kampf mit dem ersten; denn er treibt ihn zurück. So ist es aber nur theoretisch. Denn es sind ja nicht nur die zwei Gegner da, sondern auch noch er selbst, und immerhin ist es sein Traum, daß er einmal in einem unbewachten Augenblick – dazu gehört allerdings eine Nacht, so finster, wie noch keine war – aus der Kampflinie ausspringt und wegen seiner Kampfeserfahrung zum Richter über seine miteinander kämpfenden Gegner erhoben wird.«

Für mich beschreibt diese Parabel das Zeitgefühl des denkenden Ichs. Sie analysiert dichterisch unseren »inneren Zustand« im Hinblick auf die Zeit, dessen wir gewahr werden, wenn wir uns von den Erscheinungen zurückgezogen haben und wenn unsere geistigen Tätigkeiten, wie es für sie kennzeichnend ist, auf sich selbst zurückwirken – cogito me cogitare, volo me velle, usw. Das innere Zeitempfinden entsteht, wenn man nicht völlig in Anspruch genommen ist, von dem abwesenden Unsichtbaren, über das man nachdenkt, sondern seine Aufmerksamkeit auf die Tätigkeit selbst zu richten beginnt. In dieser Situation sind Vergangenheit und Zukunft gleichermaßen gegenwärtig, nämlich weil sie gleichermaßen unseren Sinnen fern sind; damit verwandelt sich das Nicht-mehr der Vergangenheit durch die räumliche Metapher in etwas *hinter* uns Liegendes, und das Noch-nicht der Zukunft in etwas von vorn auf uns *Zukommendes* (was das Wort »Zukunft« ebenso wie das französische »avenir« ja wörtlich besagt). Bei Kafka ist das der Kriegsschauplatz zwischen den Kräften der Vergangenheit und der Zukunft. Zwischen ihnen befindet sich der Mensch, den Kafka »er« nennt und der gegen beide Kräfte kämpfen muß, um überhaupt einen Fuß auf den Boden zu bekommen. Die Kräfte sind »seine« Gegner; sie sind nicht einfach Gegensätze und würden kaum gegeneinander kämpfen ohne »ihn«, der sich zwischen und gegen sie stellt; und obwohl ein solcher Antagonismus in den beiden schon irgendwie angelegt war und sie auch ohne »ihn« miteinander kämpfen könnten, hätten sie sich doch schon lange gegenseitig neutralisiert und zerstört, denn als Kräfte sind sie offenbar gleich stark.

Mit anderen Worten, das Zeitkontinuum, die immerwährende Veränderung, wird in die grammatischen Zeiten Vergangenheit, Gegenwart und Zukunft aufgespalten, wobei Vergangenheit und Zukunft nur deshalb Antagonisten als das Nicht-mehr und das Noch-nicht sind, weil es den Menschen gibt, der selbst einen »Ursprung« hat, seine Geburt, und ein Ende, seinen Tod, und der deshalb jederzeit zwischen ihnen steht; dieses Zwischen heißt Gegenwart. Es ist das Dazwischentreten des Menschen mit seiner begrenzten Lebensdauer, das den stetig dahinfließenden Strom reiner Veränderung – den man sich zyklisch wie auch in Form einer geradlinigen Bewegung vorstellen kann, ohne sich jemals einen absoluten Anfang oder ein absolutes Ende vorstellen zu können – zur uns bekannten Zeit macht.

Diese Parabel, in der zwei grammatische Formen der Zeit, die Vergangenheit und die Zukunft, als antagonistische Kräfte verstanden werden, die in das gegenwärtige Jetzt hineinschlagen, klingt für unsere Ohren sehr merkwürdig, welche Zeitvorstellung wir uns auch zu eigen gemacht haben mögen. Die äußerste Kargheit der Kafkaschen Sprache, in der um der Wirklichkeitsnähe der Fabel willen jede spezielle Wirklichkeit, aus der die Gedankenwelt hätte entstehen können, ausgeblendet ist, läßt sie vielleicht fremder klingen, als der Gedanke selbst erfordern würde. Daher möchte ich eine merkwürdig verwandte Geschichte Nietzsches im allegorisch befrachteten Stil des »Also sprach Zarathustra« heranziehen. Sie ist viel leichter verständlich, weil sie, wie ihr Titel besagt, nur von einem »Gesicht« oder einem »Rätsel« handelt[11]. Die Allegorie beginnt damit, daß Zarathustra an einem Torweg anlangt. Dieser hat wie jeder Torweg einen Eingang und einen Ausgang, läßt sich also als Treffpunkt zweier Wege sehen.

»Zwei Wege kommen hier zusammen: die ging noch niemand zu Ende. Diese lange Gasse zurück: die währt eine Ewigkeit, und jene lange Gasse hinaus – das ist eine andere Ewigkeit. Sie widersprechen sich, diese Wege; die stoßen sich gerade vor den Kopf: – und hier, an diesem Torwege, ist es, wo sie zusammenkommen. Der Name des Torweges steht oben geschrieben: ›Augenblick‹. ... Siehe ... diesen Augenblick. Von diesem Towege Augenblick läuft eine lange ewige Gasse rückwärts: hinter uns liegt eine Ewigkeit.« [Und eine andere Gasse führt vorwärts in eine ewige Zukunft.]

Heidegger interpretiert diese Stelle in seinem Buch »Nietzsche«[12] und bemerkt, das sei nicht die Sicht des Beschauers, sondern nur die eines Menschen, der in dem Torweg steht; für den Beschauer vergehe die Zeit so, wie wir es uns gewöhnlich vorstellen, als Aufeinanderfolge von Gegenwartspunkten, einer nach dem anderen. Da ist kein Treffpunkt; da sind keine zwei Gassen oder Wege, sondern nur einer. »Zusammenstoß ... freilich nur für den, der ... *selbst* der Augenblick *ist* ... Wer im Augenblick steht, der ist zwiefach gewendet: für ihn laufen Vergangenheit und Zukunft *gegeneinander*.« Und als Zusammenfassung im Umkreis von Nietzsches Lehre von der ewigen Wiederkunft sagt Heidegger: »Das ist das ... Eigentliche an der Lehre von der ewigen Wiederkunft, daß die Ewigkeit im Augenblick *ist*, daß der Augenblick nicht das flüchtige Jetzt ist, nicht der für einen Zuschauer bloß vorbeihuschende Moment, sondern der Zusammenstoß von Zukunft und Vergangenheit.« (Den gleichen Gedanken gibt es bei Blake – »Halt die Unendlichkeit in deiner Hand/Und die Ewigkeit in einer Stunde.«)

Wieder bei Kafka, sollten wir daran denken, daß alle diese Beispiele nicht von Doktrinen oder Theorien handeln, sondern von Gedanken, die mit den Erfahrungen des denkenden Ichs zu tun haben. Von dem stetig fließenden immerwährenden Strom her gesehen, führt das Dazwischentreten des Menschen, der in beiden Richtungen kämpft, zu einem Bruch, der sich, indem er in beiden Richtungen verteidigt wird, zu einer Lücke ausweitet, zur Gegenwart als dem Schlachtfeld. Dieses Schlachtfeld ist für Kafka die Metapher für die Heimstätte des Menschen auf Erden. Vom Menschen her gesehen, der in jedem Augenblick eingeklemmt ist zwischen *seiner* Vergangenheit und *seiner* Zukunft, die beide auf ihn zielen, der da seine Gegenwart schafft, von ihm her gesehen ist das Schlachtfeld ein Zwischen, ein ausgedehntes Jetzt, auf dem er sein Leben verbringt. Die Gegenwart, im gewöhnlichen Leben die zweifelhafteste und schlüpfrigste der grammatischen Zeiten – wenn ich »jetzt« sage und darauf zeige, so ist es schon vergangen –, ist nichts anderes als der Zusammenstoß einer Vergangenheit, die nicht mehr ist, mit einer Zukunft, die heranrückt und noch nicht ist. Der Mensch lebt in diesem Zwischen, und was er Gegenwart nennt, ist ein lebenslanger Kampf gegen die Last der Vergangenheit, die ihn, hoffend, vorantreibt, und die Furcht vor einer Zukunft (an der das einzig Sichere der Tod ist), die ihn zurücktreibt in die »Ruhe der Vergangenheit«, voll Sehnsucht nach und Erinnerung an die einzige Wirklichkeit, deren er sicher sein kann.

Wir sollten uns keine ungebührlichen Sorgen darüber machen, daß dieser Zeitbegriff etwas völlig anderes ist als die Zeitfolge des gewöhnlichen Lebens, wo die drei Zeitmodi problemlos aufeinander folgen und die Zeit selbst in Analogie zu Zahlenfolgen verstanden werden kann, fixiert im Kalender, wonach die Gegenwart heute ist, die Vergangenheit bis gestern reicht und die Zukunft morgen anfängt. Auch hier ist die Gegenwart von Vergangenheit und Zukunft umrahmt, indem sie der feste Punkt bleibt, von dem aus wir uns, rückwärts und vorwärts blickend, orientieren. Daß wir den immerwährenden Strom reiner Veränderung als Kontinuum fassen können, das liegt nicht an der Zeit selbst, sondern an der Kontinuität unserer Geschäfte und Tätigkeiten in der Welt, in der *wir kontinuierlich das fortsetzen*, was wir gestern angefangen haben und morgen zu beenden hoffen. Mit anderen Worten, das Zeitkontinuum beruht auf der Kontinuität unseres Alltagslebens, und dessen Geschäft ist im Unterschied zur Tätigkeit des denkenden Ichs – die immer unabhängig ist von den umgebenden räumlichen Verhältnissen – stets räumlich bestimmt. Wegen dieser durchgehenden Räumlichkeit unseres gewöhnlichen Lebens kann man von der Zeit einleuchtend in räumlichen Kategorien sprechen, die Vergangenheit kann uns als etwas »hinter« uns Liegendes und die Zukunft als etwas »vor« uns Liegendes erscheinen.

Kafkas Zeitparabel gilt nicht für den Menschen in seinen Alltagsbeschäftigungen, sondern nur für das denkende Ich, soweit es sich von den Geschäften des Alltagslebens zurückgezogen hat. Die Lücke zwischen Vergangenheit und Zukunft öffnet sich nur in der Reflexion, deren Gegenstand das Nicht-Gegenwärtige ist – das bereits Verschwundene oder das Noch-nicht-Erschienene. Die Reflexion holt diese nicht-gegenwärtigen

»Regionen« in die Gegenwart des Geistes; von hier aus gesehen läßt sich die Denktätigkeit als ein Kampf gegen die Zeit selbst verstehen. Nur weil »er« denkt und deshalb nicht mehr von der Kontinuität des Alltagslebens in einer Welt der Erscheinungen in Bann geschlagen ist, nur weil Vergangenheit und Zukunft sich in ihrem reinen Wesen darstellen, nur deshalb kann »er« eines Nicht-mehr gewahr werden, das ihn vorantreibt, und eines Noch-nicht, das ihn zurückstößt.

Kafkas Geschichte ist natürlich in metaphorischer Sprache formuliert, und ihre Bilder aus dem Alltagsleben sind als Analogien gemeint, ohne die, wie schon gesagt, geistige Erscheinungen überhaupt nicht beschrieben werden könnten. Und das führt stets zu Deutungsschwierigkeiten. Hier besteht die Schwierigkeit darin, daß der Leser im Auge behalten muß, daß das denkende Ich nicht das Selbst ist, wie es erscheint, sich in der Welt bewegt und sich seiner biographischen Vergangenheit erinnert, als wäre »er« »auf der Suche nach der verlorenen Zeit« oder machte Zukunftspläne. Weil das denkende Ich alterslos und nirgends ist, deshalb können sich ihm Vergangenheit und Zukunft als solche offenbaren, gewissermaßen entleert von ihrem konkreten Inhalt und befreit von allen räumlichen Kategorien. Was das denkende Ich als »seine« zwiefachen Antagonisten spürt, das ist die Zeit selbst und der mit ihr verbundene ständige Wandel, die unablässige Bewegung, die alles Sein in Werden verwandelt, statt es *sein* zu lassen, womit sie ständig sein *Gegenwärtig*sein aufhebt. Insofern ist die Zeit der größte Feind des denkenden Ichs, weil – da der Geist in einem Körper existiert, dessen innere Vorgänge nie angehalten werden können – die Zeit unerbittlich und regelmäßig die bewegungslose Stille unterbricht, in der der Geist tätig ist, ohne irgend etwas zu tun.

Diese abschließende Bedeutung der Parabel tritt im letzten Satz hervor, wo »er«, in der Zeitlücke sitzend, die eine unbewegliche Gegenwart, eine nunc stans ist, von dem unbewachten Augenblick träumt, da die Zeit ihre Kraft erschöpft hätte; dann würde sich Ruhe auf die Welt senken, keine ewige Ruhe, aber doch gerade so lang, daß »er« die Gelegenheit hätte, aus der Kampflinie herauszuspringen und zum Schiedsrichter aufzurücken, zum Zuschauer und Beurteiler außerhalb des Lebensspiels, dem man den Sinn dieser ganzen Spanne zwischen Geburt und Tod zur Beurteilung überlassen kann, weil »er« hier nicht engagiert ist.

Was ist dieser Traum und diese Region anderes als der alte Traum der abendländischen Metaphysik von Parmenides bis Hegel, der Traum von einer zeitfreien Region, einer ewigen Gegenwart in vollständiger Ruhe, jenseits aller menschlichen Uhren und Kalender, eben der Region des Denkens? Und was ist die »Schiedsrichterposition«, der in dem Traum geweckte Wunsch, anderes als der Platz der Pythagoreischen Zuschauer, die »die Besten« sind, weil sie nicht an dem Kampf um Ruhm und Gewinn teilnehmen, weil sie uninteressiert, unengagiert, ungestört sind, nur dem Schauspiel selbst hingegeben? Sie sind es, die seinen Sinn finden und die Aufführung beurteilen können.

Man könnte vielleicht noch einen Schritt weiter gehen, ohne Kafkas großartiger Geschichte allzuviel Gewalt anzutun. Die Schwierigkeit bei Kafkas Metapher ist die, daß »er«, indem »er« aus der Kampflinie springt, überhaupt aus dieser Welt herausspringt und von außen, wenn auch nicht notwendig von oben, urteilt. Und wenn es das Dazwischentreten des Menschen ist, das den indifferenten Fluß immerwährender Veränderung aufbricht, indem es ihm ein Ziel gibt, nämlich ihn selbst, das Wesen, das gegen ihn kämpft, und wenn durch dieses Dazwischentreten der indifferente Zeitstrom gegliedert wird in das, was hinter »ihm« liegt, die Vergangenheit, das, was vor ihm liegt, die Zukunft, und ihn selbst, die kämpfende Gegenwart, dann folgt, daß die Anwesenheit des Menschen den Zeitstrom auf jeden Fall aus seiner ursprünglichen Richtung oder (bei zyklischer Bewegung) letztendlichen Nicht-Gerichtetheit ablenkt. Das scheint unvermeidlich, weil nicht einfach etwas Passives in den Strom hineintritt, Spielball der es überspülenden Wellen, sondern ein Kämpfer, der sein Hiersein verteidigt und damit etwas, das sonst indifferent gegen ihn sein könnte, als *»seine«* Antagonisten bestimmt: die Vergangenheit, gegen die er mit Hilfe der Zukunft kämpfen kann, und die Zukunft, gegen die er mit Hilfe der Vergangenheit kämpft.

Ohne »ihn« gäbe es keinen Unterschied zwischen Vergangenheit und Zukunft, sondern nur ewigen Wandel. Oder diese Kräfte würden frontal aufeinander treffen und einander vernichten. Weil aber eine kämpfende Gegenwart dazwischentritt, treffen sie in einem Winkel aufeinander, und das passende Bild wäre dann das, was in der Physik das Kräfteparallelogramm heißt. Dieses Bild hätte den Vorzug, daß die Region des Denkens nicht mehr jenseits und über der Welt und der menschlichen Zeit angesiedelt werden müßte; der Kämpfer müßte nicht mehr aus der Kampflinie springen, um die nötige Ruhe und Stille für das Denken zu finden. »Er« würde erkennen, daß »sein« Kampf nicht vergeblich war, weil das Schlachtfeld selbst die Region ist, wo »er« ausruhen kann, wenn »er« erschöpft ist. Mit anderen Worten, der Platz des denkenen Ichs in der Zeit wäre der Zwischenraum zwischen Vergangenheit und Zukunft, die Gegenwart, jenes geheimnisvolle und schlüpfrige Jetzt, eine bloße Lücke in der Zeit, auf die nichtsdestoweniger die festeren Zeitformen der Vergangenheit und der Zukunft insofern hingeordnet sind, als sie das bezeichnen, was nicht mehr *ist*, und was noch nicht *ist*. Daß sie überhaupt *sind*, verdanken sie offensichtlich dem Menschen, der sich zwischen sie eingeschoben und dort seine Gegenwart eingerichtet hat. Ich möchte den Konsequenzen dieses verbesserten Bildes kurz etwas nachgehen.

Im Idealfall sollte die Wirkung der beiden Kräfte, die unser Parallelogramm bilden, in einer dritten Kraft resultieren, der Diagonalen mit dem Ursprung an dem Punkt, an dem sich die Kräfte treffen und auf den sie wirken. Die Diagonale läge in der gleichen Ebene und würde nicht aus der Dimension der Kräfte der Zeit herausfallen, würde sich aber in einer wichtigen Hinsicht von diesen Kräften, deren Resultante sie ist, unterscheiden. Die zwei antagonistischen Kräfte der Vergangenheit und der Gegenwart haben beide keinen bestimmten Ursprung; von der Gegenwart in der Mitte aus gesehen, kommt die eine aus einer unendlichen Vergangenheit, die andere aus einer unendlichen Zukunft. Doch wenn sie auch keinen bekannten Anfang haben, so haben sie doch einen bestimmten Endpunkt, an dem sie zusammenkommen und aufeinanderprallen, und das ist die

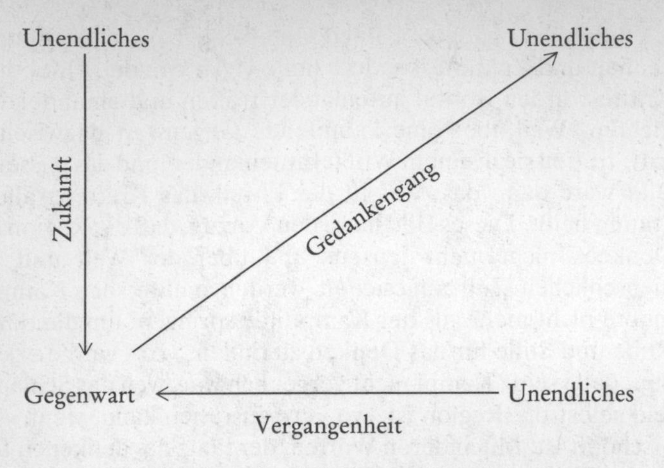

Gegenwart. Die Diagonalkraft hingegen hat einen bestimmten Ursprung, ihr Ausgangspunkt ist der Zusammenprall der beiden anderen Kräfte, doch bezüglich ihres Endes wäre sie unendlich, denn sie ist aus dem Zusammenwirken zweier Kräfte entstanden, die aus dem Unendlichen kommen. Diese Diagonalkraft, deren Ursprung bekannt ist, deren Richtung durch Vergangenheit und Zukunft bestimmt ist, deren Kraft aber auf ein unbestimmtes Ende hinzielt, als wollte sie bis ins Unendliche reichen, sie scheint mir eine vollkommene Metapher für die Tätigkeit des Denkens.

Könnte Kafkas »er« diese Diagonale entlanggehen, in genau gleichem Abstand von den bedrängenden Kräften der Vergangenheit und der Zukunft, so wäre er nicht, wie es die Parabel verlangt, aus der Kampflinie herausgesprungen, um den Tumult weit unter sich zu lassen. Denn diese Diagonale zeigt zwar auf ein Unendliches, ist aber begrenzt, gewissermaßen eingeschlossen von den Kräften der Vergangenheit und der Zukunft, und damit gegen die Leere abgeschirmt; sie bleibt gebunden an und verwurzelt in der Gegenwart – einer völlig menschlichen Gegenwart, obwohl sie sich nur im Denkvorgang völlig verwirklicht und nur so lange dauert wie dieser. Sie ist die Ruhe des Jetzt in der von der Zeit bedrängten, umhergeschleuderten Existenz des Menschen; irgendwie ist sie, um die Metapher abzuwandeln, die Ruhe im Zentrum eines Sturmes, die zwar etwas völlig anderes ist als der Sturm, aber doch zu ihm gehört. In dieser Lücke zwischen Vergangenheit und Zukunft finden wir unseren Platz, wenn wir denken, das heißt, wenn wir der Vergangenheit und Zukunft so weit entrückt sind, daß wir dazu gut sind, ihren Sinn zu finden, die Stellung des »Schiedsrichters« einzunehmen, des Richters und Beurteilers der vielfältigen, nie endenden Geschäfte der menschlichen Existenz in der Welt, eine Stellung, die nie zu einer endgültigen Lösung dieser Rätsel verhilft, die aber immer neue Antworten auf die Frage bereit hat, um was es bei alledem wohl gehe.

Um kein Mißverständnis aufkommen zu lassen: die Bilder, mit denen ich hier metaphorisch und tastend den Ort des Denkens anzudeuten versuche, können nur auf dem Gebiet der geistigen Erscheinungen Gültigkeit haben. Auf die historische oder biographische Zeit angewandt, sind diese Metaphern keinesfalls sinnvoll; dort gibt es keine Zeitlücken. Nur sofern der Mensch denkt, und das heißt nach Valéry, sofern er *nicht* ist, lebt der Mensch – »er«, wie ihn Kafka so treffend nennt, nicht etwa »jemand« – in der vollen Aktualität seines konkreten Seins, in dieser Lücke zwischen Vergangenheit und Zukunft, in dieser Gegenwart, die zeitlos ist.

Von dieser Lücke hören wir zwar zum erstenmal als dem nunc stans, dem »stehenden Jetzt«, in der mittelalterlichen Philosophie, wo es in Form des nunc aeternitatis als Modell und Metapher für die göttliche Ewigkeit diente[13]; doch es ist nichts Historisches, sondern scheint so alt zu sein wie die Existenz des Menschen auf Erden. Mit einer anderen Metapher nennt man es auch die Region des Geistes, doch es ist wohl eher der vom Denken gebahnte Weg, der schmale, kaum sichtbare Pfad von Nicht-Zeit, den die Tätigkeit des Denkens in die dem geborenen und sterblichen Menschen gegebene Raum-Zeit geschlagen hat. Diesem Pfad folgen die Gedankengänge, die Erinnerung und das Vorausdenken, und retten alles, was sie berühren, vor dem Ruin durch die historische und biographische Zeit. Dieses kleine zeitlose Gebiet mitten im Herzen der Zeit läßt sich, anders als die Welt und die Kultur, in die wir hineingeboren sind, nicht vererben und in der Tradition weitergeben, obwohl jedes große Buch des Denkens etwas kryptisch darauf verweist – ähnlich wie das notorisch kryptische und unzuverlässige delphische Orakel, von dem Heraklit, wie wir schon hörten, sagte: »Oute legei, oute kryptei, alla sēmainei« (»es sagt nichts und birgt nichts, sondern bedeutet«).

Jede neue Generation, jedes neue Menschenwesen muß, indem ihm bewußt wird, daß es zwischen eine unendliche Vergangenheit und eine unendliche Zukunft hineingestellt ist, den Pfad des Denkens neu entdecken und mühsam bahnen. Und es ist ja gar nicht unmöglich, und ich halte es für wahrscheinlich, daß das merkwürdige Überleben großer Werke, ihre relative Dauerhaftigkeit über Jahrtausende hinweg, dem zu verdanken ist, daß sie auf dem schmalen, kaum erkennbaren Pfad von Nicht-Zeit geboren wurden, den das Denken ihrer Schöpfer zwischen einer unendlichen Vergangenheit und einer unendlichen Zukunft dadurch geschlagen hatte, daß es Vergangenheit und Zukunft als gerichtet, gewissermaßen gezielt auf sie selbst anerkannte – als *ihre* Vorgänger und Nachfolger, *ihre* Vergangenheit und *ihre* Zukunft –, wodurch sie eine Gegenwart für sich selbst schufen, eine Art zeitlose Zeit, in der die Menschen zeitlose Werke schaffen können, um mit ihnen ihre eigene Endlichkeit zu transzendieren.

Anmerkungen

1 Gastmahl, 174–175.
2 M. Merleau-Ponty: Signes. Paris 1960, S. 220.
3 Zit. nach S. de Grazia: »About Chuang Tzu«. In: Dalhousie Review, Sommer 1974.
4 Hegel: Enzyklopädie der philosophischen Wissenschaften, Nr. 465.
5 W. D. Ross: Aristotle. New York 1959, S. 14.
6 Protreptikos (hrsg. von Düring), B 56.
7 Physik, VI, VIII, 189a 5.
8 Nikom. Ethik, 1141b 24–1142a 30. Vgl. 1147a 1–10.
9 Kritik der reinen Vernunft, B 49f.
10 Gesammelte Werke, hrsg. v. Max Brod. S. Fischer, o. J. (o. Nr.) m. d. Titel »Beschreibung eines Kampfes; Novellen, Skizzen, Aphorismen«, S. 300 (letzter Abs. v. »Er«).

11 Teil 3, »Vom Gesicht und Rätsel«, Abschn. 2.
12 Nietzsche. Pfullingen 1961, Bd. 1, S. 311 f.
13 Duns Scotus: Opus Oxoniense, I, dist. 40, q. 1, n. 3. Zit. nach Walter Hoeres: Der Wille als reine Vollkommenheit nach Duns Scotus. München 1962, S. 111, Anm. 72

Andreas Flitner

Drei Auffassungen von »Chancengleichheit«

Wir müssen nun einem Zentralbegriff der Bildungsreform einige Überlegungen widmen: dem Begriff »Chancengleichheit«, der in vieler Hinsicht mißverständlich ist und mit manchem irreführenden Nebensinn versehen wurde. Unter dem Begriff »Chancengleichheit« sind in der internationalen Diskussion mindestens drei verschiedene Konzepte diskutiert worden (vgl. Halsey 1972)[1]. Es sind, typologisch vereinfacht, die folgenden:

1. Die Herstellung der *realen Gleichheit*, d. h. der Versuch einer Egalisierung der wirklichen Lebensbedingungen – ein enorm weit gespanntes gesellschaftspolitisches Ziel;
2. die Herstellung möglichst *gleicher Startchancen* – das ist die extrem liberale Auffassung dieses Begriffs, die weitgehende Orientierung des Bildungswesens am Modell des allgemeinen Wettbewerbs;
3. entschiedene Chancenverbesserung für die *schwer benachteiligten* und *sozial gefährdeten* Kinder.

Das *erste* Konzept, das nicht nur auf Gleichheit der Ausgangschancen ausgerichtet ist, sondern auch die Gelegenheit, solche Chancen wahrzunehmen, für alle gleich machen will, spielte in der amerikanischen Bürgerrechtsbewegung eine Rolle und hat für die akademische Jugend eine symbolische Bedeutung. Es beruft sich auf Tatsachen, die gewiß nicht bestritten werden können: daß für die Bildungschancen nicht die Zugangsmöglichkeiten zum Bildungssystem ausschlaggebend sind, sondern die Lebens- und Lernbedingungen im ganzen, die ökonomischen Verhältnisse, das Sprachniveau, die Erziehungsweise der Familien, die Menschen, die das Kind umgeben, fördern oder zurückstoßen. Dies alles macht die Ungleichheit der Bildungschancen aus und sorgt dafür, daß sie sich fortsetzt von einer Generation auf die andere. Die schwerwiegendsten Unterschiede liegen schon in der Erziehungsfähigkeit und Erziehungsbereitschaft der Eltern. Wollte man diese Art von

Ungleichheit der Chancen beseitigen, so müßte schon die Kleinkinderziehung kollektiviert und die Familie als wesentliche Sozialisationsinstanz ausgeschaltet werden. Solche Konsequenzen haben sich zwar in den Kibbutzim Israels mit ihrer mehr großfamilien- oder stammesartigen Sozialstruktur, aber noch in keinem Staat der Welt offiziell durchführen lassen. Dieses Konzept von Chancengleichheit als Egalisierung aller Erziehungsbedingungen ist eine regulative Idee, eine wegweisende Utopie in politischen Programmen; in der politischen Wirklichkeit und als Ziel konkreter Bestrebungen der Bildungspolitik spielt es jedoch keine Rolle [2].

Das *zweite* Konzept konzentriert sich auf die Gleichheit der *Start*chancen: Es sollen alle gleichermaßen in den sozialen Wettbewerb eintreten können, wie immer sie sich darin behaupten. Die Bildungspolitik sucht bei diesem Konzept vor allem die *Zugänge* zu allen höheren Bildungswegen zu öffnen. Sie bemüht sich um die Egalisierung der Bildungspläne, damit die *Übergänge* zwischen den Schultypen immer möglich bleiben. Sie trachtet, so viele Schüler wie angängig auf die weiterführenden Schulen zu bringen, so viele wie möglich auf die große Leiter des Wettbewerbs, auf der nach dem Maß der Begabung und der Leistungsfähigkeit die einen ganz nach oben klettern und die anderen zwischendrein durch die Sprossen fallen. Dies ist das Konzept, das die Bildungspolitiker aller Parteien in der Bundesrepublik in den sechziger Jahren fasziniert und das ganz wesentlich zur großen Öffnung unseres Bildungswesens beigetragen hat.

Gewiß ist unser Bildungswesen mit dieser Öffnung ein Stück gerechter geworden. Mit der Verbreiterung der Zugänge wurde auch solchen Gruppen der Bevölkerung, die bisher so gut wie ausgeschlossen waren, der Eintritt in die Realschule und das Gymnasium ermöglicht. Die Gesamtproportionen freilich, die Verteilung der verschiedenen Sozialschichten auf die Schulabschlüsse und Studiengänge, haben sich bisher nur geringfügig geändert. Es ist auch deutlich, daß aufgrund der seit kurzem wieder einsetzenden Restriktionen, z. B. der Erschwerung des Abiturs, der Berechnung von Einzelleistungen für den Hochschulzugang, der Ausdünnung der zweiten Bildungswege usf., die Schüler aus denjenigen Bevölkerungsgruppen in hohem Maße wieder scheitern, die früher gar nicht erst auf diesen Weg gelangt wären.

Würde die Bildungsexpansion der sechziger Jahre bei diesem zweiten Typus des Verständnisses von Chancengleichheit verharren, würde sie nur ein größeres Ausleseresevoir haben schaffen wollen für gleichbleibende Berufsstufen, Laufbahnen, Privilegien der Akademiker und für eine gleiche Anzahl von Stellen, in die diese Laufbahnen münden, so müßte man diese Expansion als enorm kostspielig, ja als unsinnig ansehen. Wenn das Programm der Chancengleichheit im wesentlichen bedeuten soll, daß viel mehr oder gar alle jungen Leute auf eine Rennbahn geschickt werden, die aber an mehreren Stellen so eng ist, daß nur wenige dorthin durchkommen, wohin sie doch alle wollen und hingeschickt worden sind, so kann die Bildungsreform allenfalls als Quelle sozialen Unfriedens, keinesfalls aber als ein Weg zu höherer sozialer Gerechtigkeit angesehen werden.

Leistung sei das einzig mögliche Ausleseprinzip der Demokratie, wird immer wieder behauptet, ein anderes demokratisch legitimierbares Verteilersystem als den Leistungswettbewerb gäbe es nicht[3]. Diese Behauptung ist nicht nur von den Tatsachen so weit entfernt, daß sie auch in ihrem normativen Anspruch in Frage gestellt werden muß[4]; sie setzt vor allem voraus, daß Schul- und Lebensleistung in einem festen Zusammenhang stünden und das eine ein Vorgriff und ein Indiz für das andere darstelle. Das aber läßt sich leicht und vielfach widerlegen, und schon damit wird die Definition der Schule als Abbild und Teil des Wettbewerbssystems der Gesellschaft fraglich.

Die geschehene Verbreiterung der Zugänge und die Erhöhung der Startchancen ist nur dann sinnvoll und sozial unschädlich, wenn ihr eine Verbreiterung *aller qualifizierten Ausbildungswege*, der akademischen und der nicht-akademischen, entspricht und wenn die Gesellschaft im ganzen entschlossen ist, von den gut ausgebildeten Kräften auf vielfältigere Weise Gebrauch zu machen. Daß damit nicht ein Laufbahnanspruch für alle Akademiker erhoben werden kann, versteht sich: Ist es doch das Laufbahn- und Privilegienwesen selber, wie es sich hauptsächlich im öffentlichen Dienst ausgebildet hat, das einer solchen Expansion unseres Bildungswesens nicht mehr entspricht und nach Verflüssigung, nach einer gründlichen Revision verlangt.

Ein *drittes* Verständnis und Konzept von Chancengleichheit oder Chancenverbesserung läßt sich folgendermaßen darstellen: Das Schulwesen wird nicht in erster Linie als ein Verteilungssystem von Sozialchancen verstanden, sondern als ein System zur differenzierten Förderung von vielfältig begabten und verschiedenartig interessierten Kindern. Die Gesellschaft hat jedoch zu definieren und sich Rechenschaft darüber abzulegen, was innerhalb der Verschiedenheit der Ausbildungswege und der von ihnen aus erreichbaren Berufsmöglichkeiten als vertretbare Chancen- und Güterverteilung angesehen werden kann und wo im Gegensatz dazu eigentliche Armut, wo Elend und Abgedrängtsein von wichtigen Lebensgütern beginnen, wie sie die Gesellschaft nicht geschehen lassen darf. Hier also müßte Chancen*ausgleich* einsetzen im Sinne energischer Anstrengungen der Gesellschaft, keinen Teil der Bevölkerung verelenden zu lassen.

Die Verteidiger des Wettbewerbs und Gegner des Sozialstaats sind hier schnell mit dem Urteil bei der Hand, daß es sich bei den sozial Schwachen und Randständigen um solche Gruppen und um Teile der Gesamtbevölkerung handle, die eben die Arbeitsleistung und Selbstdisziplin nicht erbringen wollen, welche für die Anforderungen unserer Gesellschaft und den Lebensstandard, den sie zu bieten vermag, kennzeichnend sind. Diese Behauptung und die Vorstellung davon, wie Armut und Außenseitertum in unserer Gesellschaft zustande kommen und immer neu erzeugt werden, ist hier nicht zu diskutieren. Es können aber wohl kaum Meinungsverschiedenheiten darüber bestehen, daß auch in Familien, in denen die Eltern an ihrem Außenseitertum und an ihrem Elend mit schuld sein mögen, die *Kinder* ganz und gar nicht dafür verantwortlich sind, sondern vielmehr in dieses Schicksal mit hereingezogen und -gezwungen werden. Es geht also hier allein darum, daß in Deutschland Hunderttausende von Kindern unter den Umständen einer schwerwiegenden, existenzbedrohenden Benachteiligung aufwachsen: *sozialer und kultureller* Benachteiligung, weil ihre Eltern zu randständigen Gruppen gehören; *Umwelt*-Benachteiligung, weil die Wohn- und Sozialverhältnisse ihres Aufwachsens ruinös sind; *kognitiver* Benachteiligung, weil sie die Anregungen nicht bekommen, die für einen erfolgreichen Schulbesuch und eine anspruchsvolle Berufsausbildung nötig sind; und *emotionaler* Benachteiligung, die wir als Pädagogen ebenso dazurechnen müssen, nämlich der Art von Vernachlässigung und Gefährdung, welcher die Kinder unabhängig vom Sozialstatus der Eltern ausgesetzt sind, wenn sie elternlos oder in zerrütteten Ehen aufwachsen; wenn sie den Eltern im Wege stehen und von ihnen abgelehnt werden; wenn sie unzureichende Ersatzpflegeverhältnisse finden oder auf andere Weise in das Schicksal ihrer Eltern oder ihrer Eziehungsverantwortlichen mit hereingezogen sind. Die Sozialisationsforschung der letzten fünfzehn Jahre, die die Bedingungen des Aufwachsens der Kinder im weitesten Sinne untersucht hat, hat uns viel gelehrt darüber, wie in solchen Situationen abweichendes Verhalten entsteht, wie schwere emotionale Störungen zustande kommen, wie sich Lebensuntüchtigkeit oder Devianz herausbilden. Sie hat uns viel auch darüber gelehrt, was die Bedingungen und Voraussetzungen dafür wären zu verhindern, daß sich solche fatalen Lebensschicksale von einer Generation auf die andere fortschleppen und in zunehmender Aggressivität, in Delinquenz oder schweren psychischen Störungen ihren Ausdruck finden[5].

Eine Gesellschaft darf nicht forfahren, im Zuge steigender beruflicher Anforderungen und eines wachsenden Kampfes um den Wohlstand eine Gruppe ihrer Kinder und Jugendlichen, und zwar eine anwachsende Gruppe, nach unten hin auszugliedern und dem Schicksal der Mut- und Perspektivlosigkeit, des Ausgeschlossenseins von wesentlichen Gütern und Lebensbefriedigungen zu überlassen: Dieser Gedankengang und diese Aufgabenstellung scheinen mir das Kern- und Legitimationsstück der Chancendebatte zu bilden.

Wer im Hinblick auf diesen Teil der Bevölkerung nur von der natürlichen Verschiedenheit der Begabungen und der Lebensziele spricht, die eben das Oben und Unten in unserer Gesellschaft zustande bringen, der hat von den Bildungsproblemen eines demokratischen Gemeinwesens noch nichts begriffen. Man könnte die Aufgabe, von der hier gesprochen wird, nüchtern als eine des Selbstschutzes unserer Gesellschaft ansehen. In dieser benachteiligten Jugend steckt das Potential künftiger Kriminalität, künftiger Gefährdung und Infragestellung unseres Friedens und unserer Lebenssicherheit. Wenn wir Verhältnisse vermeiden wollen, wie sie in Amerika in den letzten zehn Jahren eingetreten sind und Teile New Yorks und Chicagos zu faulenden, brennenden und gewalttätigen Quartieren gemacht haben, so müssen wir *jetzt* damit beginnen, in der Arbeit an der heutigen jungen Generation. Aber das ist nur *ein* Argument, und ein schwaches; denn Angst ist keine gute Basis für die Lösung einer moralischen Aufgabe, die uns unmittelbar gestellt ist und auch ohne solche Schreckensbilder einleuchten müßte.

Gewiß kann das Bildungswesen *allein* diese Aufgabe nicht bewältigen und diese Linie, unterhalb derer die Chancen der Kinder nicht sinken dürfen, nicht allein verteidigen[6]. Es ist in neueren Untersuchungen auch deutlich geworden, daß nicht nur mit dem zunehmenden Wettbewerb, sondern auch mit dem Wachsen der Ansprüche einer Gesellschaft, mit dem Steigen des Durchschnittseinkommens und des Lebensstandards die Lage dieser Gruppe immer schwieriger und verzweifelter wird[7]. Das Bildungswesen oder die »kompensatorische Erziehung« kann diesen Prozeß alleine nicht steuern und kann auch nicht, wie man wohl zu Beginn der Reformbewegung noch dachte, die Kinder zur selbständigen Überwindung ihrer sozialen Benachteiligung befähigen; zu solchen Sozialwirkungen sind Schulen nicht imstande. Aber das Bildungswesen kann, in Zusammenarbeit mit einer Einkommens-, Beschäftigungs- und Sozialpolitik *seinen Teil zu den gesellschaftlichen Anstrengungen beitragen*, diesem Prozeß der Ausgliederung und Verelendung entgegenzuwirken. Es kann einen bedeutenden Anfang darin machen, daß es nicht einfach die Sozialstrukturen übernimmt, bestätigt und damit vielfach verstärkt, welche die Kinder in den ersten Schultag schon so deutlich mitbringen, sondern ihnen ergänzend, helfend und fördernd entgegenwirkt.

Eine neue Wendung hat die Chancen-Debatte vor kurzem dadurch bekommen, daß die statistischen Berufsprognosen und Stellenmarktanalysen auf die Überfüllung der Ausbildungs- und Studienwege und auf die Verwerfungen in der Bevölkerungsstatistik aufmerksam gemacht haben. In den nächsten Jahren werden, wenn wir die bisherigen Ausbildungs- und Stellenverhältnisse beibehalten und die Tendenz zu strukturbedingter Personalverknappung anhält, vor einer Jugendarbeitslosigkeit und vor Ausbildungsengpässen stehen, die zu einer schweren Krise führen können. Hier entsteht eine Benachteiligung und besondere *Minderung der Chancen für bestimmte Geburtsjahrgänge*, die in krassem Kontrast zu den unerhört günstigen Berufsmöglichkeiten für die jungen Menschen, die Ende der sechziger Jahre die Schule verließen, stehen[8]. Auch hier sind der Staat und sein Bildungswesen zu großen ausgleichenden Anstrengungen verpflichtet.

Der Begriff »Chancengleichheit« ist – beim Wort genommen – irreführend und an manchen utopischen Zügen der Bildungsreform, manchen illusionären Erwartungen an das Bildungswesen mit schuld. Zum Chancen*ausgleich* jedoch, zur Verbesserung der Chancen zumal derjenigen, die von sich aus den Anforderungen unseres gesellschaftlichen Lebens nicht zu entsprechen vermögen, kann das Bildungswesen einen bedeutenden Beitrag leisten, insbesondere dann, wenn es sich nicht als ein Wettbewerbssystem, sondern als ein System der Förderung, Belehrung und Hilfe für Kinder aller Ausgangsbedingungen versteht und wenn es sich entschieden zu der Aufgabe bekennt, für die Kinder mit den geringsten Ausgangschancen die größten Anstrengungen zu unternehmen.

Anmerkungen

1 A. H. Halsey: Educational Priority: EPA Problems and Policies. Vol. 1. London 1972.

2 Ch. v. Krockow: Freiheit gegen Gleichheit? In: F. Grube/G. Richter (Hrsg.): Der SPD-Staat. München 1977.
3 H. Maier: Kulturpolitik. Reden und Schriften. München 1976; und H. Heckhausen: Leistungsprinzip und Chancengleichheit. In: Deutscher Bildungsrat: Gutachten und Studien, Bd. 50. Bildungsforschung. Stuttgart 1975.
4 C. Offe: Leistungsprinzip und industrielle Arbeit. Frankfurt 1970; und W. Klafki: Sinn und Unsinn des Leistungsprinzips in der Erziehung. In: Sinn und Unsinn des Leistungsprinzips. Ein Symposion. München 1974.
5 E. Goffman: Stigma. Frankfurt 1967; H. Thiersch: Kritik und Handeln. Interaktionistische Aspekte der Sozialpädagogik. Neuwied/Darmstadt 1977.
6 Ch. Jencks u. Mitarbeiter: Chancengleichheit. Hamburg 1973; und U. Bronfenbrenner: Wie wirksam ist kompensatorische Erziehung? Stuttgart 1974.
7 Ch. Jencks, a. a. O., S. 36ff.
8 P. Büchner u. a. (SPD-Bundestagsfraktion): Generation ohne Hoffnung? Erklärung zur Situation der starken Jahrgänge in Schule, Berufsausbildung und Studium. In: Süddeutsche Zeitung, 21. 6. 1977.

Robert Havemann
Morgen

Zuletzt wanderten wir durch einen tiefen Wald mit uralten hohen Laubbäumen, Eichen, Rotbuchen, Ulmen und Birken. Als er sich zu lichten begann, durchquerten wir noch einen breiten Waldstreifen mit Edelkastanien und alten Linden. Dann lag das große Kinderdorf zu unseren Füßen. In einer leicht abfallenden Talsenke lagen hunderte Häuser und Häuschen der verschiedensten Art und Größe inmitten einer parkartigen Landschaft, in die ein fast kreisrunder See eingebettet war. Die Farbe dieses Sees war unbeschreiblich, ein helles Blau von großer Leuchtkraft. Genau in der Mitte des Sees lag eine Insel, auch kreisrund, und um sie wie als Einfassung ein schmaler schneeweißer Uferstreifen, danach waren auf der Insel selbst eine Reihe konzentrischer farbiger Ringe von leuchtendem Grün in Orange und Dunkelbraun übergehend mit einem leuchtend roten Punkt in der Mitte. Auch das den See umgebende Ufer war schneeweiß und bestand aus bizarren Kalksteinfelsen, auf denen wir nun zahllose Badende, Kinder und Erwachsene bemerkten, die von den Felsen ins Wasser sprangen oder auch nur in der Sonne herumtobten, sich balgten und spielten.

Unser kleiner Wagen mit den zwei Eseln davor erregte großes Aufsehen. Wir hatten Mühe, in dem Trubel um uns voranzukommen. Als wir endlich am Haus anlangten, das Anna bewohnte, wurden wir von Annas Kindern stürmisch begrüßt. Es waren zwei Jungen und drei Mädchen: Juliane drei, Betti neun und Christiane 15 Jahre, und die Jungen: Peter zehn und Bernd 17 Jahre alt. Außerdem begrüßte uns auch ein Erwachsener, ein männlicher Kollege Annas, der mit Anna und den Kindern zusammen in dem kleinen, aber geräumigen, Häuschen wohnte, Bernhard. Wir schätzten sein Alter auf 40, erfuhren aber zu unserem Erstaunen, daß er fast doppelt so alt war. Er sah schön und gesund aus, und es war zu sehen, daß die Kinder ihn nicht weniger liebten als Anna. Das Haus bestand aus einem geräumigen Wohnraum, in den man direkt durch die breite Eingangstür gelangte. Rechts und links von diesem Raum lagen mehrere Zimmer, die Schlafzimmer der Kinder und der »Eltern«. Anna und Bernhard waren die Eltern ihrer Kinder, nicht biologisch, von Felix abgesehen, der von Anna geboren worden und dessen biologischer Vater Bertram war.

Das Kinderdorf bedeckte mit seinen Häusern, Gärten und Parks eine Gesamtfläche von fast drei Quadratkilometern und beherbergte rund fünfeinhalb tausend Menschen, davon über dreieinhalb tausend Kinder aller Altersstufen vom einjährigen Kleinkind bis zu den 18jährigen. Die Zahl der »Eltern«, die ja die Lehrer und Erzieher der Kinder waren, betrug 1200. Ein Elternpaar hatte also durchschnittlich sechs Kinder im Haus. Dann gab es noch weitere 500 Erwachsene, von denen ein Teil als Lehrer, andere mit der technischen Verwaltung, in der Küche und als Gehilfen in den wissenschaftlich-technischen Abteilungen und Magazinen tätig waren.

Bertram und Anna informierten uns über den enormen Umfang, den die Arbeit in den Kinderdörfern in Utopia angenommen hatte: »Bei einer Gesamtbevölkerung von etwa sechs Milliarden Menschen auf der ganzen Erde haben wir rund 750 Millionen Kinder unter 18 Jahren. Das sind knapp 13 % der Gesamtbevölkerung. Dieser Anteil an Kindern ist bei uns viel geringer als zu euren Zeiten. Das liegt aber an dem vollständig veränderten Altersaufbau der Bevölkerung. Bis zum Alter von 100 Jahren haben wir nur eine sehr geringe Sterbequote, etwa 5 %. Das heißt, 95 % der Geborenen werden älter als 100 Jahre. Erst nach Überschreitung dieser Grenze steigt die Quote langsam an, so daß von den 100jährigen nur etwa 85 % über 120 Jahre alt werden. Dann nimmt die Sterblichkeit schnell zu. Nur relativ wenige werden älter als 150 bis 160 Jahre. Bei diesem Altersaufbau, der nur in seiner obersten Spitze die zu eurer Zeit schon unten beginnende Pyramidenform hat, ist der Anteil der Unter-20-jährigen an der Gesamtbevölkerung etwa ebenso groß wie der Anteil der Altersklassen der Über-120-jährigen. Etwa 20 % der Bevölkerung sind im Alter von 20 bis 50 Jahren. Der Rest von fast 55 % ist von den Jahrgängen der 50- bis 120jährigen besetzt. Diese erstaunliche Veränderung des Altersaufbaus hat sich erst im Laufe langer Zeit ergeben. Es war nicht leicht, die schrecklichen Folgen von Krieg, Massenelend und Seuchen zu überwinden, die ihr schon fast alle – rein materiell und technisch gesehen – mit Erfolg hattet bekämpfen können. Eine sehr entscheidende Wirkung schließlich hatte die Ausrottung der gefährlichsten Seuche, nämlich des Krebses, die uns schon im ersten Jahrhundert gelungen ist.«

Die Gesamtzahl der Kinderdörfer oder ähnlicher Einrichtungen für jeweils 3000 bis 4000 Kinder beträgt in Utopia demnach rund 220000. Wenn, wie hier, im Schnitt 1700 Erwachsene in jedem Dorf beschäftigt sind, so sind das insgesamt fast 400 Millionen Menschen, also ein Drittel der 1,2 Millarden Menschen im Alter von 20 bis 50 Jahren. Die meisten Lehrer und Erzieher gehören dieser Altersklasse an. Aber nur ein Teil dieser Menschen ist während dieses ganzen 30jährigen Abschnitts ihres Lebens in den Kinderdörfern tätig. Die meisten bringen es auf zehn oder höchstens 15 Jahre. So ergibt sich, daß weit mehr als zwei Drittel der Altersklasse zwischen 20 und 50 als Kindererzieher tätig wird. Sehr viele dieser Menschen bleiben außerdem in diesem Abschnitt ihres noch jungen Lebens selbst Schüler, die an den vielen Hochschulen, Akademien und Forschungsinstituten Künste und Wissenschaften studieren, wo wiederum die meisten Lehrer sich aus den oberen Altersklassen von 50 bis weit über 100 rekrutieren. Da die Bevölkerungszahl in Utopia seit langer Zeit fast konstant ist, bedeutet dies, daß im Durchschnitt jede Frau im Leben zwei Kinder zur Welt bringt. Die meisten Frauen gebären ihre Kinder zwischen 20 und 40, und praktisch alle diese Frauen trennen sich nicht von ihren Kindern, sondern bleiben in den Kinderdörfern bei ihnen, bis die Kinder zehn bis 15 Jahre alt geworden sind. Fast in jedem Haus des Kinderdorfes war die Erzieherin auch die leibliche Mutter von ein oder zwei Kindern der »Familie«, vorzugsweise der kleineren Kinder unter zehn Jahren. Auch viele der biologischen Väter dieser Kinder lebten im Dorf, teils mit den zu ihren Kindern gehörenden Müttern, teils mit anderen.

Es ergibt sich, daß in Utopia Erziehung, Unterricht und Studium die Hauptbeschäftigung der Menschen geworden war, wobei jeder fast sein ganzes Leben abwechselnd und auch gleichzeitig Lehrer und Schüler war. Erst im höheren Alter nehmen andere Interessen im Leben der Menschen einen größeren Raum ein.

Wir fragten Anna, wie denn die Beschränkung auf durchschnittlich zwei Kinder im Leben jeder Frau ohne empfängnisverhütende Mittel wie die Pille überhaupt möglich ist.

Anna erinnerte uns an unser erstes Gespräch über diese Frage: »Die Frauen eurer vergangenen Zeiten hatten weniger Angst vor der Schwangerschaft. Denn Schwangerschaft ist im Leben einer Frau ein großes und wunderbares Erlebnis. Und erst die Geburt und die Mutterschaft, das Glücksgefühl, wenn das Baby trinkt, zu sehen, wie das kleine neue Leben, das einem da aus dem Bauch gekommen ist, sich entwickelt und die Welt entdeckt. Das war zu allen Zeiten, auch zu euren, nichts als Glück. Daß die Frauen trotzdem davor Angst hatten, lag einfach daran, daß in sehr vielen Fällen die Geburt eines Kindes der Beginn einer Zeit großer Not und der schwersten Enttäuschungen war. Was die Frauen nicht haben wollten, weil sie einfach nicht wußten, wie sie es rein materiell schaffen würden, das war eben das Kind. Bei uns bedeutet Schwangerschaft nicht, daß die Frau das Kind auch bei sich behalten muß. Die meisten tun es. Aber es gibt auch Frauen, die aus Gründen, die jeder Kritik standhalten, ihr Kind nicht behalten wollen und auch nicht behalten können, ohne aus der Bahn ihres Lebens geworfen zu werden. Wir haben auch solche Kinder hier, nicht einmal wenige. Sie leben hier ebenso glücklich wie alle anderen Kinder und haben ja auch uns hier als ihre Eltern, ihre großen Brüder und Schwestern. Also, diese Motivation für die Pille, weil sie der Frau die Angst nimmt, fällt weg. Diese Angst hat ja viele Frauen damals zu sexuellen Krüppeln gemacht. Es gibt Berichte aus eurer Zeit, daß die Frauen nur selten, manche fast niemals das Glück des Orgasmus erlebten. Weil die Männer damit kaum Schwierigkeiten hatten, erlebten sich die Frauen in der Liebe nur als passive Lustobjekte des Mannes, – und sie waren es ja auch objektiv; aber keineswegs, wie viele eurer Feministinnen behaupteten, weil der Mann von Natur gefühllos, brutal und aggressiv war, weil etwa schon durch die Funktion und den Bau des männlichen Gliedes die Liebe für den Mann eine nach außen gerichtete Aktivität seines Körpers ist, bei der etwas aus seinem Inneren nach außen, nach außerhalb gebracht wird, während die Frau die empfangende, passive ist, bei der alles innerlich und rezeptiv ist, im Vorgang der physischen Vereinigung wie auch im Fühlen und Erleben der eigenen Rolle.«

Nicht diese natürliche Verschiedenheit der sexuellen Funktionen ist die Ursache der Rollenverteilung zwischen Mann und Frau, bei der die Frau in jeder Weise die Unterlegene war. Die Ursache liegt nicht in der Natur des Menschen, sondern in der sozialen Struktur seiner Gesellschaftsform.

»Alle Regeln und alle moralischen Wertungen, alle Tabus und Gebote, sogar fast alle Formen des sexuellen Lebens einschließlich der unmenschlichen Perversionen, der Sadismen und Masochismen haben ihren Inhalt aus der sozialen Sphäre erhalten, waren also zu eurer Zeit grundlegend geprägt durch die mit dem Beginn der Ausbeutung der Menschen durch den Menschen errichtete Herrschaft des Mannes über die Frau. Weil der herrschende Mann sich seiner Vaterschaft sicher sein wollte, sperrte er sein Weib im Haus ein, ließ, wenn er weggehen mußte, vor den Fenstern die Jalousien herunter, ein Wort, das nicht zufällig im Englischen und Französischen inzwischen Eifersucht bedeutet. ›Du sollst nicht begehren Deines Nächsten Weib, Knecht, Magd und Vieh oder alles, was sein ist‹, heißt ein biblisches Gebot. Es heißt nicht: ›Du sollst nicht begehren Deines Nächsten Mann!‹ Für diesen Fall war ein anderes Gebot vorgesehen: ›Du sollst nicht ehebrechen.‹ Das war selbstredend an die Ehefrauen gerichtet. Ein Mann konnte seine eigene Ehe gar nicht brechen, höchstens die eines anderen. Und in diesem Fall war auch nicht er, sondern die Frau des anderen die eigentliche Ehebrecherin. Mit der Errichtung der Männerherrschaft begann ein Niedergang der Liebe. Liebe und Sinnenlust klafften immer weiter auseinander. Das späte Christentum, nicht das ursprüngliche, hat die Frau und mit ihr die Sexualität erniedrigt. Keine Frau hatte bis in eure Tage das Recht, in der katholischen Kirche Priesterin zu werden. Und den Geistlichen war das Zölibat auferlegt, das Verbot, eine Ehe zu schließen. Fleischeslust war nach diesen Lehren Teufelswerk und alle Sinnlichkeit Sünde. Jede ungewollte Schwangerschaft war nach diesem barbarischen Moralkodex eine Strafe für die sündhaft genossenen Liebesfreuden. Dann kam die Pille und damit die Straffreiheit. Viele Frauen warfen sich ungehemmt jedem Mann in die Arme und fühlten sich zum ersten Mal frei – frei von Angst und frei in ihren Entscheidungen, unabhängig zu leben wie die bis dahin von ihnen beneideten Männer. Man nannte das die ›Sex-Revolution‹, und manche glaubten, sie wäre sogar der Motor der wirklichen großen Umwälzung der Gesellschaft. Heute wissen wir, daß diese Emanzipation der Frau in Wirklichkeit weder eine Umwälzung der Gesellschaft noch eine wirkliche Befreiung der Frau aus ihrer sozialen Abhängigkeit vom Mann gebracht hat und es auch gar nicht konnte. Das eigentliche Grundübel bestand vor der Pille und ebenso danach, nur dann tatsächlich in noch verschärfter Form, darin, daß die Menschen in den Jahrtausenden der Männerherrschaft eine der wunderbarsten Möglichkeiten und Fähigkeiten, das Menschsein als Einheit von Natur- und Gesellschaftswesen zu erleben, verloren und verschüttet hatten: die Fähigkeit zur Liebe.«

»Ich bin, liebe Anna, wieder und wieder erstaunt«, sagte nach dieser langen Rede Katja und legte einen Arm liebevoll um Annas Schultern, »wieviel du über die Probleme unserer Zeit weißt. Robert und ich haben über alle diese Fragen oft gesprochen. Viele der Ansichten und Urteile, zu denen du gelangt bist, sind ganz in Einklang mit dem, was wir dachten. Aber zu unserer Zeit war vieles nur Hoffnung, wie es heißt: von des Gedankens Blässe angekränkelt, und in unserem eigenen Leben hatten wir uns selbst Schmerzen und Enttäuschungen bereitet, über deren tiefere Ursache wir uns eigentlich längst ziemlich klar waren und denen wir trotzdem erlagen.«

Und sie fuhr nach einer Pause fort: »Es ist eben nicht möglich, sich mit noch soviel Verstand und theoretischer Erkenntnis privat, als einzelne, aus den Klammern der Gesellschaft zu befreien, gewissermaßen sich aus ihr davonzustehlen in eine kleine eigene utopische Zukunftswelt. Man muß zu denen gehören, die den ganzen sich auflösenden und unser Leben bedrohenden Gesellschaftskoloß umwerfen, und wenn man dabei selbst schmerzhaft verwundet und mit Füßen getreten wird.«

»Gerade das denken wir auch«, stimmte Anna zu, »wir haben es heute leicht, das zu sagen, doch nicht ganz so leicht, wie ihr vielleicht denkt. Vieles aus der Vergangenheit, die eure Gegenwart war, lebt in tausend Formen, oft ganz versteckt bis in unsere Tage in uns fort. Dazu kommen die neuen Widersprüche unseres Lebens. Ohne uns gründlich mit eurer Zeit zu beschäftigen und ohne sie wirklich zu verstehen, hätten wir sie nie überwinden können und wären heute nicht hier in Utopia, sondern in einer grausamen Barbarei.«

Ich muß noch berichten, daß dies Gespräch im Garten von Annas Haus stattfand. Wir saßen um einen großen niedrigen runden Tisch und tranken utopische Erfrischungsgetränke. Die 15jährige Christiane und der 17jährige Bernd waren bei uns, die anderen Kinder waren mit Franzi und Felix zum Baden gegangen. Gegen Abend kamen sie heim zum Abendessen, das wir gemeinsam um den runden Tisch versammelt einnahmen. Die kleineren Kinder und ganz besonders Franzi und Felix waren sehr müde. Sie wurden in einem der Schlafzimmer untergebracht, wo sie in einem großen Bett gemeinsam schliefen. Wir Großen gingen auch ins Haus und setzten unsere Gespräche vom Nachmittag bis spät in die Nacht fort. Anna kredenzte uns einen leichten Wein, der eine angenehm anregende Wirkung hatte. Es schien uns, daß er die Gedanken beflügelte, ohne zu berauschen oder die kritische Kontrolle zu beeinträchtigen, ohne die wir nicht imstande sind, uns verständlich und vernünftig auszudrücken.

Unsere von der Reise staubige Kleidung hatten wir schon bald nach unserer Ankunft gegen weite, bis zu den Knien reichende farbige Hemden ausgetauscht. Sitzgelegenheiten aller Art und weiche Liegen waren reichlich vorhanden. In diesem Raum traf ja Annas achtköpfige Familie täglich zusammen, und wenn Besuch kam, wie wir sechs heute, mußte schon Platz sein für wenigstens 15 bis 20 Menschen.

Zuerst gaben uns Anna und Bernhard weitere Informationen über das Leben im Kinderdorf: Das Essen für die beiden Hauptmahlzeiten, zu Mittag und am Abend, wurde in einer großen hochautomatisierten Küche teils aus frischen Gemüsen und frischem Fleisch, teils auch aus vorgefertigten Speisen und Konserven zubereitet. Es wurde in Einzelportionen in durchsichtige Behälter abgepackt, die in thermisch isolierten Containern zu zwanzig verschiedenen Verteilungsstellen durch eine unterirdische Transportanlage gelangten. Dort holten sich die Familien ihr Essen mit kleinen Wägelchen ab, mit denen sie auch die leeren und gereinigten Behälter beim Abholen der Speisen zurückbrachten. Es gab immer ein breites Angebot der verschiedensten Speisen und Gerichte. Viele ernährten sich fast nur vegetarisch. Der Fleischkonsum war relativ gering.

Mit dem ersten schulartigen Unterricht wurde schon im vierten Lebensjahr begonnen. Er fand bei den »Eltern« zu Hause statt und war für lange Zeit die Hauptaufgabe eines der beiden Eltern. Die älteren Kinder besuchten verschiedene Unterrichtskurse, wobei die Möglichkeit bestand, sich die Kurse und auch die Lehrer auszusuchen. Mit jedem neuen Jahr erweiterte sich die Zahl der verschiedenen Kurse, unter denen die Kinder wählen konnten. Der Bildungs- und Wissensstand, der bis zum Verlassen des Kinderdorfs im 18. bis 20. Lebensjahr erreicht wurde, war sehr hoch, in vieler Hinsicht wahrscheinlich weit höher als bei uns nach mehrjährigem Universitätsstudium. Er war weder quantitativ noch qualitativ mit unseren Bildungszielen vergleichbar. Einen breiten Raum nahm die künstlerische Ausbildung ein. Malen, Zeichnen, Bildhauern, Töpfern, Musizieren und Komponieren, Tanzen und Pantomime, Singen, Theaterspielen, Filmen, Dichten, selbst erste Versuche, kleine Geschichten, Märchen und Romane zu erfinden, wurden in Kursen und kleinen Zirkeln gelehrt und geübt. Es gab Unterricht in verschiedenen Sprachen und natürlich in der internationalen Weltsprache. Die große Literatur der Weltgeschichte wurde studiert und stand in einer reichlich ausgestatteten Bibliothek zur Verfügung. Geschichte und besonders die Kulturgeschichte gehörten zu den wichtigsten Fächern. Aber auch Mathematik und Naturwissenschaften wurden auf hohem Niveau gelernt, wofür auch reich ausgestattete Laboratorien und Werkstätten eingerichtet waren.

Um den Unterschied zu unseren Lehr- und Lernmethoden

zu erklären, möchte ich sagen, daß das Ziel nicht die Anhäufung von Wissen ist. Es fanden auch keinerlei Prüfungen und Abfragungen statt, und niemand erteilte Noten. Es gab ja auch keine Zeugnisse noch irgendwelche Diplome. In Utopia gibt es überhaupt keine Titel mehr, auch nicht für ältere noch so hoch qualifizierte Spezialisten. Das Ziel allen Unterrichts und der Erziehung war nicht Wissen, sondern Bildung. Also in erster Linie die Heranbildung von Menschen, die mit den kulturellen Werten der Menschheitsgeschichte, den großen Kunstwerken, Dichtungen und Weisheiten vertraut waren und sich mit ihnen ernsthaft und kritisch auseinandergesetzt hatten. Auf dem Gebiet der Naturwissenschaften war natürlich das Kennenlernen der Welt und des Kosmos, wie er uns umgibt und wie er geworden ist und was ihn im Innersten zusammenhält, ein wichtiger Gegenstand des Unterrichts. Aber auch hier, wie auch in allen theoretischen Grundfächern der Naturwissenschaften, wurde neben den großen Grundlinien nicht nach der Methode des Nürnberger Trichters gelernt mit dem Ziel, den Inhalt von Lehrbüchern auswendig lernen zu lassen, sondern es wurde das Lernen gelehrt, d. h. wie man und mit welchen Hilfsmitteln man sich über jede konkrete Frage die zuständigen Informationen beschafft, um sich sowohl konkret sachlich als auch mit den theoretischen Methoden bekannt und vertraut zu machen. Es zeigte sich nämlich, daß der Zugang zum Verständnis der speziellen Informationen um so leichter und zuverlässiger ist, je besser und höher das allgemeine theoretische Niveau eines Menschen ist und je weniger sein Gehirn mit einem Wust lexikalen Wissens belastet ist.

Anna war vor acht Jahren im Alter von 23, nach Beendigung ihrer Ausbildung, in das Kinderdorf gekommen. Die heute neunjährige Betti war damals ein Jahr alt, Peter zwei und Christiane sieben. Die heute dreijährige Juliane kam erst vor zwei Jahren zur Familie, und Felix, Annas Sohn, lebte von seiner Geburt an mit in Annas Familie. Christiane hatte in einer anderen Familie gelebt, wo sie Schwierigkeiten mit der Mutter gehabt hatte. Bernhard lebte schon seit 30 Jahren in Kinderdörfern, dies war sein fünftes. Wir erfuhren, daß die »Familien« nicht die ganze Zeit ihrer Existenz im gleichen Dorf lebten.

Schon um die Welt kennenzulernen, andere Sprachen als Umgangssprache zu lernen und die Kulturdenkmäler fremder Länder zu sehen, wechselten die Familien nach einigen Jahren ihren Aufenthaltsort. Anna hatte noch nie gewechselt. Aber sie wollte es jetzt bald unternehmen. Die ganze Familie war schon voller Erwartung. In der großen Sommerpause wollten sie viele hundert Kilometer weit wandern, unterwegs viele Kinderdörfer besuchen und schließlich bleiben, wo es ihnen gefiel. »Und Bertram?« war unsere Frage. »Ganz einfach, Bertram kommt mit, er übernimmt die Aufgabe des Vaters der Familie. Denn Bernhard, einer der wenigen älteren Kinderväter, hatte schon lange die Absicht, diese Arbeit zu beenden. Er wollte, wie viele andere Leute seines Alters, eine jahrelange Wanderung durch die Welt unternehmen – in Begleitung eines Esels.« »Ja, gibt denn nun Bertram seinen Beruf als technischer Physiker auf? Und nur, um mit Anna zusammenleben zu können?«

»Was heißt *nur*?« Anna und Bertram riefen es wie aus einem Munde. Und dann lachten sie. »Das ist kein NUR, wenn wir zusammen leben, das ist das schönste und größte Glück des Lebens!«

»Außerdem«, erklärte uns Anna, »gibt Bertram seinen Beruf nicht auf, wie ihr euch ausdrückt. Wir haben in Utopia keine ›Berufe‹, wir sitzen nicht auf ›Planstellen‹. Für einen Utopier wäre es beschämend, wenn er sein ganzes Leben lang nur zu einer Art von Tätigkeit befähigt wäre. Wir sagten euch schon früher einmal, in dieser neuen besseren Welt sind die Menschen nicht zu Berufskrüppeln verstümmelt, die womöglich wie die Arbeiter in euren Fabriken schließlich nur noch einen stereotypen Handgriff tun können. Bei uns gibt es, wie schon Vater Marx prophezeit hat, keine Maler, keine Dichter – auch keine technischen Physiker, aber es gibt Menschen, die malen, die dichten und die als technische Physiker tätig sind und dabei nicht nur eine dieser Tätigkeiten ausüben, sondern womöglich die allerverschiedensten zugleich. Mit einem Wort, bei uns gibt es *Menschen*!«

Jeanne Hersch

Baruch de Spinoza – Von Notwendigkeit und Freiheit

Das Verhältnis Notwendigkeit–Freiheit versetzt uns ins Herz von Spinozas Philosophie. Und da wir das philosophische Staunen zum Thema haben, dürfen wir annehmen, sein Philosophieren sei daher entsprungen, daß er zuinnerst darüber staunte, wie dies zusammen bestehen könne: einerseits Gott und andererseits diese absolute Unabhängigkeit in mir. Sartre beispielsweise behauptet in seinem Buch ›*L'être et le néant*‹, daß – wenn Gott existiert – das freie Subjekt nicht existieren kann, weil Gott, allein durch das Gewicht seiner Existenz, die Freiheit des Subjekts gewissermaßen ausschließe. Spinoza ging von der umgekehrten Gewißheit aus. Er opferte aber weder Gott noch die Freiheit, sondern suchte in der tiefsten Tiefe eine Lösung für diesen Konflikt. So ging er vor: Gott ist eine freie Ursache, er ist die freie Ursache von allem andern. Das heißt, Gott handelt einzig nach der Notwendigkeit seines Wesens. Wir finden da keine Spur von der göttlichen Freiheit, wie sie von Descartes aufgefaßt wurde, mit der Möglichkeit eines Wechsels der Gesetze oder gar der mathematischen Bezüge. Kein Schatten einer Veränderlichkeit in dem Begriff der göttlichen Freiheit bei Spinoza. *Frei* – das bedeutet: gemäß der einzigen Notwendigkeit seiner Natur. Aufgrund der Dichte des Seins in Gott ist seine Freiheit in viel höherem Maße zwingend, als es die Notwendigkeit in irgendeinem anderen Wesen sein könnte. Die Idee der Freiheit fällt hier völlig mit der ewigen Notwendigkeit in der Natur Gottes zusammen. Keine Launen, keine Veränderung, die Frage stellt sich nicht.

Spinoza ist bestimmt der Philosoph des Absoluten par excellence, und da er im Absoluten denkt, brennen die Begriffe, die wir sonst im Relativen als unterschieden zu gebrauchen pflegen, in ein und demselben Feuer und werden gewissermaßen ein und dasselbe.

Freiheit und Notwendigkeit sind nicht mehr zwei entgegengesetzte Pole, sondern werden im Absoluten zu Synonymen. Frei sein heißt für Gott, nach der eigenen Notwendigkeit zu existieren, und daher ist Gott frei und notwendig in einem. Die Freiheit Gottes fällt mit seiner Notwendigkeit zusammen und ebenfalls mit aller Notwendigkeit, die von ihm ausgeht. Wenn wir also meinen, der Zwang dessen, was von Gott kommt, sei als Notwendigkeit gegen unsere Freiheit gerichtet, dann können wir gewiß sein, daß wir uns über unsere Freiheit täuschen. Unsere wahre Freiheit kann nur Gottes Notwendigkeit sein. Es gibt keine wahre Freiheit gegen Gott, da ja alles Gott ist, wir eingeschlossen.

Spinoza unterscheidet hier zwei Aspekte der Substanz oder Gottes – oder zwei Funktionen: Die *natura naturans* und die *natura naturata*. Wir können das mit »schaffende Natur« und »geschaffene Natur« übersetzen. Die *natura naturans* entspricht der Substanz, die *causa sui*, also Grund ihrer selbst, ist; *natura naturata* ist das, was aus der Notwendigkeit der Substanz fließt, ihre *Modi*. Und die Notwendigkeit, die in Gott (Substanz) mit der Freiheit Gottes zusammenfällt, die seine Natur ist, nimmt in der Welt die Gestalt der Notwendigkeit an. Alles in der Welt ist notwendig.

»Kontingenz«, das was eintrifft, aber auch nicht eintreffen könnte, oder »Möglichkeit«: Beide Begriffe bezeichnen nichts Reales. Sie entstammen einfach unserem Nichtwissen über die Ketten der Ursachen und ihre Herkunft aus der Notwendigkeit. Es gibt nur *Notwendigkeit und Unmöglichkeit*, so wie sie aus der göttlichen Notwendigkeit-Freiheit fließen.

Wenn wir von der *göttlichen Vollkommenheit* sprechen, aus der alles fließt, müssen wir verstehen, was Spinoza damit meint. Vollkommenheit heißt da nicht Bezug auf ein Werteschema, mit Zweckursachen, wo es ein Streben gäbe, wo man vollkommen nennen würde, was schön ist oder was uns glücklich macht. Nein. Wenn wir sagen: Alles fließt aus der göttlichen Vollkommenheit, so heißt das: Alles ist notwendig. Eine solche Auffassung merzt vom Gesichtspunkt der göttlichen Notwendigkeit aus jegliche Unterscheidung zwischen Gut und

Böse aus. Weil es nur das Notwendige und das Unmögliche gibt, verschwinden Gut und Böse. Das heißt, daß Spinozas ›*Ethik*‹ in ihrem Kern alles hinter sich läßt, was man für gewöhnlich Ethik nennt. Damit wird eine Art von rationaler Mystik erreicht. Weder Gut noch Böse: Die Philosophie im Bund mit der Geometrie zerstört die Zweckursachen, die nur ein Vorurteil sind. Die Unterscheidung von Gut und Böse stammt von uns, von der Relativität unseres Standpunktes. Aus Gottes Sicht – und das ist schon viel zu menschlich gesprochen –, für den, der die Notwendigkeit Gottes versteht, gibt es nur Vollkommenheit.

Das Problem, das für Descartes unlösbar war, wird leicht lösbar bei Spinoza: das der Einheit von Körper und Seele. Körper und Seele werden zu Modi von zwei Attributen der einen Substanz. Der Körper ist ein Modus der Ausdehnung, die Seele ein Modus des Denkens. Ihre Zugehörigkeit ist leicht verständlich, da beide zu *einer* Substanz gehören. Nur darf man sie nicht als aufeinander wirkend auffassen, denn eine Wechselwirkung zwischen den Attributen, Denken und Ausdehnung, gibt es nicht. Es gibt nur einen *Parallelismus* zwischen dem, was im Körper, und dem, was in der Seele geschieht, weil alles in derselben Substanz geschieht. Spinoza sagt, Ordnung und Verknüpfung der Ideen seien identisch mit der Ordnung und Verknüpfung der Dinge. Es ist eine Einheit, eine identische Notwendigkeit unter zwei Aspekten, aber keine Wechselwirkung. In der Substanz ist beides eins. Körper und Seele sind in der Tiefe ontologisch eins, es ist ein und dasselbe Sein.

Wir wollen noch einmal auf die Beziehung Freiheit und Notwendigkeit zurückkommen, um sie etwas zu veranschaulichen. Jeder von uns, wenn man ihn fragt, versucht für eine Entscheidung, die er getroffen hat, einen Grund anzugeben. Er fühlt aber manchmal, daß seine Entscheidung auch ohne diesen Grund nicht anders hätte ausfallen können, weil sie in der tiefsten Freiheit seines Wesens wurzelt. Wenn das aber so ist, werden die Gründe, die er gibt, nicht bis zuinnerst reichen; und er hat so entschieden, weil er nicht anders konnte. Nun eben: Frei sein in dem Grade, daß man nicht anders kann, das ist gerade das Zusammenfallen von Freiheit und Notwendigkeit. Wir können in unserem persönlichen Leben eine solche Erfahrung machen, und es ist geradezu das Zeichen dafür, daß eine Entscheidung aus dem Absoluten der Freiheit stammt, wenn wir wissen: Anders konnten wir nicht entscheiden. Auf diese Weise erleben wir als Menschen das Zusammenfallen von Freiheit und Notwendigkeit.

Wenn nun die Notwendigkeit, von der einen Substanz aus, anerkannt wird, wie stellt sich dann das *Problem des Irrtums?* Wie kommt es, daß wir uns täuschen können? Wir erinnern uns, daß auch bei Descartes diese Frage auftauchte. Wie kommt es, daß wir uns täuschen, da doch alles notwendig ist? Spinoza antwortet, der Irrtum sei eine Teilerkenntnis, ein Mangel. Er sei nichts Positives, er komme daher, daß unser Denken nicht tief genug, nicht weit genug reicht.

Wir bleiben unter dem Einfluß und Vorurteil der Zweckursache.

Es gibt nach Spinoza *drei Gattungen von Erkenntnis*. Die erste ist die *Sinneswahrnehmung*, die im Allgemeinen stehenbleibt, relativ unklar ist und leicht in den Irrtum mündet, eben weil wir auf der Ebene der Sinneswahrnehmung den Zweckursachen besonders leicht unterliegen. Die zweite Gattung der Erkenntnis ist die des *rationalen Denkens*, und da entwickelt sich die Wissenschaft. Die dritte ist die *intuitive Erkenntnis*. Die rationale Erkenntnis geht diskursiv vor, während die intuitive Erkenntnis mit einem Blick in die ontologische Tiefe dringt. Sie erfaßt die Modi als Ableitungen aus der Substanz, sie sieht in ihnen die Substanz selbst und ihre Notwendigkeit. In der Wissenschaft, in der rationalen Erkenntnis, verbinden wir einen Modus mit einem anderen Modus in der Kette der Ursachen. In der intuitiven Erkenntnis dagegen verknüpfen wir nicht mehr Modus mit Modus, sondern wir verbinden die Modi und ihre kausale Notwendigkeit mit der ontologischen Notwendigkeit der Substanz. Nicht Modus an Modus, sondern Modus an Substanz. Dabei entziffern wir gewissermaßen die göttliche Notwendigkeit in der Realität der Modi. Die intuitive Erkenntnis ist die wahre Erkenntnis. Nach ihr müssen wir streben.

Spinoza sowie Descartes fragten sich, welche Rolle *die Leidenschaften* spielen. Die Leidenschaften waren in dieser Zeit sehr stark, aber auch der Wille und die Freiheit waren stark, und daraus ergaben sich große Kämpfe. Deswegen lohnt es sich für uns, zuzuhören und uns aufrichten zu lassen.

Für Spinoza sind die Leidenschaften der Seele eine Einschränkung der Erkenntnis, ein Gefangenwerden im Nichtwissen. Die Freiheit besteht also nie darin, sich der Herrschaft irgendeiner Leidenschaft der Seele zu unterwerfen, sondern jede Leidenschaft durch die Einsicht in die Notwendigkeit zu überwinden.

Da steckt etwas sehr Tiefgründiges: Wenn eine Leidenschaft sich an einer unabänderlichen Notwendigkeit stößt, so erlischt sie als Leidenschaft. Niemand ist je einer Leidenschaft für etwas völlig Unmögliches erlegen. Leidenschaft nährt sich immer von einem Rest Hoffnung, bleibt also im Raum des Möglichen. Wenn man aber Einsicht in die Notwendigkeit gewinnt, geht es nicht darum, einen starken Willen zu ersticken. Die Willenskraft ist *vorher* erforderlich, gerade um die Erkenntnis der Notwendigkeit zu gewinnen. Wenn wir soweit gelangt sind, sind die Leidenschaften schon überwunden.

Und das ist Freiheit. Nach Spinoza bedeutet sie Freude und Heiterkeit. Sie versteht die göttliche Notwendigkeit, sie identifiziert sich mit ihr. Dann werden wir fähig – wie Spinoza formuliert –, alles *sub specie aeternitatis* zu betrachten, unter dem Gesichtspunkt der Ewigkeit. Das heißt: In Gottes ewiger Notwendigkeit. Daher bekommt die Ewigkeit der Seele ihren Sinn. Durch die ewige Notwendigkeit Gottes, die in allem Sterblichen herrscht, ist alles ewig.

Wir können uns fragen: Ist das eine Philosophie der Immanenz oder der Transzendenz? Gewöhnlich hält man sie für eine Philosophie der Immanenz um ihres Pantheismus willen: Gott ist weder vor noch über, noch außerhalb der Welt. Aber in dieser Immanenz herrscht eine solche Transzendenz, spricht ein solches Überholen durch das Innerste des Seins, daß man diese Philosophie für die allertranszendenteste halten kann.

Wir wollen zum Abschluß den 42. Lehrsatz des letzten Buches der »*Ethik*«, das von der Freiheit des Menschen handelt, miteinander durchgehen.

»Nicht die Glückseligkeit ist Lohn der Tugend, sondern die Tugend selbst; und wir erfreuen uns derselben nicht, weil wir die Lüste einschränken, sondern umgekehrt, weil wir uns jener erfreuen, darum sind wir imstande, die Lüste einzuschränken.«

Und dann folgt, was Spinoza den Beweis nennt: *»Die Glückseligkeit besteht in der Liebe zu Gott, welche Liebe aus der dritten Gattung der Erkenntnis fließt; daher muß diese Liebe auf den Geist, sofern er handelt, bezogen werden; und mithin ist sie die Tugend selbst. – Dies wäre das erste. – Sodann, je mehr der Geist dieser göttlichen Liebe oder Glückseligkeit sich erfreut, hat er die Macht, die Begierden einzuschränken. Und weil das Vermögen des Menschen, die Affekte zu hemmen, in der Erkenntnis allein besteht, darum erfreut sich keiner der Glückseligkeit, weil er die Affekte gehemmt hat, sondern umgekehrt, seine Macht, die Affekte zu hemmen, entspringt aus der Glückseligkeit selbst. – Wie zu beweisen war.*

Erläuterung. Damit habe ich alles erledigt, was ich von der Macht des Geistes über die Affekte und von der Geistesfreiheit vorbringen wollte. Es erhellt daraus, wieviel der Weise vermag und um wieviel vorzüglicher er ist denn der Tor, der von seiner Lust allein bewegt wird. Denn abgesehen davon, daß der Tor von den äußeren Ursachen auf vielfache Weise umgetrieben wird und niemals im Besitze der wahren Seelenruhe zu finden ist, lebt er überdies gleichsam unbewußt seiner selbst und Gottes und der Dinge, und sobald er aufhört, von Leidenschaften bewegt zu werden, hört er auch auf zu sein. Während dagegen der Weise als solcher kaum in seiner Seele beunruhigt wird, sondern, nach einer gewissen ewigen Notwendigkeit seiner selbst und Gottes und der Dinge bewußt, niemals zu sein aufhört, sondern immerwährend im Besitze der wahren Seelenruhe sich findet.

Wenn nun auch der von mir gezeigte Weg, der dahin führt, überaus schwierig scheint, so kann er doch gefunden werden. Und allerdings muß eine Sache recht schwierig sein, die so selten angetroffen wird. Denn wie sollte es geschehen, daß das Heil, wenn es so leicht zur Hand wäre und ohne viel Mühe gefunden werden könnte, dennoch von fast jedermann vernachlässigt wird?

Doch alles Vortreffliche ist ebenso schwierig wie selten.«[1]

Das ist der letzte Satz der *»Ethik«*.

Das Schönste, das Vortrefflichste für Spinoza ist das, was er »die geistige Liebe zu Gott« nennt. *Amor dei intellectualis*. Was bedeutet das: Die geistige Liebe zu Gott? Diese Liebe ist *geistig*, weil es darum geht, die göttliche Notwendigkeit zu *verstehen*. Es ist *Liebe*, denn wenn man die göttliche Notwendigkeit einmal verstanden hat, will man mit ihr eins sein. Und sie ist Liebe *zu Gott*, weil Gott mit der Totalität der Wirklichkeit identisch ist.

Anmerkung

1 B. Spinoza: Die Ethik. Fünfter Teil. 42. Lehrsatz, Beweis und Anmerkung. Frei nach der Übersetzung von J. Stern. Reclam, Leipzig o. J., S. 388/89.

Hans E. Holthusen
Eichmann und die Kritiker

Hannah Arendt

Hannah Arendts Bericht über den Eichmann-Prozeß erschien zuerst im Februar und März 1963 als eine Serie von fünf umfangreichen Artikeln in der Zeitschrift »The New Yorker«, in deren Auftrag die berühmte, aus Deutschland stammende Philosophin und Publizistin die ersten Phasen des Jerusalemer Verfahrens beobachtet hatte, wenig später auch als Buch im Verlag »The Viking Press« in New York. Die kritische Auseinandersetzung mit der Arendtschen Darstellung hatte schon Ende März in der am Broadway redigierten deutsch-jüdischen Wochenzeitung »Aufbau« begonnen[1]. Sie wurde nach dem Erscheinen der Buchausgabe in amerikanischen Zeitschriften und Tageszeitungen mit steigender Heftigkeit ausgetragen, griff im Laufe des Jahres auch auf andere Länder, vor allem England und Israel, über, nahm zeitweise die Formen einer mit äußerster Leidenschaft geführten Kampagne an und wurde in Amerika noch im Frühjahr 1964 mit unverminderter Energie fortgesetzt.

Die deutsche Öffentlichkeit, zunächst nur durch Korrespondentenberichte aus Amerika und einige wenige kritische Meinungsäußerungen informiert, hat anderthalb Jahre auf eine deutsche Ausgabe warten müssen. Erst im September 1964 ist uns »Eichmann in Jerusalem« in einer »durchgesehenen und ergänzten« Übersetzung durch den Piper-Verlag zugänglich gemacht worden. Gleichzeitig ist in der Nymphenburger Verlagshandlung unter dem Titel »Die Kontroverse« eine Sammlung meist polemischer Aufsätze, Abhandlungen und persönlicher Kundgebungen zum Eichmann-Buch erschienen. Diese kritische Anthologie enthält reiches und eindrucksvolles Material, kann aber natürlich nicht vollständig sein. Was man ungern vermißt, das sind die Diskussionsbeiträge von Mary McCarthy und

Dwight Macdonald, die im Winter- und Frühjahrsheft 1964 der »Partisan Review« abgedruckt worden sind. Denn ohne die Stimmen dieser beiden hervorragenden Autoren, die sich mit hörenswerten Argumenten für ihre Freundin Arendt und ihr Buch einsetzen, ist die »Kontroverse«, scheint mir, keine Kontroverse, sondern eher schon ein kritisches Trommelfeuer aus allen Rohren.

Wer auf diese beiden Bücher öffentlich zu sprechen kommt, statt über sie zu schweigen, der muß wissen, was er tut. Er muß eingesehen haben, daß hier ein Tatbestand verhandelt wird, der so ungeheuerlich ist, daß wir ihm sprachlich schlechterdings nicht gewachsen sind und all unser Bemühen, diese unsere sprachliche Ohnmacht zum Ausdruck zu bringen, all unser »unfaßlich«, »unbegreiflich« und »ungeheuerlich« wie rhetorischer Donner klingen kann. Wissen muß er, daß dieser Tatbestand, obwohl nach den Worten des Jerusalemer Urteils »jenseits menschlichen Verstehens«, dennoch nicht beschwiegen werden darf, wenn es überhaupt noch Sinn haben soll, unter Deutschen Gemeinsames zu erörtern, ja daß man »sachlich« über ihn reden muß, als ob es um ein historisches Faktum unter anderen ginge und nicht um die Annullierung allen menschlichen Fassungs- und Solidaritätsvermögens. »Sachlich«: das heißt mit gebändigtem, gewissermaßen schon überwundenem Entsetzen, in einer Verfassung, die nicht mehr ganz realisiert, was das eigentlich ist: Unschuldige zu Hunderttausenden in die Gaskammern treiben, Kinderköpfe an Mauern zerschmettern, lebendige Menschenwesen ins Feuer werfen, denn mit dem Undenkbar-Unerträglichen, den Verstand Betäubenden im Bewußtsein kann man nicht schließen, urteilen, Quellen studieren. Er muß aber auch wissen, daß er in dieser Sache kaum einen Gedanken denken kann, ohne an hochexplosive Empfindlichkeiten zu rühren, leidenschaftliche Gegenargumente herauszufordern, fahrlässiger oder böswilliger Fälschungen überführt zu werden und alle möglichen Mißverständnisse zu mobilisieren. (Hannah Arendt, wenn irgend jemand, hat es erlebt). Auch diese meine simple Feststellung über die Mißverständlichkeit alles Gesagten kann und wird vermutlich Mißverständnisse hervorrufen.

Die Arendtsche Darstellung des Eichmann-Prozesses, obwohl zunächst vom »The New Yorker« als »Reportage« präsentiert, ist ein Versuch, das monströseste Verbrechen der bisherigen Geschichte, das man übereingekommen ist, als »Verwaltungsmassenmord« zu definieren, mit den Kategorien einer politisch-soziologischen Kritik zu erfassen, es also gewissermaßen dem Denken zu erschließen und insofern »begreiflich« zu machen, aber auch das Verfahren selbst, seine politischen Hintergründe, seine juristischen Grundlagen und seine praktische Durchführung kritisch zu untersuchen. Es ist außerdem eine breit angelegte Darstellung der geschichtlichen Umstände, die das Unmögliche haben möglich und wirklich werden lassen, genauer des Verhaltens der beteiligten Völker, Gesellschaftsschichten und Einzelpersonen, vor allem des deutschen Volkes. Und es ist nicht zuletzt eine Studie über den Charakter, die Lebensgeschichte und die verbrecherischen Handlungen des Angeklagten. Hannah Arendt nimmt sozusagen das Verfahren in die eigene Hand, sie setzt sich selber zum Richter ein: nicht nur über die Deutschen von damals, einschließlich derer, die im Kampf gegen Hitler ihr Leben verloren haben, sondern auch über die Deutschen von heute, die sich ihrer Meinung nach von den Deutschen von damals nur wenig unterscheiden; nicht nur über die Völker Europas, die – mit der rühmlichen Ausnahme der Dänen[2] – für die Verbrechen an den Juden in verschiedenen Graden mitverantwortlich seien, sondern auch über das jüdische Volk selbst, sein Verhalten in den Jahren der Katastrophe. Sie richtet auch über die Richter des Jerusalemer Verfahrens (die sie mehr oder weniger gelten läßt), über den Staatsanwalt Hausner (den sie für einen aufgeblasenen Rhetoriker und Melodramatiker hält), über den Verteidiger (den sie verachtet), über die Zeugen, über das schließlich ergangene Urteil, dem sie am Ende ihres Buches einen eigenen Urteilstext entgegenstellt.

Dies alles tut sie – man muß das mit Nachdruck betonen – aus leidenschaftlicher Wahrheitsliebe und getrieben durch ein wahrhaft verzehrendes Gefühl von Verantwortung für die philosophische und politische Aufklärung des Geschehenen. Es ist eine Wahrheitsliebe, der es mehr darauf ankommt, das Geschehene mit thesenartig zugespitzten Verallgemeinerungen zu reflektieren und zu beurteilen, als es in seiner puren Tatsächlichkeit aus allen Zweifeln und Widersprüchen herauszuschälen; es ist ein Verlangen, allen auf einmal im Namen einer moralischen Forderung von überwältigender Evidenz »die Wahrheit zu sagen«, allen auf einmal, aber von einem einzelnen, d. h. notwendigerweise beschränkten Bewußtsein aus, das sich selber eine ubiquitäre Geltung zuschreiben will. Mit einem beneidenswerten Selbstvertrauen und einer Unerschrockenheit, die etwas Imponierendes, aber im Lichte so vieler Widersprüche und Ungewißheiten auch etwas Fatales hat, verficht sie ihr Argument gegen eine Welt von Empfindlichkeiten und – was wesentlicher ist – gegen eine Unsumme von Gegenargumenten, die sich auf bündige Fakten, persönliche Erfahrungen, auf ihr unzugängliche oder von ihr ignorierte Informationen oder auf gegensätzliche Auslegungen bekannter Sachverhalte gründen. Ein jüdischer Autor, Jacob Robinson, will festgestellt haben, daß die englische Ausgabe des Eichmann-Buches nicht weniger als 600 »Entstellungen von Tatsachen« (distortions of fact) enthält[3]. Diese Ziffer klingt übertrieben, kann auch im Augenblick nicht nachgeprüft werden, aber eine ganze Reihe von Irrtümern, Ungenauigkeiten und fragwürdigen Deutungen sind auch dem deutschen Leser bei der Lektüre des Originals schon aufgefallen. Manches hat die Verfasserin aufgrund von kritischen Vorhaltungen in der deutschen Ausgabe korrigiert. Es bleibt der allgemeine Eindruck, daß Hannah Arendts Wahrheitsliebe zu dem Wahrheitsbegriff des Geschichtsschreibers nicht gerade die zartesten Beziehungen unterhält. Geschichte ist auch in totalitären Zeiten ein Dickicht von Widersprüchen, Unvereinbarkeiten und sperrigen Einzelheiten. Hannah Arendts philosophische Leidenschaft aber drängt auf großzügige Verallgemeinerungen, auf begriffliche Kategorisierung und luftdicht abschließende Konklusionen. Das Ergebnis war, im Falle des Eichmann-Buches, ein Massenansturm empörter Einzelheiten.

Hier ein leider nicht untypisches Beispiel von fahrlässiger Quellen-Behandlung: auf Seite 105 des Originals heißt es über den früheren Oberrabbiner von Berlin, Dr. Leo Baeck, er sei in den Augen sowohl der Juden als auch der Nichtjuden der »jüdische Führer« (»Führer« deutsch!) gewesen. Diese nomenklatorische Gleichsetzung eines von den allermeisten Überlebenden des jüdischen Volkes zutiefst verehrten Mannes mit dem obersten Chef der Nazipartei (in der eine ironische Pointe zum Ausdruck kommen will), mußte vielen Lesern als eine quälende Taktlosigkeit erscheinen. Ein Kritiker, A. Leschnitzer, ist der Sache nachgegangen und hat die Quelle aufgespürt, auf die sich die Verfasserin offensichtlich bezieht: eine Stelle aus Raul Hilbergs Buch »The Destruction of the European Jews« (Chicago 1961). Was man dort liest, ist einigermaßen überraschend. Es sei, heißt es, einer von Eichmanns Leuten, der Hauptsturmführer Wisliceny gewesen, der Baeck den »jüdischen Führer« genannt habe (Die Kontroverse, S. 221 f.). Also eine ungerechtfertigte Verallgemeinerung. In der deutschen Ausgabe ist dann von einem jüdischen Führer nicht mehr die Rede.

Von den verschiedenen Fragekomplexen, die Frau Arendt in ihrem Buch zu einem integrierenden Ganzen zu vereinigen trachtet, sollen hier nur drei näher bezeichnet werden: die Analyse der Eichmannfigur, das Problem einer »Komplicenschaft« zwischen Henkern und Opfern und die Kritik an »den Deutschen« als den Hauptschuldigen an der Ermordung von einem Drittel des jüdischen Volkes. Jedes dieser Themen ist auf seine eigene Weise entsetzenerregend, aber die weitaus größte Erregung in der amerikanischen und der israelischen Öffentlichkeit hat die Behandlung des zweiten hervorgerufen. Wenn die Verfasserin behauptet, daß während des gesamten Verlaufs der Ausrottungsaktionen die jüdischen Funktionäre »fast ohne Ausnahme auf die eine oder andere Weise, aus dem einen oder anderen Grunde mit den Nazis zusammengearbeitet« hätten, so kann sie sich zwar auch auf Bemerkungen aus dem Munde des Angeklagten berufen, ihre gewichtigste Quelle aber scheint das schon erwähnte, während des Prozesses erschienene Buch von Hilberg zu sein. Die Erkenntnis, daß es der äußerste Triumph der totalitären Systeme ist, durch terroristische Methoden von teuflischer, bis ins Letzte durchdachter Konsequenz die Beherrschten zu »reibungsloser« Zusammenarbeit mit den Beherrschern zu bringen und im Stadium der

»Endlösungen« das Opfer zum Komplicen des Henkers zu machen, ist freilich älter als das Hilbergsche Buch, sie ist durch die klassisch gewordenen Darstellungen der modernen Gewaltherrschaft, durch Kogon, Köstler, Orwell und andere, nicht zuletzt durch Hannah Arendts Buch über die »Elemente und Ursprünge totaler Herrschaft« (1958) längst ins allgemeine Bewußtsein gedrungen. Im Eichmann-Buch belegt die Verfasserin ihre These mit zahlreichen Einzelheiten aus der Geschichte der »Endlösung«. Alles, was die Allgemeingültigkeit dieser These einzuschränken geeignet wäre, wird von ihrer als *quantité négligeable* behandelt: der Aufstand im Warschauer Getto wird nur beiläufig erwähnt, die Zahl der damals Gefallenen und Ermordeten (56000, d. h. mehr als doppelt soviel wie in der ungarischen Revolution von 1956) wird nicht genannt, die jüdischen Widerstandsgruppen sollen »unsagbar klein« gewesen sein, »unglaublich schwach und im Grunde harmlos«, oder es soll sich um Vorgänge gehandelt haben, »die überhaupt keinen Zusammenhang mit den Verbrechen des Angeklagten hatten« –, ein Argument übrigens, das die Berichterstatterin mit einer beinah entwaffnenden Unbefangenheit je nach Gutdünken und Zusammenhang vorbringt und widerruft: alle Dinge, die ihre Thesen stützen, gehören zur Sache, alle andern nicht; Adenauer, Strauß, Jaspers und der 20. Juli gehören zur Sache, die jüdischen Aufstände in Warschau, Wilna, Kowno, Auschwitz, Treblinka aber nicht.

»Grausam und töricht« nennt sie die Frage, die der Staatsanwalt wiederholt an die Zeugen richtet: warum sie sich denn nicht zur Wehr gesetzt hätten, wo sie doch in vielen Fällen so deutlich in der Überzahl gewesen wären, etwa 15000 Menschen gegen eine Handvoll Bewacher. Sie scheint hier also das Gesetz des totalen Terrors als eine vollkommen zwingende, vollkommen ausweglose Gegebenheit zu verstehen. (An einer andern Stelle, bei der Abrechnung mit den Deutschen, sagt sie in vorwurfsvollem Tone: »daß unter den Bedingungen des Terrors die meisten Leute sich fügen, einige aber nicht«.) So häuft sie Pointen von einer blutigen, verzweifelten Ironie: daß die (jüdische) »Gettopolizei ein Instrument in der Hand von Mördern« gewesen sei, daß die Nazis »jene Zusammenarbeit (sc. zwischen ihnen und den Judenräten) als die eigentliche Grundlage (the very cornerstone) ihrer Judenpolitik betrachtet« hätten, und dergleichen. So kommt sie zu einem Schluß von erbarmungslosem Scharfsinn, der in den Augen ihrer jüdischen Leser kaum weniger grausam erscheinen mußte als die zitierte Frage des Anklägers. Dic »ganze Wahrheit« über die Katastrophe der Endlösung formuliert sie – in der originalen Fassung – folgendermaßen: »Wenn das jüdische Volk wirklich unorganisiert und führerlos gewesen wäre, so hätte es Chaos und eine Menge Elend gegeben, aber die Gesamtzahl der Opfer hätte schwerlich die Zahl von viereinhalb bis sechs Millionen Menschen erreicht.« (Die deutsche Fassung bringt einen Zusatz, der auf inzwischen erhobene Einwände antworten soll, der prinzipielle Sinn der These bleibt aber unverändert.)

Dann das Eichmannporträt, das wiederum sehr philosophisch und doch nicht unanfechtbar ausgefallen ist. Die Verfasserin schildert den Angeklagten als eine menschliche Null, einen x-beliebigen Zeitgenossen von farbloser Normalität, der »kein Judenhasser« und »nie ein überzeugtes Parteimitglied« gewesen sei. Nicht einmal Hitlers »Kampf« habe er gelesen, und in die SS sei er mit einem eigentlich grundlosen »Warum nicht?« hineingeraten, nur weil es sich eben so machte. Wie so viele höhere Funktionäre der Partei ist er (als wenig erfolgreicher Shell-Vertreter) eine verkrachte Existenz, die nun durch die »Bewegung« zu einer politischen Karriere kommt. Ein Strohkopf, der zwar organisieren, aber nicht denken kann, und der seine mit Klischees ausgestopfte Gedankenlosigkeit für »Idealismus« ausgeben will. Was aus seinem Munde kommt, sind Phrasen, Trivialitäten, syntaktische Unglücksfälle am laufenden Band, sprachliches Spülwasser von abscheulicher Verdrecktheit; noch unterm Galgen, in der letzten Minute seines Lebens, wird er einen aufgeblasenen Humbug von sich geben.

Dieser Mensch nun ist das Modell, an dem die Verfasserin mit ironischen Pointen von schneidender Kraßheit demonstriert, was sie im Untertitel ihres Buches die »Banalität des Bösen« nennt. Eichmann, der im Polizeiverhör – angesichts einer Anklage von beispielloser Ungeheuerlichkeit – immer wieder darauf zu sprechen kommt, daß er es leider nicht weiter als bis zum Obersturmbannführer gebracht habe und warum das so gewesen sei. Der sich an die Wannsee-Konferenz vom Januar 1942, auf der beschlossen wurde, elf Millionen Menschen umzubringen, vor allem deshalb erinnert, weil er bei dieser Gelegenheit seine höchsten Vorgesetzten zum ersten Male hat »menschlich« und »gemütlich« werden sehen: »Ich weiß noch, daß im Anschluß an diese ›WannseeKonferenz‹ Heydrich, Müller und meine Wenigkeit an einem Kamin gemütlich saßen ..., nicht um zu fachsimpeln, sondern uns nach den langen, anstrengenden Stunden der Ruhe hinzugeben ...« Es handelt sich um einen Mann, der »kein Blut sehen« konnte, dem speiübel wurde, als er einmal nur in die Nähe einer Schindstätte gelangte, dem man glauben mußte, daß er nie mit eigenen Händen einen Menschen getötet, ja nicht einmal *expressis verbis* den Befehl zur Tötung eines Menschen gegeben hatte, und der doch im Herbst 1944 *gegen* Himmlers Anordnung, die Evakuierung der noch verbliebenen Budapester Juden zu beenden, damit gedroht hat, »gegebenenfalls um neuen Führerentscheid zu bitten«, um sein grausiges Werk fortsetzen zu können.

Man fragt sich, ob die Pointe von der ironischen Diskrepanz zwischen menschlicher Mittelmäßigkeit und der beispiellosen Außerordentlichkeit des Verbrechens ausreicht, um ein solches Individuum richtig zu beleuchten. Wie sein Verhalten im Herbst 1944 zeigt, ist Eichmann kein Mann des unbedingten Kadavergehorsams gewesen, und seine berüchtigte Äußerung aus den letzten Kriegstagen: »Ich werde freudig in die Grube springen, denn das Bewußtsein, fünf Millionen Juden (bzw. ›Reichsfeinde‹) auf dem Gewissen zu haben, verleiht mir ein Gefühl großer Zufriedenheit«, dürfte doch wohl nicht nur als »reine Angeberei« (Arendt) zu verstehen sein. Es wäre zu überlegen, ob diese Kanaille, diese Mischung aus Trottel und Ungeheuer, weit entfernt davon, als Shakespearescher Schurke zu erscheinen, genaugenommen nicht etwas viel Schlimmeres gewesen ist, nämlich ein perfekter Nazi: Anhänger einer »Weltanschauung«, die aus lauter Nichtswürdigkeiten, aus Haß, Wahn und Dummheit planlos zusammengewürfelt und daher der ideale Nistplatz war für den großen Durcheinanderwerfer, den »Diabolos«, zu deutsch: für den Teufel[4]. Das Böse, das er auf sein sogenanntes »Gewissen« genommen hat, wäre aber dann – und doch wohl in jedem Falle! – nicht »banal« zu nennen, auch wenn sein Charakter neben entsetzlichen auch banale Züge aufweist; es wäre, wenn es überhaupt begrifflich zu definieren ist, das »radikal Böse« im Sinne Kants.

Der Aufruhr, den die beiden hier nur knapp skizzierten Teilstücke der Arendtschen Darstellung in der amerikanischen und israelischen Öffentlichkeit hervorgerufen haben, spottet jeder Beschreibung. Mit einem Gefühl des Schauderns vor der unheimlichen Macht des Vergangenen mußte man beobachten, wie eine der intelligentesten und sachkundigsten Autoritäten in Fragen der jüdischen Katastrophe, wie die scheinbar souveräne Richterin über den Eichmann-Prozeß durch die Reaktion einer ebenso leidenschaftlichen wie geistesgegenwärtigen Leserschaft nun selber gleichsam in den Stand einer Angeklagten versetzt wurde. Die »Kontroverse« enthält keinerlei unwürdige Hetzartikel (die es gegeben hat) und nur wenige Stücke, die das Niveau der Angegriffenen nicht erreichen, die meisten Kritiker treten ihr als ebenbürtige Partner entgegen. Was man ihr vorwarf, war: 1. sachliche Irrtümer in großer Zahl, 2. Mangel an persönlicher Erfahrung in den Grenzsituationen, in denen die von ihr Beurteilten sich befunden haben, 3. Mangel an Achtung vor den Toten und ihren Leiden, damit zusammenhängend: 4. Unangemessenheit des Tons oder Mangel an Takt in Fragen, welche die empfindlichsten Liebes- und Ehrfurchtsgefühle, man könnte auch sagen: »Tabus« der Überlebenden betreffen.

Wäre es nur darum gegangen, daß auch sehr weitgehende Sachkenntnis nicht hinreicht, um einem allerseits und unaufhörlich hypertrophierenden Massenaufgebot entarteten Handelns und exzessiven Leidens, wie es hier zur Debatte steht, gewachsen zu sein –, aber es geht hier um mehr, es geht um den Vorwurf der Inkommensurabilität zwischen der kalten, »herzlosen« Rechtsprechung einer unabhängigen Intellektuellen und der unauszählbaren Mannigfaltigkeit je verschiedenartiger, aber immer von der gleichen heißen, unvorstellbaren Todesnot bedrängter Einzelschicksale, was dem Vorwurf der moralisierenden Arroganz, also eines moralischen Versagens, gleichkommt. Das vielfach vorgebrachte Argument, sie habe Eichmann »entlastet«, die kooperierenden Judenräte aber mit der Schuld an der enormen Höhe der Verlustziffern beladen, habe also nach der Devise »Nicht der Mörder, der Ermordete ist schuldig« die Tatbestände entstellt, beruht gewiß auf einem groben Mißverständnis ihrer Absichten, aber wie konnte ein solches Mißverständnis möglich werden? Wenn Ernst Simon ihr die »kritiklose Verwendung vorgeformter Kategorien« und eine »systematisch geübte Technik der ungerechtfertigten Verallgemeinerung« zum Vorwurf macht[5], wenn Jacob Robinson ihr entgegenhält[6], daß sie eine ganz umfangreiche Memoirenliteratur, die in ihr unzugänglichen Sprachen geschrieben ist, hätte kennen sollen, daß ihre Verallgemeinerungen »so gut wie gar keine Beziehung zur Wirklichkeit des Gettolebens haben«, wenn er es gar eine »scheußliche Unwahrheit« nennt, zu behaupten, daß »die eigentliche Arbeit des Tötens in den Vernichtungslagern in den Händen jüdischer Kommandos lag«, wenn er von »einzelnen und kollektiven Akten verzweifelten Widerstandes« spricht, deren Aufzählung »endlos fortgesetzt« werden könnte, so lassen sich alle diese und viele ähnliche Einwände auf eine zentrale Anklage reduzieren: daß sie ihre Denkmodelle mehr liebt als die widerspruchsvolle Mannigfaltigkeit der Fakten.

Gerade das, was ihre literarischen Freunde, z. B. Mary McCarthy und Dwight Macdonald, an ihr bewundern und von Anfang an verteidigt haben, gerade das wird ihr von den meisten jüdischen Kritikern so sehr verübelt: die ironische Pointiertheit ihres Argumentierens. Man würde Frau Arendt Unrecht tun, wenn man nicht begriffe, daß diese Ironien – vor allem auf den knapp zehn Seiten, die von der Kooperation der jüdischen Führer handeln, von ihrer eilfertigen Erbötigkeit, von der Art und Weise, »wie sie ihre neue Macht genossen«, von der Härte und Unbestechlichkeit der jüdischen Polizisten usw. –, daß sie natürlich ein Mittel sind, um das Gefühl des Abscheus vor dem Geschehenen auf die äußerste Spitze zu treiben. Man versteht, was sie wollte, man versteht aber auch, daß die Mehrzahl ihrer jüdischen Leser nicht darauf eingehen konnte. Selbst ein so rigoroser und betont unsentimentaler Intellektueller wie Norman Podhoretz, der Herausgeber der Zeitschrift »Commentary«, wirft ihr vor, was er – in Analogie zur »Banalität des Bösen« – die »Perversität der Brillanz« nennt[7]. Das menschlich ergreifendste Dokument dieses Ärgernisnehmens ist ein berühmt gewordener Brief von Gershom Scholem an die Verfasserin des Eichmann-Buches[8]. Dort wird ohne Feindseligkeit, mit einem kummervoll beschwörenden Ernst der »herzlose, ja oft geradezu hämische Ton« beklagt, »in dem diese uns im wirklichen Zentrum unseres Lebens angehende Sache von Ihnen abgehandelt wird«. Dieser Ton sei eben der Sache »auf unvorstellbare Weise unangemessen«. Es gebe, sagt Scholem, »in der jüdischen Sprache etwas nicht zu Definierendes und völlig Konkretes, was die Juden Ahabath Israel nennen, Liebe zu den Juden. Davon ist bei Ihnen, liebe Hannah, wie bei so manchen Intellektuellen, die aus der deutschen Linken hervorgegangen sind, nichts zu merken.«

Kann man einem politischen Aufklärer und Moralisten Liebe, kann man ihm »Herzenstakt« predigen, wo es ihm doch gerade darauf ankommt, Tabus zu zertrümmern? Hier scheint etwas getroffen zu sein, was die stolze und bittere »Unabhängigkeit« Hannah Arendts radikal in Zweifel zieht. Es erhebt sich – zumal in einer Situation, wo die moralischen Vorzeichen und die menschlichen Sympathien so eindeutig verteilt sind – die Frage, ob eine politische Vernunft, die sich von allen »parteiischen« Sympathien distanziert, um die Rolle des Unparteiischen zu übernehmen über Freunde und Feinde, Juden und Deutsche, Gerechte und Ungerechte, ob sie nicht Gefahr laufen muß, ihre Position überhaupt zu verwirken, anstatt allen gerecht zu werden? Muß nicht, da es eine abstrakte Vernunft, ein *More geometrico* in *politicis* offenbar nicht gibt, auch das unabhängige Urteil ein konkretes politisches Substrat unter den Füßen haben: Heimat, Volk, Freundschaft, »Eigentum«, wenn seine Unabhängigkeit nicht leer werden soll, muß es nicht auf eine elementare Weise parteiisch sein? Wie Gershom Scholem von Ahabath Israel spricht, so beruft sich Ernst Simon, um seiner Huldigung an Leo Baeck Nachdruck zu verleihen, auf einen Satz aus dem Talmud: »Trenne dich nicht von deiner Gemeinschaft, traue dir selbst nicht bis zum Tage deines Todes und richte deinen Genossen nicht, bevor du in seine Lage kommst.«[9] Diese Hinweise müssen sehr ernst genommen werden.

Daß Hannah Arendts Kritik an »den Deutschen« nicht weniger schonungslos als die an den Juden, daß sie womöglich noch schärfer ist, wird niemanden verwundern. Nun sollte uns allerdings jede, auch die strengste Lektion willkommen sein, wenn sie nur mit stichhaltigen Gründen argumentiert und mit den allgemein bekannten Fakten übereinstimmt. Frau Arendt verbürgt sich dafür, daß »80 Millionen Deutsche gegen die Wirklichkeit und ihre Faktizität durch genau die gleichen Mittel abgeschirmt waren, von denen Eichmanns Mentalität noch 16 Jahre nach dem Zusammenbruch bestimmt war«, und daß es »allen zur Gewohnheit geworden war, sich selbst zu betrügen, weil dies eine moralische Voraussetzung zum Überleben geworden war«. Allen? wird man sich fragen dürfen: woher will sie das wissen? Wenn buchstäblich alle sich betrogen haben, wie mag es dann zu erklären sein, daß man 40000 Gestapo-Beamte brauchte, um »das Volk in Schach zu halten« (Rothfels), daß mehrere hunderttausend Deutsche aus politischen Gründen in die Schreckenslager gesperrt, viele von ihnen dort umgebracht worden sind? Daß die Volksgerichtshöfe alle Hände voll zu tun hatten, daß das »Mordregister« für die Jahre 1933–44 etwa 12000 Hinrichtungen in deutschen Strafanstalten meldet (Zahlen nach Rothfels und Weisenborn)?[10] Wenn man derartig fahrlässige Verallgemeinerungen auf englisch liest, mag man die Achseln zucken und sie mit den in jenen Ländern verbreiteten Klischeevorstellungen erklären. Deutsch geschrieben und an deutsche Leser adressiert, müssen sie sich mehr wie eine Kapitulation vor dem Systemzwang ausnehmen als wie ein Ausdruck von geschichtlichem Verständnis. Sollte der Leser zufällig im Kriege einer beliebigen Einheit der deutschen Wehrmacht angehört haben, so wird er sich verstimmt, ja auf eine verdrießliche Weise komisch berührt fühlen, wenn er von Frau Arendt erfahren muß, daß die Waffen-SS »sich wohl kaum mehr Verbrechen hat zuschulden kommen lassen als jede beliebige Wehrmachtseinheit«. Glaubwürdige Bußpredigten sind das nicht.

Je mehr man über dieses Buch nachdenkt, desto mehr verstärkt sich der Verdacht, daß gerade diejenige Kategorie, die Hannah Arendt aus ihrer politischen Kritik zu eliminieren trachtet, die eigentlich entscheidende sein könnte: die Kategorie des Einzelnen. Das betrifft z. B. jene nicht ganz seltene Verhaltensweise, die man mit dem problematischen Begriff »Innere Emigration« bezeichnet hat. Wer aus eigener Erfahrung über diese Situation Bescheid weiß, der weiß auch, daß »innere Emigration« nicht jene Form von lächerlichem Selbstbetrug sein mußte, über die Hannah Arendt mit Recht die Lauge ihres Witzes ausgießt. Er kennt Fälle von »innerer Emigration« mit tödlichem Ausgang (durch Selbstmord oder Tod an gebrochenem Herzen), unberühmte aus der eigenen Freundschaft und solche von namhaften Leuten, die geziemendes Aufsehen erregen mußten: Eugen Gottlob Winkler, Jochen Klepper, Joachim Gottschalk, man darf wohl auch Theodor Haecker, den väterlichen Freund der Geschwister Scholl, dazu rechnen, der am 9. April 1945, nachdem er dem Zugriff der Gestapo nur knapp entronnen war, an seinem Gram gestorben ist. In der Originalfassung ihres Buches konzediert Frau Arendt 2 (in Worten: zwei) Namen von Männern, die in innerer Opposition gegen das Regime gestanden und bedeutsamerweise mit der Verschwörung des 20. Juli (die ihr politisch nicht geheuer ist) nichts zu tun gehabt haben: den Philosophen Karl Jaspers und den im Lager umgekommenen Schriftsteller Reck-Malleczewen. In der deutschen Ausgabe des »Eichmann« erscheint diese Partie um eine Reihe von hastig zusammengetragenen neuen Informationen vermehrt. Nun hat es also »einzelne gegeben, die von vornherein und ohne je zu schwanken, in einer nun wirklich ganz und gar lautlosen Opposition standen«. Man hat offenbar inzwischen den »Lautlosen Aufstand« gelesen, Günther Weisenborns Bericht über die »Widerstandsbewegung des deutschen Volkes«, und hat daraus die Konsequenz gezogen, das Wort »lautlos« ironisch funkeln zu lassen, gleich als ob es keine wirklich nennenswerte Opposition gewesen wäre, die sich so lautlos verhalten hat. Was hätte man von einer Nation erwarten sollen, die von einem so grausamen und durchkalkulierten Terrorsystem in Ketten gehalten wird? Einen Volksaufstand? Eine demokratische Massenbewegung? Ist es logisch, wenn jemand, der einmal die gründlichste aller Untersuchungen über den modernen Totalitarismus verfaßt hat, sich an anderer Stelle über die Lautlosigkeit der inneren Opposition in einem dem Gesetz des totalen Krieges unterworfenen Staate verwundert?

Und die Männer des 20. Juli? Man erinnert sich, was Churchill über sie gesagt haben soll: daß ihr Handeln »zum Edelsten und Größten gehört, das die politische Geschichte aller Völker kennt«[11]. Hannah Arendt kann sich diesem Urteil nicht anschließen, mit allen möglichen Gründen versucht sie, die Bedeutung dieses deutschen – wie an seiner Stelle des jüdischen – Widerstandes zu verkleinern. Sie wiederholt den bekannten (und wie oft schon widerlegten!) Einwand, die Verschwörer hätten sich erst zum Handeln entschlossen, als der Krieg praktisch verloren war, und nur um nationale Substanz zu retten und sich selbst ein Alibi zu verschaffen. Sie nimmt Anstoß daran, daß »alle diese Männer« aus »national-politischen« Erwägungen heraus gedacht hätten –, ein Vorwurf, der a) ungenau ist (was heißt »national-politisch«?), b) unerlaubt verallgemeinert – gab es nicht, von Goerdeler bis Leber, ganz verschiedene Fraktionen und Tendenzen? –, c) vergißt, eine sinnvolle Alternative zu nennen, d) einen Mangel an historischer Vorstellungskraft zu verraten scheint: warum einen Widerstand postulieren, den es nach Lage der Dinge (nachdem alle Organisationen der deutschen Linken schon 1933 zerschlagen, die meisten ihrer Führer »unschädlich« gemacht worden waren) nicht geben konnte, und den verwerfen, den es geben konnte und gegeben hat? Drittens kreidet sie es den Verschwörern an, daß sie in der Verdammung der Hitlerschen »Judenpolitik« nicht deutlich genug gewesen seien, immer nur von einem »Dilettanten«, einem »Wahnsinnigen«, von der »Verkörperung alles Bösen« (immerhin!) gesprochen, ein Wort wie »Massenmörder« aber vermieden hätten. Wobei ja doch zu überlegen wäre, ob man als konspirierender Hochverräter verpflichtet ist, alles, was man denkt und ausspricht, zur Erbauung der Nachwelt auch in geheimen Dossiers und Briefen an schwankende Feldmarschälle niederzulegen. Ob nicht der Umstand, daß Goerdeler (der

Frau Arendt ganz besonders unsympathisch zu sein scheint) die Entfernung des Leipziger Mendelssohn-Denkmals zum Anlaß genommen hat, von seinem Posten als Oberbürgermeister dieser Stadt zurückzutreten, allenfalls auch als Kundgebung einer unzweideutigen Gesinnung verstanden werden könnte. Ob nicht der vieldiskutierte Brief Goerdelers an Kluge (über die Greuel im Osten), das Testament des Grafen Schwerin und dieses oder jenes todbringende Bekenntnis vor dem Volksgerichtshof, mit leiser Stimme einem schreienden Freisler ins Gesicht gesagt, wichtig genug genommen werden müssen, um Frau Arendts Mißtrauen zu zerstreuen.

Golo Mann ist so weit gegangen zu sagen, daß ihre Charakteristik des deutschen Widerstandes die »empörendsten Verleumdungen« enthalte, »die je über diese Bewegung verbreitet wurden«[12]. Rolf Schroers, weniger emotional geladen als Golo Mann, hat den Vorwurf, der deutsche Widerstand sei opportunistisch gewesen, geistreich pariert mit den Worten: »Wäre er nur! Er wäre in demselben Maße realistischer und erfolgskräftiger gewesen.«[13] Die amerikanischen und die jüdischen Kritiker verlieren, von zwei Ausnahmen abgesehen (Eva Reichmann und Dwight Macdonald) kein Wort über diese, die intern-deutsche Seite der Angelegenheit. Aus vielen Diskussionsbeiträgen geht hervor, daß alles, was Hannah Arendt über die Deutschen sagt, von der überwiegenden Mehrheit ihrer nicht-deutschen Leser Wort für Wort geglaubt worden ist.

Der fast beispiellose Massenprotest gegen dieses Buch, wie ist er zu erklären? Die persönliche Erfahrung, auf die so zahlreiche Kritiker sich berufen, ist sie ein triftiges Argument? In einer Vorrede zur deutschen Ausgabe hat die Philosophin das Recht, über Situationen, in denen man nicht selber gewesen ist, zu urteilen, verteidigt. Würde man es leugnen, meint sie, so würde man »sowohl der Rechtsprechung wie der Geschichtsschreibung die Existenzberechtigung absprechen«. Nun präsentiert sich aber Hannah Arendt in diesem Buche weder als Geschichtsschreiberin noch als zuständige Rechtsgelehrte (obwohl sie sich juristische Kenntnisse angeeignet hat), sondern in der Position eines »unabhängigen« politischen Theoretikers und Moralisten. Dabei stellt sich auf geradezu paradigmatische

Weise heraus, daß es eines ist, ein politisch-soziologisches Theorem (etwa die Idee einer Komplicenschaft zwischen Henkern und Opfern) von der Wirklichkeit zu abstrahieren, und etwas anderes, eben dies Theorem rückwirkend wieder auf ein Stück konkreter geschichtlicher Wirklichkeit anzuwenden –, in der Zuversicht, es müsse sich eine glatte Übereinstimmung zwischen Theorie und Wirklichkeit nachweisen lassen. So sehr man sich auch bemüht, das Wirkliche dem Denken gefügig zu machen, so eigensinnig man darauf besteht, alles Unstimmige als unwesentliche Einzelheit und Ausnahme abzutun: im Bewußtsein des Lesers wird das Unstimmige stärker und stärker werden, bis sich am Ende womöglich das Einzelne bzw. *der* Einzelne – dialektischerweise – als das Wesentliche offenbart.

Ein Buch also mit reichem Material sowohl für ein Stück vorzüglicher Geschichtsschreibung als auch für einen Essay über das dornenreiche Problem der politischen Schuld und Verantwortung des Einzelnen (des Einzelnen, der nicht zum Verbrecher geworden ist, versteht sich) im Verhältnis zur gemeinsamen Schuld unter den Bedingungen einer totalitären Gewaltherrschaft, und doch weder hieb- und stichfeste Historie noch überzeugender Essay. Durch seinen solidaritätswidrigen Moralismus gegenüber den Juden, durch seine ungerechten Verallgemeinerungen, seine allzu schrillen Ironien, seine provozierenden Übertreibungen gegenüber Deutschen und Juden wird dies Buch wider seine eigene Absicht zu einem Appell an den Einzelnen, sich auf die jeweils unvertretbare Einzigartigkeit seiner Erfahrungen zu besinnen. So wunderbar, fand Goethe, sei die Welt eingerichtet, daß jedes Wesen an seiner Stelle, in seiner Natur, in seinem Geschick alle andern aufwiegt. Sobald wir den Einzelnen ins Blickfeld rücken, uns nur ein einziges konkretes Leben vorstellen, kann uns der rigorose Politizismus Hannah Arendts als seltsam wirklichkeitsfremd erscheinen. Es ist dann z. B. weder richtig, daß »alle« achtzig Millionen Deutsche sich selbst belogen hätten, um heil über die Runden zu kommen, noch ist das Gegenteil richtig. (Frau Arendt gesteht, daß sie die Deutschen insgesamt für konstitutionell verlogen hält, so wie die Schotten als geizig, die Engländer als phlegmatisch gelten; es handelt sich da, fürchte ich, um eine zwar nicht unverständliche, aber im Ernst nicht vertretbare *idée fixe*.) Richtig wäre es, sich eine Unsumme von verschiedenartigen Wirklichkeitsaspekten und Bewußtseinsinhalten und moralischen und psychologischen Situationen zu denken: Feigheit, Dummheit, Angst, philiströse Mitläuferei, ideologische Verblendung, ja verbrecherische Verfinsterung der Gemüter, aber auch Klugheit, Illusionslosigkeit, Wahrhaftigkeit, bekennender Mut im Angesicht des lebenbedrohenden Terrors, auch Liebe, Treue, Hilfsbereitschaft im nachbarlichen Bezirk, beharrliches »unpolitisches« Festhalten am »alten Wahren«, auch tiefe, ja inbrünstige Frömmigkeit in einer Lage, die man aufgrund von altmodischen Vorstellungen noch als göttliche »Heimsuchung« erlebt, nicht zuletzt: viel gemischtes Bewußtsein, Einerseits – Andererseits, viel kummervoll fortächzende Unzulänglichkeit (schuldig – gewissermaßen – sehr schuldig!) und eine massive Voreingenommenheit durch die eigenen Nöte, die zermalmenden Schläge des Krieges, Todesnachrichten, Feuersbrünste, bittere Trennung, schreckliche Wunden, wogegen dann der Funke Wissen oder Witterung von den noch grauenhafteren Dingen, die sich hinter der Szene ereigneten, so leicht zu verdrängen war: dies alles ist möglicherweise richtig, denn dies alles hat es gegeben.

Das sind ja lauter Privatsachen, könnte man sagen. Das sind sie, und als solche sind sie mit Absicht genannt worden, das heißt in Gedanken an ein früheres Werk von Hannah Arendt, wo mit großartiger Verve die Idee von der Überlegenheit der öffentlichen Wirklichkeit über die »private«, wörtlich: die »beraubte«, entwickelt wird: »Vita activa oder Vom tätigen Leben« (1960). Das politische Handeln wird hier für die ranghöchste Form menschlicher Tätigkeit erklärt, alle anderen Fähigkeiten des Geistes und der Seele werden als weniger trächtig an Wirklichkeitsgehalt ihm nachgeordnet. Wer so denkt, der muß der Meinung sein, daß das deutsche Volk im strickten Sinne »für Hitler (und seine Verbrechen!) verantwortlich« ist, obwohl es ihm, solange es noch mit einem Rest von Freiheit entscheiden konnte, nie mehr als 44 Prozent seiner Wählerstimmen (Stimmen einer bestimmten Wählergeneration) gegeben hat. Wer so denkt, der kann in einer fingierten Schlußansprache an den verurteilten Eichmann behaupten, »daß im politischen Bereich der Erwachsenen das Wort Gehorsam nur ein anderes Wort für Zustimmung und Unterstützung« ist –, als ob es nicht Gehorsam gäbe, der nichts als verzweifelte Ohnmacht ist, und Gehorsam als zähe, zukunftswillige Geduld und dialektische Verschlagenheit, wie ihn Brecht in seinen Keuner-Geschichten empfohlen hat. Wer so denkt, der muß auch die religiöse Erfahrung, wie Brecht, unter die »privaten« Angelegenheiten rechnen. Hier, glaube ich, scheiden sich die Geister. Hier muß man ein Wort einlegen für die ganze unverkürzte Vollständigkeit des Menschen, insbesondere für seine Fähigkeit, in der Stunde der äußersten Heimsuchung eine Unmittelbarkeit der Selbstgewißheit zu erfahren, die dem nur-politischen Denken verschlossen bleibt: in der Liebe zum Nächsten und in der Ergebung in Gottes gewaltigen Willen. Es wird berichtet, daß es unter den ermordeten Juden solche gegeben hat, die singend und betend in den Tod gegangen sind. Wie soll man sie verstehen? Als Komplicen ihrer Mörder? Und wie soll man die berühmten Abschiedsworte verstehen, die der deutsche Widerstandskämpfer Henning von Tresckow an Fabian von Schlabrendorff gerichtet hat? Als Emigration aus der politischen Pflicht in eine private Transzendenz? »Wenn einst Gott Abraham verheißen hat, er werde Sodom nicht verderben, wenn nur zehn Gerechte darin seien, so hoffe ich, daß Gott Deutschland um unsretwillen nicht vernichten wird. Niemand von uns kann über seinen Tod Klage führen. Wer in unsern Kreis getreten ist, hat damit das Nessushemd angezogen. Der sittliche Wert eines Menschen beginnt erst dort, wo er bereit ist, für seine Überzeugungen sein Leben hinzugeben.« Für diejenigen Deutschen, die ihre Märtyrer ehren und lieben, bezeichnen diese Sätze die einzige Chance, in einem Lande zu leben, das mehr ist als ein bloßer Koloß von stumpfsinniger, traditionsloser Kraft.

Anmerkungen

1 So findet man in der Ausgabe vom 29. März 1963 drei polemische Artikel von Frederick R. Lachmann, Hugo Hahn und Adolf Leschnitzer und eine in englischer Sprache abgefaßte Protesterklärung des »Council of Jews from Germany«.
2 Die Verfasserin verschweigt den Umstand, daß es den Dänen nur deshalb möglich war, fast alle ihre jüdischen Mitbürger zu retten, weil der Reichsbevollmächtigte für Dänemark, SS-Gruppenführer Dr. Werner Best, die von Berlin befohlenen Deportationen aktiv sabotierte. Vgl. Heinz Höhne: Der Orden unter dem Totenkopf, 12. Fortsetzung. In: Der Spiegel, 2. 1. 1967, S. 61.
3 Vgl. »Partisan Review«, Spring 1964, S. 264 und 275.
4 Vgl. den Hinweis von L. Abel, demzufolge Eichmann selbst sich im Sassen-Interview vom Mai 1960 den »Fanatismus eines wahren Nationalsozialisten« zugeschrieben hat. »Partisan Review«, Spring 1964, S. 271.
5 Die Kontroverse, a. a. O., S. 45 u. 65.
6 Ebd., S. 223ff.
7 Commentary, Vol. 36, No. 3, September 1963, S. 201 ff.
8 Vgl. Die Kontroverse, a. a. O., S. 207ff.
9 Ebd., S. 68f.
10 Nach neuesten Schätzungen soll die Zahl der durch Volksgerichtshof, Sondergerichte und Kriegsgerichte – sogenannte Feldgerichte – gefällten Todesurteile sich auf etwa 80000 belaufen (Süddeutsche Zeitung vom 15. 12. 1964).
11 Vgl.: Der lautlose Aufstand. Bericht über die Widerstandsbewegung des deutschen Volkes 1933–1945. Hrsg. von Günther Weisenborn. Hamburg 1962.
12 Die Kontroverse, a. a. O., S. 194.
13 Ebd., S. 204.

(Erstdruck: Vierteljahreshefte für Zeitgeschichte. Stuttgart 1965, Heft 2)

Karl Jaspers
Die Schuldfrage

1. Die moralische Schuld

Jeder Deutsche prüft sich: Was ist meine Schuld?

Die Schuldfrage in bezug auf den Einzelnen, sofern er sich selbst durchleuchtet, nennen wir die moralische. Hier bestehen die größten Unterschiede zwischen uns Deutschen.

Wohl hat die Entscheidung im Urteil nur der Einzelne über sich, doch soweit wir in Kommunikation stehen, dürfen wir miteinander reden und uns moralisch zur Klarheit helfen. Die moralische Verurteilung des andern aber bleibt in suspenso – nicht die kriminelle und nicht die politische.

Die Grenze, an der auch die Möglichkeit moralischen Urteils ausbleibt, liegt dort, wo wir spüren, daß der andere auch nicht den Ansatz einer moralischen Selbstdurchleuchtung zu machen scheint – wo wir in der Argumentation nur Sophistik wahrnehmen, wo der andere gar nicht zu hören scheint. Hitler und seine Komplicen, diese kleine Minorität von Zehntausenden, stehen außerhalb der moralischen Schuld, solange sie sie überhaupt nicht spüren. Sie scheinen unfähig der Reue und der Verwandlung. Sie sind, wie sie sind. Solchen Menschen gegenüber bleibt nur die Gewalt, weil sie selber nur durch Gewalt leben.

Die moralische Schuld aber besteht bei allen, die dem Gewissen und der Reue Raum geben. Moralisch schuldig sind die Sühnefähigen, die, die wußten oder wissen konnten und die doch Wege gingen, die sie in der Selbstdurchhellung als ein schuldiges Irren verstehen – sei es, daß sie sich bequem verschleierten, was geschah, oder daß sie sich betäuben und verführen ließen oder sich kaufen ließen durch persönliche Vorteile oder daß sie aus Angst gehorchten. Vergegenwärtigen wir einige dieser Möglichkeiten:

a) Das *Leben in der Maske* – unausweichlich für den, der überleben wollte – brachte moralische Schuld. Lügenhafte

Loyalitätserklärungen gegenüber drohenden Instanzen, wie der Gestapo – Gebärden wie der Hitlergruß, Teilnahme an Versammlungen und vieles andere, was den Schein des Dabeiseins brachte –, wer von uns hätte in Deutschland nicht irgendwann solche Schuld? Nur der Vergeßliche kann sich darüber täuschen, weil er sich täuschen will. Die Tarnung gehörte zum Grundzug unseres Daseins. Sie belastet unser moralisches Gewissen.

b) Aufwühlender ist für den Augenblick der Erkenntnis die Schuld durch ein *falsches Gewissen*. Mancher junge Mensch erwacht mit dem schaurigen Bewußtsein: Mein Gewissen hat mich getäuscht – worauf kann ich mich noch verlassen? Ich glaubte, mich für das edelste Ziel zu opfern und das Beste zu wollen. Jeder so Erwachende wird sich prüfen, wo Schuld lag durch Unklarheit, durch Nichtsehenwollen, durch bewußten Abschluß in der Isolierung des eigenen Lebens auf eine »anständige« Sphäre.

Hier ist zunächst zu unterscheiden zwischen der *soldatischen Ehre* und dem politischen Sinn. Denn das Bewußtsein soldatischer Ehre bleibt unbetroffen von allen Schulderörterungen. Wer in Kameradschaftlichkeit treu war, in Gefahr unbeirrbar, durch Mut und Sachlichkeit sich bewährt hat, der darf etwas Unantastbares in seinem Selbstbewußtsein bewahren. Dies rein Soldatische und zugleich Menschliche ist allen Völkern gemeinsam. Hier ist Bewährung nicht nur keine Schuld, sondern, wo sie unbefleckt durch böse Handlungen oder Ausführung offenbar böser Befehle wirklich war, ein Fundament des Lebenssinnes.

Aber die soldatische Bewährung darf nicht identifiziert werden mit der Sache, für die gekämpft wurde. Soldatische Bewährung macht nicht schuldfrei für alles andere.

Die bedingungslose Identifizierung des faktischen Staates mit der deutschen Nation und der Armee ist eine Schuld falschen Gewissens. Wer als Soldat tadellos war, kann der Gewissensverfälschung erlegen sein. Dadurch wurde es möglich, daß aus nationaler Gesinnung getan und ertragen wurde, was offenbar böse war. Daher das gute Gewissen im bösen Tun.

Doch die Pflicht gegen das Vaterland geht viel tiefer als ein blinder Gehorsam gegen jeweilige Herrschaft reicht. Das Vaterland ist nicht mehr Vaterland, wenn seine Seele zerstört wird. Die Macht des Staates ist kein Ziel an sich, sondern vielmehr verderblich, wenn dieser Staat das deutsche Wesen vernichtet. Daher führte die Pflicht gegen das Vaterland keineswegs konsequent zum Gehorsam gegen Hitler und zu der Selbstverständlichkeit, auch als Hitlerstaat müsse Deutschland unbedingt den Krieg gewinnen. Hier liegt das falsche Gewissen. Es ist nicht eine einfache Schuld. Es ist zugleich die tragische Verwirrung, zumal eines großen Teils der ahnungslosen Jugend. Pflicht gegen das Vaterland ist der Einsatz des ganzen Menschen für die höchsten Ansprüche, die zu uns sprechen aus den Besten unserer Ahnen und nicht aus den Idolen einer falschen Überlieferung.

Daher war das Erstaunliche, wie trotz alles Bösen die Selbstidentifizierung mit der Armee und dem Staat vollzogen wurde. Denn diese Unbedingtheit einer blinden nationalen Anschauung – begreiflich nur als der letzte morsche Boden einer glaubenslos werdenden Welt – war in gutem Gewissen zugleich moralische Schuld.

Diese Schuld hatte weiter ihre Ermöglichung durch das mißverstandene Bibelwort: Sei untertan der Obrigkeit, die Gewalt über dich hat – aber sie war vollends entartet in der wunderlichen Heiligkeit des Befehls aus der militärischen Überlieferung. »Es ist Befehl«, das klang und klingt noch vielen pathetisch so, daß es die höchste Pflicht ausspricht. Aber dies Wort brachte zugleich die Entlastung, wenn es achselzuckend das Böse und Dumme als unumgänglich gelten ließ. Vollends schuldig im moralischen Sinne wurde dieses Verhalten im Gehorsamsdrang, diesem triebhaften, sich als gewissenhaft fühlenden und in der Tat alles Gewissen preisgebenden Verhalten.

Mancher hat in dem Ekel vor der Naziherrschaft in den Jahren nach 1933 die Offizierslaufbahn ergriffen, weil hier die einzige anständige Atmosphäre, unbeeinflußt von der Partei, in der Gesinnung gegen die Partei und scheinbar aus eigener Macht ohne Partei, zu bestehen schien. Auch das war ein Gewissensirrtum, der sich – nach Ausschaltung aller eigenständigen Generäle alter Überlieferung – in der schließlich moralischen Verwahrlosung des deutschen Offiziers an allen führenden Stellungen in seinen Folgen offenbarte – trotz der zahlreichen liebenswerten, ja edlen soldatischen Persönlichkeiten, die hier vergeblich Rettung gesucht hatten, geführt von einem täuschenden Gewissen.

Gerade wenn das redliche Bewußtsein und der gute Wille im Anfang führten, muß die Enttäuschung und Selbstenttäuschung um so stärker sein. Sie führt zur Prüfung auch des besten Glaubens mit der Frage, wie ich für meine Täuschung, für jede Täuschung, der ich verfalle, verantwortlich bin.

Erwachen und Selbstdurchleuchtung dieser Täuschung ist unerläßlich. Durch sie werden aus idealistischen Jünglingen aufrechte, moralisch verläßliche, politisch klare deutsche Männer, die in Bescheidung das nun verhängte Schicksal ergreifen.

c) Die teilweise Billigung des Nationalsozialismus, die *Halbheit* und gelegentliche *innere Angleichung* und Abfindung war eine moralische Schuld ohne jeden Zug von Tragik, die den vorhergehenden Weisen der Schuld eignet.

Diese Argumentation: es ist doch auch Gutes daran – diese Bereitschaft zur vermeintlich gerechten Anerkennung – war bei uns verbreitet. Nur das radikale Entweder-Oder konnte wahr sein. Erkenne ich das böse Prinzip, so ist alles schlecht, und die scheinbar guten Folgen sind selber nicht das, was sie zu sein scheinen. Weil diese irrende Objektivität bereit war, das vermeintlich Gute im Nationalsozialismus anzuerkennen, wurden auch bis dahin nahe Freunde einander fremd, man konnte mit ihnen nicht mehr offen reden. Derselbe, der eben beklagte, daß kein Märtyrer für die alte Freiheit und gegen das Unrecht auftrete und sich opfere, konnte die Aufhebung der Arbeitslosigkeit (durch Rüstung und betrügerische Finanzwirtschaft) als hohes Verdienst preisen, konnte 1938 die Einverleibung Österreichs als Erfüllung des alten Ideals der Reichseinheit begrüßen, 1940 Hollands Neutralität anzweifeln und den Angriff Hitlers rechtfertigen, und vor allem: sich der Siege freuen.

d) Manche gaben sich der bequemen *Selbsttäuschung* hin: Sie würden diesen bösen Staat schon ändern, die Partei werde wieder verschwinden, spätestens mit dem Tod des Führers. Jetzt müsse man dabei sein, um von innen heraus die Sache zum Guten zu wenden. So waren die typischen Unterhaltungen.

Mit Offizieren: »Wir werden den Nationalsozialismus nach dem Krieg gerade auf Grund unseres Sieges abschaffen; jetzt gilt es erst mal zusammenzuhalten, Deutschland zum Siege zu führen; wenn das Haus brennt, löscht man, und fragt nicht erst nach dem Urheber des Brandes.« – Antwort: Nach dem Sieg werdet Ihr entlassen, geht gern nach Hause, allein die SS behält die Waffen, und das Terrorregime des Nationalsozialismus steigert sich zum Sklavenstaat. Kein menschliches Eigenleben wird mehr möglich sein. Pyramiden werden errichtet, Straßen und Städte nach der Laune des Führers gebaut und umgestaltet. Eine ungeheure Rüstungsmaschinerie wird entwickelt zur endgültigen Welteroberung.

Mit Dozenten: »Wir sind in der Partei die Fronde. Wir wagen unbefangene Diskussion. Wir erreichen geistige Verwirklichungen. Wir werden das Ganze langsam zurückverwandeln in die alte deutsche Geistigkeit.« – Antwort: Ihr täuscht Euch. Man läßt Euch Narrenfreiheit unter der Bedingung jederzeitigen Gehorsams. Ihr schweigt und gebt nach. Euer Kampf ist ein Schein, der der Führung erwünscht ist. Ihr tragt nur bei zum Grab deutschen Geistes.

Viele Intellektuelle, die 1933 mitgemacht haben und für sich eine führende Wirkung erstrebten und die öffentlich weltanschaulich für die neue Macht Stellung nahmen – die dann später, persönlich beiseite gedrängt, unwillig wurden, zumeist aber noch positiv blieben, bis der Kriegsverlauf seit 1942 den ungünstigen Ausgang sichtbar und sie nun erst ganz zu Gegnern machte; diese haben das Gefühl, unter den Nazis gelitten zu haben und darum berufen zu sein für das Nachfolgende. Sie halten sich selbst für Antinazis. Es gab all die Jahre eine Ideologie dieser intellektuellen Nazis: Sie sprächen in geistigen Dingen unbefangen die Wahrheit aus – sie bewahrten die Überlieferung des deutschen Geistes – sie verhüteten Zerstörungen – sie bewirkten im einzelnen Förderndes.

Unter diesen finden sich vielleicht manche, die schuldig sind durch eine Unveränderlichkeit ihrer Denkungsart, welche, ohne identisch zu sein mit Parteidoktrinen, doch die innere Haltung des Nationalsozialismus in der Tat festhält im Scheine einer Wandlung und Gegnerschaft, ohne sich selber zu klären. Durch diese Denkungsart sind sie vielleicht ursprünglich verwandt dem, was im Nationalsozialismus das unmenschliche, diktatorische, existenzlos nihilistische Wesen war. Wer als reifer Mensch im Jahre 1933 die innere Überzeugtheit hatte, die nicht nur in einem politischen Irrtum wurzelte, sondern in einem durch den Nationalsozialismus gesteigerten Daseinsgefühl, der wird nicht rein, außer infolge einer Umschmelzung, die vielleicht tiefer gehen muß als alle anderen. Wer 1933 sich so verhalten hat, bliebe ohne das innerlich brüchig und zu weiterem Fanatismus geneigt. Wer am Rassenwahn teilnahm, wer Illusionen von einem Aufbau hatte, der sich auf Schwindel gründete, wer schon damals geschehene Verbrechen in Kauf nahm, ist haftbar nicht nur, sondern muß sich moralisch erneuern. Ob er es kann, und wie er es vollzieht, ist allein seine Sache und von außen kaum zu beurteilen.

e) Es ist ein Unterschied zwischen den *Aktiven* und den *Passiven*. Die politisch Handelnden und Ausführenden, die Leitenden und die Propagandisten sind schuldig. Wenn sie nicht kriminell wurden, so haben sie doch durch Aktivität eine positiv bestimmbare Schuld.

Jedoch jeder von uns hat schuld, sofern er untätig blieb. Die Schuld der Passivität ist anders. Die Ohnmacht entschuldigt; der wirkungsvolle Tod wird moralisch nicht verlangt. Schon Platon hielt es für selbstverständlich, in Unheilzeiten verzweifelter Zustände sich zu verbergen und zu überleben. Aber die Passivität weiß ihre moralische Schuld für jedes Versagen, das in der Nachlässigkeit liegt, nicht jede irgend mögliche Aktivität zum Schutz Bedrohter, zur Erleichterung des Unrechts, zur Gegenwirkung ergriffen zu haben. Im Sichfügen der Ohnmacht blieb immer ein Spielraum zwar nicht gefahrloser, aber mit Vorsicht doch wirksamer Aktivität. Ihn ängstlich versäumt zu haben, wird der einzelne als seine moralische Schuld anerkennen: die Blindheit für das Unheil der anderen, diese Phantasielosigkeit des Herzens, und die innere Unbetroffenheit von dem gesehenen Unheil.

f) Die moralische Schuld im äußeren Mitgehen, das *Mitläufertum*, ist in irgendeinem Maße sehr vielen von uns gemeinsam. Um sein Dasein zu behaupten, seine Stellung nicht zu verlieren, seine Chancen nicht zu vernichten, wurde man Parteimitglied und vollzog andere nominelle Zugehörigkeiten.

Niemand wird dafür eine restlose Entschuldigung finden, zumal angesichts der vielen Deutschen, die solche Anpassung in der Tat nicht vollzogen und die Nachteile auf sich genommen haben.

Man muß sich vergegenwärtigen, wie die Lage etwa 1936 oder 1937 aussah. Die Partei war der Staat. Die Zustände schienen unabsehbar beständig. Nur ein Krieg konnte das Regime umwerfen. Alle Mächte paktierten mit Hitler. Alle wollten Frieden. Der Deutsche, der nicht völlig abseits stehen oder seinen Beruf verlieren oder sein Geschäft schädigen wollte, mußte sich einfügen, zumal die Jüngeren. Jetzt war die Zugehörigkeit zur Partei oder zu Berufsverbänden nicht mehr ein politischer Akt, sondern eher ein Gnadenakt des Staates, der den Betreffenden zulief. Ein »Abzeichen« war nötig, äußerlich, ohne innere Zustimmung. Wer damals aufgefordert wurde beizutreten, konnte schwer nein sagen. Es ist für den Sinn des Mitgehens entscheidend, in welchem Zusammenhang und aus welchen Motiven jemand Parteimitglied wurde. Jedes Jahr und jede Situation hat seine eigentümlichen Entschuldigungen und eigentümlichen Belastungen, die nur im je individuellen Fall unterschieden werden können.

2. Die metaphysische Schuld

Moral ist immer auch bestimmt durch innerweltliche Ziele. Moralisch kann ich verpflichtet sein zum Wagnis meines Lebens, wenn es sich um eine Verwirklichung handelt. Aber moralisch besteht keine Forderung, das Leben zu opfern bei sicherem Wissen, daß damit nichts erreicht wird. Moralisch besteht die Forderung des Wagnisses, nicht die Forderung der Wahl eines sicheren Unterganges. Moralisch ist in beiden Fällen eher noch das Gegenteil gefordert: nicht das für die Weltzwecke

Sinnlose zu tun, sondern sich für Verwirklichungen in der Welt zu bewahren.

Aber es gibt ein Schuldbewußtsein in uns, das eine andere Quelle hat. Metaphysische Schuld ist der Mangel an der absoluten Solidarität mit dem Menschen als Menschen. Sie bleibt noch ein unauslöschlicher Anspruch, wo die moralisch sinnvolle Forderung schon aufgehört hat. Diese Solidarität ist verletzt, wenn ich dabei bin, wo Unrecht und Verbrechen geschehen. Es genügt nicht, daß ich mein Leben mit Vorsicht wage, um es zu verhindern. Wenn es geschieht und wenn ich dabei war und wenn ich überlebe, wo der andere getötet wird, so ist in mir eine Stimme, durch die ich weiß: daß ich noch lebe, ist meine Schuld.

Als im November 1938 die Synagogen brannten und zum erstenmal Juden deportiert wurden, war angesichts dieser Verbrechen zwar vor allem moralische und politische Schuld. Beide Weisen der Schuld lagen bei denen, die noch Macht hatten. Die Generale standen dabei. In jeder Stadt konnte der Kommandant eingreifen, wenn Verbrechen geschahen. Denn der Soldat ist zum Schutze aller da, wenn Verbrechen in einem Umfang geschehen, daß die Polizei sie nicht verhindern kann oder versagt. Sie taten nichts. Sie gaben die früher ruhmvolle sittliche Überlieferung der deutschen Armee in diesem Augenblick preis. Es ging sie nichts an. Sie hatten sich von der Seele des deutschen Volkes gelöst zugunsten einer absolut eigengesetzlichen Militärmaschinerie, die Befehlen gehorcht.

Unter unserer Bevölkerung waren wohl viele empört, viele tief ergriffen von einem Entsetzen, in dem die Ahnung kommenden Unheils lag. Aber noch mehr setzten ohne Störung ihre Tätigkeit fort, ihre Geselligkeit und ihre Vergnügungen, als ob nichts geschehen sei. Das ist moralische Schuld.

Diejenigen aber, die in völliger Ohnmacht verzweifelt es nicht hindern konnten, taten wiederum einen Schritt in ihrer Verwandlung durch das Bewußtsein der metaphysischen Schuld.

3. Zusammenfassung

a) Folgen der Schuld

Daß wir Deutschen, daß jeder Deutsche in irgendeiner Weise schuldig ist, daran kann, wenn unsere Ausführungen nicht völlig grundlos waren, kein Zweifel sein:

1. Jeder Deutsche, ausnahmslos, hat teil an der politischen Haftung. Er muß mitwirken an den in Rechtsform zu bringenden Wiedergutmachungen. Er muß mitleiden an den Wirkungen der Handlungen der Sieger, ihrer Willensentschlüsse, ihrer Uneinigkeit. Wir sind nicht imstande, als Machtfaktor hier einen Einfluß zu haben.

Nur ständige Bemühung um vernünftige Darlegung der Tatsachen, der Chancen und Gefahren kann an den Voraussetzungen der Entschlüsse mitarbeiten. Man darf sich in angemessenen Formen mit Gründen an die Sieger wenden.

2. Nicht jeder Deutsche, sogar nur eine sehr kleine Minderheit von Deutschen, hat Strafe zu leiden für Verbrechen, eine andere Minderheit hat zu büßen für nationalsozialistische Aktivität. Man darf sich verteidigen. Die Gerichte der Sieger oder die von ihnen eingerichteten deutschen Instanzen urteilen.

3. Wohl jeder Deutsche – wenn auch auf sehr verschiedene Weise – hat Anlaß zur Selbstprüfung aus moralischer Einsicht. Hier aber braucht er keine Instanz anzuerkennen als nur das eigene Gewissen.

4. Wohl jeder Deutsche, der versteht, verwandelt in den metaphysischen Erfahrungen solchen Unheils sein Seinsbewußtsein und sein Selbstbewußtsein. Wie das geschieht, das kann niemand fordern und niemand vorwegnehmen. Es ist Sache der Einsamkeit des Einzelnen. Was daraus erwächst, das muß die Grundlage dessen schaffen, was in Zukunft deutsche Seele sein wird.

Die Unterscheidungen lassen sich sophistisch benutzen, um sich von der ganzen Schuldfrage zu befreien, etwa so:

Politische Haftung – gut, aber sie schränkt nur meine materiellen Mittel ein, ich selbst in meinem Innern werde davon ja gar nicht betroffen.

Kriminelle Schuld – sie trifft ja nur wenige, nicht mich – es geht mich nichts an.

Moralische Schuld – ich höre, daß nur das eigene Gewissen Instanz ist, andere dürfen mir keine Vorwürfe machen. Mein Gewissen wird schon freundlich mit mir umgehen. Es ist nicht allzu schlimm – Strich drunter, und ein neues Leben.

Metaphysische Schuld, die hat vollends – wie ja gesagt wurde – niemand vom andern zu behaupten. Die soll ich in einer Verwandlung wahrnehmen. Das ist der spleenige Gedanke eines Philosophen. So etwas gibt es nicht. Und wenn es das gibt, ich merke ja nichts davon. Das darf ich auf sich beruhen lassen.

Unser Zerfasern der Schuldbegriffe kann zum Trick werden, mit dem man sich von der Schuld befreit. Unterscheidungen liegen im Vordergrund. Sie können den Ursprung und das Eine verdecken.

b) Die Kollektivschuld

Nach der Trennung der Momente der Schuld kehren wir am Ende zurück zur Frage der Kollektivschuld.

Die Trennung, zwar überall richtig und sinnvoll, bringt mit sich die geschilderte Verführung, als ob man sich durch solche Trennungen der Anklage entzogen, seine Last erleichtert hätte. Es ist dabei verlorengegangen, was in der Kollektivschuld trotz allem unüberhörbar bleibt. Die Roheit des Denkens in Kollektiven und der Verurteilung von Kollektiven verhindert nicht unser Zusammengehörigkeitsgefühl.

Zwar ist zuletzt das wahre Kollektiv die Zusammengehörigkeit aller Menschen vor Gott. Jeder darf sich irgendwo freimachen von der Gebundenheit an Staat, Volk, Gruppe, um hindurchzubrechen in die unsichtbare Solidarität der Menschen als Menschen guten Willens und als Menschen in der gemeinsamen Schuld des Menschseins.

Aber geschichtlich bleiben wir gebunden an die näheren und engeren Gemeinschaften und würden ohne sie ins Bodenlose sinken.

Politische Haftung und Kollektivschuld

Zunächst noch einmal der Tatbestand: Urteil und Gefühl der Menschen werden in der ganzen Welt weitgehend durch Kollektivvorstellungen geführt. Der Deutsche, wer auch immer der Deutsche sei, ist heute in der Welt als etwas angesehen, mit dem man nicht gern zu tun haben möchte. Deutsche Juden im Ausland sind als Deutsche unerwünscht und gelten wesentlich als Deutsche, nicht als Juden. Infolge dieses Kollektivdenkens wird die politische Haftung zugleich als Strafe durch moralische Schuld begründet. Dieses Kollektivdenken geschah oft in der Geschichte. Die Barbarei des Krieges hat die Bevölkerung als Ganzes genommen, sie der Plünderung, Vergewaltigung, dem Verkauf in die Sklaverei preisgegeben. Und dazu wurde den Unglücklichen auch noch die moralische Vernichtung im Urteil seitens des Siegers zuteil. Er soll sich nicht nur unterwerfen, sondern bekennen und Buße tun. Wer Deutscher ist, ob Christ oder Jude, ist eines bösen Geistes.

Diesem Tatbestand einer verbreiteten, wenn auch nicht allgemeinen Meinung der Welt gegenüber sind wir immer wieder aufgefordert, unsere einfache Scheidung zwischen politischer Haftung und moralischer Schuld nicht nur zur Abwehr zu benutzen, sondern den möglichen Wahrheitsgehalt des Kollektivdenkens nachzuprüfen. Wir geben die Scheidung nicht auf, aber wir haben sie einzuschränken durch den Satz, daß das Verhalten, welches zur Haftung führte, in politischen Gesamtzuständen begründet ist, die gleichsam einen moralischen Charakter haben, weil sie die Moral des einzelnen mitbestimmen. Von diesen Zuständen kann sich der einzelne nicht völlig trennen, weil er, bewußt oder unbewußt, als ihr Glied lebt, das sich der Beeinflussung gar nicht entziehen kann, auch wenn er in der Opposition gestanden hat. Es ist so etwas wie eine moralische Kollektivschuld in der Lebensart einer Bevölkerung, an der ich als Einzelner teilhabe und aus der die politischen Realitäten erwachsen.

Denn der politische Zustand und die gesamte Lebensart der Menschen sind nicht zu trennen. Es gibt keine absolute Scheidung von Politik und Menschsein, solange der Mensch nicht als Einsiedler abseitig zugrunde geht.

Durch die politischen Zustände ist der Schweizer, der Holländer geformt und sind wir alle in Deutschland durch lange Zeiten erzogen worden, wir nämlich zum Gehorsam, zur dynastischen Gesinnung, zur Gleichgültigkeit und Unverantwortlichkeit gegenüber der politischen Realität – und wir haben etwas davon in uns, auch wenn wir in Gegnerschaft zu diesen Haltungen stehen.

Daß die gesamte Bevölkerung tatsächlich die Folgen aller Staatshandlungen trägt – quidquid delirant reges plectuntur Achivi – ist bloß empirisches Faktum. Daß sie sich haftbar weiß, ist das erste Zeichen des Erwachens ihrer politischen Freiheit. Nur soweit dieses Wissen besteht und anerkannt wird, ist Freiheit wirklich da und nicht nur Anspruch nach außen seitens unfreier Menschen.

Die innere politische Unfreiheit gehorcht, andererseits fühlt sie sich nicht schuldig. Sich haftbar wissen, ist der Anfang der inneren Umwälzung, welche die politische Freiheit verwirklichen will.

Der Gegensatz der freien und unfreien Gesinnung zeigt sich beispielsweise in der Auffassung des Staatsführers. Man hat gesagt: Haben die Völker schuld an den Führern, die sie sich gefallen lassen? Z. B. Frankreich an Napoleon. Man meint: die überwältigende Mehrzahl ging doch mit, wollte die Macht und den Ruhm, den Napoleon verschaffte. Napoleon war nur möglich, weil die Franzosen ihn wollten. Seine Größe ist die Sicherheit, mit der er begriff, was die Volksmassen erwarteten, was sie hören wollten, welchen Schein sie wollten, welche materiellen Realitäten sie wollten. Sagte etwa Lenz mit Recht: »Der Staat war ins Leben getreten, der dem Genius Frankreichs entsprach«? Ja, einem Teil, einer Situation – aber doch nicht dem Genius eines Volkes schlechthin! Wer kann den Genius eines Volkes derart bestimmen? Auch ganz andere Realitäten sind demselben Genius erwachsen.

Vielleicht könnte man denken: Wie der Mann haftet für die Wahl der Geliebten, mit der er, durch die Ehe gebunden, in Schicksalsgemeinschaft sein Leben durchwandert, so haftet ein Volk für den, dem es sich gehorsam ergibt. Der Irrtum ist eine Schuld. Seine Folgen müssen unerbittlich getragen werden.

Aber das gerade wäre verkehrt. Was in der Ehe möglich und gehörig ist, das ist im Staat grundsätzlich schon Verderben: die unbedingte Bindung an einen Menschen. Die Treue der Gefolgschaft ist ein unpolitisches Verhältnis in engen Kreisen und in primitiven Verhältnissen. Im freien Staat gelten Kontrolle und Wechsel aller Menschen.

Daher ist eine doppelte Schuld: erstens sich überhaupt politisch einem Führer bedingungslos zu ergeben und zweitens die Artung des Führers, dem man sich unterwirft. Die Atmosphäre der Unterwerfung ist gleichsam eine kollektive Schuld.

Das eigene Bewußtsein einer Kollektivschuld

Wir fühlen etwas wie Mitschuld für das Tun unserer Familienangehörigen. Diese Mitschuld ist nicht objektivierbar. Jede Weise der Sippenhaftung würden wir verwerfen. Aber wir sind doch geneigt, weil gleichen Blutes, uns mitgetroffen zu fühlen, wenn einer aus unserer Familie unrecht tut, und darum auch geneigt, je nach Lage und Art des Tuns und der vom Unrecht Betroffenen, es wiedergutzumachen, auch wenn wir moralisch und juristisch nicht haften.

So fühlt der Deutsche – d. h. der deutsch sprechende Mensch – sich mitbetroffen von allem, was aus dem Deutschen erwächst. Nicht die Haftung des Staatsangehörigen, sondern die Mitbetroffenheit als zum deutschen geistigen und seelischen Leben gehörender Mensch, der ich mit den andern gleicher Sprache, gleicher Herkunft, gleichen Schicksals bin, wird hier Grund nicht einer greifbaren Schuld, aber eines Analogons von Mitschuld.

Wir fühlen uns weiter beteiligt nicht nur an dem, was gegenwärtig getan wird, als mitschuldig am Tun der Zeitgenossen, sondern auch an dem Zusammenhang der Überlieferung. Wir müssen übernehmen die Schuld der Väter. Daß in den geistigen Bedingungen des deutschen Lebens die Möglichkeit gegeben war für ein solches Regime, dafür tragen wir alle eine Mitschuld. Das bedeutet zwar keineswegs, daß wir anerkennen müßten, »die deutsche Gedankenwelt«, »das deutsche Denken der Vergangenheit« schlechthin sei der Ursprung der bösen Taten des Nationalsozialismus. Aber es bedeutet, daß in unserer

Überlieferung als Volk etwas steckt, mächtig und drohend, das unser sittliches Verderben ist.

Wir wissen uns nicht nur als Einzelne, sondern als Deutsche. Jeder ist, wenn er eigentlich ist, das deutsche Volk. Wer kennt nicht den Augenblick in seinem Leben, wo er in oppositioneller Verzweiflung an seinem Volk zu sich sagt: Ich bin Deutschland, oder im jubelnden Einklang mit ihm: Auch ich bin Deutschland! Das Deutsche hat keine andere Gestalt als diese Einzelnen. Daher ist der Anspruch der Umschmelzung, der Wiedergeburt, der Abstoßung des Verderblichen die Aufgabe für das Volk in Gestalt der Aufgabe für jeden einzelnen.

Weil ich mich nicht entbrechen kann, in tiefer Seele kollektiv zu fühlen, ist mir, ist jedem das Deutschsein nicht Bestand, sondern Aufgabe. Das ist etwas ganz Anderes als die Verabsolutierung des Volkes. Ich bin zuerst Mensch, ich bin im besonderen Friese, bin Professor, bin Deutscher, bin mit anderen Kollektiven nahe, bis zur Verschmelzung der Seelen, verbunden, näher oder ferner mit allen mir fühlbar gewordenen Gruppen; ich kann mich in Augenblicken vermöge dieser Nähe fast als Jude fühlen oder als Holländer oder als Engländer. Darin aber ist die Gegebenheit des Deutschseins, das heißt wesentlich das Leben in der Muttersprache, so nachhaltig, daß ich mich auf eine rational nicht mehr faßliche, ja rational sogar zu widerlegende Weise mitverantwortlich fühle für das, was Deutsche tun und getan haben.

Ich fühle mich näher den Deutschen, die auch so fühlen, und fühle mich ferner denen, deren Seele diesen Zusammenhang zu verleugnen scheint. Und diese Nähe bedeutet vor allem die gemeinsame, beschwingende Aufgabe, nicht deutsch zu sein, wie man nun einmal ist, sondern deutsch zu werden, wie man es noch nicht ist, aber sein soll, und wie man es hört aus dem Anruf unserer hohen Ahnen, nicht aus der Geschichte der nationalen Idole.

Weil wir die Kollektivschuld fühlen, fühlen wir die ganze Aufgabe der Wiedererneuerung des Menschseins aus dem Ursprung – die Aufgabe, die alle Menschen auf der Erde haben, die aber dringender, fühlbarer, wie alles Sein entscheidend, dort auftritt, wo ein Volk durch eigene Schuld vor dem Nichts steht.

Es scheint, daß ich als Philosoph nun vollends den Begriff verloren habe. In der Tat hört die Sprache auf, und nur negativ ist zu erinnern, daß alle unsere Unterscheidungen unbeschadet dessen, daß wir sie für wahr halten und keineswegs rückgängig machen, nicht zum Ruhebett werden dürfen. Wir dürfen nicht mit ihnen die Sache erledigen und uns befreien von dem Druck, unter dem wir unseren Lebensweg weiter gehen und durch den das Kostbarste zur Reife kommen soll, das ewige Wesen unserer Seele.

Walter Jens
Schwermut und Revolte – Georg Büchner

Wie sieht er aus, dieser Mensch, der mit Chiffren wie »Automat« und »Schatten« nur oberflächlich, genauer dagegen mit dem Wort »Puppe« zu bezeichnen ist, weil »Puppe« als Schlüsselwort des »Hessischen Landboten«, am exaktesten die gesellschaftliche Nuance der Vereinsamung angibt: »Könnte aber auch ein ehrlicher Mann jetzo Minister sein oder bleiben, so wäre er, wie die Sachen stehn in Deutschland, nur eine Drahtpuppe, an der die fürstliche Puppe zieht; und an dem fürstlichen Popanz zieht wieder ein Kammerdiener oder ein Kutscher, oder seine Frau und ihr Günstling, oder sein Halbbruder – oder alle zusammen.«

Mit »Puppe« also wird von Büchner – zum Ausdruck der deutschen Misere – vor allem das sozial Fatale und entwürdigend Komische im menschlichen Dasein beschworen, wird der Reigentanz, der ewige Austausch, der leere Lauf der Welt beschrieben, die Wiederholung und das mechanische Spiel. (»Ein Schattenspiel«, heißt es im »Lenz«, war »vor ihm vorübergezogen.«) Um Gültigkeit beanspruchen zu können, fehlt der Bezeichnung die Nuance des Schmerzes; die Puppe leidet nicht, und gerade die elementarische Qual, die Höllenpein, die sich im *ennui* so gut wie in der Furcht vor Folterungen äußern kann, ist für den Büchnerschen Menschen signifikant. Einerseits Spielfigur, ohne eigene Mitte, nur an Reflexen in fremden Gesichtern erkennbar, ist diese durchaus passive, von außen geformte Gestalt in bezug auf die Schmerzempfindlichkeit von höchster Sensibilität, ja, fast sieht es so aus, als wären die wenigen Seiten dieses leicht überschaubaren Werks in Wahrheit Tafeln eines Leidenskatalogs: da ist die Einsamkeit (»Er war allein, allein!«), da ist die Fremdheit der Nähe, die weltenweite Entfernung im Augenblick physischen Beisammenseins; die Schädel berühren einander, aber die Gedanken sind durch Kontinente zertrennt: »Wir wissen wenig voneinander. Wir sind Dickhäuter, wir strecken die Hände nacheinander aus, aber es ist vergebliche Mühe, wir reiben nur das grobe Leder aneinander ab – wir sind sehr einsam.« Da ist, weiter, die Angst, das Stimmenhören: »September!« oder »Die Freimaurer«; da ist die Langeweile, ein »Das wird sich finden« und »Wenn ich das wüßte« ...jener große *ennui* als Krankheit des Jahrhunderts, der nach Kierkegaards Wort im Augenblick des Sündenfalls begann; da ist der Müßiggang, dessen Nuancenreichtum so unterschiedliche Gestalten wie Danton und Leonce bezeugen. Und da ist schließlich – und vor allem – die Melancholie ... jene von Aristoteles als Begleiterin der Genialität entdeckte Traurigkeit, die, in der florentinischen Renaissance neu beschrieben, von Ficino verherrlicht, von Dürer gezeichnet und von den Elisabethanern in Spielen und Traktaten beschworen, sich zu Büchners Zeit, bei de Musset und Chateaubriand, mit neuer Glorie umgab. Nicht nur Leonce und Danton sind, von des Gedankens Blässe angekränkelt, Saturnier im Sinn der florentinischen Akademie; auch Woyzeck »denkt« zuviel, und selbst Robespierre verfällt, in einem Augenblick Shakespearisierender Meditation, melancholischer Nachdenklichkeit: »Und ist nicht unser Wachen ein hellerer Traum? Sind wir nicht Nachtwandler? Ist nicht unser Handeln wie das im Traum, nur deutlicher, bestimmter, durchgeführter? Wer will uns darum schelten? In einer Stunde verrichtet der Geist mehr Taten des Gedankens, als der träge Organismus unseres Leibes in Jahren nachzutun vermag. Ob der Gedanke Tat wird, ob der Körper ihn nachspielt, das ist Zufall.«

»Die Sünde ist im Gedanken.« »Unser Wachen ist ein hellerer Traum«: wie nah sind wir hier Danton oder Lenz, wie nah all jenen, die in der gleichen Situation wie Robespierre, am Fenster stehend, erfahren, daß nicht allein die Grenzen zwischen Tag und Traum, der Aktion und den Gedanken, sondern auch die Trennungslinien zwischen Ich und Welt sehr dünn und leicht zerreißbar sind. Gerade die Fenstersituation markiert bei Büchner immer jenen Moment, in dem der Mensch, sich selbst »abhanden kommend«, der Andersartigkeit des Universums innewird; wo sich aber auch greifbar Nahes mit Fernstem verschwistert, wo Austausch möglich ist, weil die Konturen nicht mehr solide und sicher erscheinen. Nicht zufällig begreift Robespierre, ans Fenster tretend, die Nacht wie ein schlafendes Wesen, das den menschlichen Träumen begegnet: der Blick durch die Gardinen, ins Offene hinaus, ermöglicht bei Büchner eine große Kommunion – einerlei, ob Robespierre über die Grenze von Wachen und Schlaf philosophiert, ob Danton – betroffen auch er! – das Plaudern der Wände vernimmt oder, an einer anderen Stelle, die schimmernden Tränen der Sterne gewahrt, oder ob Julie, Abschied nehmend, den eigenen Tod mit dem Sterben der vom Licht verlassenen Erde vergleicht. In den Fensterszenen erfährt der saturnische Mensch am intensivsten jene ebenso ersehnte wie gefürchtete Chance der Verschwisterung mit dem All, die ihm, im Augenblick der Vernichtung, die Geheimnisse der Welt eröffnet und – so Danton – seine Gedanken mit den Lippen der Steine reden läßt ... eine Chance des Hinübergehens und der Selbstauflösung, die er sonst, denkend und argumentierend, vertut. Denn der Saturnier, er heiße nun Lenz, Danton oder Leonce, »lebt« ja nur aus zweiter Hand, weil seine Gedanken sich allein aufs Ende richten; Erinnern und Erwarten zerstören das Jetzt; jedes Ticken der Uhr (ein Generalmotiv Büchners) gleicht einem Memento; Windel und Leichentuch sind eins, und die Wiege hat die Konturen des Schreins. Das Grab, die Fledermaus, alchimistisches Gerät und vor allem Gedanken, »für die es keine Ohren geben soll« ... das sind die vertrauten, von der Tradition überkommenen Attribute der Melancholie: Leben heißt Sterben, unsere Hemden und Röcke sind Särge. Der Melancholiker (hier schließt sich der Ring) wohnt in einer künstlichen Welt; die Meteore – man denke an das Dürersche Bild – sind ihm näher als das Sonnenlicht; das Artifizielle und Organisierte, das Kalkulable und Berechenbare ist sein Metier; dem mathematischen Zergliedern gilt die Passion.

In der Zürcher Probevorlesung hat Büchner eine so exakte Analyse jener Maschinen- und Apparate-Welt gegeben, die seit dem Mittelalter als die eigentliche Heimat der Melancholiker gilt, daß man die Beschreibung des teleologischen Philosophierens, Chiffre für Chiffre, mit den Manierismus-Formeln vergleichen könnte, die man am Hofe Rudolfs II. zu entwickeln versuchte. Der Schädel als künstliches Gewölbe, die Summe edler Organe als denkbar beste Maschine – kein Zweifel, daß hier Begriffe auftauchen, die dem Arsenal der saturnischen Schwermut entstammen. »Melancholie« und »Puppe« sind Synonyme: Trauer und Groteske gehören so eng zusammen wie, von Nero bis Saint-Just, die Grausamkeit und die Trübsal. Büchner kannte viele Erscheinungsformen des Tiefsinns und der düsteren »Melancholey«: die Lethargie des Regenten, die (wie Benjamin gezeigt hat) ein Topos des Barockdramas ist; die Einsamkeit des geistigen Menschen, die Todessehnsucht, den Traum vom Vergessen, die Wendung zum Abgrund; den Überdruß des Müßiggängers und die Dumpfheit des einfachen Mannes. Früh gealtert, von der englischen Krankheit gezeichnet – »The English Malady« wird die Schwermut genannt –, Stimmen hörend und unfähig, sich wehren zu können ... als resignierte Rebellen nehmen sich die Büchnerschen Saturnier aus: »Den Frühling auf den Wangen und den Winter im Herzen! Das ist traurig. Der müde Leib findet sein Schlafkissen überall, doch wenn der Geist müd ist, wo soll er ruhen? Es kommt mir ein entsetzlicher Gedanke: ich glaube, es gibt Menschen, die unglücklich sind, unheilbar, bloß, weil sie sind.«

In der Tat, das ist ein Hamlet-Porträt, vor dessen Düsternis sich der Traum vom Organisch-Sinnvollen als Gegenpart der Künstlichkeit wie ein erhabenes, aber in der politischen Realität nicht erreichbares Phantom ausnimmt. Die Wendung zur beobachtenden Naturwissenschaft war, unter solchen Aspekten, für Büchner eine Frage nackter Existenz; welch eine Strekke liegt zwischen den Zürcher Präparationen, jenem heiteren Sich-Umtun auf noch unerschlossenem Feld, von dem der Kantonalarzt Dr. Lüning Zeugnis ablegt, und jenen Schreckensvisionen der Gießener Briefe, in denen die Identität von Schwermut und schnarrender Automatik sich abermals mit schrecklicher Deutlichkeit zeigt: »Das Gefühl des Gestorbenseins war immer über mir. Alle Menschen machten mir das hippokratische Gesicht, die Augen verglast, die Wangen wie von Wachs, und wenn dann die ganze Maschinerie zu leiern anfing, die Gelenke zuckten, die Stimme herausknarrte und ich das ewige Orgellied herumtrillern hörte und die Wälzchen und Stiftchen im

Orgelkasten hüpfen und drehen sah – ich verfluchte das Konzert, den Kasten, die Melodie und – ach, wir armen schreienden Musikanten!« Auch diese Stelle beweist noch einmal, wie sehr einander die brieflichen, philosophischen und poetischen Aussagen Büchners ergänzen: die Maschinerie läßt an die Kunst-Welt der Teleologie so gut wie an die abstrakte Idealität der Theater-Figuren denken, deren Schein-Dasein Lenz und Camille glossieren: das hippokratische Antlitz evoziert die »eiserne Maske vor dem Gesicht«, über die sich Luciles Wahnsinn belustigt; das Orgel-Lied schließlich und die ruckenden Wälzchen und Stiftchen – Büchners Diminutive sind meist von grimmiger Bösartigkeit! – kehren in Leonces Puppentraum wieder: »Oder hast du Verlangen nach einer Drehorgel, auf der die milchweißen ästhetischen Spitzmäuse herumhuschen?«

Aber so fremd und unheimlich sich diese Welt, historisch gesehen, auch ausnimmt – uns, den Nachfahren Kafkas, Dalis und Max Ernsts, ist sie nur allzu vertraut und, dank der expressionistischen Lyrik, bis ins Detail hinein bekannt. Nicht die Unendlichkeit, der riesengroße Weltall-Himmel Jean Pauls, gibt dem Büchnerschen Kosmos, dieser stillen und toten, von einem Riß zerspaltenen Kugel, Profil – die Kleinheit und Enge, ihre Begrenzung gerade, läßt sie so gespenstisch sein. Überall stehen Spiegel herum; man kommt, wie in einer mit Tand und Gerümpel angehäuften Kammer, immerfort ans Ende, stößt immerfort an, kann die Sterne betasten und das Eis des Himmels berühren; wohin man auch geht, stets ist da eine Wand, und die Decke senkt sich herab. (Das Bild des »Anstoßens« wird von Büchner als ein fester Topos gebraucht.) Aber trotz dieser scheinbaren Nähe und hautnahen Berührung, trotz dieses Tanzes in einem überschaubaren, von Spiegeln abgeschirmten Saal, bleibt es (man erlaube mir die Formulierung von Benn) bei jener schrankenlosen, mythenalten Fremdheit zwischen dem Ich und der Welt, die nur im Traum, in der Versenkung oder im Zustand pathologischer Entgrenzung überwunden werden kann. Nur da allein, im Wahnwitz, der Phantasmagorie oder dem Lachen zu Fenstern und Gräbern hinaus (so schrill, daß Himmel und Erde mit einstimmen müssen) – nur da gelingt die Kommunion und jene Erlösung vom Abgesperrtsein, die in der Literatur unseres Jahrhunderts als das Zentralproblem erscheint. (Hofmannsthal spricht vom Moment des Opfervollzugs, Broch vom Schlafwandel-Akt, Musil vom Zustand tagheller Mystik.) Auch Büchner, ich möchte nicht mißverstanden werden, hat das Sturm-und-Drang-Gefühl des All-Eins-Seins beschrieben: »Mein Herz schwoll in unendlicher Sehnsucht; es drangen Sterne durch das Dunkel, und Hände und Lippen bückten sich nieder«; doch bleibt ein so emphatisches Einheits-Empfinden bei ihm auf Rausch-Zustände und febrile Ekstasen beschränkt; ansonsten stehen Dinge und Menschen einander – gerade in den typisch Büchnerschen ›Grenzsituationen‹ – feindlich und fremd gegenüber. Siebzig Jahre vor Hofmannsthal zeichnet sich bei Büchner, zumal im »Lenz«, schon die *Lord-Chandos*-Position ab: die Elemente, plötzlich erwacht, beginnen ein Eigenleben zu führen und sich aus der Klammer begrifflicher Definitionen zu lösen. »Es gelang mir nicht mehr, sie mit dem vereinfachenden Blick der Gewohnheit zu erfassen«: was Hofmannsthal nur auf die Menschen und ihre Handlungen bezog, das »den Worten Entgleiten«, trifft im »Lenz« auch auf die Gegenstände zu, Objekte, die keine Objekte mehr sind, sondern mobile Elemente, die sich mit solcher Entschiedenheit wandeln, daß alle Worte, Schreie der Verwunderung und des Entsetzens, sie nicht mehr erreichen. Das Große wird winzig, das Kleine nimmt sich riesenhaft aus; das Stumme öffnet den Mund, und die Abstraktion gewinnt Farbe und Fleisch.

Eine kopernikanische Umkehr also, eine Verwandlung von Subjekt und Objekt, die der Arzt Georg Büchner am Beispiel ausgewählter pathologischer Fälle – Lucile, Woyzeck und Lenz – zu verdeutlichen suche. Gerade diese Entgrenzten, zu denen man auch Marion in »Dantons Tod« rechnen könnte, haben die Verfügungs-Möglichkeiten über die Dingwelt verloren: ihrer selbst nicht sicher, an der eigenen Identität zweifelnd, sind sie auch der Elemente nicht mehr gewiß, reagieren unangemessen und beantworten die Provokationen der Welt in jener paradoxen Art, die Büchner seinerseits paradox wiedergab. Statt das Grelle gewichtig und das Exorbitante emphatisch zu schildern, beschrieb er – seltsam modern, unterkühlt und verhalten – gerade den Wahnwitz mit der Sachlichkeit des Diagnostikers: »Er ging gleichgültig weiter, es lag ihm nichts am Weg, bald auf-, bald abwärts. Müdigkeit spürte er keine, nur war es ihm manchmal unangenehm, daß er nicht auf dem Kopf gehen konnte.« Kein starkes Adjektiv, kein bildkräftiges Verbum deutet hier an, daß etwas Nicht-Alltägliches geschieht; im Gegenteil, der Übergang von der normalen zur exzentrischen Lage wird eher verschleiert, durch das einschränkende »nur«, das abschwächende »manchmal« und das bewußt blasse »unangenehm«, eng mit dem banalen Kontext verzahnt ... so, als handelte es sich bei dem Bedauern, nicht auf dem Kopf gehen zu können, um die selbstverständlichste Sache der Welt. Wirklich, man muß an Kafkas Praktiken denken, wenn man die nüchterne Gelassenheit gewahrt, mit deren Hilfe Büchner die Entrükkung des Menschen wie den »Fall« eines Patienten beschrieb. »Ich betrachtete meine Glieder; es war mir manchmal, als wäre ich doppelt und verschmölze dann wieder in eins. Ein junger Mensch kam zu der Zeit ins Haus; er war hübsch und sprach oft tolles Zeug; ich wußte nicht recht, was er wollte; aber ich mußte lachen« ... auch in diesem Anamnese-Zitat kommt der Analyse der Schizophrenie keine größere Stilhöhe als der Rede von dem hübschen jungen Mann zu, dessen Tollheit das Mädchen zum Lachen verlockt. Kein Bindestrich markiert einen Einschnitt; kein Wechsel des Tonfalls verrät, daß etwas Neues beginnt.

Büchner war der erste Poet deutscher Sprache, der das uns bekannte Gesetz vom antithetischen Verhältnis zwischen *sujet* und Diktion schreibend befolgt hat: das von Natur aus Starke abschwächend, gab er dem Unscheinbaren in Rhythmus und Vokabular einen pathetischen Ernst. Darüber hinaus hat er, um die gewandelte Subjekt-Objekt-Beziehung zu schildern, zwei Generationen vor Trakl und Heym eine Reihe von grammatischen Formeln entwickelt, die ihm geeignet erschienen, die Bedrohung des Menschlichen, Identitäts-Verlust und Ich-Auflösung, auch im Sprachlichen sichtbar zu machen. Bestrebt, die Lage eines Individuums zu schildern, das, wie Woyzeck oder Lenz, im Wegelosen lebt, bediente sich Büchner, sehr konsequent, vor allem jenes gestischen »so« (»so träg«,

»so leer«, »so allein«), das, gerade in seinem Demonstrativ-Charakter, die mangelnde Definitionsmöglichkeit des Subjekts illustriert: an die Stelle exakter Benennung ist eine ohnmächtig-vage, aber sehr dringliche Umschreibung getreten; das heißt: das Bedrohliche wird erfahren, aber nicht mehr gebannt. Eher lallend als fixierend, sucht das gezeichnete Ich, sucht der im Sinn von Karl Marx entfremdete Mensch mit Hilfe dieses »so« auf seine Gefährdung zu deuten und eine Betroffenheit zu artikulieren, die sich bei Büchner grammatikalisch auch in der Versinnlichung des »es« (»es geht etwas«, sagt Woyzeck, »es ist hinter mir hergegangen«) wie an der Aktivierung der Abstraktion (»der Alp des Wahnsinns setzte sich zu seinen Füßen«) ablesen läßt. Doch das ist nicht alles. Im gleichen Maße wie Büchner – die Grammatik beweist es – das Humane häufig ins Passiv und das Elementare ins Aktiv transponierte, um so die Proportionsvertauschung zu demonstrieren, im gleichen Maße hat er durch die Aufgabe des romantischen Vergleichs und die Eliminierung des poetischen »wie« zu zeigen vermocht, daß in der von ihm beschriebenen Welt das Disparate nicht mehr auf ein verbindliches *tertium comparationis* zurückführbar sei.

Mit einer gewaltigen Anstrengung bog er die Gegensätze, Partikel verschiedenster Bereiche, zusammen, um dann, assoziativ fortphantasierend, die Überzeugungskraft des künstlichen, aus Antithesen geschweißten Gebildes zu zeigen und seine plausible Identität zu beweisen. »Du süßes Grab, deine Lippen sind Totenglocken, deine Stimme ist mein Grabgeläute, deine Brust mein Grabhügel und dein Herz mein Sarg«; oder »Die Welt ... ein gekreuzigter Heiland, die Sonne seine Dornenkrone und die Sterne die Nägel und Speere in seinen Füßen und Lenden«; oder endlich »Der Fürst ist der Kopf des Blutegels, der über euch hinkriecht, die Minister sind seine Zähne und die Beamten sein Schwanz« ... welches Beispiel man auch näher betrachtet – immer geht es um die große Synopse verschiedenartiger Zeichen, um den Entwurf in sich widersprüchlicher Muster und die Zusammenfügung zeitlich und räumlich getrennter Elemente auf einem einzigen Plan. Auch die Büchnersche Szene gleicht ja einer rotierenden Bühne, auf der, im wirren Durcheinander – wiederum ohne Übergänge, Expositionen und Begründungen – das sonst Unvereinbare, ja, schlechthin Inkongruente, zusammenprallt. Dem Lyrismus folgt die Zote, der Parodie die Idylle, der närrischen Tollheit ein Ernst ohnegleichen. Das Pathos wechselt mit kaustischem Witz; unvorbereitet sieht sich die Emphase durch eine satirische Volte, die Haupt- und Staatsaktion durch ein Volkslied entlarvt; Couplets und Chansons unterbrechen die Handlung, die Abbreviatur dominiert, es gibt weder Anfang noch Ende: man beginnt mit einem Salto mortale und endet irgendwo mit einer apodiktischen Gnome: »im Namen der Republik« oder »so lebte er hin«.

Kurzum: sind Büchners Bilder von der Identität der Kontraste bestimmt, so gilt für seine Dramen das Gesetz der Diskontinuität. Nur keine vorgegebene, ungeprüft übernommene Einheit heißt, hier wie dort, die Devise, es geht um mehr – um die Projektion des glühenden, brausenden, leuchtenden Lebens auf das Theater; nicht um eine idealistisch harmonisierte Kopie, sondern um die Schöpfung einer Wirklichkeit, die so widersprüchlich-verworren, bunt und kontrastreich wie das Dasein selber ist. Deshalb der Jahrmarkt neben dem Hof, das Hochdeutsche neben dem Bänkelgesang; deshalb Biotisches, gepaart mit hohem Stil, deshalb der Reigen, dessen Sequenzen niemals berechenbar sind; deshalb, nicht anders als bei Dürrenmatt und Brecht, auch die Verschwisterung von Tragischem und Komischem: mitten im Lustspiel, welch ein schneidender Grimm, wenn die gequälten und ausgebeuteten Volks-Marionetten ihr Puppen-Dasein mit einem mechanischen Vi-vat, vivat illustrieren!

In Büchners Werk steht nichts für sich allein; jedes Bild verlangt nach einem Gegenbild; jede Szene nach Kontrast und Entsprechung. Alles ist anspielungsreich, voller Verweise und geheimer Zitate: man denke an Marie, über die Bibel gebeugt, oder an den Blutmessias Robespierre. Hinter der Wirklichkeit liegt jenes riesige Möglichkeits-Reich, dessen Arsenalen Büchner seine Synästhesien, Oxymora und surrealen Metaphern entnahm: »Deine Lippen haben Augen«, »Das Biegen seines Fußes tönte wie Donner unter ihm«; »Wird der Schall nie modern?«, »Meine Gedanken redcn mit den Lippen der Steine«,

»Hören Sie denn nicht die entsetzliche Stimme, die um den ganzen Horizont schreit und die man gewöhnlich die Stille heißt?« Diesen Visionen aber, den Lenz-, Danton- und Woyzeck-Ekstasen, die um 1830 schon die Sprache der *Vereinigungen*, des *Rönne* und des *Diebs* präokkupieren, entsprechen auf der anderen Seite das Pathos der Plebejer-Rhetorik und der Agitations-Jargon der Französischen Revolution (»Hure Justiz« und »Zitadelle der Vernunft«), entsprechen die Babeufsche oder Blanquische Sentenz und das Formel-Epigramm von arm und reich, von hoch und nieder, Hütte und Palast. Eine einzige blitzende Antithese: doch welche Fülle plastisch-präziser Variationen gewinnt Büchner dem abstrakten Gegensatz ab: »Des Bauern ... Schweiß ist das Salz auf dem Tische des Reichen« – und wie meisterlich beherrschte er, Deutschlands erster politischer Dichter von Rang, die Syntax der Agitation, das entlarvende Wortspiel, die Abbreviatur der Parole und die schlagende Sentenz. Sieht man von Brecht ab, so gibt es wahrscheinlich keinen anderen Dramatiker, der es derart verstand, das Allertrockenste, die Statistik und den ökonomischen Rapport, so raffiniert in einen poetischen Text einzubeziehen, daß das Rohmaterial nicht mehr als Fremdkörper wirkt, sondern – ein Kontrapunkt zu den Lyrismen – dem Ganzen eine eigentümliche Ausgewogenheit gibt. Büchner – das wurde von Viëtor bis zu Höllerer, Krapp und Baumann immer wieder gezeigt – hatte einen genialen Sinn für die Ergiebigkeit des Zitats und die Strahlkraft leicht veränderter, im fremden Kontext plötzlich auftauchender ›Geflügelter Worte‹. Er kannte die poetischen Valeurs eines Berichts und den geheimen Glanz des Dokuments; läßt sich Ergreifenderes denken als Woyzecks Stammrollen-Litanei: »Friedrich Johann Franz Woyzeck, Wehrmann, Füsilier im 2. Regiment, 2. Bataillon, 4. Kompagnie, geboren Maria Verkündigung, den 20. Juli. – Ich bin heute alt 30 Jahr, 7 Monat und 12 Tage«? Gerade die Verwendung von Reprisen, das Manipulieren mit den Quellen zeigt Büchners rhetorisches Raffinement so gut wie seinen lateinischen Sinn für die Form. Nicht ohne Grund benutzte er mit Vorliebe grammatikalische Termini, Hiat, Periode, Komma, Parenthese und Gedankenstrich als Element seiner Metaphern und operierte so gern mit den Mitteln der Verkürzung und Wiederholung: »Langsam, Woyzeck, langsam« und »immer zu, immer zu« – bemerkt man, wie die Doppelung (das zwiefache »konsequent«, »inkonsequent«!) der Sprache tragikomische Nuancen gibt, und erkennt man, daß der gleiche experimentelle Elan den Mediziner wie den Grammatiker Büchner charakterisiert?

Wie weit war dieser Vierundzwanzigjährige der Zeit voraus; wer dächte, analysiert er die Bilder Büchners, nicht an die Lyrik von 1910! »Das Nichts hat sich ermordet, die Schöpfung ist seine Wunde, wir sind seine Blutstropfen, die Welt ist das Grab, worin es fault« – könnte das nicht eine Zeile aus der »Menschheitsdämmerung« sein? Und wer, wiederum, fühlte sich nicht an die zu Anfang unseres Jahrhunderts entwickelte Methode erinnert: das Schreckliche kalt und exakt zu beschreiben, wenn er bei Büchner liest: »... und Lenz« trat herein »mit vorwärts gebogenem Leib, niederwärts hängendem Haupt, das Gesicht über und über und das Kleid hier und da mit Asche bestreut, mit der rechten Hand den linken Arm haltend«? Ist das nicht, damals und jetzt, die gleiche Manier, auf alle Begründungen des »weil« und »schließlich« zu verzichten und – Kafkasche Pedanterie – das Seltsamste als etwas ganz Alltägliches zu sehen? Und wem fielen bei der Lektüre der Dialoge Büchners, jener verkürzten und zarten, von Untiefen und Löchern erfüllten Gespräche, in denen Frage und Antwort, Satz und Gegensatz nicht im Sinne der Logik verknüpft sind (man spricht ja aneinander vorbei, zu einem Dritten oder zu sich selbst) ... wem fielen da nicht Schnitzlersche oder Wedekindsche Gesprächsfetzen ein? Wer schließlich dächte – dem Gestisch-Demonstrativen bei Büchner nachsinnend – nicht zu guter Letzt an Brecht? Die Bilderfolge und die epische Sequenz; die Verfremdung von Szene zu Szene; Simultaneität und Shakespearisieren, Dialekt-Spiel und Imitation: ist der predigende Handwerksbursch im »Woyzeck« nicht wahrhaftig das Urbild eines Brechtschen Kopisten, ein Vorläufer des Feldpredigers oder des Mönchs?

Wie weit, nochmals, war dieser vierundzwanzigjährige Poet, Soziologe und Anatom der Zeit voraus! Seiner Zeit? Oder unserer Zeit? Ist es möglich, daß künftige Epochen, neue Praktiken entwickelnd, auch diese schon bei Büchner vorgeformt finden? Es könnte wohl sein.

»Ich sitze am Tage mit dem Skalpell und die Nacht mit den Büchern.« Als Büchner diese Zeilen niederschrieb, drei Monate vor seinem Tod, im November 1836, begann, wir wissen es heute, eine neue Epoche.

Leszek Kolakowski
Der Mythos in der Kultur der Analgetika

Zu den wichtigen, wenngleich wenig beachteten Qualitäten unserer Zivilisation gehört die völlige Abkehr vom Glauben an den Wert des Leidens. Daß das Leiden Quelle eines Wertes ist oder sein kann, diese Überzeugung ist den meisten uns bekannten primitiven Kulturen geläufig und kommt in einer so verbreiteten Erscheinung zu Worte wie in der Strenge oder sogar Grausamkeit der Initiationsriten. Der nämlichen Intuition verlieh die christliche Kultur in allen ihren Bestandteilen einen Ausdruck, in dem das Bedürfnis asketischer Praktiken sowie die ganze systematische Schärfe oder sogar Feindseligkeit in den Beziehungen des Menschen zum eigenen Körper gerechtfertigt wurden.

Im landläufigen profanen Denken dominieren bezüglich der archaischen Religionen Vorstellungen in unserer Zivilisation, die die evolutionistische Religionswissenschaft hervorgebracht und verbreitet hat; in jenen Vorstellungen werden Riten wie die Initiationsversuche als Teil eines der Kultur-Teratologie gewidmeten Museums betrachtet, und man verweist sie üblicherweise in die Rubrik »Wildheit der Primitiven«; sie sind nur einer von unzähligen Gründen für das wohlige Überlegenheitsgefühl, mit dem wir, die vom barbarischen Aberglauben Erlösten, auf die dunklen Wahnsinnstaten der primitiven Folklore herabblicken dürfen. Der christliche Leidenskult, der mit fast unverändert gebliebenen Worten seit der Zeit der Humanisten der Renaissance verspottet und gebrandmarkt wurde, erlischt in unserer Zivilisation so gründlich, daß er heute schon fast aus dem Christentum verschwunden bzw. nur noch als unbedeutender Bestandteil der Überlieferung anwesend scheint; das Christentum unseres Jahrhunderts macht seinen triumphierenden Gegnern in seinem Verhalten so viele Zugeständnisse, lebt so sehr in Angst vor der aufklärerischen Kritik und beugt sich unter deren Schlägen, daß es, zumindest in der öffentlichen

Lehrarbeit, nicht mehr den Mut aufbringt, zahlreiche Wesensbestandteile seines eigenen traditionellen Weltbildes zu präsentieren, und trennt sein Erbe Schritt für Schritt von denjenigen Elementen, die mit der industriellen Zivilisation deutlich zerstritten sind. Das Modell des Christentums, das ganz offensichtlich in seine siegreiche Phase tritt, ist der am weitesten getriebene Rückzug von der gnostischen, manichäischen, neuplatonischen Tradition; es versucht in maximaler Weise den Anblick der um die Idee der Erbsünde organisierten Welt zu überwinden, die Idee der Makelhaftigkeit der menschlichen Natur und der realen Gegenwärtigkeit des Bösen in der Welt; es will so weit wie möglich von der Plotinschen Verachtung für die Körperlichkeit abrücken. In einer besonders stark entwickelten Version dieses Modells, das die Philosophie Teilhard de Chardins darstellt, wird das Christentum zu einem Glauben an die Erlösung der Materie, zur Heilung jeglichen Seins als einem göttlichen Sprößling, während es die dunklen Weltbereiche gänzlich zu übersehen scheint. Im Unterschied zu den klassischen Theodizeen begnügt sich die Philosophie Teilhards nicht damit, das Böse oder die Sünde als den Rohstoff zu behandeln, der von Gott jeweils unfehlbar zum Bau einer künftigen Welt von Seligen verwendet wird, sie stellt sich vielmehr in euphorischen Visionen die baldige endgültige Versöhnung der irdischen Welt mit Gott vor, gibt die erzchristliche Idee des permanenten Konfliktes zwischen dem, was vergänglich ist, und dem, was ewig ist, auf und zeichnet einen paradoxen Anblick der Welt, die in ihrer bloßen Diesseitigkeit den Wert des Absoluten erreicht.

Es stimmt, der Kult des Leidens, der den neuplatonischen Wurzeln des Christentums entsprungen ist, war jahrhundertelang ein Werkzeug, das unsagbar schamlos von den Kirchenfürsten zur Rechtfertigung des Unrechts und der Unterdrückung benutzt wurde und das den privilegierten Klassen in maßloser Weise in ihrer Sorge, ihr Privileg zu zementieren, gedient hat. Man kann diesen Umstand gar nicht überbewerten, genausowenig wie es möglich ist, nicht zu bemerken, daß dieser Kult mit jedem Tag seine Lebendigkeit verliert und daß das Modell des Christentums, das in vollendeter Weise auf den Nutzen der privilegierten Schichten zugeschnitten war, irreversibel auf die Positionen einer verzweifelten Defensive übergegangen ist, wobei die Kraft dieses letzten Widerstandes hoffnungslos zerbröckelt.

Es mag eigenartig erscheinen, daß wir die Frage nach dem Wert des Leidens in einer Welt stellen, die weiterhin von Qual, Unterdrückung, Angst und elementarer Not erfüllt ist. Es mag den Anschein haben, als drohe die bloße Frage, die Spannung abzuschwächen, der es im hartnäckigen Ringen der Menschen mit der Qual des elementaren Hungers bedarf. Denn in der Tat menschenfeindlich ist der Kult des Leidens, aufgefaßt als dumpfe Resignation, als fügsame Einwilligung in die eigene Armut, er ist eine Bejahung des als unvermeidlich angesehenen Übels und aus diesem Grund von einem leeren Nimbus der Erhabenheit umgeben.

Etwas anderes ist es jedoch, die Billigung des masochistischen Leidenskults abzulehnen, der die Ohnmacht gegenüber dem Bösen maskiert oder die feige Resignation heiligt, und etwas anderes ist es, in der Angstbesessenheit vor dem Leiden Narkotika ausfindig zu machen, die es uns gestatten, die Realität des Bösen nicht in unser Bewußtsein dringen zu lassen oder seine Gegenwärtigkeit durch freiwillige Selbstbetäubung zu nivellieren.

Zu den besonders signifikanten Zügen unserer Zivilisation gehört (die eher praktizierte, seltener ausgesprochene) Überzeugung, daß die Absicherung vor dem Leiden jeden Preis wert sei und daß insbesondere diejenigen Güter, deren Wert sich nicht genau bestimmen läßt und die zugleich nicht ohne Schmerz erworben werden können, Erfindungen von Wirrköpfen oder Überbleibsel des Aberglaubens seien.

Selbst die imposanten Triumphe der Medizin über die Krankheit und den körperlichen Schmerz, Werte also, die am wenigsten umstritten werden und am evidentesten sind, werden nicht erst seit heute mit Phänomenen in Zusammenhang gebracht, die keineswegs die Besorgnis von Philosophen oder religiösen Propheten erwecken, sondern der Ärzte selbst. Die prophylaktische und therapeutische Besessenheit ist Ursache allgemein bekannter Erscheinungen, über die die Medizin die

Kontrolle verloren hat: der phantastische Medikamentenmißbrauch, verbunden mit dem stets steigenden Verlust des therapeutischen Effekts dieser Mittel, vor allem jedoch mit Nebenwirkungen, die schädlich sind und ihrerseits therapeutische Maßnahmen verlangen. Diese Phänomene sind seit langem beschrieben worden, seltener wurden ihre Quellen in der Grundeinstellung zum Leben selbst gesucht, die von der industriellen Zivilisation verbreitet wird. Es scheint, als ob die Angst vor der Krankheit zuweilen bedrohlicher wäre als die Krankheit selber und die Angst vor dem Schmerz schlimmer als der Schmerz, es hat den Anschein, als ob unsere Zivilisation in der Häufung von Hilfs- und Ersatzeinrichtungen für den Organismus einen ausweglosen Weg beschritten hätte; erforderlich wird nunmehr die permanente Erfindung neuer Mittel und neuer Prothesen zur Bekämpfung der unbeabsichtigten negativen Nebenwirkungen, die durch die Anwendung der früheren Mittel und Prothesen entstanden sind. Vor allem der Mißbrauch von analgetischen, sedativen und neuroleptischen Mitteln scheint geradezu eine Bestätigung der düsteren Diagnosen zu sein, die vor Jahrzehnten von jenen Philosophen gestellt worden sind, die das auszeichnende Merkmal unserer Kultur im fortschreitenden Schwund der biologischen Potenzen des menschlichen Organismus zugunsten künstlicher Ersatzvorrichtungen sahen. Wir gewöhnen uns an einen Lebensrhythmus, der von der einander ablösenden Neutralisation von Weck- und Beruhigungsmitteln bestimmt ist, wie wenn der berühmte Reklameslogan »Künstliche Beine – besser als echte« seine ersten Triumphe auf dem Gebiet der Neurochemie feiern würde.

Böswillige können diese im übrigen banalen Bemerkungen als Beschimpfung der Medizin oder als kindliche Phantastereien von einer Rückkehr zur Natur betrachten oder als einen Aufruf zur »spontanen Zuversicht gegenüber dem Leben«, wie Gabriel Marcel schrieb. Mir ist jedoch nichts fremder als Utopien eines paradiesischen »natürlichen Zustandes«, gleich in welchem Lebensbereich. Man darf dagegen behaupten, daß das Verhältnis der Gesellschaft zur Medizin und die Art, in der sie sich deren Ergebnisse aneignet, nicht als automatische Folge der Entwicklung der ärztlichen Erkenntnis erklärt werden können, sondern jeweils in einem spezifischen Verhältnis zum Leben wurzeln, das für die jeweilige Zivilisation kennzeichnend ist und die Forschungsrichtungen der medizinischen Wissenschaften seinerseits beeinflußt. Die Einstellung zur Medizin in den Industriegesellschaften ist ein Sonderfall der allgemeinen Einstellung zum Leben, die von der permanenten Frage beherrscht wird: Werde ich das mir zustehende Glücksteilchen von der Welt erhalten oder nicht? Die obsessive Angst vor dem Leiden, vor dem Mißerfolg, vor der Verschlechterung der eigenen Lebensposition, die obsessiven Neidgefühle gegenüber jenen, die es »geschafft« haben, die Unfähigkeit, Niederlagen und Schmerz selbständig zu verwinden, alles das sind Symptome ein und derselben Erscheinung: des Verlustes unserer Fähigkeit, dem Leben die Stirn zu bieten, des Verlustes von Werkzeugen, mit deren Hilfe der einzelne, kraft seiner eigenen geistigen Bestände, sich das Gleichgewicht angesichts von Niederlagen und Leiden wiedererstatten könnte; der wachsenden Abhängigkeit von einem komplizierten Instrumentensystem, das die gestörte psychische Homöostase von außen her reguliert. In dieser Angst vor einer Situation, in der man jeweils auf die eigene Kraft angewiesen wäre, offenbart sich der Zweifel an sich selbst, der permanente Anspruch an die Welt, mir ihre Bestätigung zu beweisen, mein Dasein zu akzeptieren, anzuerkennen und dadurch dieses Dasein wahrhaftig werden zu lassen, offenbart sich der fehlende Glaube, über Werte zu verfügen, die es mir ermöglichen würden, selbst geringfügige Niederlagen zu ertragen. Wir beobachten in dieser Furcht die falschen Versuche, die Fremdheit der Welt zu überwinden, und zwar durch Flucht und Verdrängung. Narkotika und Alkohol wirken in demselben Prozeß zusammen; anstatt die Anstrengung auf sich zu nehmen, die erfahrenen Unbefriedigtheiten selbständig zu bewältigen, oder anstatt die Kommunikationsschwierigkeiten mit den anderen zu überwinden, brauchen wir nur nach einer künstlichen psychischen Umwelt zu greifen, die die Unbefriedigtheit in kurzfristige Erregung auflöst oder eine scheinbare Verständigung als »gesellschaftlichen Kitt« schafft.

Die panische Flucht vor dem Leiden scheint dabei verheerender im Bereich der zwischenmenschlichen Beziehungen und des psychischen Lebens als im Bereich der physischen Beschwerden. Wenn ich sage, daß wir in einer Kultur der Analgetika leben, so denke ich vor allem an die Einrichtungen der Zivilisation, an die Formen der Sittlichkeit und Modi des Zusammenlebens, dank derer wir die Quellen des Leidens vor uns tarnen können, ohne den Versuch zu unternehmen, sie zu beseitigen oder sich ihnen zu widersetzen.

Wir fliehen vor der Todesvorwegnahme, die eine Quelle des Leidens ist, jedoch nicht um die Unvermeidlichkeit des Todes zu domestizieren, sondern um ihn aus dem Feld unserer Aufmerksamkeit zu vertreiben, um die Kollisionen mit Fragen nach letzten Dingen aus dem Leben zu verbannen und um sich restlos in der jeweiligen Unmittelbarkeit des Lebens auflösen zu lassen.

Wir fliehen vor der Liebe, die eine Quelle des Leidens ist oder zu sein pflegt, indem wir uns einen künstlichen Zynismus gegenüber dem gesamten Bereich der Sexualität auferlegen und aus Angst auf die Bereicherungen des Lebens verzichten, die in der Liebe nur selten ohne Schmerz erreichbar zu sein pflegen.

Wir fliehen in den Konformismus und oktroyieren ihn unseren Kindern, verschreckt von dem Spuk der Schläge, die der einzelne von der »Entfremdung« im Milieu erhält, unfähig, wahrhaft zu glauben, daß jeder Versuch der Selbstkonstitution des Menschen eine Überschreitung des Konformismus ist und daß die menschliche Solidarität in Mühe und schöpferischer Arbeit etwas völlig anderes ist als ein Leben, das über die ausgetretenen Pfade des Geschwätzes gleitet, in der anheimelnden Atmosphäre der Eintracht, die sich stets dort erfüllt, wo es keinem um etwas geht.

Wir fliehen vor der Einsamkeit, jedoch nicht in der Weise, daß wir die Einsamkeit auf dem Wege der für beide Seiten bereichernden Kommunikation mit dem anderen zu überwinden versuchen, aufgrund der Wertegemeinschaft; wir werden unfähig, die Einsamkeit in jeder beliebigen Gestalt zu ertragen, wir tragen Transistorgeräte mit uns herum, um uns von keinem einzigen Augenblick überraschen zu lassen, in dem wir nicht in Gesellschaft wären. Uns erscheint jede Pause in der Kommunikation mit dem anderen bedrohlich, die nicht der gegenseitigen Affirmation dient.

Die unbewältigten, lediglich narkotisierten Leiden, die verworfenen, weil schmerzankündigenden Werte, das ohne Anstrengung und Konflikte erreichte Zusammenleben, erzeugen eine menschliche Scheingemeinschaft, die an der geringsten Belastung zerbricht. Wo es kein Gedränge gibt, nehmen wir aufeinander Rücksicht, damit hat es sich; eine Gemeinschaft, die nur darauf beruht, daß man sich nicht gegenseitig anrempelt, wo es genug freien Raum gibt, geht sofort unter, wenn es enger wird. Wir rechnen damit, daß sich das Gedränge vielleicht verringern wird und daß unsere Gemeinschaft daher zulänglich ist; das sind jedoch vage Kalkulationen, und es genügt, sie an den demographischen Prognosen zu messen.

Die Kultur der privilegierten Klassen hat verschiedene Formen der Höflichkeit und des Salon-savoir-vivre hervorgebracht, d. h. Regeln des Nichtanrempelns unter Menschen, denen genügend Platz zur Verfügung steht; diese Regeln verlieren ihre Wirkung vollends, wenn tatsächliche Interessenkonflikte auftreten. Die Kultur der benachteiligten Klassen hat eine Form realer Gemeinschaft und Hilfe geschaffen, einer Gemeinschaft in der Not, einer Hilfe in der Gefahr. Die zeitgenössische Zivilisation hingegen baut das Gefühl der Gemeinschaft jener, die Not leiden, und die Fähigkeit zu gegenseitiger Hilfe der gemeinsam Bedrohten immer stärker ab, ohne das Gefühl der Not und der Bedrohung abzuschaffen. Not und Bedrohung bringen die Menschen nicht mehr einander näher.

Die Kultur der Analgetika ermöglicht die scheinbare Überwindung der Einsamkeit und eine scheinbare Solidarität von minimaler Haltbarkeit. Die Unfähigkeit, Leiden zu ertragen, ist die Unfähigkeit, an der realen menschlichen Gemeinschaft teilzunehmen, das heißt an einer solchen Gemeinschaft, die sich ihrer Grenzen, die sich aller Potenzen des Konflikts bewußt ist, die sie enthält, und die bereit ist, ihre Grenzen auf die Probe zu stellen.

Die Gemeinschaft jener, die zusammen vor dem Fernseher sitzen, die Gemeinschaft jener, die gemeinsam gebannt auf den Sportplatz schauen, die Gemeinschaft jener, die gemeinsam in einem Bett liegen, das sind sicherlich Kommunikationsformen, die Spannungen erzeugen, welche gemeinsam erfahren werden; die Stärke dieser Spannungen geht aber nicht über das Niveau der Schwelle hinaus, die nötig ist, um die Gegensätze zu entschärfen, die zwischen Menschen bestehen, die gemeinsam in einer Schlange anstehen, die gemeinsam in einem überfüllten Zug fahren, die gemeinsam auf eine Wohnungszuteilung warten, die gemeinsam nebeneinander auf der Straße fahren.

Die Narkotisierung des Lebens ist der Feind der menschlichen Gemeinschaft. Je unfähiger wir werden, das eigene Leiden zu ertragen, desto leichter fällt es uns, fremdes Leiden zu dulden. Je schlechter wir die Einsamkeit tolerieren können, desto mehr Einsamkeit erzeugen wir. Je mehr uns daran gelegen ist, uns auszuzeichnen, desto stärker bleiben wir den Konformismen verhaftet. Wir wünschen uns ständig ins Zentrum der Mode, d. h. wir möchten in den Genuß der vollkommenen Durchschnittlichkeit gelangen und zugleich die Aufmerksamkeit durch vorteilhafte Nichtdurchschnittlichkeit auf uns ziehen. Diesen widersprüchlichen Wünschen, die uns mit dem Rhythmus der Veränderungen Schritt halten und zugleich die löbliche Unwiederholbarkeit des eigenen Rhythmus betonen heißen, entspringt die unausbleibliche Akzeleration in der Bewegung der Mode: Man kann nicht deshalb nur für kurze Zeit modern sein, weil die Mode schnell wechselt, im Gegenteil, die Mode wechselt deshalb so schnell, weil man nur kurz modern sein kann; ich bin echt modern nur für die Dauer eines unbestimmten Augenblicks auf dem Höhepunkt des Trends; eine Mode, die sich einbürgert, tötet sich, indem sie sich verfestigt, das, was allgemein modern ist, ist bereits dadurch unmodern; echt modern kann nur dasjenige sein, was noch nicht modern ist, und zwar einen Augenblick und nur einen einzigen Augenblick lang, bevor es modern ist. Die Labilität der Mode ist das Resultat des unerreichbaren, weil innerlich widersprüchlichen Verlangens, das im Streben nach dem »Modischen« liegt, danach, vollendet unwiederholbar zu sein innerhalb des vollendeten Konformismus. Nur die rein physischen Beschränkungen in der Produktion und im Tempo der Informationsverbreitung begrenzen die Wechselhaftigkeit der Mode.

Jene paradoxe Furcht vor dem Verlust der Durchschnittlichkeit als einem Verlust seiner selbst, jenes panische Verlangen nach Durchschnittlichkeit, das mich zum Überdurchschnittlichen stempeln soll, ist jedoch nur die krasseste Erschcinungsform einer Zivilisation, die vom akzelerierten Zerfall der traditionellen Gemeinschaften beherrscht ist. Wenn ich die gesamte außerhalb meiner liegende Welt als mein Wohlfahrtssystem betrachte, wenn mein Interesse ausschließlich auf die permanente Unruhe gerichtet ist, daß ich von der Welt nicht das mir Gebührende erhalten könnte, wenn ich der Auffassung bin, daß dic Welt mein Eigentum ist als Speicher meiner Genugtuung, ohne daß sie es als Gegenstand meiner Sorge wäre, können meine Verhaltensweisen nur in dem Maße erfolgreich sein, in dem ich eine Ausnahme in dieser Einstellung repräsentiere, d. h. in dem die ganze Welt übereinstimmend gewillt ist, meine Forderungen in dieser asymmetrischen Beziehung anzuerkennen. Ein vollkommener Egoist nach dem Muster von Max Stirner kann nur ein einziger sein, es muß also ein Gott sein, den die restliche Welt als einen Gott anzuerkennen gewillt ist, indem sic sich auf die Ungleichheit angesichts seiner Ansprüche einigt. Eine Sozietät von vollkommenen Egoisten kann nicht bestehen ohne permanente Verhinderung der Gelüste jedes einzelnen Egoisten. Die Unarten eines verwöhnten Kindes können erfolgreich sein, solange es unter der Obhut von Erwachsenen verbleibt; in einer Gemeinschaft von lauter verwöhnten Kindern erreicht keines das Ziel, das es anstrebt. Der Zynismus und die Rücksichtslosigkeit der Erwachsenen sind die Eigenschaften der verwöhnten Kinder, die damit rechnen, daß die gesamte restliche Menschheit sich unendlich lange aus nachsichtigen Erwachsenen zusammensetzen werde; je zahlreicher die verwöhnten Kinder werden, je seltener Erwachsene in greifbarer Nähe sein werden, desto mehr verlieren die Kinder den Boden unter den Füßen und können die eigenen Niederlagen nur noch dem Umstand zuschreiben, daß sie noch nicht genügend verwöhnt waren.

Alexander und Margarete Mitscherlich
Konsequenzen – bei offenem Ausgang der Konflikte

So verschieden, wie es auf den ersten Blick erscheint, sind Politologie und Psychoanalyse vielleicht doch nicht. Die Frage, ob ein soziales Phänomen, ein Rollenstereotyp, eine soziale Kommunikation »gesund« oder »krank«, normal oder pathologisch ist, geht nicht nur den Arzt an, auch der Diagnostiker politischer Systeme – vielleicht ließe sich Politologie als solche Diagnostik definieren – ist mit ihr beschäftigt. Für den Analytiker muß die Ausgangsbasis die am Individuum beobachtete Pathologie bleiben, auch wenn er den Versuch macht, über die Gesellschaft, in der er lebt, etwas auszusagen. Er bildet sich sein Urteil vornehmlich an einzelnen Kranken. Begegnet er bestimmten Charakterstrukturen und Verhaltensweisen gehäuft – gleichgültig, ob sie nun Entdifferenzierungen darstellen oder Ausdruck einer guten Widerstandsfähigkeit sind gegen Einflüsse, welche das Individuum von sich selbst entfremden –, so hat er darin eine Brücke zur Gesellschaftslehre. Er kann auf diese Weise die Entwicklungstendenzen einer Gesellschaft beobachten; soweit er seine Äußerungen an seiner Forschungsmethode orientiert, kann er also nicht die Gesellschaft als den »Körper« und die diese Gesellschaft leitende Elite als das »Hirn« betrachten. Vielmehr muß er sich die Frage vorlegen, warum eine einzelne Person einer möglichst genau erfaßten Charakterstruktur in einem gegebenen Augenblick, in einer gegebenen Gesellschaft zu führender Position aufsteigt oder sie verliert. Oder: Warum findet sich in einer großen Gruppe von Mitgliedern eine nicht zu durchbrechende Apathie gegenüber allen Fragen der Politik? – und ähnliche Fragen mehr.

So muß auch die Autorität, welche die Formen des Zusammenlebens in den verschiedenen Strukturbereichen einer Gesellschaft mitformt, zunächst von ihrem Grundmuster her betrachtet werden. Als wichtigste haben die ersten Erfahrungen zu gelten, die der schwache, hilfsbedürftige Mensch in seiner Kindheit mit jenen Autoritäten macht, die ihn beschützen müssen und dabei Macht über ihn ausüben[1]. Im Verhältnis zwischen Autorität und Beherrschten begegnen sich jedoch nicht nur Machtverhältnisse, sondern auch Stadien der Bewußtseinsentwicklung. Um beim Beispiel der Kindheit zu bleiben: Hier sollte die größere Einsicht das Verhalten der Eltern dem Kind gegenüber bestimmen. In zahlreichen Situationen muß das Kind lernen, sein Verhalten den Forderungen der Erwachsenen anzupassen. Sie helfen ihm, seine Schwäche auszugleichen. Zunächst ist das Erlebnis des Kindes den Eltern gegenüber das einer unbedingten, unbefragbaren Autorität. Was die Lebenspraktiken betrifft, spielen die Erwachsenen die Rolle eines (eben der Realität besser gewachsenen) Hilfs-Ichs.

Für den Sozialpsychologen besteht nun Anlaß zu untersuchen, ob und wieweit eine Gesellschaft wünscht, in bestimmter Hinsicht solche Autoritätsformen auch für andere soziale Bezüge lebenslang beizubehalten. Das kann sie nur, wenn sie die Bewußtseinsentwicklung durch ihre Machtmittel unterdrückt, so daß die Infantilform der Abhängigkeit erhalten bleibt.

Die Bewußtseinsentwicklung in Richtung der Ich-Autonomie[2], von der wir annehmen, daß sie von der Art eines biologischen Evolutionsschrittes ist, läßt sich unter anderem auch als Anzeichen der Ich-Stärke definieren. Der »Ich-Apparat« (Hartmann) ist so widerstandsfähig, daß dem Bewußtsein vermittelte Nachrichten von wahrnehmbaren Widersprüchen an Autoritätspersonen nicht zensiert, sondern in ihrer vollen Bedeutung ertragen werden können. Politischen Autoritäten gegenüber ist die unmündige Reaktion die Regel: Anhänger trachten Fehler, Schwächen, Irrtümer nicht wahrzuhaben; sie machen vom Abwehrmechanismus der Verleugnung Gebrauch. Gegner nehmen just diese Seiten wahr und schließen daraus, daß es nichts Besseres an diesen Personen zu entdecken gäbe. Sie zensieren die guten Seiten. Ein Großteil der alltäglichen Reflexionen über »die da oben« geschieht aus dieser Unfähigkeit des Bewußtseins, Widersprüche bei Vorbildern zu ertragen. Dem ist nur durch die Ermunterung in der Erziehung beizukommen, an sich selbst Widersprüche zu sehen. Erst durch den Umgang mit den eigenen Widersprüchlichkeiten entwickelt sich die Einsicht, daß Ich-Spaltungen mit der Folge der Vielgesichtigkeit einer Person keine Schicksalsauflage definitiver Art, sondern eine Herausforderung zur Integration des Ichs auf einer umfassenden Ebene des Bewußtseins sind.

Unausweichlich finden wir in der ersten Phase der Kindheit also eine totale Identifikation mit den Eltern-Autoritäten, die dazu dient, die eigene Ohnmächtigkeit zu überbrücken. Durch Identifikation fühlt sich das Kind in den sein Selbstgefühl berührenden Lebenslagen so mächtig wie die Eltern, ein Zustand, der bis weit in die Latenzperiode, also über das erste Lebensjahrzehnt hinaus, aufrechterhalten wird. Erst mit zunehmender Reifung – eben seiner kritischen Urteilsentwicklung – kann es die Eltern als Menschen ihrer eigenen Bestimmung (als »Objekte«) erleben; also ihre Schwächen und Stärken sehen, ohne von der Furcht überwältigt zu werden, mit solcher Kritik die Eltern vollkommen zu entwerten.

In dieser Hinsicht korrespondiert, wie wir deutlich beobachten können, die Bewußtseinsentwicklung des Kindes mit dem Selbstbewußtsein der Autoritäten. Nur dort, wo Eltern in der Lage sind, ihre eigenen Schwächen sich einzugestehen, werden sie es ertragen können, daß ihre Kinder ihnen offen zeigen, daß auch sie nicht blind sind. Genau dies war aber das klassische Merkmal institutionalisierter absoluter Autorität und insbesondere absoluter politischer Autorität: Man hatte blind zu sein für die Schwäche seines Herrn, auch wenn sie in die Augen stach; denn Autorität vergewisserte sich ihrer selbst durch Unbefragbarkeit. Sie konnte sich, soweit sie Autorität war, nur als unfehlbar, als vollkommen empfinden. Die Rollenhörigkeit auf beiden Seiten, auf der des Gläubigen, des Untertanen und der des kirchlichen oder irdischen Fürsten, war kaum von einem einzelnen kritisch reflektierenden Ich zu durchbrechen.

»Reife« im Feld der Politik heißt also, daß ambivalente Gefühle gegenüber der Autorität als etwas Normales verstanden werden und daß Autorität es ertragen lernt, sich von einer mehr oder minder großen Zahl der Mitglieder der Gesellschaft mehr oder minder vollkommen abgelehnt zu wissen. Darin drückt sich die Überwindung der infantilen Einstellung zu den

Vorbildern aus. Und natürlich auch die Überwindung der zum Scheitern verurteilten Identifikation mit einem unfehlbaren Ideal.

Auf die lange Frist menschlicher Geschichte hin gesehen vollzieht sich eine Einstellungsänderung. Zwar entstehen immer noch Diktaturen in nicht geringer Zahl, aber verglichen mit der Herrschaftsdauer autokratischer Herrschaftsordnung in der Vergangenheit sind sie ungleich kurzlebiger geworden. Es gibt immer weniger Bereiche, in denen Autorität sich über eine Phase emphatischer Erregung oder nackten Terrors hinaus der kritischen Befragung entziehen kann. Wir nehmen am Wandel von der absoluten zur befragten Autorität teil.

Die Entwicklung des kritischen Bewußtseins hat natürlich viel breitere Auswirkungen als nur dieses Messen individueller Kritik mit den Glaubens- und Gebotsnormen seiner Gesellschaft. Da es aber immer noch weite Bereiche der Erde gibt, in denen Aufklärung noch am Anfang steht oder die wieder zu infantiler Unterordnung unter überhöhte Führerfiguren gezwungen werden, läßt sich das Ausmaß, in dem *Kritik als Denkvorgang* (statt als Ausrottungsvorgang der Gegner) möglich ist, als Index des gewachsenen kritischen Bewußtseins verwenden. Aus ihm ist ein neues Ideal hervorgegangen: das Wissensideal, dem wir die sprunghafte Vermehrung unseres Wissens über die Natur und die progrediente praktische Auswertung dieses Wissens verdanken. Unter der Herrschaft des Wissensideals hat sich die menschliche Welt, das heißt also die Einstellung des Menschen zur Natur und dadurch mittelbar auch die Struktur der Gesellschaft, rapide geändert.

An zwei Folgen der sprunghaften Wissensvermehrung und an der industrialisierten Anwendung dieses Naturwissens lassen sich Veränderungen, die sonst in ihrer Auswirkung auf menschliches Verhalten so schwer zu beurteilen sind, relativ gut beobachten:

1. Die Technisierung der Produktion (im weitesten Sinne des Wortes) hat immer mehr zu »spurloser Arbeit« geführt; das heißt einer Arbeit, die im Bedienen von Apparaturen oder Organisationsinstrumenten besteht und jedenfalls dem Individuum nicht die Möglichkeit gibt, sich sichtbar mit Hilfe des von

ihm hervorgebrachten Produktes auszudrücken und in diesem Produkt wiederzuerkennen.

2. Der andere, fast jedermann erreichende Effekt der Technisierung besteht darin, daß es ihr gelungen ist, dort, wo sie sich ausbreiten konnte, einen relativen Überfluß und einen hohen Grad der Sicherung gegen Not herzustellen – jedenfalls gemessen an den Mangelwirtschaften der Vergangenheit. So ist es in unseren westlichen Gesellschaften gelungen, Hunger in der großen Breite der Bevölkerung zu beseitigen und darüber hinaus eine Reihe von oralen Befriedigungen Selbstverständlichkeit werden zu lassen, die bis dahin Luxus waren. Während noch vor zwei Generationen nur an Festtagen Fleisch auf den Tisch kam oder Süßigkeiten verteilt wurden, sind dies Alltäglichkeiten geworden. Gleiches gilt vom Schutz des Arbeitsplatzes, der Altersversorgung, des Gesundheitsdienstes und ähnlichen Diensten der Allgemeinheit für ihre Individuen.

Hinsichtlich des Triebpaares Aggression und Libido ergeben sich daraus grundsätzliche Änderungen, denen sich politische Autorität anpassen und die sie mitgestalten muß. Wir nennen beispielhaft vier Konsequenzen:

Konsequenz 1: Bezeichnen wir die relative Überernährtheit und orale Verwöhntheit des Bürgers der Industriegesellschaft als die normale Ausgangslage, so imponiert das zunächst als großer Fortschritt. Die rasche Befriedigung von Triebbedürfnissen hat aber einen unerwarteten Nebeneffekt. Wir entdekken, daß Verzichtleistungen eine entscheidende, vielleicht unersetzliche Rolle beim Aufbau unserer Persönlichkeit spielen. Der Lernvorgang als solcher ist an Frustrationen als motivierende Erfahrungen geknüpft. Zu diesem Lernprozeß gehört auch, daß wir in der Kindheit lernen, Verzichte zu akzeptieren. Das bedeutet, daß wir den Widerwillen gegen die verbietenden Erwachsenen ihnen *zuliebe* überwinden. Das hilft uns, die Ambivalenz der Gefühle von früh an zu überbrücken, wie dies für die Entwicklung eines Charakters mit der Fähigkeit zur Integration so notwendig ist.

Von der Seite der Erwachsenen her ist die Lage ebenso schwierig, denn sie müssen in der Lage sein zu entscheiden, welche Verbote »notwendig«, das heißt für eine entwicklungsfähige Sozialanpassung unerläßlich sind. Die uns gegebene soziale Realität verlangt von uns eine zunehmende Kontrolle primärer Triebwünsche. Es bleibt eine offene Frage, ob dies durch eine »ständige Zunahme der Verdrängung«[3] allein oder durch frühe Stützung des Ichs erreichbar ist. Die Libido-Entwicklung kann sicher nur durch Gewährung von »Liebesbeweisen«, also durch Gratifikationen, in gute Bahnen gebracht werden. Aber Gewährung allein ist offenbar noch kein Liebesbeweis, wie das Scheitern der »permissive education« gezeigt hat.

Der Erwachsene ist objektiv in schwieriger Lage. Wie die notwendigen Frustrationen mit den notwendigen Gewährungen ins Gleichgewicht bringen? Das Beispiel der oralen »Verwöhnung« als sozialer Selbstverständlichkeit macht das klar. Um die Problematik allegorisch einzukleiden: Der Eisschrank ist stets voll. Welches ist die auch unbewußt wirksame Regel, hier Verzichte zu fordern? Dafür fehlt zunächst die glaubhafte Begründung, eine Begründung, die ihre Autorität trotz allem liebenswert bleiben läßt. Wo »Butterberge« nicht abgetragen, Gemüse und Zuckerernten vernichtet werden, fällt es schwer, Zurückhaltung als Erziehungsmaxime zu vertreten. Das gleiche gilt auch für Vermittlung sexueller Verhaltensnormen in einer diesbezüglichen Überflußgesellschaft.

Die Überflußgesellschaft hat demnach tief in die Objektbeziehungen der Menschen untereinander eingewirkt, und zwar im Sinne der »Entfremdung«. Triebbefriedigung wird nicht mehr ausdrücklich an Personen, die etwas bedeuten, geknüpft empfunden, sondern – jedenfalls auf der oralen Ebene und in vielen Fällen auch auf der genital-sexuellen – als »Selbstverständlichkeit«, als eine Art Inventar der Welt, die einem auf paradiesische Weise entgegenkommt.

Konsequenz 2: Wenn ein Verzicht also nicht mehr fraglos gefordert werden kann, weil er durch die Natur der Sache (nämlich durch Umsicht in Dingen der gefährdeten Ernährung oder zur Erhaltung einer in der Gesellschaft unbezweifelten Sittlichkeit) gerechtfertigt ist, wenn also kein zwingendes äußeres Motiv vorhanden ist, muß er neu begründet werden. Autorität war aber bisher immer an Vorausschau geknüpft, die es erlauben sollte, im Grundzustand des Mangels einen Spielraum der Erleichterung zu bekommen. In dieser Hinsicht ist die Aufgabe der Autorität auf den Kopf gestellt. Sie müßte sich anheischig machen können, durch ihr Gewicht den Überfluß durch frei gewählte Entsagungen zu meistern; sie müßte Anweisungen zur Unterscheidung sinnvoller Befriedigungen von unsinnigen geben können – eine Lösung, die, wie jedermann weiß, noch nicht gefunden ist.

Konsequenz 3: Entsprechendes gilt für den Effekt der spurlosen Arbeit. Die Massen können ihr nicht entfliehen. Sie hat dem Selbstwertgefühl des Individuums entscheidend zugesetzt. Es begegnet sich selbst nicht mehr in den Produkten seiner Arbeit, was ein erhebliches Ausmaß an Frustration mit sich bringt. Die Gemütslage der spurlos Arbeitenden wird aggressiv-depressiv gespannt. Die Neigung zu blinden Ausbrüchen destruktiver Aggression wächst. Das verweist darauf, daß die Integration triebhafter Aktivität in sozial akzeptierte Leistungen infolge der Lebensbedingungen der betroffenen Gesellschaften nicht gelungen ist. Steigendes Einkommen entschädigt nicht für den Zwang zu spurloser Arbeit. Die allenthalben aufspringende Destruktivität muß mit der Ausbreitung der Technisierung zu tun haben, mit der Veränderung menschlicher Leistung im Produktionsprozeß und dem Verfall des Prestiges, den langsam erlernte Fertigkeiten verliehen. Hinzu kommt die Verzweiflung über die Unverbesserlichkeit dieses zerstörerischen Zuges in der menschlichen Natur. Wir alle stehen doch unter dem Einfluß der tiefen Enttäuschung, daß die unermeßlichen Leiden des Zweiten Weltkrieges, die unbeschreibliche Mordwut, die ihn begleitete, nicht nur keinen kathartischen Effekt hatten, sondern daß es eher zu einer vielfachen Metastasierung des Kriegsübels gekommen ist.

Trotz solchen Übermaßes an Indizien für die Unfähigkeit, die in Gang gesetzten Eingriffe in den Naturhaushalt und in die überkommenden Sozialordnungen kritisch denkend im voraus zu übersehen, muß die Frage offenbleiben, ob die menschliche Natur tatsächlich unverbesserlich ist; was hier heißt, ob es auch unseren Nachfahren nicht gelingen wird, aggressive Triebwünsche erfolgreicher ihrem kritischen Ich zu unterstellen. Dies wäre aber die innerseelische Voraussetzung politischer Konfliktlösungen unter Verzicht auf Gewalt. Soviel scheint freilich festzustehen, daß man auf solche Wandlung nicht wie auf ein »Wunder« warten kann. Wir müssen die Motive hinter den aggressiven Ausbrüchen besser kennenlernen und nicht das Wunschbild nähren, sie würden plötzlich durch eine spontan entstehende Moralisierung von Großgruppen verschwinden. Vor allem die Analyse der menschlichen Kindheit hat gezeigt, daß wir für den entmutigenden Wiederholungszwang, mit dem sich tötungsbesessene Aggression immer wieder in Populationen ausbreitet, weniger Anlagefaktoren anschuldigen dürfen als unsere Erziehungspraktiken, die viele potentielle Fähigkeiten zur Kompensation von tödlicher Aggression verkümmern lassen – wie zum Beispiel die Fähigkeit zur Einfühlung bei gleichzeitig wachem kritischem Bewußtsein; ohne ihre Mitwirkung muß sich zutragen, was uns die täglichen Nachrichten über Brutalität des Menschen gegen seinesgleichen berichten. Es könnte sein, daß eine Erweiterung unseres Wissens um die Grundbedürfnisse des Menschen die einzig erreichbare Garantie gegen das Entstehen unkontrollierbarer Triebspannungen, besonders solcher aggressiver Art, bieten kann. Kein Zweifel, daß wir von diesem Wissen sehr weit entfernt sind.

Offenbar muß eine neue Form des Besitzes erfunden werden, die nicht – wegen des artspezifischen Instinktwertes der Verteidigung des Eigenterritoriums – jederzeit zur Anfachung aggressiver Triebregungen mißbraucht werden kann. Besitz und Aggression im herkömmlichen Stil bedingen einander. Die neue Besitzform muß die Befriedigung der Selbstdarstellung enthalten. Da die Epoche handwerklicher Differenzierung unwiederbringlich vergangen ist, können es nur neue, neu zu erfindende, Ebenen der Selbstdarstellung sein, durch welche die Umwandlung von primär objektblinder Aggressivität gelingt: die Umwandlung des »Todestriebes« in bewußt kontrollierte und humanisierte Aktivität. Die Entfaltung kreativer Möglichkeiten verleitet nicht wie der verdinglichte Besitz zur Wegnahme und dem daraus resultierenden aggressiven Konflikt.

Die dritte Konsequenz besteht also darin, daß das weitgehend unbewußt verlaufende Erlebnis der Selbstentwertung mit der Zunahme der Aggressionsausbrüche nach Zahl, Umfang und Intensität korreliert – aber auch mit dem Trend der ansteigenden Süchtigkeit nach Ersatzbefriedigungen. Die Unlust fortgesetzter Entfremdung führt zu einer Fixierung an rasch erreichbare, zum Beispiel orale, Befriedigungsmöglichkeiten oder auch zur Rückkehr zu ihnen und zu deren süchtiger Entartung (zu steigendem Alkoholismus, zu Rauschgiftsucht etc.). Das sind Schwächen in der Persönlichkeitsstruktur, die zu kommerzieller wie zu politischer Ausbeutung einladen.

Die kulturverhängten Frustrationen aktiver Selbstdarstellung erzeugen so viel Unlust, daß pathologische Abwehrmechanismen in Gang kommen. Die seelische Entwicklung wird dadurch gehemmt. Entweder bleibt man, wie soeben angedeutet, an infantile Arten rascher Triebbefriedigung fixiert, oder es werden Regressionen ausgelöst: Man kehrt zur primitiveren Form der Triebbefriedigung (wie in den Süchten) zurück. Wenn letzteres der Fall ist, sind Schuldgefühle unvermeidlich, und es bilden sich zirkuläre Prozesse, in denen Regressionen Schuldgefühle auslösen, wie umgekehrt die Unlust eines auch nur vage artikulierten Schuldgefühls Regression zu Ersatzbefriedigungen fördert. Wenn Fixierung an infantile Triebbefriedigungen geschieht – also an Saturierungswünsche solcher Bedürfnisse vor der Entwicklung verläßlich arbeitender Ich-Apparate –, ist die Lage noch prekärer, da die betreffenden Menschen eine *vorsoziale Charakterstruktur* aufweisen oder wenigstens deutliche Merkmale der Fortdauer infantiler Wunsch- und Phantasieorientierung.

Konsequenz 4: Entsprechend dem Wissensideal entwickelte sich ein Spezialistentum, das die ungeheure Menge des Wissens zu verwalten hat. Wir haben versucht auszuführen[4], daß auch die politische Autorität – auf dem Weg zur kritisch befragten Autorität – in die Hände von Spezialisten übergeht. Es läßt sich dies als ein Übergang vom Typus der Vaterautorität zur Brüdergesellschaft deuten, in der sich die Spezialisten wechselseitig in ihren Autoritätsbefugnissen kontrollieren. Infolgedessen entwickeln sich auch neue Abhängigkeitsverhältnisse. Im Vordergrund steht nicht mehr die Rivalität mit dem idealisierten und zugleich von heftigster Aggression bedrohten Vater, sondern die *Neidproblematik*.

Im öffentlichen Bewußtsein gibt es noch keine akzeptierten Muster für die Autorität des politischen Spezialisten, der effektvoll nur im Team zu arbeiten versteht. Auf welche Weise im politischen Feld spezialistisches Einzelwissen und Machtstreben nicht nur nach primitiven egoistischen Gesichtspunkten zur Wirkung gebracht werden können, wie vielmehr Einzelwissen nicht nur addiert, sondern tatsächlich in einem Prozeß der Integration zu einer »Gestalt« und im Zusammenspiel mit der verwalteten Macht zu einem Herrschafts- oder Aktionskonzept gebracht wird, darüber können wir noch wenig sagen, weil wir noch wenig Gelegenheit hatten, derartiges zu beobachten. Wir stellten statt dessen fest, wie alte Autoritätsformen sich mit dem Eindringen der Technifizierung auflösen, wenn Wissen mit rationalen Methoden produziert wird und wie andere Produkte der Zivilisation ungeheuer anwächst, ohne daß schon – jedenfalls auf dem gesellschaftlichen Sektor – stabile Ordnungsformen neuer Art gefunden sind. Man denke etwa an die Rückläufigkeiten der europäischen Einigungsbewegung und an die Schwäche der Vereinten Nationen. Regressionen zu anachronistischen Autoritätsformen oder aber zu brutalem Faustrecht sind häufig.

Die größte Schwierigkeit für das Entstehen einer heute akzeptablen politischen Autoritätsform, die sich auf die Macht spezialistischen Wissens stützen kann, ist der Neid. Die Emotionen der Menschen haben sich nicht geändert, sosehr sich das technische Inventar geändert haben mag.

Infolgedessen berufen sich Spezialisten im Kampf um Herrschaftspositionen auf ihr Wissen wie einst die autokratischen Herrscher auf das Gottesgnadentum ihrer Privilegien. Die Vermengung von sachlichen Erwägungen mit emotionell geladenen Argumenten, welche z. B. dem Prestigebedürfnis eines Politspezialisten dienen, macht es für den Außenstehenden, den Bürger in der verwalteten Welt, immer schwieriger, zu unterscheiden, was objektive Information ist und was im psychologischen Sinn eine »Rationalisierung« darstellt (ein auf Selbsttäuschung beruhender Versuch der Fremdtäuschung). Dieses Ausgeliefertsein an manipulierte Informationen dürfte ein wichtiger Faktor für die politische Apathie großer Teile der Bevölkerung sein. Man zieht seine Libido aus Bereichen ab, in denen man sich nicht mehr zurechtzufinden vermag.

Die heutigen Parteiapparate arbeiten noch ganz auf der Ebene herkömmlicher Autoritätshierarchien. Sie versuchen, das Image von Politikern aufzubauen, wobei gerade nicht die Bewußtseinsentwicklung berücksichtigt oder gar gefördert wird. Politische Führer werden stets als Ausbund von Tugenden angepriesen. Die Ambivalenz der Gefühle wird – wie oben beschrieben – aufgespalten: die negativen Seiten, Verachtung, Haß, gelten den politischen Führern der Gegenseite. Die Gegensätze haben aber immer weniger etwas mit Wettstreit zu tun. Sie nehmen eine definitiv feindselige Haltung, die Haltung von Todfeindschaften an, die dort entstehen, wo sich, entsprechend unbefragter Autorität, unbefragbare Vorurteile eingebürgert haben. Sie müssen dazu dienen, den Affekthaushalt der Mitglieder der Gesellschaft aufrechtzuerhalten. Das geschieht einerseits durch die Identifikation mit idealisierten Führern, andererseits durch reuelose Verfolgung der Feinde, also jener Gruppen, die von den Führern »zum Abschuß freigegeben« werden. Der Wahnanteil an diesem Geschehen ist erschreckend hoch.

Die permanente Wandlung der Umwelt, wie sie die technische Zivilisation hervorbringt, ist extrem anti-biologisch. In der außermenschlichen Natur drängen ökologische Lebensgemeinschaften immer nach einem gewissen Gleichgewicht der Ansprüche. Die Erfindungszivilisation unserer Zeit stört nicht nur die Homoiostasen solchen ökologischen Zusammenspiels in der Natur, sie löst auch die bisher traditionsgelenkten Gesellschaftsformen der Menschen auf. Dies allein erweckt schon seit Generationen vielfach Angst und beschwört damit Regressionsgefahr herauf. Die Entwicklungsprogression der vom Wissensideal geleiteten Kultur unserer Tage hat alle Züge einer Explosion. Das Wissen vermehrt sich allseitig, aber die Kräfte, die es zu bändigen, in irgendeine Ordnung zu bringen vermöchten, sind noch nicht gefunden. Wir behelfen uns vorläufig mit Autoritätsformen, die aus der vorindustriellen Welt stammen und für die in unserem inneren psychischen Haushalt gar keine echten Motivationen mehr bestehen.

Die Zeiten sind vorbei, in denen man mit alten Techniken, etwa der Segelschiffahrt, überraschende Entdeckungen machen konnte. Statt dessen werden mit neuen Techniken bisher unerreichbare Ziele angestrebt. Dazu gehört unter anderem auch das Ziel, die Menschheit vom Hunger zu befreien, ein Ziel, das vielleicht erreichbar wird, wenn sich diese Menschheit zu gleicher Zeit eine Ordnung gibt, in der sie selbst nicht mehr planlos weiterwächst. Aber – und das ist der Hintergedanke dieser Überlegungen – wir können uns auch nicht mehr mit dem alten Ideal, den Hunger zu besiegen, zufriedengeben. Es stammt aus einer Zeit, in der die Beherrschung der Welt noch so unvollkommen war, daß es wirklich eine Utopie schien, mit diesem Widerstand gegen die Ausbreitung des Menschengeschlechts einmal fertig werden zu können. Heute sind unsere Kenntnisse auf einem Niveau angelangt, wo das Ziel realisierbar erscheint. Aber der Ausgleich der Affekte, die durch diese gesellschaftlichen Prozesse, denen wir unterworfen sind, ausgelöst wurden, steht dahin. Es ist uns nicht gelungen, vergleichbar zu unserem Wissen über die Natur in die Hintergründe unserer Motivationen einzudringen und das dabei erworbene Wissen zu einer Stärkung unseres kritischen Bewußtseins zu benützen. Speziell die heute noch die Macht verwaltenden politischen Gremien verraten kaum je ein Problembewußtsein auf dieser Ebene. Statt dessen besteht die Gefahr einer doppelten Korruption psychologischen Wissens. In der Konsumgesellschaft wird es zur Steigerung der Abhängigkeit von den Konsumgütern verwendet, in der Politik zum Konsum politischer Ideologien, die über präparierte Imagines das Publikum erreichen.

Sicher pointiert diese Darstellung Fehlentwicklungen oder die Möglichkeit zu ihnen, und es mag eine Reihe von positiven Errungenschaften geben, die nicht erwähnt wurden. Dies kann wiederum eine Konsequenz der Ausgangsposition unserer Beobachtungen sein, der des Arztes, der von Berufs wegen mit pathologischen Entwicklungen konfrontiert wird. Er lernt die Krankheit als etwas verstehen, was die Menschheit bisher nicht abschütteln konnte, und er wird darin geschult, den Grad der Gefährlichkeit einzelner Krankheitssymptome abzuschätzen.

Trotzdem bleibt es gewagt, von der individuellen direkt auf die Sozialpathologie zu schließen. Es ist jedoch nicht mehr zu umgehen, pathologische Entwicklungen im Verhaltensbereich (das heißt im emotionellen Bereich, der das Verhalten motiviert) als solche erkennen zu lernen, um mit ihnen umgehen zu können – individuell wie im Kollektiv. Die Erscheinungsformen politischer Autorität stehen in diesem Spannungsfeld zwischen normalen, das heißt ertragbaren, und pathologischen Äußerungsformen unseres gesellschaftlichen Lebens. Ihre Erträglichkeit wird zunehmend an der Bewußtseinsentwicklung, die sie erkennen lassen, und weniger an der Fähigkeit gemessen werden, den Primärprozessen nahe Triebäußerungen zu manipulieren. In dieser Form wäre die Aussage ein aufklärerisches Kredo. Also sei hinzugefügt: Die Schärfung des Bewußtseins für innere und äußere Realität verläuft in einem dialektischen Prozeß zur Selbstentfremdung, verhängt von den Auswirkungen bestehender Produktions- und Lebensformen. Diese Verhältnisse wirken anti-aufklärerisch. Der Ausgang ist offen; sicher ist nur, daß sich die Geschichte in dieser Dialektik fortsetzen wird.

Anmerkungen

1 Die souveränste Darstellung gibt René Spitz: Vom Säugling zum Kleinkind. Naturgeschichte der Mutter-Kind-Beziehung im ersten Lebensjahr. Stuttgart 1967.

2 Vgl. über die Entwicklung der »undifferenzierten Phase« zur Autonomie der Ich-Funktionen: H. Hartmann: Zur Psychoanalytischen Theorie des Ich. In: Psyche, XVIII, Stuttgart 1964, S. 321 ff., Sonderheft.

3 S. Freud, Ges. Werke, XIII.

4 Vgl. Kap. VII, »Änderungen im Wesen politischer Autorität«, des Bandes, dem dieser Beitrag entnommen wurde.

Hans Saner
Kants Polemiken gegen die Zeitgenossen

Wir analysieren in diesem Teil Kants Polemiken gegen die Zeitgenossen aus den achtziger und neunziger Jahren. Auf die frühen Auseinandersetzungen soll in einem größern Zusammenhang später hingewiesen werden. In der Gliederung des Materials leitete uns die eben entwickelte Typologie der Kampfformen.

1. Kants unpolemischer Charakter

Kant erschien seinen Freunden als ein unpolemischer Charakter. Ihre Darstellungen[1] zeigen ihn, wie er in heiterer, fast unerschütterlicher Selbstgewißheit, frei von allem beschränkenden Hochmut, sich auf dic Vollendung seines Werks konzentrierte. Die guten Stunden – und sie scheinen sich schließlich mit der Verläßlichkeit der Naturordnung eingestellt zu haben – gehörten der Arbeit, die andern der munteren Geselligkeit und der Lektüre. Der Gedanke, allein Philosoph zu sein, war ihm fremd[2]. Für das Studium seiner Apologeten und seiner ernsthaften Gegner, deren so unterschiedliche Verdienste für die Sache der Kritik er gleichermaßen schätzte, fand er nur wenig Zeit[3]; für die üblichen Sticheleien gegen andersdenkende Kollegen[4] und für die Auseinandersetzung mit dem »Geschmeiß, das da am Fuß des Parnasses mit Schmähschriften sumst«[5], fand er keine.

Mit zunehmendem Alter schien sich in ihm ein »Widerwille gegen Streitigkeiten«[6] festzusetzen. Er vermochte seine Gedanken kaum mehr aus den Bahnen des kritischen Systems zu lösen, in denen sie während Jahrzehnten gekreist hatten[7]. Die Schriften seiner Gegner oder andere Systeme erfaßte er nur mit Mühe. Wollte er ein Buch kennenlernen, so gab er einem Freund, auf dessen Urteilskraft er sich verließ, den Auftrag, es für ihn zu lesen und es, übersetzt in seine Sprache, mit den Hauptresultaten der »Kritik« zu vergleichen. Die Entgegnung darauf überließ er gerne anderen[8].

Pörschke, sein Kollege, charakterisierte ihn in einem Brief an Fichte treffend: »Kant ist nichts so natürlich gewesen, als ein großer Weltweiser zu sein; von allen Menschenseelen fühlt er am wenigsten seine Größe, er ist gewiß ein Muster von bescheidenem Schriftsteller; oft höre ich ihn edelmüthig über seine Gegner urtheilen, nur müssen sie ihn nicht wie Mönche und persönlich angreifen, dann wird er bitter.«[9] Mit dieser Einschränkung ist Borowskis sonst verharmlosende Meinung annehmbar, wonach Kant auch seine Schriften gegen Eberhard und Schlosser nicht geschrieben hätte, wenn er nicht »durch andere gereizt, zum Teil auch von Männern, deren Willen zu befolgen er für Pflicht hielt, aufgefordert worden« wäre. »Sein unpolemisches Herz hätte es ihm wahrlich nicht eingegeben.«[10]

Auch in Kants wenigen Aufzeichnungen, in denen er sein Wesen zu erkennen gibt, spricht uns dieses unpolemische Herz an:

»Gewinn und Aufsehen auf einer großen Bühne haben, wie Sie wissen, wenig Antrieb vor mich. Eine friedliche und gerade meiner Bedürfnis angemessene Situation, abwechselnd mit Arbeit, Spekulation und Umgang besetzt, wo mein sehr leicht afficirtes, aber sonst sorgenfreyes Gemüth und mein noch mehr läunischer, doch niemals kranker Körper, ohne Anstrengung in Beschäftigung erhalten werden, ist alles was ich gewünscht und erhalten habe. Alle Veränderung macht mich bange, ob sie gleich den größten Anschein zur Verbesserung meines Zustandes giebt und ich glaube auf diesen Instinkt meiner Natur Acht haben zu müssen, wenn ich anders den Faden, den mir die Parzen sehr dünne und zart spinnen, noch etwas in die Länge ziehen will.«[11]

Die Besorgnis um das eigene Maß und die Sorge um das eigene Werk legen sich oft, vielleicht in der Angst vor dem Scheitern, hinter den Panzer einer großartigen Gelassenheit, die sich vor keinem Angriff mehr zu fürchten scheint. »Im Streite ist die Gelassenheit da, wo die Obergewalt der Gründe oder der Stärke ist«[12]. In dieser Haltung verfolgt er alles, was Wahrheit will, mit teilnehmendem Interesse. Feind ist ihm nicht der Andersdenkende, sondern der Nichtdenkende, nicht der Widersacher, sondern der sachlich Gleichgültige. Den Gegner, der wahrhaft Widersacher zu sein vermag, sucht er, ja er bittet um ihn, wenn dieser nur bereit ist, offen und in der Kraft seines Denkens das andere Denken in seinen wesentlichen Gehalten ritterlich anzugreifen[13]. Zwar weiß er um die Zustände in der Gelehrtenwelt, weiß, daß diese »so gut ihre Kriege ihre Alliancen ihre geheime Intriguen«[14] hat wie jede andere Welt, und er weiß auch, daß dieses Spiel unterhalten kann; aber er mag es nicht mitmachen: »Übrigens ist mir ein gelehrter Streit mit Bitterkeit so unleidlich, und selbst der Gemüthszustand, darinn man versetzt wird, wenn man ihn führen muß, so wiedernatürlich, daß ich lieber die weitläufigste Arbeit, zu Erläuterung und Rechtfertigung des schon geschriebenen, gegen den schärfsten, aber nur auf Einsichten ausgehenden Gegner übernehmen, als einen Affect in mir rege machen und unterhalten wollte, der sonst niemals in meiner Seele Platz findet.«[15]

Sein Leben als Mensch und als Denker scheint auf den Satz ausgerichtet zu sein, den er dem ersten Kritiker seines Hauptwerks, Garve, schrieb: »... ich stehe mit aller Welt im Frieden ...«[16]

2. *Das polemische Zeitalter*

Kants Bereitschaft, mit aller Welt im Frieden zu leben, ist auf dem Hintergrund des zeitgenössischen biographischen Materials glaubwürdig. Nur steht neben ihr das Faktum, daß nie zuvor in Deutschland, ja vielleicht im Abendland, ein Philosoph mit dem derart klaren Anspruch aufgetreten ist, das Philosophieren neu zu gründen.

Dieser Anspruch, verbunden mit der Einsicht, daß jeder schöpferische Philosoph, willig oder unwillig, ein ζῷον πολεμικόν sei, wirkte auf die philosophierenden Zeitgenossen wie eine Herausforderung, ja auf viele wie eine Kriegserklärung. Da er aber nicht leer war, sondern sich auf eine philosophische Revolution gründete, der eine neue, das Leben selbst tragende

Philosophie entsprang, so konnte und durfte sich kein Denkender ihm gegenüber gleichgültig verhalten. Das um so mehr, als er in einer Zeit erhoben wurde, in der zwar die philosophische Diskussion um Einzelfragen in vollem Gange war, in der aber die Grundlagen zu einer Metaphysik als Wissenschaft durch Leibniz gelegt, durch Wolff popularisierend ausgebreitet und durch eine Deutschland umfassende Schule gefestigt zu sein schienen. Feder, vor dem Durchbruch der Kritischen Philosophie einer der berühmtesten Philosophieprofessoren Deutschlands, stellte deshalb in einer Auseinandersetzung mit Kant fest: »Diese Philosophie hat jetzt so viel Aufsehen, bey einigen Besorgniß, bey andern Bewunderung und Hoffnung erregt, daß es keinem Lehrer der Philosophie mehr erlaubt ist, von ihr zu schweigen.«[17] Diese Feststellung sollte zugleich eine Aufforderung an die Fachkollegen sein, sich am Gespräch über die neue Philosophie zu beteiligen.

Zwar lief dieses Gespräch – es war nach der Publikation der »Kritik der reinen Vernunft« (1781) volle drei Jahre nicht in Gang gekommen, so daß Kant, ratlos, das lange Schweigen bald als »Kränkung«[18], bald als Beweis einer gründlichen Beschäftigung deutete[19] – seit etwa 1784, dem Erscheinungsjahr der ersten größern Arbeit über die »Kritik«[20]; aber es brachte die Anhänger der alten Schule nicht schnell aus dem Schritt. Erst als die Kritische Philosophie in der von Schütz und Hufeland gegründeten Jenaer »Allgemeinen Literatur-Zeitung« eine eigene angesehene Zeitschrift zum Propagator hatte (ab 1785) und nachdem Reinhold, der Schwiegersohn Wielands, in dessen »Teutschem Merkur« die allgemein verständlichen und gut lesbaren »Briefe über die Kantische Philosophie«[21] veröffentlicht hatte (1786/87), nahm das Gespräch breitere Ausmaße an. Die Denkenden Deutschlands standen sich bald in zwei Lagern gegenüber, die man von ihrem Anliegen her verschieden benennen kann (Kritizismus-Skeptizismus; Kritizismus-Dogmatismus; Apriorismus-Empirismus; Rationalismus-Sensualismus; Kantianer-Antikantianer usw.), deren eines sich aber immer zur, deren anderes sich gegen die kritische Philosophie bekannte. In über hundert Zeitschriften trugen sie ihre Gedanken und damit, willig oder unwillig, Kantische Gehalte weit über Deutschland hinaus. Etwa die Jenaer »Allgemeine Literatur-Zeitung«, neben dem »Teutschen Merkur« wohl das bedeutendste deutsche Journal des Jahrhunderts und mit der »Berliner Monatsschrift« zusammen die eifrigste Vorkämpferin für die Kritische Philosophie, hatte im Jahr 1788, drei Jahre nach ihrer Gründung, 2000 Abnehmer, was einer effektiven Leserzahl von ungefähr 40000 entsprach. Außer dem deutschen Sprachbereich hatte sie Abonnenten in Polen, Ungarn, Italien, Frankreich, England, Holland, Dänemark, Schweden und Rußland[22]. Durch diese Propaganda der Anhänger und Gegner Kants wurde die Kritische Philosophie modern. Über alle möglichen Gegenstände sprach und schrieb man nach Kantischen Grundsätzen in deduktiver Methode. In der »Deutschen Monatsschrift« machte sich ein Autor darüber in einem Aufsatz lustig: »Kantische Grundsätze, ein literarischer Modeartikel«[23]. Er zog es vor, ungenannt zu bleiben. Wer gegen Kant schrieb, sank nicht selten im öffentlichen Ansehen und mußte sich auf einige scharfe Entgegnungen gefaßt machen. Man zeigte deshalb gerne, daß man Kantianer war, und brachte auf die Länge gerade dadurch die Kritische Philosophie um ihr Ansehen. Zwar ist nicht zu leugnen, daß Kants Philosophie ohne die zum Teil aufopfernde und hingebungsvolle Mithilfe ihrer besten Anhänger sich nicht so schnell über ganz Deutschland hätte ausbreiten können; aber es ist auch nicht zu bestreiten, daß die Masse der Kantianer sie schließlich in Verruf brachte. Fichte nannte diese Kantianer »die Schande unseres Jahrhunderts«[24], Herder verächtlich ein »unphilosophisches Gezücht«[25], Pörschke »die frechste Rotte ... wegen ihres ganz verdummenden Nachbetens und ihrer Intoleranz«[26]. Es waren die üblichen Auswüchse einer, wie Nicolai einmal sagte, »abgöttischen Verehrung eines Philosophen«[27]. Ihr gaben die unbegabtesten Adepten Ausdruck, indem sie einige Brocken der kritischen Terminologie in die Umgangssprache aufnahmen. Kant rügte im Vorwort der »'Rechtslehre« diesen »Unfug« einiger »Nachäffer«, an sich unumgängliche Kunstwörter der »Kritik der reinen Vernunft« auch »zum öffentlichen Gedankenverkehr zu brauchen«[28]. – Die etwas begabteren taten es, indem sie sich wie eine Horde von Zensoren in Deutschland auf alles stürzten, das es wagte, Kant anzugreifen. Eine Vielzahl mittelmäßiger Köpfe bemühte sich übereifrig, den eigentlichen Kopf zu beschützen, der doch die Angriffe nicht zu fürchten hatte. – Die begabtesten Apologeten, unter ihnen Fichte, Reinhold und Beck, taten es, indem sie sich das Monopol des Kantverständnisses anmaßten. Sie alle meinten schließlich, Kant allein zu verstehen[29]. Sie trugen den Kampf, den die Kantianer bis dahin geschlossen gegen ihre Feinde geführt hatten, in das eigene Lager und wurden so wider Willen zum Beweis dafür, daß der Anspruch der Kritischen Philosophie: die in sich geeinte Metaphysik zu sein, unbescheiden, ja überheblich war. Die Kantianer machten es dem gegnerischen Lager durch die eigene Beschränktheit leicht, Kant von ihnen zu trennen. Ein Gegner Kants schrieb im »Berlinischen Archiv der Zeit und ihres Geschmackes«[30] einen »demonstrativen Beweis, daß Kant kein Kantianer ist«. – Kant selber aber erfuhr immer deutlicher, daß jenes italienische Sprichwort, das in der Entgegnung auf Eberhard und in der Erklärung gegen Fichte steht, für ihn eine harte Wahrheit wurde: »Gott bewahre uns nur vor unseren Freunden; vor unseren Feinden wollen wir uns wohl selbst in Acht nehmen.«[31]

Zu diesen Gegnern gehörten verschiedene miteinander nicht zu vereinende Gruppen: die alten Schulphilosophen der Wolffschen Philosophie (Eberhard, Maaß, Schwab, Flatt, Platner u. a.), die sich in Eberhards »Philosophischem Magazin« ein eigenes literarisches Zentralorgan schufen; die traditionellen Scholastiker (Sattler, Salat u. a.), die von ihren Zentren München und Wien aus die neue Philosophie diffamierten; die Skeptiker, deren Haupt, Schulze, einer der glänzendsten Kantkritiker seiner Zeit war; die meist in der Berliner Akademie der Wissenschaften vereinigten popularphilosophischen und popularwissenschaftlichen Autoren (Garve, Feder, Nicolai); zu Mystik und Offenbarungsglauben neigende »Schwarmgeister« (Hamann, Jacobi, Jung-Stilling, Schlettwein); nicht wenige an den Kantianern sich belustigende Satiriker (Obereit, Nicolai, viele anonyme); Sensualisten und Intuitionalisten (Herder, Schlosser, Wieland); eine gewisse Anzahl an sich freier, aber doch von Leibniz beeinflußter, mathematisch gebildeter Gelehrter (Kästner, Klügel, Lichtenberg); schließlich einige originale Philosophen (Fichte, Schelling, Hegel). Nicht alle unter diesen Gegnern lebten in Feindschaft zu Kant und seinem Denken; viele von ihnen, und unter ihnen die bedeutendsten, wußten sich zeitlebens Kant verpflichtet. Nur trieb sie der entschiedene Anspruch Kants und seine Konsequenz ins feindliche Lager.

Das Ergebnis des Streits beeindruckt durch seine Quantität: Bis 1804 erschienen allein im deutschen Sprachraum über 400 Publikationen zum neuen System im allgemeinen, ebenso viele zur Moralphilosophie, über 200 zur Religionsphilosophie, 130 zur Philosophie des Rechts, 70 zur Logik, je 60 zur Ästhetik und zur biblischen Exegese usw. In Kants letzten zwanzig Lebensjahren wurden alles in allem von etwa 700 Autoren über 2000 Aufsätze und Bücher für und wider die Kritische Philosophie gedruckt[32]. Die Messekataloge waren angefüllt mit Büchern für, über und wider Kant. Wer in Deutschland philosophierte, fühlte sich zu einem Bekenntnis genötigt und legte es ab, wie er es vermochte: als einfaches Dokument des Mitdenkens, als Versuch der Popularisierung, als vermeintliche Ergänzung oder als Kritik. Innerhalb der kritischen Äußerungen findet man alle Spielarten der Polemik: nüchterne Untersuchungen, logisch scharfe Erwiderungen, Berufungen auf den gesunden Menschenverstand, ironische Spöttereien, höhnische Schmähschriften, eigentlich diffamierende Pamphlete. Angesichts dessen stellte Reinhold in einem Brief an Fichte die betretene Frage: »Soll unser Streben nach Wissenschaft ein bellum omnium werden oder bleiben?«[33] Bis etwa 1799 waren alle Gebiete der Transzendentalphilosophie von Kritikern zerzaust. Das Gebäude, das Kant in langjähriger Arbeit errichtet hatte, war für viele wieder abgetragen. Es blieb scheinbar nichts übrig als die Erinnerung an ein oft gelobtes und verhöhntes Fundament, auf dem sich die Systeme neuer Philosophen erhoben, zum Zeichen dafür, daß sich Kant zumindest in seinem Anspruch geirrt hatte. Er selber war, wie es am krassesten Schelling ausdrückte und wie es Pörschke in milderer Form bestätigte, für den gelehrten Betrieb »philosophisch todt«[34].

In dieser 15jährigen Auseinandersetzung um die neue Philosophie versuchte Kant oft die Anlässe zu öffentlichen Streitigkeiten schon im Keim zu ersticken[35]. Auf einige Angriffe aber ging er ein, zuerst 1783, als er im Anhang der »Prolegomena« den ersten Kritiker seines Hauptwerks scharf herausforderte, zuletzt 1799, als er gegen Fichtes Wissenschaftslehre eine harte, in Ton und Sprache dogmatische Erklärung erließ. In der Zwischenzeit sind es mehr als zehn Schriften, die entweder auf eine Herausforderung antworten oder einen Streit veranlassen. Nachdem die große Auseinandersetzung einmal begonnen hatte, nahm Kant also an ihr bis an das Ende seiner publizistischen Tätigkeit teil. In seiner Bereitschaft, mit aller Welt in Frieden zu leben, gab er sich nicht der Illusion hin, daß er auch mit aller Welt im Frieden leben könne[36].

Anmerkungen

1 Vgl. dazu: Ernst Ludwig Borowski: Darstellung des Lebens und Charakters »Immanuel Kants«. Königsberg 1804.
Reinhold Bernhard Jachmann: Immanuel Kant geschildert in Briefen an einen Freund. Königsberg 1804.
C. A. Ch. Wasianski: Immanuel Kant in seinen letzten Lebensjahren. Ein Beitrag zur Kenntnis seines Charakters und häuslichen Lebens aus dem täglichen Umgange mit ihm. Königsberg 1804.
Diese drei Schriften zitieren wir in der Ausgabe: Immanuel Kant. Ein Lebensbild nach Darstellungen der Zeitgenossen Jachmann, Borowski, Wasianski. Hrsg. von Alfons Hoffmann. Halle 1902.
Joh. Gottfr. Hasse: Letzte Äußerungen Kant's von einem seiner Tischgenossen. Königsberg 1804.

2 So sagt Borowski (S. 219f.): »Kant verlangte gerade nicht Übereinstimmung mit seiner ihm eigenen Denk- und Handlungsweise. Er sah wenig oder gar nicht auf die von den seinigen etwa verschiedenen Ansichten in der Philosophie.«
Und Jachmann (S. 44): »Auch über Philosophen, welche einem anderen Systeme folgten, ja selbst über seine Gegner, wenn sie wirklich Wahrheit suchten und keine des Gelehrten unwürdige Absichten verrieten, sprach er stets mit einer unparteiischen Würdigung ihrer Verdienste. Ja er sucht sich selbst zu erklären, wie seine bescheidenen Gegner sehr natürlich anderer Meinung sein konnten, und lebte im vollen Vertrauen auf den endlichen Sieg der Wahrheit.«

3 Vgl. dazu Borowski, S. 260f.

4 Dazu Borowski (S. 191f.): »Nie, nie nahm er zu dem elenden Behelfe der Satyre oder der Anstichelungen auf andere Mitlehrer Zuflucht ...«
5 Borowski, S. 197.
6 Biester Br. 275, 11. VI. 1786.
7 Vgl. Br. 454, 15. X. 1790 an Herz.
8 Vgl. dazu: Jachmann, S. 17.
9 Pörschke Br. 286, 14. III. 1797 an Fichte. In: J. G. Fichte: Briefwechsel. Kritische Gesamtausgabe. Gesammelt und herausgegeben von Hans Schulz, 2 Bde. Leipzig 1925.
10 Vgl. dazu Borowski, S. 260.
11 Br. 134, Anfang April 1778 an Herz.
12 Reflexionen zur Anthropologie, Bd. XV, S. 505.
13 Vgl. Br. 205, 7. VIII. 1778 an Garve.
14 Br. 313, 28. XII. 1787 an Reinhold.
15 Br. 205, 7. VIII. 1783 an Garve.
16 Ibid.
17 Jh. G. Hnr. Feder: Über Raum und Caussalität. Zur Prüfung der Kantischen Philosophie. Frankfurt und Leipzig 1788, XII.
18 Br. 210, 26. VIII. 1783 an Schultz.
19 Vgl. Br. 205, 7. VIII. 1783 an Garve.
20 Johann Schultz: Erläuterungen über des Herrn Professor Kant's Kritik der reinen Vernunft. Königsberg 1784.
21 C. L. Reinhold: Briefe über die Kantische Philosophie. In: Teutscher Merkur, August 1786, S. 99–141; 1787, Januar, S. 3–39; Februar, S. 117–142; Mai, S. 167–185; Juli, S. 67–88; August, S. 142–165; September, S. 247ff.
22 Vgl. dazu: Günther Röhrdanz: Die Stellung Kants in und zu der Presse seiner Zeit. Zeitung und Leben, Bd. XXIX. München 1936, S. 46ff. – Die genaue Zahl der Zeitschriften ist nicht festgestellt. 1750–55 gab es 199, davon 110 philosophisch-philologisch-historischen Inhalts (Röhrdanz 32). Um 1788 werden es kaum weniger gewesen sein. Adickes Bibliographie (Erich Adickes: German Kantian Bibliography. Boston/New Boston/New York/Chicago 1893–96) nennt über 100 Zeitschriften, die sich mit der Kritischen Philosophie befaßten.
23 Deutsche Monatsschrift, Bd. III, 1796, S. 139–152.
24 J. G. Fichte: Zweite Einleitung in die Wissenschaftslehre für Leser, die schon ein philosophisches System haben. In: Fichte, Werke. Auswahl in sechs Bänden, hrsg. von Fritz Medicus, Bd. III. Leipzig (ohne Jahr), S. 69.
25 J. G. Herder: Briefe zu Beförderung der Humanität. Erste Sammlung nach der ursprünglichen Anlage vom Jahre 1792. – In: Herders Sämmtliche Werke. Herausgegeben von Bernhard Suphan, Bd. XVIII. Berlin 1883, S. 327. – Vgl. dazu die Briefe 20–22, a. a. O., S. 323ff.
26 Pörschke Br. 286, 14. III. 1797 an Fichte. In: Fichte, Briefwechsel (s. Anm. 9).
27 Friedrich Nicolai: Gedächtnißschrift auf Johann August Eberhard. Berlin und Stettin 1810, S. 78.
28 Die Metaphysik der Sitten, Bd. VI, S. 208.
29 Auf diesen Anspruch Fichtes werden wir später noch eingehen. – C. L.

Reinhold: Versuch einer neuen Theorie des menschlichen Vorstellungsvermögens. Prag und Jena 1789. – J. S. Beck: Einzig-möglicher Standpunkt, aus welchem die critische Philosophie beurteilt werden muß. Riga 1796.

30 Bd. II, August 1798, S. 156–166.

31 54; VIII, S. 247. – 70; XII, S. 371.

32 Die Zahlen stützen sich auf die in Anm. 21 genannte Kant-Bibliographie von E. Adickes. Sie umfaßt 2832 Nummern. Davon entfallen aber 159 auf die Werke Kants und auf Arbeiten, die sich mit ihrer Publikation befassen. Eine gewisse Anzahl der Nummern bezeichnen Werke aus der Literatur, die nach 1804 erschienen sind. Die hier schätzungsweise genannten Zahlen greifen vermutlich alle eher zu tief.

33 Reinhold Br. 390, September 1799 an Fichte. In: Fichte, Briefwechsel.

34 Schelling Br. 393, 12. IX. 1799 an Fichte. In: Fichte, Briefwechsel. Pörschke Br. 307, 2. VII. 1798 an Fichte. – In: Fichte, Briefwechsel: »Kant wird wahrscheinlich nicht unsterblich sein, weil man ihn schon jetzt für todt ausgibt ... Auch hier hat mancher ein Leben des todten K. neben Leichengedichten in Bereitschaft. Da er keine Vorlesungen mehr hält, sich von allen Gesellschaften, das Haus des Freundes Motherby ausgenommen, zurückgezogen hat, so wird er allmählich auch hier unbekannt, selbst sein Ansehen wird geringer.«

35 Man kann das in seiner Korrespondenz verfolgen. Den Briefwechsel mit Hamann ließ er in den letzten 15 Jahren vor dessen Tod aus der Einsicht heraus versickern, daß »ich armer Erdensohn ... zu der Göttersprache der *Anschauenden Vernunft* garnicht organisirt« (Br. 86, 6. IV. 1774 an Hamann) bin. Kant wußte zu gut, daß hinter ihren gelegentlichen Meinungsverschiedenheiten radikal verschiedene Grundhaltungen zweier Philosophen standen. Beide konnten sich ihrer im Gespräch auf kommunikative Weise inne werden. In schriftlichen Auseinandersetzungen hätte sich leicht die Kluft zwischen ihnen als ununüberbrückbar erweisen können. Kant brach diesen Briefwechsel nicht ab, um sich von seinem Freund zu trennen, sondern um sich den Freund zu erhalten.

Noch schneller war der Abbruch der Korrespondenz mit Lavater erfolgt, obwohl ihm dieser versichert hatte, daß er, Kant, als Philosoph »à la Wolf« (Lavater Br. 81, 8. II. 1774), seit »vielen Jahren« sein »liebster Schriftsteller« sei, mit dem er »am meisten sympathisire« (Lavater Br. 90, 8. IV. 1774). Zwar antwortete Kant mit einem der wichtigsten Briefe, die er je geschrieben hat; aber nur mit einem. Wie im Verhältnis zu Herder und zu Jacobi ließ er es damit auf alle Zeiten bewenden. Es blieb Kant nicht verborgen, daß Lavater ein Schwärmer (75; XV, 406f.; 921), ein »Phantast« (76; XV, 705; 1485), ja letztlich ein überaus schlauer Betrüger war (81; XVIII, 694; 6369), von dem man sich besser trennte.

Eine andere Korrespondenz nahm er gar nicht auf; 1794 hatte sich der blinde pietistische Arzt Samuel Collenbusch Kants »Religion« und seine »Kritik der praktischen Vernunft« »ein par mahl« (Collenbusch Br. 649, 23. I. 1795) vorlesen lassen. Collenbusch entwarf daraufhin einige Briefe an Kant und überschickte ihm zumindest vier (Br. 647, 649, 657, 698). Auf diese im

Ton der frohen Botschaft gehaltenen, zum Teil sehr schönen Einladungen zu einem Zwiegespräch über die Grundlagen der Moral und der Religion ging Kant selbst dann nicht ein, als Collenbusch ihn bat, »aus liebe zur Pflicht Ihres eigenen gesetzes« (Collenbusch Br. 698, 30. III. 1796) ihm zu antworten. Die Begegnung mit dem Offenbarungsglauben, der sich selbst als Glaube einer höheren Vernunft mißversteht, mußte für Kant in einem sinnlosen Streit enden, in den man sich besser gar nicht einließ.

36 Vgl. auch: Ernst Cassirer: Kants Leben und Lehre. Berlin 1918, S. 385ff.

Robert Spaemann

Unter welchen Umständen kann man noch von Fortschritt sprechen?

Beherrschung der Natur – das heißt gleichzeitig: Emanzipation, Befreiung von der Natur durch ihre Vergegenständlichung. Der Prozeß der Vergegenständlichung hat nun auch die menschliche Natur erreicht: ihre zweckrationale Konditionierung wird zum Forschungsziel. Freedom and dignity, in deren Namen einst die Emanzipation begonnen wurde, werden nun selbst zu Relikten unaufgeklärter Mythologie, und schon die Entstehung des Menschen wird wissenschaftlich von der Selbstvergessenheit des Beischlafs abgekoppelt. Die Frage: wer sich eigentlich hier emanzipiert, wer eigentlich das Subjekt der vollendeten Naturbeherrschung ist, stellt sich damit allerdings unabweisbar und immer dringlicher. Geht es, so können wir fragen, um die Befreiung eines abstrakten, rein spirituellen Freiheitssubjekts bzw. eines Bündels angenehmer und unangenehmer Empfindungen von allen durch es selbst nicht gesetzten natürlichen und geschichtlichen Bedingungen seines Daseins, oder geht es um die Freiheit des Lebewesens Mensch, d. h. um seine Entfaltungsmöglichkeit in dem ihm eigentümlichen Wesensraum, zu dem auch die natürlichen und kosmischen Bedingungen gehören, die diesen Lebensraum konstituieren, sowie die moralischen Normen, die sich daraus ergeben, daß natürliche Wesen zugleich Personen sind[2]? Im einen Falle wäre der Gipfel des Fortschritts erreicht, wenn es uns gelänge, menschliche Gehirne in einer Lösung schwimmend am Leben zu erhalten, den in diesen Gehirnen vorausgesetzten Subjekten durch elektrische Ströme permanent euphorische Empfindungen zu induzieren und das Leben abzuschalten, sobald sich Anzeigen des Nachlassens der Euphorie zeigen. Diese Tätigkeit des An- und Abschaltens müßte durch Computer geschehen. Das wäre sozusagen der Idealzustand. Da er vermutlich utopisch bleiben wird, bietet sich als zweitbester ersatzweise die perfekte wissenschaftlich gesteuerte Zucht, Aufzucht und Manipulation der Menschenmassen unter Gesichtspunkten optimaler Systemfunktionalität durch eine Gruppe wissenschaftlicher Herrscher, die selbst alle Bindungen an so etwas wie ein Wesen des Menschen, an ein Tao, an Vorurteile wie Freiheit und Menschenwürde abgestreift haben, mit anderen Worten: die voll emanzipiert sind, nämlich von dem, was in der bisherigen Geschichte Menschsein hieß.

Wenn wir das alles nicht wollen, müssen wir dem Begriff Fortschritt heute einen restriktiveren, einen bescheideneren Sinn geben. Wir müssen ihn als B-Fortschritt und nur als solchen verstehen, d. h. als einen Fortschritt – der unabhängig von einem Ende eine Verbesserung darstellt –, dessen wesentlicher Zweck, nämlich der Mensch, schon realisiert ist, so daß es sich immer nur um die Begünstigung der wesensgemäßen Entfaltung von Menschen unter wechselnden Umständen handeln kann. *Wenn wir den Gedanken von Freiheit und Würde, also den Selbstzweckcharakter des Menschen festhalten, dann gibt es so etwas wie einen universalen A-Fortschritt – der seinen Sinn von seinem Ende her gewinnt – nur als Evolution bis hin zum ersten Menschen. Jeder weitere Fortschritt kann nicht ein substantieller sondern nur ein akzidenteller sein.* Zwar ist auch die Evolution nicht einfach als ein singulärer A-Fortschritt zu begreifen, als einheitlicher Veränderungsprozeß an einem einförmigen materiellen Substrat, der in nichts anderem besteht als darin, daß er am Ende zum Menschen führt. In diesem Prozeß sind ja vielmehr ständig substantielle Einheiten entstanden und vergangen. Nur *wir* nehmen uns das Recht, dieses Entstehen und Vergehen unter dem Aspekt der schließlichen Entstehung des Menschen als einheitlichen Prozeß zu interpretieren. Die Gründe, die den Menschen dazu berechtigen, dies zu tun, sind bei Kant nachzulesen. Es sind nicht naturwissenschaftliche, sondern moralische Gründe. Wir können Freiheit, d. h. die Fähigkeit, Seiendes als Seiendes zu denken und das Gute als das Gute zu wollen, nicht noch einmal als Mittel für irgend etwas anderes betrachten, ohne es in seinem Begriff zu negieren. *Darum muß der substantielle Fortschritt, der A-Fortschritt, als abgeschlossen betrachtet werden* – entgegen Nietzsche und Marx, die den Menschen, »wie er geht und steht«, ausdrücklich nicht als das höchste Wesen, sondern als etwas zu Überwindendes proklamierten. In diesem Gedanken steckt ein Widerspruch. Denn die Beurteilungsmaßstäbe, an denen gemessen eine über den Menschen hinausführende Entwicklung als Fortschritt anzusehen ist, sind allemal *unsere* Beurteilungsmaßstäbe. Die Behauptung eines den Menschen und also auch seine Maßstäbe hinter sich lassenden Fortschritts bleibt, wenn sie von Menschen gemacht wird, ganz leer. Sie besagt ja, daß eben jene menschlichen Maßstäbe überwunden werden, aufgrund deren eben diese Überwindung Fortschritt genannt wird. Nur beiläufig sei übrigens bemerkt, daß Hegel die Weltgeschichte keineswegs als Fortschrittsgeschichte im Sinne eines A-Fortschritts, eines substantiellen Fortschritts, gedacht hat. Substantiell ist der Mensch schon alles, was er sein kann. Er ist es zumindest seit der Erscheinung des Gottmenschen Jesus Christus. Fortschritt kann daher nur akzidenteller Fortschritt sein, nämlich das Bewußtwerden dessen, was wir sind, »Fortschritt im Bewußtsein der Freiheit«.

Es gibt nun heute eine Tendenz, vor allem in der Biologie, aus dem zum Menschen hinführenden Evolutionsprozeß ein strukturelles Moment zu abstrahieren, das sich über den Menschen hinaus extrapolieren läßt, und auf diese Weise den Fortschrittsbegriff vom Menschen überhaupt abzulösen. Was wir in der Evolution ja zweifellos beobachten können, ist die Herausbildung von Mustern immer höheren Komplexitätsgrades. Wir beurteilen höhere Komplexität als irgendwie »besser«, weil und insofern Leben komplexer ist als tote Materie und Bewußtsein noch einmal einen höheren Komplexitätsgrad lebendiger Materie voraussetzt. Nun scheint es eine – soviel wir sehen – irreversible Tendenz zu wachsender Komplexität von Systemen zu geben, denen der Mensch selbst als Element angehört. Insbesondere Luhmann hat diese Tendenz beschrieben als Tendenz, Umweltkomplexität durch Übersetzung in Binnenkomplexität zu reduzieren. Dieser Prozeß führt schließlich zu einem Unwesentlichwerden des Menschen. Und zwar aus folgendem Grunde: Die Binnenkomplexität des sozialen Systems ist für den einzelnen denkenden, fühlenden und handelnden Menschen Umweltkomplexität. Er kann diese jedoch nicht unbegrenzt in Binnenkomplexität seines eigenen organischen und psychischen Systems übersetzen, weil ihm – im Unterschied zum Sozialsystem – biologisch bedingte Grenzen gesetzt sind. Das aber bedeutet, daß die Entwicklung des sekundären sozialen Systems, das auf Wissensakkumulation beruht, die eindeutige Tendenz hat, menschlicher Verfügung und menschlichem Verstehen zu entgleiten. Wir haben keinen Grund, eine solche Entwicklung weiterhin als Fortschritt zu bezeichnen. Wir können sie natürlich als substantiellen, als A-Fortschritt interpretieren, nämlich als Entstehung einer neuen Totalität, die den Menschen lediglich als Element in sich enthält. Aber da diese Totalität nicht den Charakter der Subjektivität hat, da sie weder Bewußtsein noch Freiheit besitzt, steht sie auf niedrigerem Niveau als die Subjekte, die ihre Elemente sind. Natürlich kann der Soziologe postulieren, jede »humanistische« Betrachtungsweise dieses Prozesses fallen zu lassen, da es sich hier um einen Vorgang handelt, der aller menschlichen Bewertung entzogen ist. Wenn er dies ist, dann ist allerdings nicht einzusehen, wieso derjenige, der ihn konstatiert, sich berechtigt fühlt, an uns irgendwelche Aufforderungen zu richten. Wo uns gesagt wird, wir sollten so archaische Begriffe wie »besser« und »schlechter« beiseite lassen, da können wir zurückfragen, warum wir überhaupt irgend etwas »sollten«.

Unter dem Aspekt des akzidentellen Fortschritts, also der Verbesserung menschlicher Lebens- und Freiheitsbedingungen, ist die Entwicklung zur einheitlichen Weltzivilisation, die unter dem Einfluß der modernen Wissenschaft stattfindet, durchaus ambivalent. Sie scheint erstmals die Menschen aus der Naturwüchsigkeit partikularer Schicksale herauszuführen und zu Herren ihres Schicksals zu machen. Aber schon Hegel hat gesehen, daß dies ein Trugschluß ist. In seinem Naturrechtsaufsatz schreibt er, daß der Weltstaat, der kein äußeres Schicksal mehr hat, sich zu einem solchen Schicksal auch nicht mehr frei verhalten kann, sondern sich das Moment des Schicksals, der Naturwüchsigkeit sozusagen als Inneres einhandelt. Mit anderen Worten: Ein universelles System, das nicht mehr Identifikationsobjekt für lebendige Subjekte ist, sinkt wieder auf das Niveau eines bloßen Natursystems herab. Analoges aber gilt für ein Wissenschaftssystem, das sich so weit ausdifferenziert hat, daß es gar nicht mehr zurückbezogen werden kann auf ein Wissenwollen lebendiger Subjekte, sondern das zum subjektlosen Betrieb geworden ist. Wo immer der Fortschritt die durch die natürliche Organisation des Menschen vorgezeichneten Grenzen sprengt, hört er auf Fortschritt zu sein. So gibt es z. B. ein Tempo gesellschaftlichen Wandels, das als solches eine Verschlechterung der menschlichen Lebensqualität bedeutet, nämlich jenes Tempo, das es Menschen unmöglich macht, sich aufs Älterwerden zu freuen, weil sie in der zweiten Lebenshälfte »die Welt nicht mehr verstehen«, also praktisch entmündigt und auf bloßen Konsumentenstatus herabgedrückt werden. Es ist wahrscheinlich, daß die Wissensakkumulation in den nächsten Jahrzehnten ebenfalls eine Grenze überschreitet, die durch die natürliche Organisation des Menschen vorgezeichnet ist. Wenn das bisherige exponentielle Wachstum des wissenschaftlichen Wissens nicht aus materiellen Gründen gestoppt wird, dann wird dieses Wachstum bald Ausmaße erreichen, bei denen es niemandem mehr möglich ist, auf irgendeinem Wissenschaftsgebiet so etwas wie »einen Stand der Wissenschaft« festzustellen und sich anzueignen. Auch die perfekteste, mit allen Mitteln der Datenspeicherung ausgestattete bibliographische Institution kann ja nicht das Lesen selbst ersetzen. Wenn es aber gar nicht mehr möglich ist, wirklich zu wissen, was »man« weiß, d. h. was an potentiellem Wissen zur Verfügung steht, dann ändert dies den Wissenschaftsbetrieb qualitativ. Er wird vermutlich wieder dezentralisiert. »Die Wissenschaft«, das einzige Substrat eines eindeutigen linearen Fortschritts, wird zerfallen. Niemand kann mehr das Bewußtsein haben, »die Wissenschaft« zu fördern. Was er fördert, das ist in erster Linie sich selbst, seine Freunde oder seine Auftraggeber. Ein solcher dezentralisierter, reprivatisierter Wissenschaftsbetrieb aber wird dann auch gegenüber der Öffentlichkeit nicht mehr mit dem einschüchternden Nimbus auftreten können, mit dem er heute noch auftritt. Wenn darüber entschieden werden muß, ob eine Million DM ausgegeben werden soll, um die Pulsfrequenz von Schauspielern und Theaterbesuchern bei bestimmten Stücken zu messen, wird die Entscheidung nicht mehr durch den Mythos beeinflußt, daß hier so etwas wie »die Wissenschaft« gefördert werden müsse, sondern man wird sich klar darüber sein, daß hier einige Leute eben gerne etwas wissen möchten, und man wird fragen, wem es wieviel wert ist, daß diese Leute dieses Wissen erlangen.

Die Frage bleibt: was ist mit demjenigen Wissen, das Menschen Macht über andere Menschen verleiht? Die Forderung nach demokratischer Machtkontrolle ist keine Patentlösung dieses Problems; denn um die Macht der Wissenden zu kontrollieren, muß der Kontrolleur selbst über das Wissen verfügen; er ist es also, der selbst Macht ausübt. Vor allem aber gibt es eine Macht, deren Kontrolle sich den von ihr Betroffenen wesentlich entzieht: die Macht der Lebenden über die kommenden Generationen. Je größer das Wissen, je größer die Technologie, je gewaltiger die Investitionen, um so irreversibler sind die Weichen, die die Lebenden für ihre Nachkommen stellen. Insofern bedeutet technischer Fortschritt von einem gewissen Zeitpunkt an stetig abnehmende Freiheit der aufeinanderfolgenden Generationen, ihre Lebensumstände selbst zu gestalten. Die aufkommende Fortschritts- und Technikkritik vieler Jugendlicher in den Industrieländern hängt mit der Erfahrung zusammen, daß dieser Zeitpunkt abnehmender Freiheit bereits gekommen ist, während doch andererseits die abstrakte, die »mögliche« Freiheit ins Ungemessene wächst: Erstmals rückt der kollektive Selbstmord der Menschheit in den Bereich des Möglichen, so daß wir sagen können, daß die Existenz der Gattung selbst in die Verfügungsgewalt der Gattung tritt. Und die Natur hört auf, ein unendliches, aller menschlichen Verantwortung enthobenes Reservoir von Ressourcen zu sein, das zudem alle Nebenfolgen menschlicher Handlungen langfristig wieder absorbiert. So rückt auch die Natur selbst in den Verantwortungsbereich menschlicher Freiheit. Das Neue in dieser Situation liegt jedoch darin, daß diese potentielle Freiheit ihre sinnvolle Realisierung nicht mehr durch ein Tun, sondern nur noch durch ein Lassen finden kann. »Sein-lassen« erweist sich als höchster Akt menschlicher Freiheit. »Fortschrittlich« in emphatischen Sinne kann heute nur noch ein solches auf Sein-lassen tendierendes Denken sein. Hinsichtlich unserer Aktivitäten aber müssen wir prinzipiell die Idee eines A-Fortschritts für die Menschheit, den Mythos des Fortschritts im Singular überhaupt preisgeben und ihn durch den einzig vernünftigen Begriff von akzidentellen Fortschritten und Rückschritten, von Verbesserungen und Verschlechterungen ablösen. Der Begriff »Fortschritt« im Singular ist längst zu einem Instrument der Selbstentfremdung des Menschen geworden. Er verhindert, daß Fortschritte im Plural initiiert werden, und er verhindert, daß Veränderungen jeder Art von den durch sie Betroffenen vorurteilslos daraufhin befragt werden, ob es sich um Verbesserungen oder Verschlechterungen handelt.

Mario Wandruszka
Denken in Bildern

Verdunkelte Bilder

Wir denken in Bildern. Die sprachliche Gestalt, die diese Bilder gewonnen haben, können wir immer weiter verwenden zum Ausdruck neuer Gedanken, indem wir das ursprüngliche Bild mehr und mehr vergessen, so daß nur noch ein dunkler Rest von ihm vorhanden ist, der schließlich auch noch verlöscht.

d. *und da wollen nun gerade Sie mich im Stich lassen?* (MoE 995)
e. *you are leaving me in the lurch*
fr. *vous me laisseriez tomber*
it. *vuol piantarmi in asso*
sp. *quiere dejarme usted en la estacada*
port. *você me iria abandonar*

Das ursprüngliche Bild, dem diese Redensart ihre Entstehung verdankt, haben wir längst vergessen. Man kann heute nicht einmal mit Sicherheit sagen, woher sie kommt[1]. Vielleicht bedeutete sie ursprünglich, den Gefährten auf dem Kampfplatz allein zurücklassen, den Stichen der Gegner ausliefern. Auch die spanische Wendung *dejar en la estacada* bedeutet ja ursprünglich, jemanden in der umzäunten Kampfbahn zurücklassen. Unser Denken bedient sich dieser alten, ganz undeutlich gewordenen Formel, um einen Gedanken auszudrücken, in dem mehr ist als bloß Verlassen, Zurücklassen, Aufgeben – einen Gedanken, den wir wohl umständlich beschreiben, aber nicht exakt definieren können.

Über Galilei heißt es im »Mann ohne Eigenschaften«:

d *Die katholische Kirche hat einen schweren Fehler began-*

	gen, indem sie diesen Mann mit dem Tode bedrohte und zum Widerruf zwang, statt ihn ohne viel Federlesens umzubringen (MoE 302)

e.	*without more ado*	fr.	*sans plus de cérémonies*
it.	*senza tanti complimenti*	sp.	*sin tanta consideración*
port.	*sem mais rodeios*		

Was das Federlesen als solches bedeuten mag, wissen wir nicht mehr, brauchen es auch nicht zu wissen, wir verwenden ja nur mehr die feste Fügung *nicht viel Federlesens machen, ohne viel Federlesens*, und denken uns dabei: rasch, kurz entschlossen, kurzen Prozeß machen.

d.	*Er machte absichtlich nicht viel Aufhebens von diesem Vorschlag* (MoE 604)		
e.	*He made the suggestion in a deliberately casual way*		
fr.	*il parut faire peu de cas*	it.	*senza darvi importanza*
sp.	*omitió toda ponderación*	port.	*fazia pouco caso*

»Die Redensart stammt aus der Sprache der (Schau-)Fechter, die vor Beginn des Kampfes ihre Degen mit umständlichen Zeremonien und prahlerischen Worten vom Boden ›aufhoben‹.«[2] Von dem verdunkelten Bild ist in unserer heutigen Formel noch ein letzter unbestimmbarer Rest vorhanden. Der Gedanke bedient sich ihrer in einem neuen Zusammenhang.

d.	*mit Frieda konnte sie es als Mädchen gegen Mädchen sehr wohl aufnehmen* (Sch 274)		
e.	*she was a match for her*	fr.	*elle pouvait fort bien se mesurer*
it.	*si sente benissimo di competere*	sp.	*bien podía entrar en competencia*

»Fast gänzlich aus dem Bewußtsein geschwunden ist uns heute, daß in dieser Redewendung das ›es‹ sich auf die Waffe (in älterer, z. B. noch von Luther gebrauchter Form ›das wafen‹) bezieht, die vor dem Zweikampf vom Boden aufgenommen wurde.«[3]

Und schließlich verlöscht das Bild. Das Denken kann der einmal geprägten Form ganz neue Funktionen geben, die sich keineswegs mit Notwendigkeit aus ihrer ersten Funktion ableiten lassen, die völlig unberechenbar und unvorhersehbar sind. Wenn man von *entsetzen* noch den Weg zu *ent-setzen*, vor Schreck aus dem Sitz reißen, zurückfinden kann, wer würde noch in *entrüsten* ein *ent-rüsten*, die Rüstung ausziehen, suchen?

d. *daß ich diese Blätter gewiß entrüstet weggeworfen hätte* (StW 202)

e.	*in disgust*	fr.	*avec indignation*
it.	*indignato*	sp.	*con indignación*

Wie man sieht, ist in keiner der anderen Sprachen das Denken der Menschen diesen seltsamen Weg von der *Ent-rüstung* zur *Entrüstung* gegangen.

Idiomatik und Zufall

In den Bildern unserer Sprache findet man da und dort ganz verschiedene Erinnerungen an ein altes kriegerisches, ritterliches, bürgerliches, bäuerliches, handwerkliches Leben, Erinnerungen an die Welt der Jäger, der Fischer, der Seefahrer. Alles in allem aber sind es zu spärliche und verstreute Zeugnisse, um daraus ein unterschiedliches deutsches oder spanisches, englisches oder französisches »sprachliches Weltbild« erschließen zu können. Und noch viel weniger läßt sich in dem, was das Denken der Menschen da und dort aus diesen Prägungen gemacht hat, in der Bewahrung oder der Verdunkelung der Bilder, in der Verwendung der Formen in neuen Funktionen ein »System« erkennen. Gerade in der Idiomatik spricht alles vom schöpferischen, beiläufigen Spiel der Menschen mit ihrer Sprache und vom geschichtlichen Zufall.

Wenn wir heute im Deutschen etwas *auf eigene Faust* tun, dann ist das Bild einer Faust für uns völlig verdunkelt, wir denken dabei nur mehr an Tatkraft und Entschlossenheit zu einem

Handeln auf eigene Rechnung und Gefahr. Menschen anderer Muttersprache verstehen dagegen diese deutsche Wendung gern überdeutlich, sie hören einen deutschen Faustschlag, sie hören womöglich Faustkampf und Faustrecht heraus. Daß wir das meist gar nicht so meinen, zeigt der Übersetzungsvergleich:

d. *versprechen Sie mir, ... nichts auf eigene Faust zu unternehmen?* (Sch 85)
e. *on your own account* fr. *de votre propre chef*
it. *di sua testa* sp. *por propia iniciativa*

Die französische Wendung *agir de son propre chef*, »nach eigenem Kopf handeln« (lat. *caput* – fr. *chef*, »Kopf«), hat ihrerseits ihre Durchsichtigkeit verloren, seit man den Kopf nicht mehr *chef*, sondern nur noch *tête* nennt.

e. *They go in on their own and they get in trouble* (GF 290)
d. *Wenn sie es auf eigene Faust tun, geraten sie in Schwierigkeiten*
fr. *pour leur propre compte* it. *per conto suo*
sp. *por cuenta su*

Ein so verdunkeltes Bild kann neues Leben erhalten. So wenn Robert Musil schreibt:

d. *auf eigene Faust lebende Menschen* (MoE 130)
e. *people living on waht one might call their own hook*
fr. *les hommes qui vivent pour ainsi dire de leur propre chef*
it. *tutti coloro che vivono facendo fuoco della propria legna*
sp. *hombres independientes*

Oder wenn Peter Handke eine amerikanische Deutschlehrerin sagen läßt:

d. *Helden sind bei uns nur diejenigen, die noch Abenteuer erlebt haben, die Menschen »auf eigene Faust«, die Ansiedler und Pioniere* (KBA 148)
e. *men in their own right* fr. *les hommes »de leur propre chef«*

it. *gli uomini »legge a se stessi«*
sp. *los hombres »que se hicieron a sí mismos«*

Der Italiener macht daraus Männer, die sich selbst ihr Gesetz bestimmen, der Spanier Männer, die sich selbst gemacht haben, *self-made-man.*

Die Hand

Im Umgang mit mehreren Sprachen ist es für uns eine alltägliche Erfahrung, daß von Sprache zu Sprache selbst die einfachsten und für uns einleuchtendsten bildlichen Redensarten nicht miteinander übereinstimmen. Was diese Divergenzen über die Natur unserer natürlichen Sprachen aussagen, über das Verhältnis von Sprechen und Denken, was sie für das theoretische Modell der menschlichen Sprache bedeuten, ist noch nie richtig durchdacht worden.

Unser *im Handumdrehen* finden wir nur im Französischen wieder, *en un tournemain*:

d. *dann hat es im Handumdrehn einen richtigen Auflauf gegeben* (MoE 1034)
e. *the next minute* fr. *en un tournemain*
it. *in un batter d'occhio* sp. *en un abrir y cerrar de ojos*
port. *num abrir e fechar de olhos*

sp. *En un dos por tres estuvo listo mi traje* (CV 247)
d. *Der Anzug war im Handumdrehen fertig*
e. *My suit was ready in less than no time*
fr. *En deux temps trois mouvements mon costume fut prêt*
it. *In quattro e quattr' otto il mio vestito era pronto*

Wenn wir auf deutsch etwas *aus dem Handgelenk* machen, müssen wir in anderen Sprachen lange suchen, um einen halbwegs entsprechenden Ausdruck für diesen Gedanken zu finden:

d. *erbot er sich, aus dem Handgelenk mit Hilfe seines kleinen Notizblockes die Sache da oben in Ordnung zu bringen* (Sch 246)
e. *in no time at all*
fr. *par la vertu de sa petite baguette*
it. *cosí su due piedi*
sp. *así, sin más ni más, como si se tratara de soberse un vaso de agua*

»Mit seinem Zauberstäbchen« sagt der Franzose; »auf zwei Füßen, auf der Stelle« der Italiener, »mir nichts, dir nichts, als ginge es darum, ein Glas Wasser zu trinken« der Spanier.

Warum können wir andererseits auf deutsch für »helfen« nicht so wie in den anderen Sprachen sagen, daß wir jemandem *eine Hand geben*?

e. *Your Godfather sent me out here to give you a hand on some things* (GF 168)
d. *Dein Pate hat mich geschickt, damit ich dir ein bißchen unter die Arme greife*
fr. *te donner un coup de main* it. *darti una mano*
sp. *darte una mano*

Umgekehrt sagen wir *aus der Hand geben* für »aufgeben, verzichten«:

d. *entschlossen, nicht den geringsten Vorteil, den er gegenüber diesen Leuten besaß, aus der Hand zu geben* (Pr 9)
e. *not to give away* fr. *ne pas abandonner*
it. *non lasciarsi sfuggire* sp. *no ceder*
port. *não deixar escapar*

Dann unser *abhanden kommen*:

e. *eight tourists had lost their passports* (DJ 453)
d. *acht Touristen waren die Pässe abhanden gekommen*
fr. *avaient perdu* it. *avevano perduto*
sp. *habían perdido*

Was ursprünglich im Bewußtsein der Menschen ein klares und deutliches Bild gewesen sein muß, »aus den Händen entkommen«, ist heute verdunkelt. Aber ein letzter beiläufiger Rest ist noch spürbar, und gerade dadurch ist der Ausdruck für uns eine Bereicherung: *abhanden kommen* ist nicht genau dasselbe wie verlorengehen. Wenn mir etwas abhanden gekommen ist, war meist auch noch meine eigene Unachtsamkeit oder Nachlässigkeit mit im Spiel. Für das, was allen sichtbar »auf der offenen Hand liegt«, verwenden die europäischen Sprachen Wörter, die längst erloschene Bilder des Lateinischen enthalten: *manifestus, evidens, obvius*. Nur im Deutschen haben wir noch ein leicht einsichtig zu machendes »Hand«-Bild:

e.	*the obvious question (FS 221)*	d.	*die auf der Hand liegende Frage*
fr.	*la question qui crevait les yeux*	it.	*la domanda ovvia*
sp.	*una pregunta evidente*	port.	*a pergunta que salta aos olhos*

Handfest ist solid, robust:

d. *es gibt da also – wie ihr Bruder, der zur Zeit eine geringfügige Freiheitsstrafe abbüßt, es ausdrückte – was »Handfestes abzustauben«* (KB 13)
e. *«there's lots of goodies worth of swiping«*
fr. *il y a là »quelque chose de palpable à gratter«*
it. *c'è »qualcosa di solido da grattare«*

Was *nicht von der Hand zu weisen* ist, läßt sich nicht leugnen:

d. *darum ist es nicht von der Hand zu weisen, daß . . .* (MoE 26)

it.	*it cannot be denied*	fr.	*on ne peut nier*
it.	*è innegabile*	sp.	*es innegable*
port.	*não podemos negar*		

Wir sagen *vorhanden* und *vorderhand*:

d. *Die Möglichkeit aber, die Hoffnung ist vorhanden* (StW 238)

e. *are there* fr. *existent* it. *esiste* sp. *existe*

d. *Der Ministerpräsident selbst hat gewünscht, daß wir ihm das vorderhand abnehmen* (MoE 840)
e. *for the time being* fr. *provisoirement*
it. *per ora* sp. *por el momento*
port. *provisoriamente*

Andererseits finden wir im Englischen *beforehand*, im Spanischen *de antemano* in der Bedeutung »von vornherein«:

sp. *Era como una guerra perdida de antemano* (CV 207)
d. *Der Krieg schien von vornherein verloren*
e. *lost beforehand* fr. *perdue d'avance*
it. *perduta in anticipo*

In allen unseren Sprachen finden wir an den überraschendsten Stellen verdunkelte und erloschene »Hand«-Bilder eingestreut:

d. *Da saß sie nun, hatte solche Sätze in der Erinnerung und mochte allerhand von ihm denken* (MoE 590)
e. *heaven knows what* fr. *toutes sortes de choses*
it. *chi sa che cosa* sp. *toda clase de cosas*
port. *as piores coisas*

Im Italienischen ist aus »von Hand zu Hand« schließlich *man mano*, »allmählich«, geworden:

d. *und dann erst wurde das unterbrochene Gespräch allmählich wieder aufgenommen* (V 79)
it. *1)pian piano* 2)*a poco a poco* 3)*man mano*

Lat. *manu tenere* – um nur noch ein Beispiel herauszugreifen – hat ein romanisches Verbum mit vielerlei Verwendungen ergeben, fr. *maintenir* (e. *to maintain*), it. *mantenere*, sp. *mantener* port. *manter*, »erhalten, aufrechterhalten usw.« – und die Franzosen haben aus *maintenant*, »festhaltend«, sogar *maintenant*, »jetzt«, gemacht[4].

Unsere Sprachen sind aus Bildern gemacht, aus anschaulichen Bildern, voll Kraft und Farbe, aus undeutlichen, verblassenden, verdunkelten Bildern, aus erloschenen, vergessenen Bildern.

Idiomatik und »System«

Wenn wir deutsch sagen können: *das liegt auf der Hand* – warum können wir dann nicht auch auf englisch sagen: *that lies upon the hand?* Warum nicht *that is the jumping point,* oder *don't leave me in the stitch?*

Von einer Sprache zur anderen kann die Idiomatik die seltsamsten Sprünge machen und uns zu den drolligsten Fehlern verleiten. Wohlbekannt ist unser Ulkenglisch, das im wesentlichen aus dem wörtlichen Übersetzen deutscher Idiomatik ins Englische besteht. Man legt es gern führenden politischen Persönlichkeiten in den Mund, Kabarettisten und Entertainer machen von ihm Gebrauch, in den Schmunzelecken unserer Zeitungen hat es seinen festen Platz: *to take upon the arm, to bring upon the palm-tree, he ist heavy on wire, that can go in the eye ...* Der harmlose Spott über schülerhafte Fehler verbindet sich mit der lächelnden Einsicht in die sonderbare Beschaffenheit unserer Sprachen.

Daß die Idiomatik unserer Sprache allen transformationellen Regelmechanismen Noam Chomskys und damit allem logisierend-mathematisierenden Reduktionismus Hohn spricht, hat als erster Wallace L. Chafe schon 1968 klar erkannt[5]. Die amerikanische und europäische Systemlinguistik hat seither große Anstrengungen gemacht, um ihr doch irgendwie beizukommen. Man ist dabei über negative Definitionen nicht hinausgekommen: etwa daß die Bedeutung eines idiomatischen Ausdrucks sich aus den Elementen, aus denen er sich zusammensetzt, nicht ergibt, sich nicht erschließen, nicht voraussagen läßt; daß eine idiomatische Form gekennzeichnet ist durch ihre »strukturelle Defizienz« oder ihre »transformationelle Defizienz«; daß sie »spezifischen Restriktionen« unterliegt; daß jeder idiomatische Ausdruck eine *«Anomalie«* darstellt; daß er dem Regelmechanismus der morphologischen und grammatischen »Wohlgeformtheit« widersprechen kann und ähnliches mehr[6].

Positiv ist damit überhaupt noch nichts gesagt über die Kräfte, die in unseren Sprachen wirksam werden, die sie so gebildet haben, wie sie heute sind, die sie täglich weiter umgestalten. Positiv läßt sich darüber nichts sagen, solange man die menschliche Sprache immer nur von einem fiktiven »System« her durchdenkt, denn gerade das Idiomatische unserer Sprachen, das ihnen Eigentümlichste, spottet jeder Systematik.

Unsere Sprachen leben aus dem schöpferischen, beiläufigen Spiel der Bilder. Diese Bilder können aus allen Himmelsrichtungen in unsere Sprachen kommen. Das Bild vom *Gesichtwahren* und *Gesichtverlieren* stammt aus dem Chinesischen und ist erst im 19. Jahrhundert über das Englische in die anderen europäischen Sprachen gelangt. Bilder werden seit Jahrtausenden von Sprache zu Sprache weitergegeben. In ihren Sprachen haben die Menschen durch die Jahrhunderte bald da, bald dort Bilder erfunden, glückliche Funde, die Sprachgemeinschaften haben sie aufgenommen und weitergegeben. Vieles davon ist bis heute lebendig geblieben, vieles halb oder ganz verdunkelt, vieles erloschen in den immer neuen Verwendungen, die das Bewußtsein für die Prägungen der Sprache findet.

In diesen unterschiedlichen Bildern erkennt man die Notwendigkeit, das Bedürfnis, die Gelegenheit, die Beiläufigkeit, die Freiheit. In ihnen erkennt man das schöpferische Spiel des Zufalls.

Daher haben die Bilder einer anderen Sprache oder Mundart oft eine ganz besondere Anziehungskraft für uns. Es ist immer wieder die Entdeckung, daß man die Welt, unsere Welt, auch in anderen Bildern gestalten kann. Wir geben ihnen andere Konnotationen als den Bildern unserer ersten, der Muttersprache, neue, unverbrauchte Konnotationen.

Hugo von Hofmannsthal, der Künder von »Wert und Ehre deutscher Sprache« und wie kein zweiter für die Schönheit anderer Sprachen empfänglich, hat das sehr poetisch beschrieben.

»Die Sprachen gehören zu den schönsten Dingen, die es auf der Welt gibt. Man sagt, sie sind es, die unser Dasein vom Dasein der Tiere unterscheiden. Sie sind wie wundervolle Musikinstrumente, die unsichtbar immerfort neben uns herschweben, damit wir uns ihrer bedienen: die Möglichkeit der unsterblichsten Gedichte schläft immerfort in ihnen, wir aber spielen auf ihnen so albern als möglich. Trotzdem ist es nicht möglich, sie ganz um ihren Klang zu bringen. Ja, wenn wir für die Schönheit der eigenen stumpf geworden sind, so hat die nächstbeste fremde einen unbeschreiblichen Zauber; wir brauchen nur unsere welken Gedanken in sie hineinzuschütten, und sie werden lebendig wie Blumen, wenn sie ins frische Wasser geworfen werden ... Nicht in den Worten aber liegt das Stärkste dieses Zaubers: es liegt in den Wendungen, in der unübertragbaren Art, wie die Worte nebeneinandergestellt werden, wie sie aufeinander hindeuten, einander verstärken und verwischen, miteinander spielen, ja sich verstellen und eines des anderen Maske vornehmen, wechselweise einander ihrer ursprünglichen Bedeutung entfremdend.«[7]

Anmerkungen

1 L. Röhrich: Lexikon der sprichwörtlichen Redensarten. Freiburg 1973, s. v. *Stich*.
2 A. a. O., s. v. *aufheben*.
3 A. a. O., s. v. *aufnehmen*.
4 W. v. Wartburg: Französisches Etymologisches Wörterbuch Band 15–17, Germanische Elemente. Basel 1966 ff., s. v. *manus* und *manu tenere*.
5 W. L. Chafe: Idiomaticity as an anomaly in the Chomskyan paradigm. In: Foundations of Language 4, 1968, S. 109. Dazu U. Weinreich: Erkundungen zur Theorie der Semantik. Tübingen 1970, 3.442 Komplexe Wörterbucheinträge.
6 Lexikon der gemanistischen Linguistik II.14; W. Welte: Moderne Linguistik, s. v. *Idiom (atischer Ausdruck)*.
7 H. v. Hofmannsthal: Französische Redensarten. In: Gesammelte Werke in Einzelausgaben, Prosa I. Frankfurt/M. 1956, S. 300.

Verzeichnis der mit ihren Übersetzungen zitierten Werke:

CV	Pablo Neruda: Confieso que he vivido. Seix Barral Barcelona 1974
DJ	Frederick Forsyth: The Day of the Jackal. Bantam New York 1972
FS	Alvin Toffler: Future Shock. Bantam New York 1971
GF	Mario Puzo: The Godfather. Fawcett Greenwich Conn. 1969
KB	Heinrich Böll: Die verlorene Ehre der Katharina Blum. dtv München 1976
KBA	Peter Handke: Der kurze Brief zum langen Abschied. Suhrkamp Frankfurt/M. 1972
MoE	Robert Musil: Der Mann ohne Eigenschaften. Rowohlt Hamburg 1970
Pr	Franz Kafka: Das Schloß. Fischer Taschenbuch Verlag Frankfurt/M. 1976
StW	Hermann Hesse: Der Steppenwolf. Werksausgabe Suhrkamp/Frankfurt 1970
V	Franz Kafka: Die Verwandlung, Erzählungen. Fischer Taschenbuch Verlag Frankfurt/M. 1976

Paul Watzlawick
Imaginäre Kommunikation

In diesem Kapitel möchte ich einige Beispiele von Kommunikationskontexten vorlegen, die völlig imaginär sind, dennoch – oder vielleicht gerade deswegen – aber zu höchst sonderbaren und unlösbaren praktischen Widersprüchen führen. Indem ich dies tue, nehme ich dasselbe Recht in Anspruch, das der Mathematiker besitzt, dessen Aufgabe, wie Nagel und Newman es einmal definierten, darin besteht, »Lehrsätze von postulierten Annahmen abzuleiten, wobei es als Mathematiker nicht seine Sorge zu sein braucht, zu prüfen, ob die von ihm angenommenen Axiome tatsächlich wahr sind«[1].

Diese Art von Gedankenexperiment, in dem zuerst ein Satz imaginärer Gegebenheiten postuliert und diese dann bis in ihre letzten logischen Konsequenzen verfolgt werden, beschränkt sich nicht auf die reine Mathematik. Condillac zum Beispiel verwendete es zur Ableitung seiner Assoziationspsychologie, indem er von der Idee einer Statue ausging, die nach und nach dadurch immer menschlichere Eigenschaften annahm, daß er sie sich in streng logischer Weise mit immer komplexeren Wahrnehmungsfähigkeiten begabt vorstellte. Ein besonders berühmtes und klassisches Beispiel der Verwendung eines imaginären Modells ist Maxwells Dämon. Es handelt sich dabei um eine winzige Kreatur, der das Öffnen und Schließen der Verbindungstür zwischen zwei Behältern obliegt, die mit demselben Gas gefüllt sind. Bekanntlich bewegen sich die Moleküle eines Gases regellos und mit verschiedenen Geschwindigkeiten im Raum. Der Dämon öffnet beziehungsweise schließt die Verbindungstür so, daß von Behälter B nur Moleküle mit hoher Geschwindigkeit (hoher Energie) in Behälter A überwechseln können, während er in umgekehrter Richtung nur langsame Moleküle (also solche mit niedriger Geschwindigkeit) durchläßt. Die zwingende Schlußfolgerung ist, daß sich dadurch die Temperatur in Behälter A erhöht, obwohl das Gas ursprünglich in beiden Behältern dieselbe Temperatur hatte. Dies aber steht in glattem Widerspruch zum zweiten Hauptsatz der Wärmelehre, und obwohl das Ganze »nichts als« eine intellektuelle Spielerei war, trieb der Dämon in der theoretischen Physik längere Zeit unter der Bezeichnung *Maxwells Paradoxie* sein störendes Unwesen. Erst Léon Brillouin führte die Lösung herbei, indem er – gestützt auf einen Artikel von Szilard – nachwies, daß die Beobachtung der Moleküle durch den Dämon eine Zunahme von Information innerhalb des Systems darstellt und daß diese Informationszunahme genau der Temperaturerhöhung entspricht, die der Dämon anscheinend erzeugt hatte. Während uns Laien also die Idee eines solchen Lebewesens äußerst absurd und unwissenschaftlich scheint, führte sie die Physiker zu wichtigen Einsichten in die Interdependenz zwischen Energie und Information.

Newcombs Paradoxie

Gelegentlich wird die Liste der klassischen Paradoxien um eine weitere, besonders faszinierende bereichert. Im Jahre 1960 stieß ein theoretischer Physiker am Strahlungslaboratorium der Universität von Kalifornien in Livermore, Dr. William Newcomb, auf eine neue Paradoxie – angeblich während er sich bemühte, das Gefangenendilemma zu lösen. Über verschiedene Zwischenpersonen kam sie schließlich zur Kenntnis des Philosophieprofessors Robert Nozick an der Harvard-Universität, der sie 1970 in einer philosophischen Festschrift veröffentlichte[2]. 1973 besprach der Mathematiker Martin Gardner dieses Referat im »Scientific American«[3] und löste damit eine solche Flut von Zuschriften aus, daß er sich im Einvernehmen mit Nozick in einem zweiten Artikel[4] nochmals mit diesem Problem und den von seinen Lesern vorgeschlagenen Lösungen befaßte.

Die prinzipielle Bedeutung dieser Paradoxie für meine Thematik liegt darin, daß sie auf einem Kommunikationsaustausch mit einem imaginären Wesen beruht; einem Wesen, das die Fähigkeit besitzt, menschliche Entscheidungen mit fast hundertprozentiger Genauigkeit vorauszusagen. Nozick definiert diese Fähigkeit (und der Leser ist ersucht, dieser Definition volle Aufmerksamkeit zu schenken, da ihr Verständnis für das Folgende unerläßlich ist) mit folgenden Worten: »Sie wissen, daß dieses Wesen Ihre vergangenen Entscheidungen oft richtig vorausgesagt hat (und daß es, soweit Ihnen bekannt ist, niemals *falsche* Voraussagen über Ihre Entscheidungen gemacht hat), und Sie wissen ferner, daß dieses Wesen oft die Entscheidungen anderer Leute ... in der nun zu beschreibenden Situation richtig vorausgesagt hat.« Es sei ausdrücklich betont, daß die Voraussagen fast, aber eben nur *fast* vollkommen verläßlich sind.

Das Wesen zeigt Ihnen zwei verschlossene Kästchen und erklärt, daß in Kästchen 1 auf jeden Fall tausend Dollar liegen, während Kästchen 2 entweder nichts oder eine Million Dollar enthält. Es stehen Ihnen nun folgende zwei Möglichkeiten zur Wahl offen: Sie können entweder *beide* Kästchen öffnen und das darin liegende Geld gewinnen; oder Sie wählen nur Kästchen 2 und nehmen das dort vorgefundene Geld. Ferner teilt Ihnen das Wesen mit, daß es folgende Maßnahmen getroffen hat: Wenn Sie die erste Alternative wählen und beide Kästchen öffnen, so hat das Wesen (das diese Entscheidung natürlich voraussah) das zweite Kästchen leer gelassen, und Sie gewinnen daher nur die tausend Dollar in Kästchen 1. Wenn Sie sich dagegen entschließen, nur Kästchen 2 zu öffnen, hat das Wesen (wiederum aufgrund seines Vorauswissens dieser Entscheidung) die Million dort hineingelegt. Der Ablauf der Ereignisse ist also folgender: Das Wesen macht zuerst stillschweigend seine Voraussage Ihrer Wahl; *dann* legt es, je nach seiner Voraussage, entweder die Million in Kästchen 2 oder läßt es leer; *dann* teilt es Ihnen die Bedingungen mit; und zu guter Letzt treffen Sie Ihre Entscheidung. Wir dürfen im folgenden also annehmen, daß Sie die Situation und die daran geknüpften Bedingungen voll verstehen; daß das Wesen weiß, daß Sie sie verstehen; daß Sie wissen, daß es das weiß, und so weiter – genau wie in allen anderen interdependenten Entscheidungen, die in Teil 2 behandelt wurden.

Das Unerwartete an dieser imaginären Situation ist, daß sie

zwei gleichermaßen logische, aber völlig widersprüchliche Lösungen hat. Und die Folge dieses Widerspruchs ist, daß – wie Nozick sehr rasch entdeckte und wie die Lawine von Leserbriefen an Gardner bewies – wahrscheinlich auch Sie eine der beiden Lösungen sofort für die »richtige« und »selbstverständliche« halten werden und mit bestem Willen nicht einsehen können, wie jemand die andere auch nur für einen Augenblick ernsthaft in Betracht ziehen kann. Trotzdem aber lassen sich für die eine wie für die andere Entscheidung überzeugende Gründe finden, und dies wirft uns in die Welt Dostojewskis zurück, »in der alles wahr ist, auch das Gegenteil.«

Das erste Argument lautet: Das Vorauswissen des Wesens ist fast vollkommen zuverlässig. Wenn Sie sich also dafür entscheiden, beide Kästchen zu öffnen, so müssen Sie mit höchster Wahrscheinlichkeit damit rechnen, daß das Wesen diesen Entschluß richtig voraussagte und das zweite Kästchen daher leer ließ. Sie gewinnen also nur die tausend Dollar, die auf jeden Fall in Kästchen 1 liegen. Wenn Sie sich aber entschließen, nur Kästchen 2 zu öffnen, so hat das Wesen auch diese Wahl höchstwahrscheinlich richtig vorausgesehen und hat, in Übereinstimmung mit den von ihm selbst aufgestellten Regeln, die Million hineingelegt. Daraus folgt mit scheinbar eiserner Logik, daß Sie nur das zweite Kästchen öffnen sollen. Worin besteht das angebliche Problem?

Das Problem ergibt sich aus der Logik des anderen Entscheidungsverfahrens. Wie schon betont, macht das Wesen zuerst seine Voraussage, und Ihre Entscheidung *folgt* zeitlich seiner Voraussage. Dies bedeutet aber, daß zu dem Zeitpunkt, in dem Sie Ihre Entscheidung treffen, die Million *entweder bereits im zweiten Kästchen liegt oder nicht dort liegt*. Ergo, wenn die Million bereits im zweiten Kästchen liegt und Sie sich für das Öffnen beider Kästchen entscheiden, gewinnen Sie 1001000 Dollar. Wenn Kästchen 2 aber leer ist und Sie beide Kästchen öffnen, so gewinnen Sie wenigstens die tausend Dollar in Kästchen 1. In beiden Fällen haben Sie also tausend Dollar *mehr*, als Sie gewinnen würden, wenn Sie nur das zweite Kästchen wählten.

Keineswegs, erwidern die Vertreter des ersten Arguments

sofort: Gerade diese Überlegung hat das Wesen ja richtig vorausgesehen und hat daher das zweite Kästchen leergelassen.

Darin liegt euer Irrtum, ereifern sich die Verteidiger des zweiten Arguments: Das Wesen hat seine Voraussage gemacht, nach ihr gehandelt, und die Million liegt nun (oder liegt nicht) im zweiten Kästchen.

Gleichgültig also, wofür ihr euch entscheidet, das Geld ist (oder ist nicht) bereits seit einer Stunde, einem Tag oder einer Woche *vor* eurer Entscheidung da (oder nicht da). Eure Wahl wird es daher weder in Kästchen 2 materialisieren lassen, wenn es nicht von vornherein schon dort lag, noch zu seinem plötzlichen Verschwinden aus dem Kästchen führen, wenn es zunächst dort war. Ihr Verteidiger des ersten Arguments macht den Fehler, anzunehmen, daß hier irgendeine Art rückwirkender Kausalität mitspielt – daß eure Wahl sozusagen die Million aus dem Nichts auftauchen oder in die leere Luft verschwinden läßt. Aber das Geld ist ja schon da oder nicht da, *bevor* ihr euch entscheidet. Im einen wie im anderen Falle wäre es unsinnig, nur das zweite Kästchen zu wählen – wenn es die Million enthält, warum wollt ihr auf die zusätzlichen tausend Dollar im ersten Kästchen verzichten? Aber besonders dann, wenn Nummer 2 leer ist, wollt ihr doch sicherlich wenigstens die tausend Dollar in Nummer 1 einkassieren!

Nozick fordert seine Leser auf, die Paradoxie mit Freunden, Bekannten oder Studenten auszuprobieren, und sagt voraus, daß sich ziemlich genau die Hälfte für das eine beziehungsweise das andere Argument entscheiden wird. Außerdem werden die meisten von ihnen überzeugt sein, daß die anderen einfach nicht logisch denken können. Nozick aber warnt, »daß es nicht genügt, sich mit dem Glauben zufriedenzugeben, man wisse schon, was zu tun sei. Und es genügt auch nicht, eines der beiden Argumente einfach laut und langsam zu wiederholen.« Sehr zu Recht fordert er, daß man das andere Argument logisch ad absurdum führen müßte. Dies aber ist bisher niemandem gelungen.

Es ist möglich – ist aber meines Wissens bisher nicht vorgeschlagen worden –, daß dieses Dilemma (und einige der Widersprüche und Paradoxien, die uns im Abschnitt über Reisen in die Zeit beschäftigen werden) auf der Konfusion zweier grundverschiedener Bedeutungen der scheinbar eindeutigen logischen Subjunktion *wenn-dann* beruht. Im Satze »*Wenn* Karl der Vater von Hans ist, *dann* ist Hans der Sohn von Karl« drückt das *Wenn-dann* eine zeitlose, zeitunabhängige Beziehung zwischen diesen beiden Personen aus. Aber im Satz »*Wenn* ich diesen Kopf drücke, *dann* läutet die Glocke« handelt es sich um eine rein kausale Beziehung von Ursache und Wirkung, und alle Kausalbeziehungen schließen ein Zeitelement ein, und sei es auch nur die Mikrosekunde, die der elektrische Strom benötigt, um vom Knopf zur Klingel zu fließen.

Es ist also durchaus möglich, daß das erste Argument (nur Kästchen 2 zu öffnen) sich auf der logischen, zeitlosen Bedeutung des Wahrheitsbegriffs *wenn-dann* aufbaut: »*Wenn* ich mich entschließe, nur das zweite Kästchen zu öffnen, *dann* enthält es eine Million.« Die Verteidiger des zweiten Arguments (die sich dafür entschließen, beide Kästchen zu öffnen) scheinen sich dagegen auf die andere, nämlich die kausale, temporale Sinnbedeutung von *wenn-dann* zu stützen: »*Wenn* das Wesen seine Voraussage bereits gemacht hat, *dann* hat es die Million bereits ins zweite Kästchen gelegt beziehungsweise es leer gelassen, und im einen wie im anderen Falle erhöht sich mein Gewinn durch das Öffnen beider Kästchen um tausend Dollar.« Das zweite Argument beruht also auf dem zeitlichen Ablauf: Voraussage – (Nicht-)Hineinlegen des Geldes in das zweite Kästchen – meine Entscheidung. Ich treffe meine Entscheidung *nach* der Voraussage und nach dem (Nicht-)Hineinlegen der Million ins zweite Kästchen, so daß meine Wahl keinen rückwirkenden Einfluß darauf ausüben kann, was *vor* ihr stattfand.

Ganz offensichtlich bedarf diese Lösung der Newcomb-Paradoxie einer sorgfältigen Durchleuchtung von Grund auf, für die meine Kompetenz leider nicht ausreicht, die aber einem Studenten der Philosophie ein interessantes Dissertationsthema bieten könnte[5].

An diesem Punkte beginnen sich die in diesem Buche gesponnenen, aber hängengelassenen Fäden zu einem erkennbaren Gewebe zu verknüpfen. Es ergab sich, daß die Frage, ob der Wirklichkeit eine erkennbare Ordnung zugrunde liegt, für uns von größter Wichtigkeit ist, und es zeichneten sich drei Möglichkeiten ab:

1. Die Welt hat keine Ordnung. Dann aber wäre die Wirklichkeit gleichbedeutend mit *Konfusion* und das Leben ein psychotischer Alptraum.

2. Die Wirklichkeit hat nur insofern eine Ordnung, als wir zur Milderung unseres Zustands existentieller *Desinformation* eine Ordnung in den Lauf der Dinge hineinlesen (interpunktieren), uns aber nicht dessen bewußt sind, daß wir selbst der Welt diese Ordnung zuschreiben, sondern vielmehr unsere eigenen Zuschreibungen als etwas »dort draußen« erleben, das wir die Wirklichkeit nennen.

3. Es besteht tatsächlich eine von uns unabhängige Ordnung. Sie ist die Schöpfung eines höheren Wesens, von dem wir abhängen, das aber selbst von uns ganz unabhängig ist. In diesem Falle wird *Kommunikation* mit diesem Wesen zu unserer vordringlichen Aufgabe.

Glücklicherweise bringen die meisten von uns es fertig, die erste Möglichkeit zu ignorieren. Für die daran Scheiternden hält sich die Psychiatrie für zuständig. Niemand aber kommt darum herum, sich – gleichgültig wie undeutlich und unbewußt – für die zweite oder die dritte Möglichkeit zu entscheiden. Und dies ist meines Erachtens die Konsequenz, die uns die Newcomb-Paradoxie aufdrängt: Man nimmt entweder an, daß die Wirklichkeit (und mit ihr daher den Lauf des Lebens) starr und unausweichlich festgelegt ist – und in diesem Falle entscheidet man sich natürlich nur für das zweite Kästchen. Wer sich aber Weltanschauung Nr. 2 verschrieben hat, das heißt, wer annimmt, daß er unabhängiger, freier Entscheidungen fähig ist, daß seine Entscheidungen also nicht vorausbestimmt sind und daß es vor allem keine »rückläufige Kausalität« gibt (derzufolge Ereignisse in der Zukunft Wirkungen in der Gegenwart oder sogar der Vergangenheit zeitigen können), der wird sich natürlich für das Öffnen beider Kästchen entscheiden.

Wie aber Gardner[6] bereits betont, läuft all dies auf die uralte Kontroverse zwischen Determinismus und Willensfreiheit hinaus. Und wir sehen nun, daß dieses unschuldige Gedankenexperiment, diese scheinbar absurde und wirklichkeitsfremde Überlegung, was wohl geschehen würde, wenn es ein Wesen mit fast vollkommenem Vorauswissen gäbe, uns in eines der ältesten ungelösten Probleme der Philosophie führt.

Worum es dabei geht, ist ganz einfach Folgendes: Wenn ich vor der alltäglichen Notwendigkeit stehe, eine Wahl – irgendeine Wahl – zu treffen, wie entscheide ich mich? Wenn ich wirklich glaube, daß meine Entscheidung, genau wie jedes andere Ereignis, durch alle ihr vorangegangenen Ursachen determiniert ist, dann ist die Idee der Willensfreiheit (und mit ihr die der freien Entscheidung) absurd. Es ist dann ganz gleichgültig, wie ich mich entscheide, denn welche Wahl ich auch treffe, es ist die einzige Wahl, die ich treffen kann. Es gibt keine Alternativen, und selbst wenn ich glaube, es gäbe sie, ist dieser Glaube selbst lediglich die Folge irgendeiner Ursache in meiner Vergangenheit. Was immer mir also zustößt und was immer ich selbst tue, ist folglich dadurch vorausbestimmt, was ich, je nach meiner Vorliebe (pardon – je nach den unausweichlichen Ursachen in meiner Vergangenheit), die Kausalität[7], das Wesen, den metaphysischen Versuchsleiter, das Schicksal usw. nenne.

Wenn ich aber glaube, daß mein Wille frei ist, so lebe ich in einer völlig anderen Wirklichkeit. Ich bin dann der Meister meines Geschicks, und was ich hier und jetzt tue, erschafft meine Wirklichkeit.

Das Malheur ist nur, daß beide Anschauungen unhaltbar sind. Niemand, gleichgültig wie »laut und langsam« er die eine oder die andere verficht, kann nach dieser leben. Wenn alles streng determiniert, also vorbestimmt ist, was hat es dann für einen Sinn, sich anzustrengen, Risiken auf sich zu nehmen; wie kann ich für mein Tun verantwortlich gehalten werden, was hat es dann mit Moral und Ethik auf sich? Das Resultat ist Fatalismus; doch abgesehen von seiner allgemeinen Absurdität leidet der Fatalismus an einer fatalen Paradoxie: Um sich dieser Wirklichkeitsauffassung zu verschreiben, muß man eine nichtfatalistische Entscheidung treffen – man muß sich *in einem Akt freier Wahl* zur Ansicht entscheiden, daß alles, was geschieht, voll vorausbestimmt ist und es daher keine freie Wahl gibt.

Wenn ich aber der Kapitän meines Lebenschiffes bin, wenn

die Vergangenheit mich nicht determiniert, wenn ich mich also in jedem Augenblick frei entscheiden kann – worauf gründe ich dann meine Entscheidungen? Auf einen Randomisator in meinem Kopf? – wie Martin Gardner so treffend fragt.

Niemand scheint die endgültige Antwort zu kennen, obwohl in den letzten zweitausend Jahren viele Antworten versucht wurden; von Heraklit und Parmenides bis zu Einstein. Um nur einige der moderneren zu erwähnen: Für Leibniz ist die Welt ein riesiges Uhrwerk, das Gott ein für allemal aufgezogen hat, und das nun in Ewigkeit dahintickt, ohne daß der göttliche Uhrmacher selbst seinen Lauf ändern kann. Weshalb also einen Gott verehren, der seiner eigenen Schöpfung – vor allem ihrer Kausalität – gegenüber machtlos ist? Auf dieser Sicht beruht auch das Wesen der scholastischen Paradoxie: Gott ist der Gefangene seiner eigenen Interpunktion; entweder Er kann den Felsen nicht so groß erschaffen, daß nicht einmal Er ihn aufheben kann; oder Er kann ihn so groß machen, aber dann kann Er ihn gerade deswegen nicht aufheben – und im einen wie im anderen Falle ist Er nicht allmächtig. – Der berühmteste Vertreter einer extrem deterministischen Auffassung ist Pierre Simon de Laplace:

»Wir müssen also den gegenwärtigen Zustand des Weltalls als die Wirkung seines früheren und als die Ursache des folgenden Zustands betrachten. Eine Intelligenz, welche für einen gegebenen Augenblick alle in der Natur wirkenden Kräfte sowie die gegenseitige Lage der sie zusammensetzenden Elemente kennte und überdies umfassend genug wäre, um diese gegebenen Größen der Analyse zu unterwerfen, würde in derselben Formel die Bewegungen der größten Weltkörper wie des leichtesten Atoms umschließen; nichts würde ihr ungewiß sein, und Zukunft wie Vergangenheit würden ihr offen vor Augen liegen.«[8]

Meines Wissens bestehen aber keine biographischen Beweise dafür, daß Laplace sein eigenes Leben auf dieser Weltanschauung aufbaute und die einzig mögliche Schlußfolgerung daraus zog, nämlich den Fatalismus. In Tat und Wahrheit war er ein überaus aktiver, genialer Wissenschaftler und Philosoph, der tief an sozialem Fortschritt interessiert war. Monod[9] dagegen versucht, die Lösung auf der Grundlage der Komplementarität von Zufall und Notwendigkeit. Und in einem Vortrag im Physikalischen Institut der Universität Göttingen im Juli 1946 skizzierte der berühmte Physiker Max Planck einen Ausweg aus dem Dilemma, indem er eine Dualität zwischen dem äußeren, wissenschaftlichen, und dem inneren, gesinnungsmäßigen, Standpunkt postulierte. Dadurch wird für ihn die Streitfrage zwischen Determinismus und Willensfreiheit zu einem Scheinproblem der Wissenschaft:

»Von außen betrachtet ist der Wille kausal determiniert, von innen betrachtet ist der Wille frei. Mit der Feststellung dieses Sachverhaltes erledigt sich das Problem der Willensfreiheit. Es ist nur dadurch entstanden, daß man nicht darauf geachtet hat, den Standpunkt der Betrachtung ausdrücklich festzulegen und einzuhalten. Wir haben hier ein Musterbeispiel für ein Scheinproblem. Wenn diese Wahrheit auch gegenwärtig noch mehrfach bestritten wird, so besteht doch für mich kein Zweifel darüber, daß es nur eine Frage der Zeit ist, wann sie sich zur allgemeinen Anerkennung durchringen wird.«[10]

Über dreißig Jahre sind seither vergangen, doch hat es nicht den Anschein, daß diese Lösung des Problems der Willensfreiheit allgemeine Anerkennung gefunden hat. Wenn es sich um ein Scheinproblem handelt, scheint Planck ihm eine Scheinlösung gegeben zu haben.

Dostojewski dagegen versucht keine Lösung. Er, den Nietzsche einmal den einzigen Menschen nannte, der ihn etwas in Psychologie lehren konnte, stellt das Problem in aller wünschenswerten Klarheit vor uns hin: Jesus und der Großinquisitor verkörpern den freien Willen beziehungsweise den Determinismus, und beide haben sowohl recht wie unrecht. Ich glaube, daß der moderne, weitgehend auf sich selbst zurückgeworfene Mensch dort steht, wo Iwan Karamasoffs Poem endet: Unfähig, sowohl Jesus' »Sei spontan!«-Paradoxie freier Unterwerfung zu folgen, noch jener vom Großinquisitor vorgegaukelten Illusion des glückseligen Ameisenhaufens, obwohl letztere heute in weiten Kreisen der Jugend fröhliche Urständ feiert. Was wir vielmehr immer schon tun und auch weiterhin jeden Tag und jede Minute tun werden, ist, beide Seiten des Dilemmas zu ignorieren, indem wir uns dem ewigen Widerspruch gegenüber verschließen und leben, als bestünde er nicht. *Das Ergebnis ist jener sonderbare Zustand, der »geistige Gesundheit« oder – mit noch unfreiwilligerem Humor – »Wirklichkeitsanpassung« genannt wird.*

Anmerkungen

1 E. Nagel und J. R. Newman: Gödel's Proof. New York 1958.
2 R. Nozick: Newcomb's Problem and the Two Principles of Choice. In: Essays in Honor of Carl G. Hempel, hrsg. v. Nicholas Rescher. Dordrecht 1970, S. 114–146.
3 M. Gardner: Free Will Revisited, With a Mind-Bending Prediction Paradox by William Newcomb. In: Scientific American 229, S. 104–109, Juli 1973.
4 M. Gardner: Reflections on Newcomb's Problem: A Prediction and Freewill Dilemma. In: Scientific American 230, S. 102–108, März 1974.
5 Es braucht wohl nicht betont zu werden, daß meine Darlegungen auch hier rein oberflächlich nur die wichtigsten Aspekte des Problems berühren. Nozicks Abhandlung geht selbstverständlich viel tiefer und behandelt eine Reihe hochinteressanter zusätzlicher Überlegungen und Lösungsversuche.
6 Vgl. Anm. 3.
7 Der wissenschaftliche Begriff, der dem imaginären Wesen in der Newcomb-Paradoxie am nächsten kommt, ist natürlich Kausalität. Der Leser mag sich gefragt haben, warum Newcomb und Nozick betonen, daß das Wesen *fast* vollkommenes Vorauswissen besitzt. Obwohl sie dies meines Wissens nicht ausdrücklich erwähnen, ist die Analogie mit der Kausalität doch unverkennbar. Der moderne Kausalitätsbegriff ist bekanntlich nicht absolut, sondern bezieht sich nur auf relative, statistische Wahrscheinlichkeiten. Wenn ich meine Schreibfeder in der Luft loslasse, so fällt sie zu Boden. Ich erwarte das von ihr, da sie (oder jeder andere Gegenstand, der schwerer als Luft ist) dies bisher unter diesen Umständen immer tat und niemals (weder bei mir noch bei irgendjemand anderem, soweit mir bekannt ist) auf die Zimmerdecke hinaufschoß. Im Sinne der modernen Wissenschaftstheorie besteht aber kein Grund, weshalb sie dies das nächste Mal nicht tun könnte.
8 P. S. de Laplace: Philosophischer Versuch über die Wahrscheinlichkeit. Übers. v. Dr. Heinrich Löwy. Leipzig 1932, S. 1–2.
9 J. Monod: Zufall und Notwendigkeit. Übers. v. Fr. Griese. München 1971.
10 M. Planck: Scheinprobleme der Wissenschaft. In: Vorträge und Erinnerungen. Darmstadt 1969, S. 360.

III. GOTT UND MENSCH

Norbert Greinacher
Kirche und Politik

Die Theologie der Befreiung geht davon aus, daß die Kirche in der Geschichte schon immer ein politisches Faktum war und auch heute noch ist[1]. Kirche war und ist eine gesellschaftliche Assoziation, d. h. ein Zusammenschluß von Menschen, die in der Gesellschaft leben, Teil der Gesellschaft sind und damit den Einflüssen der Gesellschaft unterliegen, andererseits aber auch gesellschaftliche Macht, ja oft sogar politische Herrschaft ausüben. So haben z. B. die gottesdienstlichen Handlungen der Kirche schon immer eine politische Bedeutung gehabt und haben sie auch heute noch. Auch vom Gottesdienst gilt, was von der Kirche im ganzen von Bedeutung ist: Selbst und gerade einer Kirche, die sich betont apolitisch versteht und verhält, kommt eine große politische Bedeutung zu. Ein Gottesdienst und eine Kirche, die sich völlig supranaturalistisch verstehen, welche die gesellschaftliche und politische Situation gar nicht zur Kenntnis nehmen, sondern sich allein auf das Jenseits beziehen, haben gerade darin ihre politische, in diesem Fall die Gesellschaft stabilisierende, antireformerische und antirevolutionäre Wirkung. Unter solchen Voraussetzungen kann die Religion dann wirklich zum Opium des Volkes, zur imaginären Blume an der Kette der Unterdrückung, zum Heiligenschein des Jammertals, zur illusorischen Sonne, die sich um den Menschen bewegt, werden, wie Karl Marx es ihr vorgeworfen hat. Aber gerade dann, wenn Gottesdienst und Kirche diese gesellschaftlich stabilisierende Funktion ausüben, kommt der Religion eine immense politische Funktion zu.

Dies gilt natürlich dann um so mehr, wenn christlicher Glaube verstanden wird als unabdingbare Verpflichtung, sich im Prozeß der Befreiung des Menschen zu engagieren, wenn im Gottesdienst artikuliert wird, daß der Emanzipationsprozeß einer Gesellschaft einen Prozeß der Menschwerdung darstellt, wenn Unterdrückung als eine Situation der Sünde interpretiert und das Engagement für die Befreiung der Menschen als eine Antwort des Glaubenden auf die ihm geschenkte Erlösung, ja als Teil dieses Erlösungsprozesses selbst verstanden wird.

Es ist hier natürlich nicht möglich, auch nur in Umrissen den geschichtlichen Prozeß des Verhältnisses von Kirche und Politik nachzuzeichnen. In Anlehnung an G. Gutierrez kann man aber zu Recht drei Idealtypen dieses Verhältnisses von Kirche und Politik unterscheiden[2].

Den ersten Idealtypus könnte man die *Situation der Christenheit* nennen, wie sie z. B. im Mittelalter in Europa gegeben war. In dieser Situation verfügten Bereiche wie Politik, Bildung, Kunst usw. über keine echte Autonomie. Die irdischen Wirklichkeiten hatten angesichts des erdrückenden Einflusses der Kirche keine Eigengesetzlichkeit. Die Wirklichkeit des Reiches Gottes ließ keinen Platz für eine profane Wirklichkeit. In dieser Sicht erscheint die Kirche als die alleinige Vermittlerin des Heils: »Außerhalb der Kirche kein Heil.« Unter diesen Bedingungen bedeutet ein Einsatz im Rahmen der irdischen Aufgaben für den Christen ein Engagement für das direkte und unmittelbare Wohl der Kirche. Politische Bemühungen hatten das Ziel, Voraussetzungen dafür zu schaffen, daß die Kirche ihren Missionsauftrag erfüllen konnte und daß ihre Interessen möglichst nicht verletzt wurden. Dies war auch der Geist, der weithin die konfessionellen Parteien in Europa und Lateinamerika gegen Ende des vorigen und zu Beginn dieses Jahrhunderts inspirierte. Dabei versteht es sich von selbst, daß es vor allem die Bischöfe und die Priester sind, die die Interessen der kirchlichen Institution vertreten, während die Laien aufgrund ihrer Stellung normalerweise nur die Gehilfen der Kleriker waren.

Die theologischen Kategorien, die einem solchen Weltbild zugrunde lagen, wurden in einer Phase der Kirchengeschichte entwickelt, die durch die enge Verbindung zwischen Kirche und gesellschaftlichem Leben gekennzeichnet war. Bei einer kritischen Wertung wird man sich zwar einer vorschnellen Verurteilung enthalten und auch in dieser Hinsicht die Geschichtlichkeit von Menschen und Kirche sehr ernst nehmen müssen. Klar aber ist, daß heute diese Einheit der Christenheit zerbrochen ist und daß auch die mit ihr verknüpften theologischen Kategorien ihren Wert und ihre Berechtigung eingebüßt haben.

Einen zweiten geschichtlich feststellbaren Idealtyp des Verhältnisses von Kirche und Politik kann man die *Situation der neuen Christenheit* nennen[3]. Im 19. und 20. Jahrhundert gab es nicht wenige Christen, die den Differenzierungsprozeß zwischen Kirche und sozialem Leben zur Kenntnis genommen und versucht hatten, bestimmte Konsequenzen daraus zu ziehen. Allerdings bediente man sich dabei bestimmter Kategorien, die sich von der traditionellen Mentalität der Christenheit nicht völlig freimachen konnten. Man sieht jetzt deutlich den Auftrag der Christen, eine Gesellschaft zu verwirklichen, deren Grundlagen Gerechtigkeit, Anerkennung der Rechte aller und menschliche Brüderlichkeit sind. Die Verteidigung der Rechte der Kirche tritt an die zweite Stelle. Man verteidigt die Autonomie des Zeitlichen gerade gegenüber der kirchlichen Hierarchie und verhindert damit, daß die Kirche in Bereichen interveniert, die sich von ihr emanzipiert haben. Die Ansicht, daß die Kirche eine Macht im Gegenüber zur Gesellschaft konstituiere, wird stark herausgestellt. Dennoch steht sie auch weiterhin im Zentrum des Heilswerks. Ein gewisser Kirchennarzißmus besteht fort. Denn indem man sich um eine gerechte und demokratische Gesellschaft müht, bemüht man sich auch um günstige Bedingungen für das Handeln der Kirche in der Welt. Das ausgesprochene oder unausgesprochene Ziel ist es, so etwas wie eine »profane Christenheit« zu schaffen, d. h. eine von christlichen Prinzipien inspirierte Gesellschaft.

Dem Laien kommt in einer solchen Situation eine neue Funktion zu. Er läßt sich in seinem Verhalten von christlichen Prinzipien inspirieren und handelt in eigener Verantwortung, was ihm natürlich größere Freiheit in politischen Verpflichtungen einräumt, die er übernimmt. Dem Laien obliegt es demnach, diese neue Christenheit zu schaffen. Zu diesem Zweck ist es vorteilhaft, sich in christlich orientierten Organisationen zusammenzuschließen.

Das Weltbild, das einer solchen Situation der neuen Christenheit zugrunde liegt, stellt einen ersten Versuch dar, die irdischen Aufgaben in den Augen des Glaubens sachgemäß zu werten und die Kirche besser in den Kontext der modernen Welt hineinzustellen. Es fehlt dabei sicher nicht an echtem Engagement auf seiten vieler Christen zur Schaffung einer gerechten Gesellschaft. Christen, das darf nicht vergessen werden, die sich diese Perspektive zu eigen machten, hatten häufig gegen die Abneigung konservativer Mehrheitsgruppen und gegen kirchliche Amtsträger zu kämpfen. Andererseits muß aber klar und deutlich gesagt werden, daß es sich hierbei in Wirklichkeit um nicht mehr als einen zaghaften, mißverständlichen und außerordentlich problematischen Ansatz handelt, in dem sich eine gewisse Sehnsucht nach Vergangenem, nach einer Wiederherstellung der »alten Christenheit« mit einer modernisierenden Haltung vermischt. Man hat dabei weder den neuzeitlichen Differenzierungsprozeß mit all seinen Konsequenzen, etwa der Säkularisierung, noch die Aussichtslosigkeit eines solchen Tuns ernsthaft bedacht.

Noch von einer dritten idealtypischen Form des Verhältnisses von Kirche und Politik soll hier die Rede sein. Man kann sie die *Situation von Kirche und Welt* nennen. Diese Konzeption hat viele theologische und kirchliche Diskussionen in der Nachkriegszeit, vor allem auch in der konziliären und nachkonziliären Zeit bestimmt. Man geht aus von einer sehr deutlichen Unterscheidung zwischen Kirche und Welt im Gesamtrahmen des einen göttlichen Heilsplans. Die Welt als eine von der Kirche unterschiedene Größe mit eigener Sinngebung erhält einen Stand in sich selbst. Man behauptet jetzt die Autonomie des Zeitlichen gegenüber der Sendung der Kirche. Die Kirche als Institution darf nicht mehr in zeitliche Belange direkt intervenieren, es sei denn auf dem Wege über ethische Weisungen. Die Gestaltung der Gesellschaft hat also ihre eigenen Gesetzmäßigkeiten. Die Aufgabe der Kirche und die Aufgabe einer Humanisierung der Gesellschaft müssen scharf unterschieden werden. Ihre Einheit ist erst im kommenden Reich Gottes gegeben. Kirche und Welt tragen je auf ihre Weise zur Errichtung dieses Reiches Gottes bei.

In diesem Zusammenhang müssen auch die Aufgaben von Priester und Laien neu differenziert werden. Der Priester gibt seinen Aufgabenbereich in der Welt auf. Seine Sendung ist identisch mit der der Kirche. Wollte er sich direkt in politische Geschäfte einmischen, würde er seine Funktion verraten. Die Aufgabe des Laien ist es, sich für eine gerechte Gestaltung der Gesellschaft einzusetzen. In seinem zeitlichen Aufgabenbereich schafft der Laie in Zusammenarbeit mit anderen Menschen – Christen oder Nichtchristen – eine gerechtere und menschlichere Gesellschaft. Daneben gibt es die Sendung der apostolischen Laienbewegung, die aber nicht über die Sendung von Priester und Kirche hinausgeht.

Eine derartige Konzeption hat den Vorteil der Klarheit und ermöglicht den nicht leichten Ausgleich zwischen der Einheit des Heilsplans Gottes auf der einen und der Unterscheidung von Kirche und Welt auf der anderen Seite. Die Texte des Zweiten Vatikanischen Konzils sind im großen und ganzen von dieser Konzeption beeinflußt, wobei es allerdings noch Ansätze gibt, die schon darüber hinaus führen.

Es zeigt sich aber immer mehr, daß die Konzeption von »Kirche und Welt« in dieser Form in die Krise geriet. Das wurde zumeist ganz konkret deutlich in den Krisen derjenigen laienapostolischen Bemühungen, die von dieser Konzeption ausgingen. Darüber hinaus aber – und dies ist viel folgenreicher – zeigte es sich, daß gerade eine Kirche, die sich angeblich von dieser strikten Unterscheidung zwischen Kirche und Welt leiten ließ, auf vielfältige Weise mit den politischen Personen und den politischen Institutionen in Verbindung steht, welche die wirtschaftliche und politische Macht in der Welt von heute innehaben. Kann man unter diesen Bedingungen noch ehrlichen Herzens sagen, die Kirche mische sich in »das Zeitliche« nicht ein? Wenn die Kirche mit ihrem Schweigen, ihren guten Beziehungen oder ihren staatskirchenrechtlichen Privilegien ein ungerechtes System legitimiert, erfüllt sie dann nur eine religiöse Aufgabe?

Es wird auch immer mehr offenkundig, daß das Verbot der Einmischung der Kirche in die Politik nur in ganz bestimmter Hinsicht gilt. Die strikte Unterscheidung von Kirche und Welt wird dann betont, wenn das kirchliche System von außen her in Frage gestellt wird, oder wenn eine innerkirchliche Gruppe durch politische Aktionen das politische System verunsichert. Das Prinzip der Nichteinmischung der Kirche in die Politik kommt also vor allem dann zur Anwendung, wenn es um die Erhaltung des Status quo geht. Es wird dann nicht in Anspruch genommen, wenn z. B. eine Bewegung des Laienapostolates oder eine Gruppe von Priestern eine Haltung einnimmt, die die bestehende Ordnung infrage stellt.

In Lateinamerika wird immer deutlicher, daß die Unterscheidung von Kirche und Welt sehr oft dazu dient, der politischen Option eines beträchtlichen Teiles der Kirche gegen die bestehende oppressive Ordnung die christliche Legitimation abzusprechen. Eine solche Konzeption des Verhältnisses von Kirche und Politik bezweckt dann nur allzu oft, sich von der Verpflichtung zu entbinden, für die Unterdrückten Partei zu ergreifen, unter dem Vorwand, der Einheit aller Christen zu dienen. Gerade diejenigen herrschenden Gruppen, die sich stets der Kirche bedient haben, um ihre eigenen Interessen zu verteidigen und ihre Privilegien abzusichern, appellieren heute an die rein religiöse und geistige Funktion der Kirche, vor allem dann, wenn sich innerhalb dieser Kirche Tendenzen herauskristallisieren, die das bestehende politische System in Frage stellen.

Von hier aus gesehen ergibt sich die ganze Problematik von Kirche und Politik, die auf der Unterscheidung von Kirche und Welt gründet. In Richtung der Gedanken der Theologie der Befreiung könnte man deshalb von einem vierten Idealtyp des Verhältnisses von Kirche und Politik sprechen, von der *freien Kirche in einer freien Gesellschaft*.

Das beinhaltet zunächst einmal, daß der primäre Bezugspunkt der Kirche nicht mehr der Staat ist, sondern die Gesellschaft. Wenn eine Kirche wirklich frei ist von einer engen Bindung an den Staat – sei es in Form eines »Staatskirchentums«, in dem die Kirche völlig den Interessen des Staates unterworfen und sie zur Legitimation der staatlichen Herrschaft mißbraucht wurde, sei es in Form eines »Kirchenstaatstums«, in welcher der Staat völlig den Interessen der Kirche untergeordnet wird –, wenn sie frei ist auch gegenüber den mächtigen Institutionen und Verbänden in der Gesellschaft, dann kann sie die ihr zukommende und zustehende kritische Funktion gegenüber allen »Mächten und Gewalten«, gegenüber allen Mißständen und Unmenschlichkeiten wahrnehmen. Gerade unter Bezugnahme auf jene größere Wirklichkeit, auf die sich Jesus von Nazareth berufen hat, kann sie sich engagieren zugunsten der Benachteiligten und Entrechteten.

In diesem Sinne hat die Kirche gerade in unserer heutigen Gesellschaft auch eine eminent emanzipatorische Funktion. Sie befreit unter Bezugnahme auf die noch ausstehende Vollendung von jeder Vergötzung und Verabsolutierung kosmischer und politischer Mächte. J. B. Metz schreibt: »Aus der Erinnerung dieses eschatologischen Vorbehaltes kann und muß die Kirche ihre kritische Kraft beziehen gegenüber allen totalitären Systemen von Herrschaft und gegenüber allen Ideologien einer linearen, eindimensionalen Emanzipation. Wo sich nämlich die Geschichte der Freiheit ohne die Erinnerung dieses eschatologischen Vorbehaltes vollzieht, scheint sie immer wieder dem Zwang zu verfallen, ein innerweltliches Subjekt für die Gesamtgeschichte der Freiheit einzusetzen, das potentiell zur totalitären Herrschaft von Menschen über Menschen drängt: Sei es die Klasse, die Rasse, die Nation, was immer, sei es die Kirche, die sich im Sinne des Dostojewskischen Großinquisitors mißversteht.«[4]

Die Wahrheit ist konkret, und wenn die Kirche ihre kritische Funktion wahrnehmen will, dann muß sie konkrete politische Strukturen, gegebenenfalls konkrete politische Parteien und Personen beim Namen nennen. Allerdings darf sie dabei nicht in erster Linie an ihre eigenen Interessen als Institution denken – ohne diese legitimerweise ganz aus dem Auge zu verlieren –, sondern muß sich vor allem verstehen in einer dienenden Funktion für alle Menschen. Darüber hinaus aber darf sie auf keinen Fall ihre grundlegende Parteilichkeit für die Benachteiligten vergessen. Davon wird noch zu sprechen sein.

Anmerkungen

1 Vgl. dazu N. Greinacher und F. Klostermann: Vor einem neuen politischen Katholizismus? Frankfurt/M. 1978.
2 G. Gutierrez: Theologie der Befreiung. München 1973, S. 51–58.
3 Vgl. J. Maritain: Humanisme intégral. Paris 1936.
4 J. B. Metz: Zur Präsenz der Kirche in der Gesellschaft. In: Die Zukunft der Kirche. Berichtband des Concilium-Kongresses 1970. Zürich 1971, S. 86–96, hier S. 89.

Hans Küng
Gott existiert

1. Gott als Hypothese

Existiert Gott? Hier sei ausdrücklich auch der Nichtglaubende angesprochen! Denn auch wer nicht glaubt, *daß* Gott existiert, könnte zumindest der *Hypothese* zustimmen, deren innerer Sinn uns im vorausgehenden Abschnitt deutlich geworden ist und die doch noch keineswegs über Existenz oder Nicht-Existenz Gottes entscheidet. Die Hypothese lautet: *Wenn* Gott existiert, dann *wäre* eine grundsätzliche Lösung für das Rätsel der fraglich bleibenden Wirklichkeit angegeben: insofern dann eine grundsätzliche Antwort, die selbstverständlich entfaltet und gedeutet werden müßte, auf die Frage nach dem Vonwoher gefunden wäre. Diese Hypothese, deren Implikationen aus unserer eingehenden Auseinandersetzung mit Atheismus und Nihilismus deutlich geworden sind, kann in knappster Form so umschrieben werden:

- *Wenn Gott existierte, dann wäre die gründende Wirklichkeit selbst nicht mehr letztlich unbegründet. Warum? Gott wäre dann der Ur-Grund aller Wirklichkeit.*
- *Wenn Gott existierte, dann wäre die sich haltende Wirklichkeit nicht mehr selber letztlich haltlos. Warum? Gott wäre dann der Ur-Halt aller Wirklichkeit.*
- *Wenn Gott existierte, dann wäre die sich entwickelnde Wirklichkeit nicht mehr letztlich ziellos. Warum? Gott wäre dann das Ur-Ziel aller Wirklichkeit.*
- *Wenn Gott existierte, dann wäre die zwischen Sein und Nichtsein schwebende Wirklichkeit nicht mehr letztlich der Nichtigkeit verdächtig. Warum? Gott wäre dann das Sein-Selbst aller Wirklichkeit.*

Diese Hypothese läßt sich sowohl positiv wie negativ im Hinblick auf die ambivalente Wirklichkeit von Welt und Mensch präzisieren. Zuerst *positiv* gefragt, und man beachte dabei jedes Wort:

Warum könnte, *wenn* Gott existierte, in aller Zwiespältigkeit letztlich doch eine verborgene Einheit, in aller Sinnlosigkeit letztlich doch eine verborgene Sinnhaftigkeit, in aller Wertlosigkeit letztlich doch eine verborgene Werthaftigkeit der Wirklichkeit in einem durchaus vernünftigen Grund-Vertrauen angenommen werden? Weil Gott der *Ursprung, Ursinn, Urwert* alles Seienden wäre!

Warum könnte, *wenn* Gott existierte, in aller Nichtigkeit letztlich doch ein verborgenes Sein der Wirklichkeit in durchaus vernünftigem Grundvertrauen angenommen werden? Weil Gott das *Sein-Selbst* alles Seienden wäre!

Wohlverstanden: Die Wirklichkeit verlöre damit keineswegs ihre faktische Nichtigkeit. Aber es wäre ein Grund angegeben, warum der Mensch trotz aller Nichtigkeit auf die Wirklichkeit sich einlassen und verlassen kann.

Und nun die *Gegenprobe*! Wenn Gott existierte, dann wäre auch die *negative* Seite der Wirklichkeit, ihre Nichtigkeit, zu verstehen:

Warum erscheint die gründende Wirklichkeit von Welt und Mensch aus sich selbst letztlich unbegründet, die sich haltende Wirklichkeit in sich selbst letztlich haltlos, die sich entwickelnde Wirklichkeit für sich selbst letztlich ziellos? Warum also ist ihre Einheit immer wieder bedroht durch Zwiespältigkeit, ihre Sinnhaftigkeit durch Sinnlosigkeit, ihre Werthaftigkeit durch Wertlosigkeit? Warum ist die zwischen Sein und Nichtsein schwebende Wirklichkeit letztlich der Unwirklichkeit und Nichtigkeit verdächtig?

Die grundsätzliche Antwort wäre überall dieselbe: Weil die fragliche Wirklichkeit selbst *nicht Gott* ist! Weil das Ich, die Gesellschaft, die Welt mit ihrem Urgrund, Urhalt und Urziel, mit ihrem Ursprung, Ursinn und Urwert, mit dem Sein-Selbst, nicht identifiziert werden können!

Grund, Halt und Ziel des menschlichen Daseins

Dieselbe Hypothese kann nun auf die besondere Fraglichkeit gerade *meines menschlichen Daseins* noch zugespitzt werden. Sie würde dann lauten: *Wenn* Gott existierte, dann *wäre* auch auf das Rätsel meines fraglich bleibenden menschlichen Daseins zumindest grundsätzlich eine Antwort gefunden! Das heißt für mich: Wenn Gott existierte,

- *dann könnte ich trotz aller Bedrohung durch Schicksal und Tod mit gutem Grund die Einheit und Identität meines menschlichen Daseins vertrauensvoll bejahen. Warum? Gott wäre ja der erste Ursprung auch meines Lebens;*
- *dann könnte ich trotz aller Bedrohung durch Leere und Sinnlosigkeit mit gutem Grund die Wahrheit und Sinnhaftigkeit meines Daseins vertrauensvoll bejahen. Warum? Gott wäre ja auch der letzte Sinn meines Lebens;*
- *dann könnte ich trotz aller Bedrohung durch Schuld und Verwerfung mit gutem Grund die Gutheit und Werthaftigkeit meines Daseins vertrauensvoll bejahen. Warum? Gott wäre ja dann auch die umfassende Hoffnung meines Lebens;*
- *dann könnte ich gegen alle Bedrohung durch das Nichtsein mit gutem Grund das Sein meines menschlichen Daseins vertrauensvoll bejahen: Gott wäre ja dann das Sein-Selbst gerade auch des Menschenlebens.*

Wer es wünscht, kann auch diese hypothetische Antwort durch eine *Gegenprobe* testen:

Warum bleiben Einheit und Identität, Wahrheit und Sinnhaftigkeit, Gutheit und Werthaftigkeit meines eigenen menschlichen Daseins bedroht? Durch Schicksal und Tod, durch Leere und Sinnlosigkeit, durch Schuld und Verwerfung? Warum bleibt das Sein meines Daseins bedroht durch das Nichtsein?

Die grundsätzliche Antwort wäre zusammenhängend immer die eine und selbe: Weil der Mensch *nicht* Gott ist! Weil mein menschliches Ich *nicht* mit seinem Ursprung, Ursinn, Urwert, dem Sein-Selbst identifiziert werden kann!

Es dürfte sich also kaum bestreiten lassen: *Wenn* Gott existierte, dann wäre die Bedingung der Möglichkeit dieser fraglichen Wirklichkeit gegeben, ihr »Vonwoher« (im weitesten

Sinn) erklärt. *Wenn!* Aber es ist ein alter Satz der Logik: Ab esse ad posse valet illatio, non autem viceversa! Von der Wirklichkeit läßt sich auf die Möglichkeit schließen, aber nicht umgekehrt. Also: aus der Hypothese Gott läßt sich nicht auf Gottes Wirklichkeit schließen. Wie also von der Hypothese zur Wirklichkeit kommen? Die Antwort kann jetzt gegeben werden.

2. Gott als Wirklichkeit

Soll uns kein Kurzschluß unterlaufen, so müssen wir schrittweise vorgehen. Welches sind die Alternativen? Wenn – wie schon beim Grundvertrauen – die Positionen antithetisch gegeneinandergestellt werden, so bedeutet das auch hier nicht, daß wir die Menschen in Gute («Gottesfürchtige«) und Schlechte («Gottlose«) einteilen und ihre Entscheidung für oder gegen Gott moralisch qualifizieren wollen. So sehr selbstverständlich auch die Gottesfrage einen ethischen Aspekt hat, so sehr muß doch die Alternative zunächst in grundsätzlicher Gegenüberstellung herausgearbeitet werden.

Nein oder Ja zu Gott möglich

Die Auseinandersetzung mit Feuerbach, Marx, Freud und Nietzsche hat es gezeigt[1]: eines kann dem Atheismus nie bestritten werden:

- *Ein Nein zu Gott ist möglich. Der Atheismus läßt sich nicht rational eliminieren: Er ist unwiderlegbar!*

Warum? Es ist immer wieder neu die Erfahrung der radikalen *Fraglichkeit* jeder Wirklichkeit, die dem Atheismus genügend Anlaß gibt, um zu behaupten und die Behauptung auch aufrechtzuerhalten: Die Wirklichkeit hat gar keinen Urgrund, Urhalt, kein Urziel. Jede Rede von Ursprung, Ursinn, Urwert ist abzulehnen. Man kann das alles gar nicht wissen – so der Agnostizismus mit Tendenz zum Atheismus. Ja, vielleicht ist doch

Chaos, Absurdität, Illusion, Schein und nicht Sein, eben das Nichtsein das Letzte – so der Atheismus mit Tendenz zum Nihilismus.

Also: für die *Unmöglichkeit* des Atheismus gibt es tatsächlich keine positiven Argumente. Es kann nicht positiv widerlegt werden, wer sagt: Es ist kein Gott! Gegen eine solche Behauptung kommt weder ein strenger Beweis noch ein Aufweis Gottes letztlich an. Diese negative Behauptung beruht ja zutiefst auf einer *Entscheidung*, die mit der Grundentscheidung zur Wirklichkeit überhaupt in Zusammenhang steht. Die Verneinung Gottes ist rein rational nicht zu widerlegen.

Die Auseinandersetzung mit Feuerbach, Marx, Freud und Nietzsche[2] hat freilich auch ein anderes gezeigt[3]: der Atheismus seinerseits kann auch die andere Alternative nicht positiv ausschließen:

- *Auch ein Ja zu Gott ist möglich. Der Atheismus läßt sich nicht rational etablieren: Er ist unbeweisbar!*

Warum? Es ist die *Wirklichkeit* in aller Fraglichkeit, die genügend Anlaß gibt, um nicht nur ein vertrauendes Ja zu dieser Wirklichkeit, ihrer Identität, Sinnhaftigkeit und Werthaftigkeit zu wagen, sondern darüber hinaus auch ein Ja zu dem, ohne den die Wirklichkeit in allem Begründen letztlich unbegründet, in allem Halten letztlich haltlos, in allem Sichentwickeln letztlich ziellos erscheint: ein vertrauendes Ja also zu einem Urgrund, Urhalt und Urziel der fraglichen Wirklichkeit.

Also: es gibt tatsächlich kein schlüssiges Argument für die *Notwendigkeit* des Atheismus. Es kann auch nicht positiv widerlegt werden, wer sagt: Es ist ein Gott! Gegen ein solches von der Wirklichkeit selber her sich aufdrängendes Vertrauen kommt der Atheismus seinerseits nicht an. Auch die Bejahung Gottes beruht zutiefst auf einer *Entscheidung*, die wiederum mit der Grundentscheidung zur Wirklichkeit überhaupt in Zusammenhang steht. Auch sie ist rational unwiderlegbar.

Gott – eine Sache des Vertrauens

Die Alternativen sind deutlich geworden: Ein Nein oder Ja zu Gott ist möglich. Stehen wir also nicht erneut vor einem Patt, einem Unentschieden?

Hier genau liegt der entscheidende Knoten zur Lösung der Frage nach der Existenz Gottes; diese Lösung läßt sich nun ganz kurz zusammenfassen:

- Wenn *Gott ist, ist er die Antwort auf die radikale Fraglichkeit der Wirklichkeit.*
- Daß *Gott ist, kann angenommen werden:*
  nicht stringent aufgrund eines Beweises oder Aufweises der reinen Vernunft (Natürliche Theologie),
  nicht unbedingt aufgrund eines moralischen Postulates der praktischen Vernunft (Kant),
  nicht ausschließlich aufgrund des biblischen Zeugnisses (Dialektische Theologie).
- Daß *Gott ist, kann nur in einem – in der Wirklichkeit selbst begründeten – Vertrauen angenommen werden.*

Schon dieses vertrauende Sich-Einlassen auf einen letzten Grund, Halt und Sinn der Wirklichkeit – und nicht erst das Sich-Einlassen auf den christlichen Gott – wird im allgemeinen Sprachgebrauch zu Recht als *«Glauben«* an Gott bezeichnet: als *«Gottesglaube«*. Entsprechend dem »Grundvertrauen« könnte man auch generell von »Gottvertrauen« reden, wenn dieses Wort nicht allzu theologisch oder emotional besetzt wäre. Um dieses wichtige Wort nicht völlig dem Verschleiß preiszugeben, sprechen wir manchmal in bewußter Analogie zum »Grund-Vertrauen« von *«Gott-Vertrauen«*. Dabei geht es selbstverständlich um echten Glauben, freilich in einem weiten Sinn: insofern solcher Glaube nicht notwendig von der christlichen Verkündigung provoziert sein muß, sondern auch Nichtchristen (Juden, Moslems, Hindus ...) möglich ist. Die Menschen, die sich zu einem solchen Glauben bekennen, werden zu Recht – ob Christen oder Nichtchristen – als »Gottgläubige« bezeichnet. Demgegenüber erscheint der Atheismus, insofern er Verweigerung des Vertrauens zu Gott ist, wiederum im allgemeinen Sprachgebrauch durchaus zu Recht als *«Unglaube«*.

So hat sich gezeigt: Nicht nur bezüglich der Wirklichkeit als solcher, nein, auch bezüglich eines Urgrunds, Urhalts und Urziels der Wirklichkeit ist für den Menschen eine – freie, wenn auch nicht willkürliche – *Entscheidung unumgänglich*: Da sich die Wirklichkeit und ihr Urgrund, Urhalt und Urziel nicht mit zwingender Evidenz aufdrängen, bleibt Raum für die Freiheit des Menschen. Der Mensch soll sich entscheiden, ohne intellektuellen Zwang, allerdings auch ohne rationalen Beweis. Atheismus wie Gottesglaube sind also ein Wagnis – und ein Risiko[4]. Gerade die Kritik an den Gottesbeweisen[5] macht es klar: Glaube an Gott hat Entscheidungscharakter, und umgekehrt: Entscheidung für Gott hat Glaubenscharakter.

Um eine Entscheidung also, um eine Lebensentscheidung, geht es in der Gottesfrage, die freilich in eine noch ganz andere Tiefe reicht als die angesichts des Nihilismus notwendige Entscheidung für oder gegen die Wirklichkeit als solche: Sobald diese letzte Tiefe für den Einzelnen aufbricht und sich die Frage stellt, wird die Entscheidung unumgänglich. Wie beim Grundvertrauen, so gilt auch in der Gottesfrage: Wer nicht wählt, wählt: er hat gewählt, nicht zu wählen. Stimmenthaltung in einer Vertrauensabstimmung zur Gottesfrage bedeutet Vertrauensverweigerung, faktisch ein Mißtrauensvotum. Wer hier nicht – zumindest faktisch – Ja sagt, sagt Nein.

Doch leider stehen die »Tiefe« (oder »Höhe«) einer Wahrheit und die Sicherheit ihrer Annahme durch den Menschen in umgekehrtem Verhältnis[6]. Je banaler die Wahrheit («Binsenwahrheit«, »Platitüde«), desto größer die Sicherheit. Je bedeutsamer die Wahrheit (etwa im Vergleich zur arithmetischen die ästhetische, moralische, religiöse Wahrheit), um so geringer die Sicherheit. Denn: Je »tiefer« die Wahrheit für mich ist, um so mehr muß ich mich für sie erst aufschließen, innerlich bereiten, mich mit Intellekt, Wille, Gefühl auf sie einstellen, um zu jener echten »Gewißheit« zu kommen, die etwas anderes ist als abgesicherte »Sicherheit«. Eine für mich äußerlich unsichere, von Zweifeln bedrohte *tiefe* Wahrheit (Gott existiert), die ein starkes Engagement meinerseits voraussetzt, kann viel mehr Erkenntniswert besitzen als eine sichere oder gar »absolut« sichere *banale* Wahrheit ($2 \times 2 = 4$).

Folgt aber aus der Möglichkeit des Ja oder Nein nicht die Gleichgültigkeit des Ja oder Nein? Keineswegs!

- *Das Nein zu Gott bedeutet ein* letztlich unbegründetes *Grundvertrauen zur Wirklichkeit: Der Atheismus vermag keine Bedingung der Möglichkeit der fraglichen Wirklichkeit anzugeben. Wer Gott verneint, weiß nicht, warum er letztlich der Wirklichkeit vertraut.*

Das heißt: Der Atheismus lebt, wenn schon nicht aus einem nihilistischen Grundmißtrauen, so jedenfalls *aus einem letztlich unbegründeten Grundvertrauen.* Im Nein zu Gott entscheidet sich der Mensch gegen einen ersten Grund, tiefsten Halt, ein letztes Ziel der Wirklichkeit. Im Atheismus erweist sich das Ja zur Wirklichkeit als letztlich unbegründet: ein frei treibendes, nirgendwo verankertes, gehaltenes, gerichtetes und deshalb paradoxes Grundvertrauen. Im Nihilismus ist ein Ja zur Wirklichkeit wegen des radikalen Grundmißtrauens überhaupt nicht möglich. Der Atheismus vermag *keine Bedingung der Möglichkeit der fraglichen Wirklichkeit* anzugeben. Deshalb läßt er, wenn gewiß auch nicht jede, so doch eine radikale Rationalität vermissen, was er freilich oft verschleiert durch ein rationalistisches, aber im Grund irrationales Vertrauen zur menschlichen Vernunft.

Nein, es ist nicht gleichgültig, ob man Ja oder Nein zu Gott sagt: Der *Preis, den der Atheismus für sein Nein zahlt*, ist offenkundig! Er setzt sich der Gefährdung durch eine letzte Grundlosigkeit, Haltlosigkeit, Ziellosigkeit aus: der möglichen Zwiespältigkeit, Sinnlosigkeit, Wertlosigkeit, Nichtigkeit der Wirklichkeit überhaupt. Der Atheist setzt sich, wenn er sich dessen bewußt wird, auch ganz persönlich der Gefährdung durch eine radikale Verlassenheit, Bedrohtheit und Verfallenheit aus mit allen Folgen des Zweifels, der Angst, ja der Verzweiflung. Dies alles natürlich nur, wenn Atheismus Ernstfall und nicht intellektuelle Attitüde, snobistische Koketterie oder gedankenlose Oberflächlichkeit ist.

Für den Atheisten bleiben jene letzten, und doch zugleich nächsten, und durch kein Frageverbot zu verdrängenden »ewigen« Fragen des menschlichen Lebens unbeantwortet, die sich nicht nur an den Grenzen des Menschenlebens, sondern mitten im persönlichen und gesellschaftlichen Leben stellen. Um nochmals an die Fragen Kants anzuknüpfen:

Was können wir *wissen*? Warum gibt es überhaupt etwas? Warum ist nicht nichts? Woher kommt der Mensch und wohin geht er? Warum ist die Welt, wie sie ist? Was ist der letzte Grund und Sinn aller Wirklichkeit?

Was sollen wir *tun*? Warum tun wir, was wir tun? Warum und wem sind wir letztlich verantwortlich? Was verdient schlechthinnige Verachtung, was Liebe? Was ist der Sinn von Treue und Freundschaft, aber auch der von Leid und Schuld? Was ist für den Menschen entscheidend?

Was dürfen wir *hoffen*? Wozu sind wir auf Erden? Was soll das Ganze? Gibt es etwas, was uns in aller Nichtigkeit trägt, was uns nie verzweifeln läßt? Ein Beständiges in allem Wandel, ein Unbedingtes in allem Bedingten? Ein Absolutes bei der überall erfahrenen Relativität? Was bleibt uns: der Tod, der am Ende alles sinnlos macht? Was soll uns Mut zum Leben und was Mut zum Sterben geben?

Wahrhaftig, all dies sind Fragen, die aufs Ganze gehen: Fragen, nicht nur für Sterbende, sondern für Lebende. Nicht nur für Schwächlinge und Uninformierte, sondern gerade für Informierte und Engagierte. Nicht Ausflüchte vor dem Handeln, sondern Anreiz zum Handeln. All dies sind Fragen, die im Atheismus zutiefst unbeantwortet bleiben. Dagegen die These:

- *Das Ja zu Gott bedeutet ein* letztlich begründetes *Grundvertrauen zur Wirklichkeit: Der Gottesglaube als das radikale Grundvertrauen vermag die Bedingung der Möglichkeit der fraglichen Wirklichkeit anzugeben. Wer Gott bejaht, weiß, warum er der Wirklichkeit vertrauen kann.*

Der *Gottesglaube lebt aus einem letztlich begründeten Grundvertrauen*: Im Ja zu Gott entscheide ich mich vertrauensvoll für einen ersten Grund, tiefsten Halt, ein letztes Ziel der Wirklichkeit. Im Gottesglauben erweist sich mein Ja zur Wirklichkeit als letztlich begründet und konsequent: ein in der letzten Tiefe, im Grund der Gründe verankertes und auf das Ziel der Ziele gerichtetes Grundvertrauen. Mein Gott-Vertrauen als qualifiziertes, radikales Grundvertrauen vermag also die *Bedingung der Möglichkeit der fraglichen Wirklichkeit* anzugeben. Insofern zeigt es, anders als der Atheismus, eine radikale Rationalität, die freilich nicht einfach mit Rationalismus verwechselt werden darf.

Nein, es gibt kein Patt zwischen Gottesglauben und Atheismus! Der *Preis, den der Gottesglaube für sein Ja erhält*, ist offenkundig. Weil ich mich statt für das Grundlose für einen Urgrund, statt für das Haltlose für einen Urhalt, statt für das Ziellose für ein Urziel vertrauensvoll entscheide, vermag ich nun mit gutem Grund bei aller Zwiespältigkeit eine Einheit, bei aller Wertlosigkeit einen Wert, bei aller Sinnlosigkeit einen Sinn der Wirklichkeit von Welt und Mensch zu erkennen. Und bei aller Ungewißheit und Ungesichertheit, Verlassenheit und Ungeborgenheit, Bedrohtheit, Verfallenheit, Endlichkeit auch meines eigenen Daseins ist mir vom letzten Ursprung, Ursinn und Urwert her eine radikale Gewißheit, Geborgenheit und Beständigkeit geschenkt – *geschenkt*. Freilich nicht einfach abstrakt, isoliert von den Mitmenschen, sondern immer in einem konkreten Bezug zum menschlichen Du: Wie anders soll insbesondere der junge Mensch erfahren, was es heißt, von Gott angenommen zu sein, wenn er von keinem einzigen Menschen angenommen ist?

So erhalten jene letzten und nächsten Fragen des Menschen eine zumindest grundsätzliche Antwort, mit der der Mensch leben kann: eine Antwort aus der allerletzten-alllerersten Wirklichkeit Gottes.

Gottesglaube rational verantwortet

Es ist nach all dem offensichtlich: von einem Patt, einem Unentschieden zwischen Gottesglauben und Atheismus kann keine Rede sein. Der Mensch erscheint denn auch nicht einfach indifferent gegenüber der Entscheidung zwischen Atheismus und Gottesglauben. Er ist schon vorbelastet: An sich möchte er die Welt und sich selbst verstehen, möchte auf die Fraglichkeit der Wirklichkeit eine Antwort, möchte die Bedingung der Möglichkeit der fraglichen Wirklichkeit erkennen, möchte um einen ersten Grund, einen tiefsten Halt und ein letztes Ziel der Wirklichkeit wissen, möchte den Ursprung, Ursinn, Urwert kennen. Das Urfaktum Religion gründet hier.

Doch auch hier bleibt der Mensch – in Grenzen – *frei*. Er kann Nein sagen. Er kann mit Skepsis alles aufkeimende Vertrauen zu einem letzten Grund, Halt und Ziel ignorieren oder gar ersticken:

Er kann, vielleicht durchaus ehrlich und wahrhaftig, ein Nichtwissen-Können bezeugen: Agnostizismus mit Tendenz zum Atheismus;

oder er kann eine durchgängige Nichtigkeit, eine Grund- und Ziellosigkeit, Sinn- und Wertlosigkeit der ohnehin fraglichen Wirklichkeit behaupten: Atheismus mit Tendenz zum Nihilismus.

Wie schon beim Grundvertrauen, so gilt auch hier: Ohne Bereitschaft keine Einsicht, ohne Öffnung kein Empfangen! Und selbst wenn ich Ja zu Gott sage, bleibt das Nein ständige Versuchung.

Aber wie das Grundvertrauen, so ist auch das Gott-Vertrauen keineswegs irrational. Wenn ich mich der Wirklichkeit nicht verschließe, sondern mich ihr öffne, wenn ich mich dem allerletzten-allerersten Grund, Halt und Ziel der Wirklichkeit nicht entziehe, sondern es wage, mich dran- und hinzugeben: so erkenne ich zwar *nicht bevor*, aber auch *nicht nur erst nachher*, sondern *indem* ich dies tue, daß ich das Richtige, ja im Grunde das »Allervernünftigste« tue. Denn, was sich *im voraus* nicht beweisen läßt, das erfahre ich *im Vollzug*, *im Akt des anerkennenden Erkennens selbst*: Die Wirklichkeit vermag sich in ihrer eigentlichen Tiefe zu manifestieren; ihr erster Grund, tiefster Halt, letztes Ziel, ihr Ursprung, Ursinn, Urwert schließen sich mir auf, sobald ich mich selber aufschließe. Zugleich erfahre ich in aller Fraglichkeit eine *radikale Vernünftigkeit meiner eigenen Vernunft*: Das grundsätzliche Vertrauen zur Vernunft ist von daher nicht irrational. Es ist rational begründet. Die letzte und erste Wirklichkeit, Gott, erscheint so geradezu als der *Garant der Rationalität der menschlichen Ratio*!

Wenn der Mensch im Gottesglauben das »Allervernünftigste« tut, um was für eine Art von Rationalität handelt es sich hier? Diese Rationalität ist derjenigen des Grundvertrauens ähnlich:

- Keine äußere Rationalität, *die eine abgesicherte Sicherheit verschaffen könnte: Die Existenz Gottes wird nicht zuerst vernünftig bewiesen oder aufgewiesen und dann geglaubt, was so die Rationalität des Gottesglaubens garantierte. Nicht zuerst rationale Erkenntnis Gottes, dann vertrauende Anerkenntnis. Die verborgene Wirklichkeit Gottes zwingt sich der Vernunft nicht auf.*
- Eine innere Rationalität *vielmehr, die eine grundlegende Gewißheit gewähren kann: Im Vollzug, durch die »Praxis« des wagenden Vertrauens zu Gottes Wirklichkeit, erfährt der Mensch bei aller Anfechtung durch Zweifel die Vernünftigkeit seines Vertrauens: gegründet in einer letzten Identität, Sinn- und Werthaftigkeit der Wirklichkeit, in ihrem Urgrund, Ursinn, Urwert*[7].

Ist so nun der *Zusammenhang zwischen Grundvertrauen und Gottesglauben* nicht offenkundig geworden? Material gesehen bezieht sich das Grundvertrauen auf die Wirklichkeit als solche (und auf mein eigenes Dasein), das Gott-Vertrauen aber auf Urgrund, Urhalt und Urziel der Wirklichkeit. Trotzdem zeigen Grundvertrauen und Gott-Vertrauen, formal gesehen, eine analoge Struktur, die im materialen Zusammenhang (bei allem Unterschied) von Grundvertrauen und Gott-Vertrauen ihre Wurzel hat. Denn: *Wie das Grundvertrauen, so ist auch der Gottesglaube*

- *eine Sache nicht nur der menschlichen Vernunft, sondern des ganzen konkreten lebendigen Menschen: mit Geist und Leib, Vernunft und Trieben, in seiner ganz bestimmten geschichtlichen Situation, in der Abhängigkeit von Traditionen, Autori-*

täten, Denkgewohnheiten, Wertschemata, mit seinen Interessen und in seiner gesellschaftlichen Verflochtenheit. Von dieser »Sache« kann der Mensch nicht reden und sich selber aus der »Sache« heraushalten;

- *also überrational: Wie für die Wirklichkeit der Wirklichkeit, so gibt es auch für die Wirklichkeit Gottes keinen logisch zwingenden Beweis. Der Gottesbeweis ist so wenig wie die Liebe logisch zwingend. Das Gottesverhältnis ist ein Vertrauensverhältnis;*
- *aber nicht irrational: Es gibt eine von der menschlichen Erfahrung ausgehende und an die freie menschliche Entscheidung appellierende Reflexion über die Wirklichkeit Gottes. Der Gottesglaube läßt sich gegenüber einer rationalen Kritik rechtfertigen. Er hat einen Anhalt an der erfahrenen fraglichen Wirklichkeit selbst, die erste und letzte Fragen nach der Bedingung ihrer Möglichkeit aufgibt;*
- *somit eine nicht blinde und wirklichkeitsleere, sondern eine begründete, wirklichkeitsbezogene und im konkreten Leben rational verantwortete Entscheidung: Ihre Relevanz wird an der Wirklichkeit der Welt und des Menschen für die existentiellen Bedürfnisse wie die gesellschaftlichen Verhältnisse ersichtlich;*
- *im konkreten Bezug zum Mitmenschen vollzogen: Ohne die Erfahrung eines Angenommenseins durch Menschen scheint die Erfahrung eines Angenommenseins durch Gott schwierig zu sein;*
- *nicht ein für allemal gefaßt, sondern stets neu zu realisieren: Nie ist der Gottesglaube gegenüber dem Atheismus durch rationale Argumente unangreifbar und krisenfest abgesichert. Der Gottesglaube ist stets bedroht und muß gegenüber den andrängenden Zweifeln stets in neuer Entscheidung realisiert, durchgehalten, gelebt, errungen werden: der Mensch bleibt auch gegenüber Gott selbst in den unaufhebbaren Gegensatz zwischen Vertrauen und Mißtrauen, Glauben und Unglauben gestellt. Aber gerade durch alle Zweifel hindurch bewährt sich das Ja zu Gott in Treue zur einmal getroffenen Entscheidung: es wird ein geprüfter und bewährter Gottesglaube.*

Gottesglaube ist vertrauende Entscheidung des Menschen: ist meine Tat. Dies hat mit Rationalismus oder Pelagianismus nichts zu tun. Denn wie schon angedeutet: Nicht schon vorher – aufgrund eines Beweises oder Aufweises –, sondern erst indem ich mich vertrauend auf sie einlasse, eröffnet mir die Wirklichkeit selber ihren ersten Grund, tiefsten Halt, ihr letztes Ziel. Deshalb gilt der Satz: Ohne Bereitschaft zur vertrauenden Anerkenntnis Gottes (die praktische Konsequenzen hat!) gibt es keine rational sinnvolle Erkenntnis Gottes! Wie beim Grundvertrauen, so wird von mir auch beim Gott-Vertrauen ein Vorschuß, ein Wagnis, ein Risiko erwartet.

Aber wie das Grundvertrauen, so läßt sich auch das Gott-Vertrauen nicht einfach beschließen, wollen, erzwingen oder machen. Letzte Gewißheit, Geborgenheit, Beständigkeit kann ich mir nicht einfach selber schaffen oder verschaffen. Gott ist kein unmittelbarer Gegenstand der Erfahrung; er gehört nicht zum Seienden, zu den in der Erfahrung vorfindbaren Objekten: keine Intuition oder Spekulation, keine direkte Erfahrung oder unmittelbare Erkenntnis vermag ihn zu »schauen«. Gerade so erscheint der Gottesglaube als *Geschenk*:

Es ist die rätselhafte Wirklichkeit selbst, die mich – oft wider den Augenschein – einlädt und herausfordert, mich grundsätzlich auf einen Urgrund, einen Urhalt, ein Urziel in ihr einzulassen, und mir so mein Gott-Vertrauen ermöglicht.

Es ist die rätselhafte Wirklichkeit selbst, bei der sozusagen die »Initiative« liegt: die mir den verborgenen Ursprung, Ursinn und Urwert auch meines eigenen Daseins manifestiert.

Es ist die rätselhafte Wirklichkeit selbst, die mir die »Vertrauensbasis« liefert für jenes »Vertrauensvotum«, das für Gottes Wirklichkeit in dieser Weltwirklichkeit abgegeben werden soll.

Es ist die rätselhafte Wirklichkeit selbst, die mir ermöglicht, daß bei allem Zweifel, aller Angst und Verzweiflung die Geduld im Blick auf die Gegenwart, die Dankbarkeit im Blick auf die Vergangenheit, die Hoffnung im Blick auf die Zukunft letztlich begründet ist. Somit gilt:

- *Der Gottesglaube ist ein* Geschenk! *Die Wirklichkeit ist mir vorgegeben. Schließe ich mich nicht ab, sondern öffne ich mich der sich öffnenden Wirklichkeit ganz, so kann ich ihren ersten Grund, ihren tiefsten Halt, ihr letztes Ziel glaubend annehmen: Gott, der sich als Ursprung, Ursinn und Urwert* offenbart!

Offenbart? Ist es theologisch gestattet, im Zusammenhang der allgemeinen – und gerade nicht spezifisch christlichen – Gotteserkenntnis von »Offenbarung« zu reden? Daß Gott im christlichen Verständnis von allen Menschen, auch den Nichtjuden und Nichtchristen, erkannt werden kann, haben wir dargelegt[8]: Dies wird vom ganzen Alten und Neuen Testament, von der gesamten katholischen, orthodoxen und reformatorischen Tradition (mit Ausnahme der Dialektischen Theologie) als selbstverständlich vorausgesetzt und auch von der Religionsgeschichte bestätigt. Und gerade der Apostel Paulus, der sonst über die Heiden als Gruppe pauschal negativ urteilen kann, setzt im Römerbrief nicht nur eine faktische Gotteserkenntnis der Heiden aufgrund der Welterkenntnis voraus, sondern spricht geradezu von »Offenbarung«: »Weil das, was man *von Gott erkennen kann*, unter ihnen *offenbar* ist; denn Gott hat es ihnen *geoffenbart*. Sein unsichtbares Wesen, das ist seine ewige Kraft und Gottheit, ist ja seit Erschaffung der Welt, wenn man es in den Werken betrachtet, *deutlich zu ersehen*, damit sie keine Entschuldigung haben, deshalb, weil sie Gott zwar *kannten*, ihm aber doch nicht als Gott Ehre und Dank erwiesen[9].«
Dies wird im Johannesprolog und besonders – mit Entschuldigung der Heiden und ihres Nichtwissens – in der Apostelgeschichte bestätigt. Gott existiert; es ist legitim, hier von Offenbarung und auch von Gnade zu reden.

3. *Konsequenzen*

Der demoskopische Befund ist aufschlußreich: Nach einer Umfrage des Gallup-Instituts von 1975 sind nur 6 % aller befragten Amerikaner Atheisten oder Agnostiker, 94 % glauben an Gott

(69 % an ein Leben nach dem Tod); 1948 waren die Werte etwa gleich groß[10]. Nach einer Umfrage des EMNID-Instituts von 1967, das im Auftrag des Nachrichtenmagazins »Der Spiegel« den »Glauben der Deutschen« erforschte, waren 10 % Atheisten oder Agnostiker[11]. 90 % der befragten Deutschen glauben an »Gott« (68 %) oder zumindest an ein »höheres Wesen« (22 %). Dabei steigt mit dem Bildungsgrad leicht die Zahl derer, die statt an »Gott« an ein »höheres Wesen« glauben. Man fühlt sich hier an eine der besten Satiren Heinrich Bölls, »Doktor Murkes gesammeltes Schweigen«[12], erinnert, wo ein »Kulturphilosoph« entlarvt wird, der in der »religiösen Begeisterung des Jahres 1945 konvertiert«, in der Nachkriegszeit aber »religiöse Bedenken« bekommen hatte und in einem seiner Rundfunkvorträge nachträglich das Wort »Gott« ersetzen und im Tonband überall die angeblich philosophischere Formulierung »jenes höhere Wesen, das wir verehren« hineinschneiden ließ. Probleme vielleicht nicht mit Gott, aber mit dem biblischen Gott?

Für die Dogmatik: doch Natürliche Theologie?

Wir blicken zunächst zurück auf dieses ganze Kapitel: Haben wir nun doch Natürliche Theologie getrieben? Wir fassen zusammen:

a. Wir haben gewiß *keine Dialektische Theologie* getrieben: Methodisch haben wir – bei allen echt dialektischen theologischen Aussagen – nie gleichsam »senkrecht von oben« eingesetzt. Wir haben vielmehr möglichst konsequent immer wieder »von unten« her angesetzt: von den nächsten Fragen des Menschen, von der menschlichen Erfahrung her. Alles im Blick auf die rationale Verantwortung des Glaubens heute. Denn:

- *Angesichts des Nihilismus darf die Fundamentalproblematik der Fraglichkeit der Wirklichkeit überhaupt und des menschlichen Daseins nicht mit Hilfe der Bibel übersprungen werden.*

- *Angesichts des Atheismus darf die Wirklichkeit Gottes nicht mit Hilfe der Bibel bloß behauptet werden.*

Wir sahen es ja: Die Phänomene der Religion, der Philosophie, des allgemein menschlichen Vorverständnisses erfordern eine adäquate Antwort. Natürlich war das noch nicht unsere ganze Antwort: Was von der menschlichen Erfahrung her analysiert wurde, muß später von der christlichen Botschaft her kritisch gedeutet werden.

b. Wir haben jedoch auch *keine Natürliche Theologie* getrieben: Trotz unseres Einsetzens bei den natürlichen Fragen und Bedürfnissen des Menschen haben wir nicht gleichsam ein unteres Stockwerk (als Fundament für ein oberes, übernatürliches) angesetzt, in welchem allein die Vernunft zuständig wäre.

- *Es wurde keine autonome Vernunft angenommen, die stringent ein Fundament des Glaubens demonstrieren könnte, welches mit dem Glauben selbst nichts zu tun hat. Vielmehr wurde aufgezeigt, daß auch schon die Vorfragen des christlichen Glaubens – die Wirklichkeit der fraglichen Wirklichkeit und die Wirklichkeit Gottes – nicht mit bloßer Vernunft, sondern nur in einem gläubigen Vertrauen oder einem vertrauenden Glauben (im weiten Sinn des Wortes) erkannt werden können.*
- *Es gibt also keinen kontinuierlichen, stufenweisen vernünftigen »Prozessionsweg« des Menschen zu Gott. Sondern es handelt sich um ein stets neues Wagnis und Risiko der Freiheit und des Vertrauens.*
- *Es wurde auch keine Eigenmächtigkeit des Menschen behauptet, in der der Mensch sich Gottes bemächtigt. Vielmehr wurde vom Menschen ein Sichöffnen gegenüber der Wirklichkeit, ein Antworten auf ihren Anruf und Anspruch, ein Empfangen ihrer Identität, Sinnhaftigkeit und Werthaftigkeit, ein Anerkennen ihres allerletzten-allerersten Grundes, Haltes und Zieles erwartet.*
- *Also alles in allem keine »Praeambula fidei« als rationalen Unterbau der Dogmatik, erstellt durch rationale Argumentation der reinen Vernunft. Sondern ein Aufsuchen »des« heutigen Menschen an dem Ort, wo er tatsächlich lebt, um die Kunde von Gott in Beziehung zu setzen zu dem, was ihn bewegt.*

In dieser Sicht ist theologisch ein Zweifaches möglich[14]. Einerseits können wir dem *Primat Gottes* theologisch gerecht werden: In der Wirklichkeit der Welt wird Gott als wirklich erfahren, weil er sich selber erschließt und sich nur glaubendem Vertrauen eröffnet. Andererseits können wir auch den verschiedenen »weltanschaulichen« *Positionen der Nichtchristen* kritisch gerecht werden: Die je verschiedenen Positionen des Nihilisten, des Atheisten, des Agnostikers, aber auch des nichtchristlichen Gottgläubigen (in den Weltreligionen oder in säkularem Kontext) werden ernstgenommen ohne theologische Umdeutung. Wie wichtig dies gerade für die Ethik ist, haben wir bereits gesehen und können wir nun von der Wirklichkeit Gottes her noch unterstreichen.

Für die Ethik: theologisch begründete Autonomie

Ist, wenn Gott nicht existiert, wirklich alles erlaubt? So allgemein formuliert ist der Satz zweifellos falsch, haben doch unsere Ausführungen zum Grundvertrauen als Basis der Ethik bereits gezeigt: Aus dem Grundvertrauen kann auch ein Atheist ein echt menschliches, also humanes und in diesem Sinn moralisches Leben führen. Gerade darin manifestiert sich die innerweltliche Autonomie des Menschen: seine Selbst-Gesetzgebung und Selbst-Verantwortung für seine Selbst-Verwirklichung und Welt-Gestaltung.

Eines freilich kann der Atheist nicht, selbst wenn er unbedingte sittliche Normen annehmen sollte: Er kann *die Unbedingtheit* der Verpflichtung kaum begründen. Gewiß, es gibt zahlreiche menschliche Dringlichkeiten und Notwendigkeiten, die Ansprüche, Pflichten, Gebote, kurz Normen, zu begründen vermögen. Aber: warum soll ich solche Normen unbedingt befolgen? Befolgen also selbst da, wo sie meinen Interessen völlig zuwiderlaufen? Schließlich geht es in all diesen Verpflichtungen doch nur um Endlichkeiten, um Bedingtheiten meines menschlichen Daseins. Und aus ihnen läßt sich keineswegs ein unbedingtes, »kategorisches« Sollen ableiten.

Aber nicht nur die einzelnen Notwendigkeiten, sondern

auch die allgemeine »vernünftige Natur« des Menschen vermag keine unbedingt verpflichtenden Normen zu begründen. Gewiß, Kant gegenüber, der von dieser allgemeinen »vernünftigen Natur« des Menschen her den unbedingten Wert und die unantastbare Würde der einzelnen menschlichen Person zu begründen versucht hat[15], ist zuzugeben: Selbstverständlich hat jeder Mensch seine eigene Natur zu verwirklichen. Aber das kann auch meinen Egoismus und den der anderen rechtfertigen und begründet keine objektive, allgemeine Norm. Eine über mir und den anderen stehende, normative, allgemeine Menschennatur aber ist eine Abstraktion ebenso wie die Idee der Menschheit, die dann zum Zweck an sich erklärt wird. Warum soll mich eine so verselbständigte abstrakte Menschennatur zu irgend etwas unbedingt verpflichten? Oder man sagt heute in Ost wie West: Die Menschheit muß überleben – das verpflichtet unbedingt. Warum aber sollen ein Machthaber, ein Verbrecher, eine Gruppe, eine Nation, ein Machtblock nicht auch gegen die Menschheit handeln, wenn das in ihrem Interesse ist?

Läßt sich aus diesem Dilemma zwischen Unbedingtem und Bedingtem herauskommen! Wir können jetzt ausgehen von der im Vertrauen angenommenen Wirklichkeit Gottes. Gott ist per definitionem kein Endliches und Bedingtes, sondern das Unendliche, Unbedingte, Absolute, das einen unbedingten, absoluten Anspruch zu begründen vermag. So können wir die These aufstellen:

- *Die Unbedingtheit des ethischen Anspruchs, die Unbedingtheit des Sollens, läßt sich nur von einem Unbedingten her begründen: von einem Absoluten, das einen übergreifenden Sinn zu vermitteln vermag und das nicht der Mensch als Einzelner, als Menschennatur oder als menschliche Gemeinschaft sein kann, sondern allein Gott selbst.*

Auch nicht die menschliche Gemeinschaft? Jürgen Habermas[17] – im Anschluß wiederum an Kant und an Gedanken der Frankfurter Schule, aus der er kommt – hat im Rahmen seiner kritischen Handlungs- und Gesellschaftstheorie, die zugleich Wissenschaftstheorie und praktische Philosophie zu sein beansprucht, versucht, von der menschlichen Kommunikations- und Argumentationsgemeinschaft her Normen zu entwickeln, die unbedingt gelten sollen. Mit Recht distanziert sich Habermas von einer Wissenschaft, die, angeblich wertfrei und interesselos, nur als System wahrer und erfolgreicher Sätze verstanden wird und nicht als eine Form interessenbedingter menschlicher Praxis, die im gesellschaftlich-politischen und historischen Gesamtzusammenhang gesehen werden muß[18]. Mit Recht verteidigt er gegenüber einer durch Gewalt verzerrten Kommunikation die Vernunft als Prinzip einer gewaltlosen Kommunikation und plädiert gegen jeglichen »unterdrückten Dialog« für das Gespräch, für zwanglose Einsicht und für rationale Entscheidung. Mit Recht auch betont er gegenüber dem von der Kritischen Theorie vorausgesetzten universalen Ideologieverdacht (Verblendungszusammenhang) die Bedeutung der idealen Sprechsituation für die Kommunikation sowie die Notwendigkeit eines Vorgriffs auf Zustimmung und Übereinstimmung.

Früher hatte Habermas denselben Fehler nicht vermieden, den er den Positivsten vorwarf: eine Verabsolutierung der Vernunft! Zwar nicht der positivistischen, aber der gesellschaftskritischen, die alles, was außerhalb ihrer Art von Rationalität und Wirklichkeit ist, schon für irrational, irrelevant, letztlich unwirklich erklärt. Also ein zwar nicht szientistisches, wohl aber gesellschaftskritisches Glaubensbekenntnis zu Emanzipation und Humanität, das der Auseinandersetzung mit dem Nihilismus ausweicht: das auf Fragen nach letzten Werten, Zielen, Sinn nicht eingeht und das andere ebenso elementare Erfahrungen und gesellschaftliche Wirklichkeiten wie Arbeit, Sprache und Herrschaft theoretisch gar nicht zu erfassen vermag[19].

Es verdient aber Beachtung, daß Habermas neuerdings auch das Problem der Religion ganz anders positiv werten kann als in früheren Publikationen. Noch 1973 war er davon überzeugt: »In Anbetracht der individuellen Lebensrisiken ist freilich eine Theorie nicht einmal *denkbar*, die die Faktizitäten von Einsamkeit und Schuld, Krankheit und Tod hinweginterpretieren könnte; die Kontingenzen, die an der körperlichen und der moralischen Verfassung des Einzelnen unaufgebbar hängen, lassen sich nur *als* Kontingenzen ins Bewußtsein heben: mit ihnen müssen wir, prinzipiell trostlos, leben.«[20] Prinzipiell trostlos? Schon ein Jahr später, in einem Gespräch mit Theologen über die gegenwärtige Bedeutung von Religion, Kirche, Theologie, vermag Habermas den Aspekt des individuellen Trostes der Religion positiv einzuschätzen: »... ich könnte mir vorstellen, daß wir für die Aufklärung unserer selbst über die Bedingungen, die unser Leben menschenwürdig machen, vielleicht auf Theologen nicht verzichten können ... Sie haben noch eine Sprache, die appellative und metakommunikative Qualitäten hat, die wir uns als Sozialwissenschaftler gar nicht mehr leisten können. Vielleicht kann diese Sprache das in Bewegung setzen, was man in Bewegung setzen müßte, um das Übergreifen von selbstobjektivierenden Interpretationssystemen aufzuhalten. Die andere Dimension, in der Theologen vielleicht nicht ersetzt werden können – darüber kann ich nicht viel sagen – ist der Bereich individueller Tröstung. Und der dritte Bereich ist vielleicht eine Form quasipolitischer Praxis.«[21]

Ob Habermas in diesen Sätzen nicht selber indirekt den entscheidenden Mangel seiner idealen Kommunikationsgemeinschaft formuliert hat? Bei aller Bedeutung seines Ansatzes: Ob für eine ideale Sprechsituation und für den Vorgriff auf Zustimmung und Übereinstimmung nicht ein gewaltiger Vorschuß an Vertrauen vorausgesetzt werden muß, der unbedingt der Reflexion bedürfte? Ob für eine ideale Kommunikationsgemeinschaft so nicht auch noch andere Dimensionen, Werte und Sinnbegriffe beachtet werden müßten? Ob Theologie, Religion, hier nicht doch in andere Tiefen menschlicher und gesellschaftlicher Wirklichkeit hineinreichen? Ob Theologie, Religion, die Menschen nicht doch durch ihre Sprache und ihre Wahrheit ganz anders in Bewegung setzen, wirklich trösten, wirklich Veränderungen auch im politischen Bereich bewirken, ja auch ganz anders zu menschenwürdigem Leben unbedingt verpflichten können als Habermas mit seinem Appell zum rationalen, herrschaftsfreien Diskurs? Man wird es kaum bestreiten können: Von einer Kommunikations- und Argumentationsgemeinschaft her, wie Habermas sie fordert, kann kein universaler Anspruch als unbedingt verpflichtend begründet werden. Ein solcher beruht ja stets auf einer freiwilligen Entscheidung für die Teilnahme an dieser Gemeinschaft, was heißt: Auch ein solcher Anspruch ist nur hypothetisch, auf menschlichem Interesse basierend. Menschliches Sollen wird auch hier letztlich von einem menschlichen Wollen abgeleitet. Zu Recht stellt H. Krings fest: »Die Universalpragmatik von Habermas wie die transzendentale Sprachgrammatik von Apel setzen eine prinzipielle Gewilltheit voraus, ohne die akzeptierte Regeln lediglich als Verhaltenskonditionierung feststellbar, nicht aber als Geltungsansprüche identifizierbar wären. Es besteht kein Anlaß, diese Geltungsvoraussetzungen als bloßes Faktum der kommunikativen Vernunft stehen zu lassen.«[22]

Gewiß, Habermas hat als Grundorientierung (und nicht nur zufällige Bedürfnisse des Menschen) das technische Interesse (der empirisch-analytischen Wissenschaften), das praktische Interesse (der historisch-hermeneutischen Wissenschaften) und das emanzipatorische Interesse (der kritisch orientierten Handlungswissenschaften) analysiert. Aber zu kurz kommen das legitime menschliche Interesse an Wahrheit (statt nur Konvention) und Glück (statt nur Kommunikation)[23]. Ob aber in dem Vor-Schein einer universalen Übereinstimmung aller Menschen, in welcher die Entfremdung des Einzelnen wirklich aufgehoben werden soll, sich nicht mehr meldet als nur die reine Utopie eines herrschaftsfreien Diskurses? Ob hier faktisch nicht doch einer Hoffnung Ausdruck verliehen wird, die von keiner bloß menschlichen Gemeinschaft, sondern nur von einem echten Absoluten – jenem Reich der Freiheit, das Gottes Reich ist – erfüllt werden kann?

Der katholische Ethiker Franz Böckle schreibt: »Ein immanenter Humanismus kann im Prinzip logisch nur zu einer hypothetischen Forderung führen.«[24] Man könnte so präzisieren: Natürlich kann auch ein immanenter Humanismus unbedingt Forderungen vertreten und dafür Motivationen angeben. Er kann etwa mit Berufung auf Freiheit und Menschenwürde eine faszinierende Kraft entfalten und mannigfaltige ethische Impulse geben. Aber jedem immanenten Humanismus geht es in der Ethik wie jenem Grundvertrauen, das sich der Frage nach seiner letzten Begründung entzieht: Letztlich bleibt er unbegründet. Genauer: Er kann die Unbedingtheit seiner ethischen Forderungen nicht ausreichend begründen. Das *einzig Unbedingte* in allem Bedingten ist jener Urgrund, Urhalt, jenes Urziel der Wirklichkeit, das wir Gott nennen.

Was bedeutet das für die Ethik, für jegliche Wissenschaft vom menschlichen Handeln? Eine Verankerung in einem mit der Wirklichkeit des Menschen nicht identischen, sondern sie umfassenden und übersteigenden allerletzten-allerersten Grund, Halt, Ziel bedeutet keine Fremdbestimmung, keine Heteronomie des Menschen. Im Gegenteil: solche Verankerung ermöglicht ihm ein wahres Selbst-Sein und Selbst-Handeln, eine Selbst-Gesetzgebung und Selbst-Verantwortung – eine echte sittliche Autonomie! Ja, man kann geradezu folgern: Wo immer auch in einem atheistischen Humanismus – von der Autonomie, der Freiheit, der Mündigkeit, dem Selbstsein, der Zukunftsoffenheit des Menschen her – so etwas wie Unbedingtheit in der Verpflichtung postuliert wird, wird faktisch auf die Dimension einer letzten Unbedingtheit als Bedingung der Möglichkeit hingewiesen, auch wenn sie nicht so benannt wird: auf das Unbedingte in allem Bedingten, das der glaubende Mensch mit dem Namen »Gott« bezeichnet. Hier liegt die Berechtigung von Kants Postulat der Existenz Gottes aufgrund der Moralität des Menschen:

- *Die allerletzte-allererste Wirklichkeit, Gott, muß vorausgesetzt werden, sofern der Mensch letztlich sinnvoll sittlich leben will: Gottes Wirklichkeit ist die Bedingung der Möglichkeit einer sittlichen Autonomie des Menschen in der säkularen Gesellschaft.*

Hier geht es also nicht um erneute moralische Unterwerfung des Menschen unter ein Fremdgesetz und fremde Interessen, sondern um seine *wahre Aufklärung, Emanzipation, Menschwerdung*! Denn:

Nur die Bindung an Unendliches befreit zur Freiheit gegenüber allem Endlichen, Bedingten, Beschränkten.

Nur eine solche Letztbegründung des Ethos in Gott geht hinaus über den bloßen kritischen Vergleich von Ethik-Systemen (und die Trennung von »objektiv-neutraler« Wissenschaft und subjektiver Wertentscheidung).

Nur eine solche Letztbegründung des Ethos in Gott läßt jenen unverletzlichen Wert, jene unantastbare Würde und unaufgebbare Freiheit des Menschen als begründet erscheinen, die eine freiheitliche Gesellschaft einfachhin voraussetzen muß, wenn sie nicht im Nihilismus des Geltenlassens von allem untergehen oder in einen Totalitarismus umschlagen will[25].

Trotzdem: Ist eine solche Letztbegründung der Ethik nicht auch gefährlich? Kann aus ihr nicht abgeleitet werden, daß auch die *Einzelnorm*, das einzelne sittliche Gebot oder Verbot, als von Gott, absolut gilt und daß der Mensch so doch wieder einzelnen absolut gesetzten Normen – man denke an das päpstliche Verbot empfängnisverhütender Mittel – unterworfen wird?

Gerade die führenden katholischen Ethiker indessen stimmen heute überein: Einzelne zwischenmenschliche Normen aller Art (Prioritäten, Handlungsregulative, Konventionen, Gesetze, Sitten) können zwar intersubjektive, allgemeine Geltung beanspruchen und können in der bestimmten Situation einen letztlich von Gott her begründeten Anspruch verbindlich auslegen. Trotzdem können *Einzelnormen für den zwischenmenschlichen Bereich keine absolute Geltung beanspruchen*: als ob sie in jeder Situation bedingungslos, ausnahmslos gültig seien[26].

Dabei ist unbestritten: Der frühere unfreie, heteronome Legalismus, der sich unbekümmert um die Situation allein an das Gesetz hielt, soll heute nicht etwa durch einen prinzipiellen Libertinismus ersetzt werden, der allein aus dem Augenblick lebt und sich ausschließlich nach der Situation richtet. Ethik ist weder Thetik noch Taktik! Weder soll allein das Gesetz noch allein die Situation herrschen. Normen ohne die Situation sind leer, die Situation ohne Norm ist blind. Die *Normen sollen die Situation erhellen* und die *Situation die Normen bestimmen*. Das heißt:

- *Gut, sittlich, ist nicht einfach das abstrakt Gute oder Richtige, sondern das für diesen Menschen oder diese Gruppe konkret Gute oder Richtige: das Angemessene.*
- *Nur in der bestimmten Situation wird die Verpflichtung konkret; aber die Verpflichtung in einer bestimmten Situation (die freilich nur der Betroffene selbst zu beurteilen vermag!) kann unbedingt werden.*
  Unser Sollen ist situationsbezogen; aber in einer bestimmten Situation kann das Sollen absolut, kategorisch, werden.

Jede Situation ist somit gekennzeichnet durch ein Moment, das unbedingt ist, und ein anderes, das man abwägen muß: eine allgemeine normative Konstante also, verbunden mit einer besonderen situationsbedingten Variablen.

Es dürfte jetzt deutlich geworden sein: Bei der Problematik ethischer Normenfindung und Normenbegründung geht es um die konsequente Anwendung der Problematik der Gottes- und Wirklichkeitserkenntnis auf den Bereich des menschlichen Handelns:

- *Die Annahme autonomer Normen des Menschlichen mit unbedingtem, also theologisch begründetem Anspruch ist der ethische Ausdruck jenes Grundvertrauens in die Wirklichkeit (und das menschliche Dasein), das von einem letzten Urgrund, Ursinn, Urziel bestimmt ist: der ethische Ausdruck also des Gott-Vertrauens, des Gottesglaubens. Ohne dieses vernünftig verantwortete Vertrauen auf Gott kann ein unbedingter Anspruch irgendwelcher autonomer ethischer Normen nicht als letztlich begründet angenommen werden.*
  Wir halten hier inne: Alles, was wir bis jetzt über Gott gesagt haben, tönt – das muß man einfach zugeben – sehr, sehr abstrakt. So abstrakt wie in Bölls zitierter Satire »jenes höhere Wesen, das wir verehren« – des »Kulturphilosophen« Ersatz für »Gott«. Eine Konkretisierung läßt sich nur erreichen, wenn wir uns nun erneut vom Gott der Philosophen zum Gott der Bibel wenden und damit das wieder einholen, was wir schon im Zusammenhang mit Hegel, Teilhard und Whitehead für das neue Gottesverständnis über Gottes Weltlichkeit und Geschichtlichkeit vorausgenommen haben.

1 Vgl. in dem Band, dem dieser Beitrag entnommen wurde: Zu Feuerbach vgl.: C I, 1: Der anthropologische Atheismus. Zu Marx C II, 1: Der sozialpolitische Atheismus. Zu Freud C III, 1: Der psychoanalytische Atheismus. Zu Nietzsche D I, 2: Die Gegen-Religion.

2 Vgl. a. a. O., C I, 2: Feuerbach in der Kritik; C II, 2: Marx in der Kritik; C III, 2: Freud in der Kritik; D II, 1: Nietzsche in der Kritik.

3 Vgl. a. a. O., C III, 4: Zwischenbilanz: Thesen zum Atheismus; D II, 4: Zwischenbilanz IV: Thesen zum Nihilismus.

4 Interessanterweise hat schon William James in seiner Schrift »The Will to believe« – zuerst publiziert in »New World« Juni 1896, jetzt greifbar in der Taschenbuchausgabe: W. James: Pragmatism and Other Essays. New York 1963, S. 185–213 – mit Hypothesen eingesetzt und, dabei auf Pascals Wette verweisend, den Entscheidungscharakter des Glaubens scharf herausgestellt mit der Hauptthese seines Buches: »Our passional nature not only lawfully may, but must, decide an option between propositions, whenever it is a genuine option that cannot by its nature be decided on intellectual grounds; for to say, under such circumstances, ›Do not decide, but leave the question open‹, is itself a passional decision – just like deciding yes or no – and is attended with the same risk of losing the truth« (S. 200). Freilich wird von James die Rationalität dieses Entscheidungsaktes, der für ihn ein Gefühlsakt mit intellektueller Einsicht ist, nicht genügend reflektiert. – Der Entscheidungscharakter des Glaubens wird ebenfalls deutlich zum Ausdruck gebracht von F. Ferré: Language, Logic, and God. London 1961, bes. S. 224–233. Im Anschluß an W. James und J. Dewey, aber auch die Process-Philosophy, versucht eine pragmatistische Theorie der Religion zu entwerfen: E. Fontinell: Toward a Reconstruction of Religion. A Philosophical Probe. New York 1970.

5 Vgl. Anmerkung 1: a. a. O., F III: Gott beweisen?

6 Vgl. H.-E. Hengstenberg: Wahrheit, Sicherheit, Unfehlbarkeit. Zur »Problematik« unfehlbarer kirchlicher Lehrsätze, in: H. Küng (Hrsg.): Fehlbar? Eine Bilanz. Zürich-Einsiedeln-Köln 1973, S. 217–231.

7 Nachdrücklich wird die Notwendigkeit der Rationalität des Glaubens an Gott betont von J. Hick: Arguments for the Existence of God. New York 1971, S. 107–113. Die im Anschluß an I. Crombie entwickelte und oft kritisierte »eschatologische Verifikation« müßte auf der in der Gegenwart verifizierbaren inneren Rationalität aufgebaut werden. Vgl. vom selben Verfasser: Faith und Knowledge. London 1957; Philosophy of Religion. Engelwood Cliffs/N.Y. 1963.

8 Vgl. Anm. 3: a. a. O., F II, 2.

9 Röm. 1 – 19–21.

10 Vgl. Frankfurter Allgemeine Zeitung vom 6. August 1976.

11 Die Emnid-Umfrage ist veröffentlicht in: W. Harenberg (Hrsg.): Was glauben die Deutschen? München–Mainz 1968.

12 H. Böll: Doktor Murkes gesammeltes Schweigen (1955), in seinem Band:

Nicht nur zur Weihnachtszeit. Satiren. Taschenbuchausgabe München 1966, S. 87–112.

13 Vgl. Anm. 1; a. a. O., F II, 2: Streit um die Natürliche Theologie.

14 Vgl. H. Küng: Christ sein. München 1974, Kap. A II, 2: Die Aufgabe der Theologie.

15 Vgl. I. Kant: Grundlegung zur Metaphysik der Sitten. Riga 1785, in: Werke, hrsg. v. W. Weischedel, Bd. IV. Darmstadt 1956, S. 60f.

16 Vgl. die in (siehe Anm. 1) E II, 3(Grundvertrauen als Basis der Ethik) angegebene Literatur zur Begründung ethischer Normen, wo fast überall auch die Problematik Autonomie – Theonomie behandelt wird, bes. die Arbeiten von A. Auer, F. Böckle, W. Korff.

17 Vgl. J. Habermas: Erkenntnis und Interesse. Frankfurt/M. 1968, und hier bes. das neue Nachwort zur 2. Aufl. von 1973; ders.: Theorie und Praxis. Sozialphilosophische Studien. Frankfurt/M. 1963, hier die Einleitung zur Neuausgabe von 1971; ders.: Technik und Wissenschaft als »Ideologie«. Frankfurt/M. 1968; ders.: Vorbereitende Bemerkungen zu einer Theorie der kommunikativen Kompetenz, in: J. Habermas/N. Luhmann: Theorie der Gesellschaft oder Sozialtechnologie – Was leistet die Systemforschung? Frankfurt/M. 1971, S. 101–141; ders.: Legitimationsprobleme im Spätkapitalismus. Frankfurt/M. 1973; ders.: Wahrheitstheorien, in: H. Fahrenbach (Hrsg.): Wirklichkeit und Reflexion. Festschrift für W. Schulz. Pfullingen 1973, S. 211–265. – In diesem Zusammenhang wäre auch K.-O. Apels Programm einer »Transformation der Philosophie« in Richtung auf ein »transzendental-pragmatisches Denken« zu berücksichtigen. Die aus verschiedenen Zeiten stammenden Arbeiten sind gesammelt in K.-O. Apel: Transformation der Philosophie, Bd. I–II. Frankfurt/M. 1971, bes. Bd. II (Das Apriori der Kommunikationsgemeinschaft), S. 358–435: Das Apriori der Kommunikationsgemeinschaft und die Grundlagen der Ethik. Zur Diskussion vgl. K.-O. Apel (Hrsg.): Sprachpragmatik und Philosophie. Frankfurt/M. 1976, mit Beiträgen auch von J. Habermas, S. Kannengießer, H. Schnelle, D. Wunderlich.

18 Vgl. Anm. 1: A III, 1: Wissenschaftliche Revolutionen; F III, 2: Kant in der Kritik.

19 Zur theologischen Auseinandersetzung mit Habermas und Apel: W. Pannenberg: Wissenschaftstheorie und Theologie. Frankfurt/M. 1973, S. 90–105 (vor allem bezüglich der Sinnproblematik), S. 185–206 (bezüglich Sinnerfahrung und Dialektik); H. Peukert: Wissenschaftstheorie – Handlungstheorie – Fundamentale Theologie. Analysen zu Ansatz und Status theologischer Theoriebildung. Düsseldorf 1976, bes. Teil III; F. Böckle: Ethik und Normenbegründung, Vortrag auf dem Symposion »Vatican III: the work which needs to be done« von »Concilium« und der Catholic Theological Society of America an der University of Notre Dame/Indiana im Mai 1977. – Wichtig in diesem Zusammenhang ist aber auch die Kritik an Habermas, wie sie von der Systemtheorie her N. Luhmann vorträgt: Systemtheoretische Argumentation. Eine Entgegnung auf Jürgen Habermas, in J. Habermas/N. Luhmann: Theorie der Gesellschaft, a. a. O., S. 291–405.

20 J. Habermas: Legitimationsprobleme, a. a. O., S. 165.

21 H.-E. Bahr (Hrsg.): Religionsgespräche. Zur gesellschaftlichen Rolle der Religion. Mit Beiträgen von Dorothee Sölle, Jürgen Habermas u. a. Darmstadt–Neuwied 1975, S. 29.

22 H. Krings: Reale Freiheit. Praktische Freiheit. Transzendentale Freiheit; Vortrag an der Universität Tübingen im Rahmen einer Ringvorlesung über das Thema »Freiheit«. Ich danke dem Münchner Kollegen für das mir zur Verfügung gestellte Manuskript, in dem sich in diesem Zusammenhang auch wichtige Ausführungen zum Gebrauch des Begriffs »Ideal« finden.

23 Zu Recht macht W. Pannenberg: Wissenschaftstheorie, a. a. O., S. 42f. darauf aufmerksam, daß Habermas kurzschlüssig Wahrheit als Gegenstand (Korrespondenz-Theorie) und Wahrheit als Konsens (Konsens-Theorie) einander exklusiv entgegensetzt und so den Unterschied zwischen Wahrheitskonsens und bloß herrschender Konvention nicht zu erklären vermag.

24 F. Böckle: Unfehlbare Normen, in: H. Küng (Hrsg.): Fehlbar? Eine Bilanz, a. a. O., S. 280–304; Zit. S. 291.

25 Vgl. W. Korff: Norm und Sittlichkeit. Untersuchungen zur Logik der normativen Vernunft. Mainz 1973, S. 192, 199 (mit Berufung auf A. Gehlen).

26 Vgl. B. Schüller: Zur Problematik allgemein verbindlicher ethischer Grundsätze, in: Theologie und Philosophie 45, 1970, S. 1–23.

Helmut Thielicke
Beginn und Ende des menschlichen Lebens

I. Der Beginn

Auch die Erkundigung nach den Grenzen menschlichen Lebens stellt die Frage nach der Identität: von wann an und bis zu welchem Ende ist der Mensch »Mensch«?[1] Die strafgesetzliche Regelung der Schwangerschaftsunterbrechung sowie der zunehmend lauter werdende Ruf nach Euthanasie oder Sterbehilfe verleihen diesem Problem besondere Aktualität. Ohne daß es an dieser Stelle möglich wäre und unsere Aufgabe sein könnte, beide Problemkomplexe mit der Suche nach Lösungsmöglichkeiten anzugehen, möchten wir doch den Kernpunkt des hier sich meldenden Identitätsproblems akzentuieren.

Darüber, daß der menschliche Fötus nicht bloß ein Teil des mütterlichen Organismus, sondern eigenständiges Leben ist, besteht unter allen Verständigen kaum eine Meinungsverschiedenheit. Nur bestimmte Vulgär-Ideologien, die sich etwa in Transparenten Luft machen wie »Mein Bauch gehört mir!« fallen hier aus dem Rahmen. Man weiß, daß der Embryo sterben kann, während die Mutter lebt; und für eine begrenzte Frist, in der man das Kind noch lebend bergen kann, ist auch das Umgekehrte möglich. Wie beide Organismen ihre eigene Lebens- und Sterbensmöglichkeit haben, so hat jeder von ihnen auch seine eigene Erkrankungsmöglichkeit, von der der andere verschont bleibt. Der Fötus hat seinen eigenen Blutkreislauf und sein eigenes Gehirn. So ist man sich über die biologische Eigenständigkeit des werdenden Lebens durchaus einig.

Aber wann beginnt diese Eigenständigkeit: bei der Befruchtung, der Einnistung oder später? Selbst wenn man darüber einen Konsens erzielen könnte, bleibt immer noch die Frage, ob der Beginn biologischer Eigenständigkeit synchron sei mit dem Beginn »menschlichen« Lebens. Bei den Vertretern der sogenannten »Fristenlösung« – bis zu drei Monaten nach der

Empfängnis solle die Abtreibung straffrei sein – spielen diese Überlegungen eine Rolle. Der noch »ungeformte Keim« steht danach nicht unter dem gleichen menschlichen Tabu wie der Fötus, dessen menschliche Gestalt sich bereits abzeichnet. Obwohl der Verfasser aus Gründen, die hier keine Rolle zu spielen brauchen, die Fristenlösung ablehnt (bei gleichzeitigem Respekt vor den Motiven mancher ihrer Vertreter), interessiert uns hier nicht die Antwort auf das Fristen-Problem, sondern die Frage selber. Die Frage als solche hat jedenfalls recht, wenn sie zwischen Leben überhaupt und »menschlichen« Leben differenziert. Auch wenn das, was sonst zur Signatur »menschlichen« Lebens gehört (Selbstbewußtsein vor allem, auch Kommunikationsfähigkeit und einiges andere), dem Fötus so noch nicht eignet, so hat es doch gute Gründe, nach seinem Privileg gegenüber nur biologisch bestimmter Lebendigkeit zu fragen. Das gilt selbst dann, wenn man das Unterscheidende nur in den werdenden Organen sieht, die sein Menschsein bedingen: in seinem Gehirn zum Beispiel oder seinen Händen, die später gestalten und Werkzeuge bedienen werden. Die sehr viel größere Hemmung – sie hat auch eine strafrechtliche Seite –, einen ausgebildeten Embryo als ein eben befruchtetes Ei abzutreiben, dürfte einer mehr unbewußten Respektierung jener Differenz zwischen nur biologischem und menschlichem Leben entstammen.

Ist man einmal auf diese Unterscheidung aufmerksam geworden, entdeckt man, daß man von jeher nach ihr gesucht hat. Sie ist zum Beispiel unschwer – trotz der Abenteuerlichkeit dieser Gedanken – in der auf Aristoteles zurückgehenden und von der Scholastik weitertradierten *»Beseelungstheorie«* zu erkennen. Das Faszinierende dieses Gedankens besteht darin, daß man innerhalb des biologischen Werdeprozesses noch eine besondere Zäsur einlegt, von der ab der Embryo beseelt und damit der Würde der Humanitas teilhaftig wird. Von diesem Augenblick an gilt der Eingriff in das keimende Leben dann als »Tötung eines Unschuldigen«. Um die Grenze zwischen dem Erlaubten und dem Frevelhaften zu bestimmen, ist es dann unumgänglich, den Termin der Beseelung festzulegen. Daß dabei ein drolliger Unterschied zwischen männlichen und weiblich Embryonen gemacht wird – der weibliche Fötus wird nach achtzig, der männliche dagegen schon nach vierzig Tagen beseelt! –, darf uns gegenüber der Ernsthaftigkeit der Frage, wann »menschliches« Leben beginne, nicht blind machen. Es geht um nichts Geringeres als die Frage, wann das werdende Leben seine menschliche Identität gewinne und darum schutzbedürftig und schutzberechtigt sei.

Es wird kaum möglich sein, im Rahmen einer derart ontologischen Fragestellung weiterzukommen. Dem Versuch, über den Beginn des Menschseins in *der* Weise Klarheit zu gewinnen, daß man die Grenze zwischen bloßem Bios und entstehender Humanitas objektiv zu fixieren wüßte, scheinen sich unüberwindliche Hindernisse in den Weg zu legen. Daß diese Schwierigkeiten bestehen, ist schon an der andauernden und nie zum Abschluß kommenden Kontroverse über diese Zäsur zu erkennen. Selbst *innerhalb* der katholischen Moraltheologie weichen die Terminierungen erheblich ab: Wurde sie im Rahmen der Beseelungstheorie relativ spät angesetzt, so sieht man heute den Beginn der Menschwerdung bei der Befruchtung und verkündet ein entsprechendes Tabu. Daß es hier zu keinem Konsensus aller Beteiligten kommen kann und daß selbst die verfeinerten Kenntnisse der modernen Medizin außerstande sind, jene so wesentliche Zäsur eindeutig zu bestimmen, ist nicht Ausdruck einer Ignoranz, die in irgendeiner Zukunft bei noch weiter vorangetriebenem Fortschritt überwunden werden könnte. Man kann vielmehr genau angeben, *warum* es nie zu jener Fixierung kommen kann. Es geht hier um denselben Grund, den wir in unsern erkenntnistheoretischen Überlegungen schon angesprochen haben: Die Menschlichkeit des Menschen ist *grundsätzlich* nicht objektivierbar. Was sich bei der Frage, wie menschliche Freiheit zu erkennen sei, als Unmöglichkeit herausstellte, das deutet sich bereits in den embryonalen Vorstadien des Personlebens an: *Schon der Übergang vom Bios zur Humanitas verweigert sich dem Thema einer »wissenschaftlichen« Fragestellung.* Hier sieht man sich eher auf ein unbestimmtes »Empfinden« (also eine höchst unwissenschaftliche Emotion!) zurückgeworfen. Und dieses Empfinden läßt uns die Menschlichkeit des Fötus näher sein und verbindlicher werden, wenn sich die Verbindung von Samen und Ei schon zur

Andeutung menschlicher Gestalt oder gar zu einem selbsttätig sich bewegenden und bemerkbar machenden Wesen entwickelt hat. Die Erschütterung selbst des abgebrühten Gynäkologen, wenn er beim künstlichen Abort die Glieder der schon halbwegs entwickelten Leibesfrucht zucken sieht, ist für dieses Empfinden bezeichnend.

Ontologisch, das heißt durch Beurteilung von Sein und Zustand der sich entwickelnden Frucht, kommen wir also bei unserer Frage in der Tat nicht weiter. Wir greifen schon späteren Erörterungen vor, wenn wir hier einen Gedanken sich melden sehen, der für unsere Anthropologie von entscheidender Bedeutung sein wird: Wer im Menschen den Entwurf des Schöpfers sieht, der diesem Menschen gegeben und zur Verwirklichung aufgegeben ist, der erkennt in dieser Relation zum Schöpfer die entscheidende Pointe menschlichen Daseins. Der Mensch ist kein Seiendes, das durch irgendwelche »Eigenschaften« – wie Vernunft, Gewissen , aufrechter Gang usw. – zu einem privilegierten Wesen würde. Seine Würde und Unantastbarkeit beruht vielmehr darauf, daß es aus den Händen des Schöpfers entlassen wird, daß diese Hände sich über seinem Leben breiten und es geleiten, bis es wieder zu dem gelangt, der es ins Leben entließ. Das Geheimnis menschlichen Seins gründet darin, daß der Herr des Lebens es zu einer Geschichte mit sich beruft. Insofern läßt sich menschliches Sein in seinem Wesen nicht dadurch ergründen, daß man ontologisch seinen Bestand und Zustand untersucht. Ganz entsprechend *beruht auch seine Würde nicht in jenen Eigenschaften, sondern, wenn man so will, in seinen »Außenschaften«*: nämlich in jenem Bezuge zu dem, der den Menschen erschafft, anspricht, beruft und ihm Ziele gibt, die er erreichen oder verfehlen kann. Deshalb sprechen wir nicht von einer eigenen, auf Eigenschaften gegründeten Würde menschlichen Seins, sondern – im Sinne Luthers – von einer »fremden Würde«. Der Mensch ist der »Augapfel« Gottes. Wer ihn antastet, rührt Gott selbst an. Die Würde des Menschen gründet in dieser verliehenen Teilhabe an göttlichem Leben. Die Geschichte, in die Gott ihn mit sich berufen hat, macht Grund, Ziel und Sinn seiner Existenz aus. *Sie ist das Geheimnis seiner Identität.*

Im Blick auf diese »fremde Würde« des Menschen verändert

sich notwendig unsere Fragestellung nach dem Beginn menschlichen Lebens. Sie fragt jetzt nicht mehr in ontologischer Weise nach den Indizien – nach eigenschaftlichen Kennzeichen also –, in denen sich der Beginn »menschlichen« Lebens kundgibt, sondern sie fragt: *Wann beginnt jene die Menschlichkeit des Menschen begründende Geschichte mit Gott?* Daß diese Geschichte mit Gott nicht objektivierbar ist, daß sie vielmehr Grund und Gegenstand eines *Vertrauens* ist, bildet den Schlüssel für das, was vorher schon phänomenologisch festzustellen war: daß sich nämlich der Mensch selbst jedem Objektivierungsversuch entzieht. Betrachten wir in diesem Sinne die Geschichte mit Gott als den Grund menschlicher Identität, so ist diese Identität durch das schöpferische »Es-werde!« begründet, das den Menschen ins Leben ruft. Nicht *wir* erkennen im ungeformten Keim menschliches Leben – wir sahen, warum das nicht so sein kann –, Gott aber sieht in ihm die Identität des von ihm Geschaffenen und Berufenen:

> ... Du hast mich gebildet im Mutterleibe ...
> Es war dir mein Gebein nicht verhohlen,
> da ich im Verborgenen gemacht ward ...
> Deine Augen sahen mich,
> da ich noch unbereitet war,
> und alle Tage waren auf dein Buch geschrieben,
> die noch werden sollten,
> als derselben keiner da war.
>
> (Psalm 139)

Wenn die menschliche Identität unter diesem Aspekt gesehen wird, dann gibt es sogar das Stadium einer Präexistenz, die selbst der Zeugung vorausliegt. Sie liegt in den Gedanken Gottes, die alles Werden konzipieren und die dem Sein vorweg sind, das sie mit ihrem Es-werde aus dem Nicht-Sein rufen, »auf daß es sei« (Römerbrief 4,17). Wir werden dieses Wesen menschlicher Identität später auf die Formel bringen, daß die Gottebenbildlichkeit des Menschen – eben das also, was seine Identität letztlich ausmacht – nicht in aufweisbaren Seinsbeständen erkennbar ist, sondern daß es sich hier um das Bild handelt, das Gott von *uns* hat. Wir leben in seinen Gedanken, schon ehe wir sind.

Die Frage nach der Unterscheidung von nur biologischem und menschlichem Leben stellt sich auch von der andern Seite unserer Endlichkeit her: vom Tode aus. Hier sind es besondere Fertigkeiten der modernen Medizin, die dieser Frage eine bedrängende Aktualität verleihen. Die heutige Medizin ist durch bestimmte Methoden der Reanimation in der Lage, den Organismus in seinen Kreislauffunktionen auch dann am Leben zu erhalten, wenn die Gehirntätigkeit in irreversibler Weise erloschen ist, kein Selbstbewußtsein mehr stattfinden und der Mensch – oder der ehemalige Mensch? – nur noch pflanzenhaft vegetiert[2].

Wenn das ärztliche Berufsethos gemäß dem hippokratischen Eid die Erhaltung des Lebens gebietet, so stellt sich die Frage, ob die Pflicht zur Erhaltung des verbliebenen Rest-Organismus ebenfalls jenem Ethos einbeschlossen sei. Man könnte diese Frage auch so stellen: *Bezieht sich das Postulat der Erhaltung des Lebens nur auf die Pflege »menschlichen« Lebens oder auf die des Lebens überhaupt?* Wenn man darauf die naheliegende Antwort gibt, daß dem Arzte nur *menschliches* Leben anvertraut sei, dann ergibt sich sofort eine Kettenreaktion von weiteren Fragen: *einmal* das Problem, wo auch hier die Grenze zwischen beiden Formen des Lebens liege, wo also menschliche Identität ende und im nur organischen Weitervegetieren erlösche. *Ferner* ergibt sich die Frage, ob der Arzt alles dürfte, was er kann, ob er also seiner medizinischen Artistik, die von der ärzlichen Kunst des Heilens sehr wohl zu unterscheiden ist, freie Entfaltung gestatten dürfe. *Endlich* ergibt sich noch eine dritte Frage: Darf es – auch abgesehen von diesem äußersten Grenzfall des seiner Menschlichkeit beraubten Rest-Organismus – der medizinischen Artistik erlaubt sein, mit raffinierten Methoden einen immer neuen Aufschub des Sterbens zu erreichen und das Leiden künstlich zu verlängern? Gehört zur menschlichen Identität nicht auch ihre Endlichkeit und insofern ein Recht des Individuums auf seinen ihm verordneten Tod?

Um in der Frage der »Grenze« weiterzukommen, stellt sich

die Frage nach den Kriterien für spezifisch menschliches Leben in einer neuen Variante. Zweifellos geht es hier um eine andere Art von Kriterien, als diejenigen es sind, die für die Beurteilung von Kardio- und Enzephalogrammen gelten. Von der biblischen Urgeschichte bis in unsere Zeit – man braucht nur an die Ontologie Martin Heideggers zu denken – wird menschliches von bloß animalischem Leben dadurch abgehoben, daß es durch die Fähigkeit des *Selbstbewußtseins* und damit auch der *Selbstbestimmung* ausgezeichnet ist. Wir brauchen hier das Entscheidende nur anzudeuten, da es uns später noch intensiver beschäftigen wird:

Im biblischen Schöpfungsbericht sind Pflanzen, Tiere und Gestirne nur gleichsam passive Produkte des schöpferischen Es-werde, mit dem Gott sie ins Sein ruft. Der Mensch aber wird im Unterschiede zu ihnen in der zweiten Person, er wird mit »du« angesprochen. Er wird damit in eine Partnerschaft mit dem Schöpfer berufen und muß nun – auf diese eingehend oder sich ihr versagend – selbstverantwortlich darauf reagieren. Es ist also im Unterschied zu Dingen oder andern lebendigen Wesen nicht nur Objekt des göttlichen Willens, sondern von eben diesem Willen als Subjekt bestellt. Diese seine Identität als zur Verantwortung berufenes Subjekt wird er, wie die Sündenfallgeschichte zeigt, nicht wieder los, selbst nicht mit den raffiniertesten Kunstgriffen, die ihn als das entführte Opfer überpersönlicher Prozesse und Zwänge erscheinen lassen sollen. Der Versuch, sich seiner Identität dadurch zu entledigen, daß er Schuld in Schicksal verwandelt, wird im Keime erstickt.

Ganz entsprechend ist auch bei Heidegger menschliches »Da«-Sein von sonstigem Seienden dadurch unterschieden, daß dieses Dasein von sich weiß und sich ergreifen muß. Dieses Selbstbewußtsein bezieht sich vor allem auf das Wissen um die Zukunft, auf die Sorge und den Tod. Während das Tier ganz im Augenblick aufgeht, nimmt der Mensch in Sorge und Hoffnung seine Zukunft vorweg.

Nur von diesem Selbstbewußtsein her wird es möglich, daß der Mensch im Unterschied zum Tier »ethisch« leiden kann. Denn ihm wird nun die Aufgabe zuteil, aber auch die Möglichkeit eröffnet, auf sein Leiden zu »reagieren«, sei es nun, daß er es bekämpft oder annimmt, daß er vor ihm kapituliert oder sich seiner Läuterungskraft erschließt, daß er es im Protest verneint oder aber in sein Leben integriert und es zum Teil seiner Identität macht. So kann ihm das Leiden zu einer produktiven Aufgabe der Selbstwerdung geraten, während dem Tier das Leiden nur Last ist. Insofern hat es sein Recht, wenn dieses »sinn«-lose Leiden durch einen Gnadenschuß beendet wird, während beim Menschen aktive Euthanasie Frevel wäre und sein Selbst antastete. Nur das notorisch Sinnlose kann der Zerstörung überantwortet werden.

Wann aber sollte der Zustand dieser Art von Sinnlosigkeit beim Menschen gegeben sein? – Diese Frage ist deshalb so delikat, weil sie nach objektiven Kriterien zu rufen scheint, die es aus den erörterten Gründen nicht geben kann. Ist ein Leben dann sinnlos, wenn das im allgemeinen Bewußtsein lebende Soll an Glück und Lebenserfüllung nicht erreicht werden kann? Dann müßte man die »Contergan– Kinder« umbringen. Oder ist es dann sinnlos, wenn das Leiden übermächtig wird und der Patient selber nach Beendigung seiner Qual ruft? Oder wenn pathologische Kriminelle in der Sicherungsverwahrung dahindämmern und ihr Zustand irreversibel ist? Wohin kommen wir, wenn wir diesen Pfad betreten, und wer kann die Innengeschichte der also Bedrängten von außen her beurteilen, so daß er sich die Vollmacht anmaßen dürfte, Richter über Leben und Tod zu sein? Vielleicht läßt sich in aller Vorsicht dies sagen:

Wenn die Identität des Menschen durch Selbstbewußtsein und Selbstbestimmung charakterisiert ist, dann dürfte der völlige und irreparable Ausfall des Selbstbewußtseins ein Kriterium dafür sein, daß menschliches Dasein aufgehört hat zu existieren. Der Mensch ohne die Spur jedes Selbstbewußtseins wäre gleichsam nur noch biologisches Präparat. Dieses Präparat mit Hilfe aller Mittel moderner Medizin künstlich am Leben zu erhalten, wäre durch den hippokratischen Eid sicherlich nicht mehr gedeckt. Statt Gegenstand ärztlichen Auftrages zu sein, könnte sich seine Erhaltung nur deshalb empfehlen, weil jener Rest-Organismus als eine Art Reservoir für Organtransplantationen zu fungieren vermöchte.

Was so grundsätzlich einleuchtend sein mag, wird aber sofort wieder problematisch, sobald man sich dem konkreten Einzelfall zuwendet. Denn da sieht man sich durch die Frage attakkiert, ob man denn in diesem *allgemeinen* Sinne überhaupt von Selbstbewußtsein sprechen dürfe. Stellt sich hier nicht sofort die quantitative Frage ein, ob es nicht ein Minimum von Selbstbewußtsein geben könne? Bei welchem Grad der Minimisierung darf man überhaupt von völligem Erlöschen sprechen?

Auch hier geht es mir nicht um die Frage der objektiven, mit Hilfe von Apparaten zu prüfenden Registrierbarkeit. Vielmehr meine ich die Art und Weise, in der das Selbstbewußtsein sich kommunikativ äußert. Sofern Spuren von Selbstbewußtsein vorhanden sind, müßten sie ja auch in Spuren möglicher Kommunikation manifest werden können. Es gibt kein Subjekt-Sein, das ohne jeden mitmenschlichen Kontakt, das schlechthin unansprechbar wäre.

Sicher darf das auch hier nicht heißen, daß man solche Spurenelemente – oder auch ihren völligen Ausfall – einfach nach rationalen Maßstäben beurteilen könnte. Pastor Fritz von Bodelschwingh, der ja große Erfahrung im Umgang mit tief Verblödeten besaß, hat hier immer wieder zur Vorsicht gemahnt. Er meinte Reaktionen festzustellen, die etwa bei der Zuwendung von Liebe zu erkennen seien, vielleicht auch bei einem Wort der Heiligen Schrift, das in sonst verschlossene Bereiche dringe, oder bei einem Choral. Selbst einem etwaigen Selbstbewußtsein gegenüber, das sich nicht mehr verbal zu äußern vermag und – wie etwa bei Schizophrenen – Dimensionen des Ich zugeordnet ist, die sich unserm hermeneutischen Zugriff entziehen, würde ich nicht wagen, das Selbstbewußtsein eines solchen Kranken und damit seine menschliche Identität einfach zu bestreiten. Es könnte zum Beispiel sein, daß ein Sterbender in einem Zustande ist, der menschliche Kommunikation längst hinter sich gelassen hat, der aber gleichwohl ein Selbstbewußtsein »sui generis« enthalten könnte. Darum wäre nur der völlige und irreversible Ausfall jeder Art von Selbstbewußtsein jene untere Grenze, die humane Existenz von biologischen Präparat unterscheidet.

Doch was heißt »biologisches Präparat«? Soll damit gesagt sein, dieser seiner Identität beraubte Mensch, der gleichsam nur seine Hülse zurückgelassen hat, sei zu einem Ding geworden, über das wir deshalb beliebig verfügen könnten?

Wenn wir die Frage so stellen, reicht der zuletzt verwendete Begriff der Identität doch nicht mehr; wir stoßen vielmehr auf seine theologische Dimension. Zwar bleibt die These unangetastet, daß Selbstbewußtsein und Selbstbestimmung die maßgebliche Signatur menschlicher Identität sind. Gerade deren Zerstörung durch das, was wir die »negative Psychiatrie« nannten, machte uns ja deutlich, wie Identität tödlich angetastet werden kann. Doch bleibt noch zu bedenken, daß Selbstbewußtsein und Selbstbestimmung nicht unser kreatives Werk, sondern die uns zugesprochene Schöpfungsbestimmung sind. Wir können bei der Beurteilung dessen, der sich in diesem Zustande vorfindet oder sich seiner beraubt sieht, nicht von dem absehen, der über beides – das Geben und das Nehmen – verfügt. Wenn unser Satz zu Recht besteht, daß menschliche Identität letzlich in der Geschichte gründe, die Gott mit dem Menschen eingegangen ist, daß das Wesen dieses Menschen also darin besteht, der Angesprochene, Gerufene, Erwählte zu sein, ich sage: wenn dieser Satz stimmt, dann *bleibt* diese Zuwendung Gottes seine Identität, sie bleibt es im Geben *und* im Nehmen. Sie ist nicht gebunden an Zustände, die wir analysieren könnten und die uns die Diagnose erlaubten, hier liege die reine »Gottesverlassenheit« vor, hier sei ein Mensch wieder zum Ding geworden und seiner göttlichen Bestimmung entglitten. *Die Konstanz unserer Identität ist vielmehr die Konstanz der Treue Gottes. Insofern kann man an den Bestand des Menschen und seiner Menschlichkeit nur in demselben Sinne glauben, wie man an den Gott glaubt, der seine Treue zusagt.*

Damit wird noch einmal deutlich, welches Gewicht die »fremde Würde« für die Bestimmung der menschlichen Identität hat. Indem der Grund dieser Würde in der Zuwendung Gottes besteht, liegt er nicht im Umkreis des ontisch Vorfindlichen. Er taucht nicht als eine Eigenschaft des Menschen und seines Zustandes auf. Er besteht nicht in dem *Namen* »Mensch«; diesen Namen können wir ja für irdische Augen verlieren, so daß jemand zu sagen vermöchte: »Diese verbliebene Hülse verdient nicht mehr den Namen ›Mensch‹«. Sondern der Grund dieser Würde liegt in dem, der mich bei »meinem« Namen *gerufen* hat. *Der Rufende und sein Ruf bleiben bestehen, auch wenn kein Ohr ihn mehr hören scheint, und wenn kein Auge mehr sieht, daß jemand auf diesen Ruf reagiert. Der Rufende und sein Ruf sind es, die die »fremde Würde« verleihen und den also Angesprochenen unantastbar machen.* Auch wenn wir angesichts einer solchen Menschenhülse sagen mögen: »Dies hier *war* einmal ein Mensch«, dann ist dieses »war« in der temporellen Ausdrucksweise menschlicher Zeitlichkeit gesagt. Für den, der war, ist und sein wird, ist auch das Perfekt ein Präsens. Wir sind und bleiben das Bild, das *er* von uns hat. Vor ihm sind die Toten lebendig ... Die Liebe, die nicht aufhört (1. Korintherbrief 13,8), trägt auch das, was für uns ehemalig ist. In zeichenhafter Analogie kann Ähnliches auch in menschlicher Liebe manifest werden. Dem Lebensgefährten oder der Mutter dessen, der nur noch an die Gestalt von einst erinnert, aber keine erkennbare Identität mit dem kommunikativen Ich seines Wachlebens hat, mag auch die Hülse noch teuer sein. Man darf sie darum auch nicht fragen (obwohl man es gelegentlich tut), ob man das Beatmungsgerät nun abstellen solle. Das ist nur das schattenhafte Abbild einer Treue, die an der Identität festhält und den Geliebten weiterliebt, auch wenn er seine erkennbare Existenz verlassen hat.

Um dieser »fremden Würde« willen bleibt auch die verbliebene Menschenhülse unserm Zugriff entzogen. Aktives Töten würde selbst Frevel sein und das Unantastbare antasten.

Zweifellos bedeutet es aber keine Antastung dieser Art, wenn man sterben »läßt« und also nicht mit Hilfe aller medizinischen Artistik das flackernde Leben des Vitalrestes gewaltsam erhält. Die Bereitschaft zum Sterben-Lassen gilt auch von den Zuständen eines Moriturus, der von ausweglosen und nicht zu beseitigenden Qualen oder auch von irreversibler Bewußtlosigkeit heimgesucht ist. Dazu hat sich übrigens auch Papst Pius XII. beim Empfang eines Anästhesistenkongresses geäußert. Die Rechte und Pflichten der zur Entscheidung aufgerufenen Familie hingen, so meint er, »im allgemeinen vom vermutlichen Willen des bewußtlosen Kranken ab«. Was die eigene und unabhängige Pflicht der Familie angehe, so erstrecke sie sich nur auf die Anwendung der konventionellen Mittel. Das hießt offenbar: Sie erstrecke sich nicht auf die außerordentlichen, eben »artistischen« Mittel einer fortgeschrittenen Medizin, die imstande ist, partielle Lebensfunktionen auch dann zu konservieren, wenn die »Ganzheit« des Menschen nicht mehr besteht. So gebe es Fälle, in denen die Familie »erlaubterweise darauf bestehen kann, daß der Arzt seine Versuche abbreche, und dieser darf ihr Folge leisten« (Verlautbarung am 24. 11. 1957). Darum kann er »das Atemgerät entfernen, bevor der Kreislauf endgültig zum Stillstand kommt.«

Es bedarf keiner besonders lebhaften Phantasie, um sich vorzustellen, welche Last gleichwohl auf dieser erlaubten Entscheidung liegt und daß es hier zu einer Art »metaphysischen Schuldgefühles« – auch beim Arzt – kommen kann[3].

Gerade die »fremde Würde« gebietet es, die Bereitschaft zum Sterben-Lassen aufzubringen, weil der, von dem sie stammt, den Menschen zur Endlichkeit bestimmt hat. »Es ist dem Menschen gesetzt, einmal zu sterben« (Hebräerbrief 9,27). Die Geschichte mit Gott, in die der Mensch berufen ist und die seine Identität ausmacht, läßt unser irdisches Leben ja eine bloße Phase sein, die nach dem Sterben von andern Formen des Daseins abgelöst wird. Die Kontinuität unseres Daseins bricht im Tode zwar ab, wie Paulus es in dem großen Auferstehungskapitel des Ersten Korintherbriefes (15, 42ff.) verkündet: »Es wird gesät in Schwachheit und wird auferstehen in Kraft. Es wird gesät ein natürlicher Leib und wird auferstehen ein geistlicher Leib.« *Doch unsere Identität bleibt: Wir bleiben in Ewigkeit die bei ihrem Namen Gerufenen.* »Mit wem Gott einmal zu reden begonnen hat, es sei im Zorn oder in der Gnade, der ist fürwahr unsterblich« (Luther). Das bedeutet doch, auf unser Problem angewandt: *Da die Geschichte mit Gott, die unsere Identität begründet, nicht aufhört, werden wir auch über den Tod hinaus in unserer Identität bewahrt.* Es ist nicht unsere Entelechie, kein unzerstörbarer Seelenkern im platonischen Sinne, der sich durch Tod und Auflösung hin durchhält, sondern es ist die Treue dessen, der sein Werk nicht fallen läßt und den Namen nicht vergißt, den er ins »Buch des Lebens« geschrieben hat. Um es in einem Bilde zu sagen: Wir gleichen nicht, wie es in östlichen Religionen scheint, Strömen, die auf den Ozean des All-Einen zufließen, um sich in ihm aufzulösen und zu verlieren. Sondern wir bleiben die bei ihren Namen Behafteten, in ihrer Identität Bewahrten, wir bleiben die Berufenen und Gekannten.

Die »fremde Würde« bewacht also sowohl die Lebenden wie die Toten: die Lebenden insofern, als sie den letzten Grund ihrer Unantastbarkeit bildet; die Toten, weil sie das Sterben zum Übergang innerhalb einer Geschichte macht, die nicht aufhören darf, weil die Verheißung Gottes sie verbürgt.

In diesem Sinne könnte es Frevel sein – geradc unter dem Aspekt der »fremden Würde« –, wenn ich den Menschen gewaltsam am Überschreiten einer Schwelle hinderte, die ihm gesetzt ist und über die wir in neue Räume geleitet werden. Wir erkennen den gleichen Ruf und den gleichen Namen, der uns ins Leben geleitete. Und wie wir uns durch den Anruf unseres Namens erkannt fühlen, so werden wird nun auch unsererseits erkennen (1. Korintherbrief, 13,12). Wir erkennen den Rufenden als denselben, dessen Wort wir bei Leibesleben vernahmen. Und eben damit erkennen wir uns selbst. Das ist unsere Identität.

Anmerkungen

1 Siehe dazu das Kapitel über die Schwangerschaftsunterbrechung in: H. Thielicke: Theologische Ethik. Tübingen Bd. III, S. 749 ff.

2 Vgl. auch hier die ausführliche Darstellung des Problems in: H. Thielicke: Wer darf leben: Ethische Probleme der modernen Medizin. München 1970

3 A. a. O., S. 27 f.

Heinz Zahrnt
Aufklärung durch Religion

Wie aber muß nun – auf dem Hintergrund der beiden geschilderten negativen Beispiele – die *positive Antwort* auf die Frage, wovon der Mensch lebe, was seinem Leben mithin Sinn verleihe, für uns heute lauten?

Mir scheint heute der Augenblick gekommen zu sein, von dem Carl Friedrich von Weizsäcker einmal gesagt hat: »Eines möchte ich den Theologen sagen: Sie bewahren die einzige Wahrheit, die tiefer reicht als die Wissenschaft, auf der das Atomzeitalter beruht. Sie bewahren ein Wissen vom Wesen des Menschen, das tiefer reicht als die Rationalität der Neuzeit. Der Augenblick kommt immer unweigerlich, in dem man, wenn das Planen scheitert, nach dieser Wahrheit fragt und fragen wird«.

Karl Marx hat einst in seiner berühmten elften These über Feuerbach formuliert: »Die Philosophen haben die Welt nur verschieden interpretiert; es kommt darauf an, sie zu verändern.« Der tschechoslowakische Philosoph Vitêzlav Gardavský hat dagegen in unseren Tagen erklärt: »Die Welt muß wirklich verändert werden. Das Problem hat sich jedoch verschoben. Die Hals über Kopf veränderte Welt muß von neuem interpretiert werden, wenn sie nicht zugrunde gehen soll.«

Die Hals über Kopf veränderte Welt von neuem interpretieren – was heißt das anderes, als wieder nach ihrem Sinn fragen?

Wonach der Mensch verlangt, wenn er nach dem Sinn seines Lebens in der Welt fragt, ist einmal nach Gewißheit seiner eigenen Existenz und zum anderen nach Verläßlichkeit der Welt. Beide Fragen: Was ist es, das meinem Leben Gewißheit gibt? und: Was ist der Grund, der mir die Welt verläßlich macht? treffen in der Sinnfrage zusammen. Damit mündet die Sinnfrage in die *Vertrauensfrage.*

Zu den stillen Voraussetzungen, von denen jeder, auch der moderne, angeblich gottlose Mensch lebt, gehört das unbewußte Vertrauen, aus dem heraus jeder handelt. In jedem Menschen steckt eine elementare Sehnsucht, vertrauen zu können, als die heimliche Kraft, aus der sich sein Leben untergrundig nährt. Damit aber stellt sich an jeden die Frage, worauf sich für ihn sein Leben gründet, so daß er Vertrauen haben kann.

Zum Wesen des Vertrauens gehört es, daß es seinen Grund außerhalb unser selbst hat und in uns allein dadurch zustande kommt, daß ein anderer in mir Vertrauen hervorruft. Der Grund dafür, daß ich einem Menschen vertraue, liegt nicht in mir selbst, sondern in dem Mitmenschen, der durch sein Verhalten solches Vertrauen in mir schafft. Vertrauen ist also immer die Widerspiegelung von einem anderen in uns, Grundvertrauen mithin die Widerspiegelung des Grundes der Welt in uns.

Der Grund der Welt, der sich im Grundvertrauen des Menschen spiegelt, begegnet uns nun niemals unmittelbar in nackter Gestalt, sondern immer schon vermittelt in geprägter Form, eben »reflektiert«. Hier muß jeder für sich selbst entscheiden und entsprechend antworten und handeln. Ich stehe in der Tradition der *christlichen Auslegung des Grundes der Welt*: Ich rede von dem Grund der Welt, *weil und wie Jesus von Nazareth ihn gedeutet und ausgedrückt hat* – ich glaube diesem Jesus seinen Gott.

Jesus deutet den Grund der Welt als *«Liebe«* und redet ihn daher vertrauensvoll als *«Vater«* an. Daß er mit seiner Auslegung den Grund und Sinn der Welt richtig erfaßt hat, das erfahre ich in meinem eigenen Grundvertrauen. In mir ist etwas, was Jesus recht gibt. Jesu Gotteserfahrung und meine Welterfahrung bilden einen Zirkel: Was in Jesu Gotteserfahrung eindeutig und vernehmbar durchbricht und was sich in meiner eigenen Welterfahrung höchst zweideutig und unscharf zu Wort meldet, das hat einen und denselben Grund: Es ist der Grund, warum Jesus Gott »Vater« nennt; ich kann auch sagen: Es ist der Grund, den Jesus »Vater« nennt.

Dabei räume ich unumwunden ein, daß es sich hier um einen theoretisch nicht mehr zu vermittelnden gläubigen Akt des Vertrauens handelt. Zugleich aber bin ich ebenso überzeugt daß es für dieses Vertrauen gute Gründe gibt. Ich finde Jesu Gotteserfahrung und Weltdeutung in der Sinnerfahrung, wie sie jedem zugänglich ist, der bei Sinnen ist, bestätigt.

Ich stelle zunächst wieder eine allgemeine These voran: *Das Grundgesetz allen Lebens und damit die Grundlage jedes menschlichen Kräftehaushalts lautet: Empfangen geht vor Handeln!* Diese Wahrheit gilt es an der Wirklichkeit unseres privaten, gesellschaftlichen und politischen Lebens zu bewähren. Ich möchte es in sieben Anmerkungen tun. Dabei handelt es sich um Erfahrungen und Beobachtungen, wie sie jedermann machen kann, sofern er aufmerksam lebt und nicht nur halbwach dahindämmert.

1. Unverfügbares Leben

Ich knüpfe an die Erfahrung der Unverfügbarkeit des menschlichen Daseins an, wie wir sie heute neu machen. Diese Grunderfahrung jedes Menschenlebens hat zwei Seiten. In ihr steckt nicht nur das dunkle, feindliche Widerfahrnis der Bedrohung und Begrenzung des Lebens, sondern zugleich auch das helle, freundliche Erlebnis der Gewährung und Fülle des Lebens.

Zum Beispiel: Wir alle wissen, war arbeiten heißt, und daß es ohne Arbeit und Leistung keinen Erfolg, ja überhaupt kein würdiges menschliches Leben gibt. Aber wir haben alle auch schon die andere Erfahrung gemacht, daß sich unsere Arbeit und Leistung nicht unmittelbar in Erfolg und Wirkung umsetzen: Manchmal gelingt's, manchmal gelingt es nicht – das weiß der Handwerker so gut wie der Schriftsteller, der Erzieher ebenso wie der Arzt. Ob es gelingt oder mißlingt, hängt nicht allein von der Größe unseres Einsatzes ab, so daß Quantität gleichsam in Qualität umschlüge. Es ist vielmehr noch etwas anderes mit im Spiel, über das wir nicht verfügen, etwas Unberechenbares, statistisch nicht Erfaßbares. »Das Schöpferische ist etwas, das man empfängt, erhält, geschenkt bekommt; man erhält es von einem Etwas, das nicht identisch ist mit dem bewußten Ich. Das Selbst manifestiert sich nur, wenn man es als

Gabe empfindet.« (Paul Matussek). Wir man diese Erfahrung nennen will, ob Gnade, Segen oder Glück, das ist beinahe gleichgültig. Wichtig allein ist, daß wir dieses Moment des Unverfügbaren in aller unserer Arbeit erkennen.

Die Einsicht, daß Empfangen vor Handeln geht, bietet Schutz vor beidem: Sowohl vor dem Leistungswahn, in dem einer meint, daß er es sei, der alles machen müsse, als auch vor der Resignation, in der einer – eben weil er alles allein machen zu müssen meint – aus dem Gefühl des Überfordertsein nun gar nichts mehr macht, sondern nur noch Lust am Untergang hat.

2. Polarität zwischen Religion und Politik

Es erscheint mir als ein dringendes Erfordernis unserer Zeit, daß wir entgegen allen zeitgenössischen Verführungen strikt an der Polarität zwischen Religion und Politik festhalten. Die Politik darf nicht wieder, weder »rechts« noch »links«, religiös überhöht werden. Eine radikale politische Theologie bedeutet, auf ihren Ursprung und Grund durchleuchtet, den Rückfall auf eine Stufe der Religionsgeschichte, die das Christentum gerade überwunden hat. Mit seiner Predigt von dem aller Welt überlegenen transzendenten Gott hat das Christentum jede politische Theologie, für die der Staat oder die Gesellschaft zu einer religiösen Größe wird, aus den Angeln gehoben: Staatsvolk und Kirchenvolk traten künftig auseinander. Auch wenn man beiden angehörte, so waren sie doch nicht mehr miteinander identisch – des zum Zeugnis verweigerten die ersten Christen dem römischen Kaiser das Opfer.

Auch in der Religionsgeschichte gibt es ein Reifen und Mündigwerden und damit den Übergang vom »Lustprinzip« zum »Realitätsprinzip«. Für die Beziehung der Religion zur Politik bedeutet dies, daß die Politik ein *»weltlich Ding«* ist und bleiben muß und daß gerade der christliche Glaube ihr zur Erkenntnis dieser Weltlichkeit verhelfen sollte. Aus dem christlichen Glauben ergeben sich daher auch keine ewigen Richtlinien für eine christliche Politik, sondern nur fallweise Berichtigungen einer unmenschlichen Politik – Denkzettel, aber kein

Zettelkasten, Lektionen, aber kein Lektionar. Die Christen haben in der Politik nichts als solche Berichtigungen anzubieten, und sie sollten es mit Demut tun.

Aber gerade wenn in der Politik *Vernunft* walten soll, bedarf es paradoxerweise des *Glaubens*. Denn augenscheinlich genügt es für den Menschen nicht, nur Vernunft zu besitzen, um dann auch schon vernüftig zu handeln. Vielmehr muß er, um vernünftig zu handeln, immer erst noch den Weg durch das eigene Herz gehen, um das Vernünftige dann auch zu tun. Alle »Vernunftpolitik« ist daher immer zugleich auch »Verzichtspolitik«. Eben dazu aber braucht der Mensch Vertrauen. Denn es gibt ja nie eine sogenannte »reine« Vernunft. Vielmehr ist die Vernunft des Menschen immer schon von allen möglichen Vorurteilen und Trieben besetzt, vor allem von seiner Habsucht aus Angst. Nun aber ist kein theoretisches Prinzip stark genug, um eine wirklich tiefsitzende Angst zu überwinden und zu bezwingen. Darum kann, wenn der den Menschen beherrschende Trieb die Habsucht aus Angst ist, der diesem Trieb entgegengesetzte, ihn überwindende Affekt nur ein Vertrauen sein, welches stärker ist als seine Habsucht aus Angst. Und das ist das Vertrauen auf jenen Grund des Daseins, dem sich alles Leben verdankt, der die ganze Schöpfung, das Leben und das Sterben in ihr, gründet. Es ist jene Kraft, die die Bibel »Glaube« nennt. Und darum ist es paradoxerweise der Glaube, der den Menschen in der Politik zur Vernunft bringt – wenigstens sollte er es tun.

Dies heiße ich »christlichen Realismus« in der Politik. Für solchen politischen Realismus kenne ich keinen besseren Leitfaden als das Wort des Christen, wenn auch gewiß nicht Kirchenchristen, Dag Hammarskjöld: »Wo unsere Vorgänger von einem neuen Himmel träumten, ist unsere größte Hoffnung, daß es uns erlaubt sein möge, die alte Erde zu retten.«

Ans Kreuz der Wirklichkeit der Welt geschlagen, leben und handeln wir alle in der Hoffnung auf irgendein Reich, das »nicht von dieser Welt« ist. Aber was immer bei unserem Handeln und Leben herauskommt, wird immer wieder nur »von dieser Welt« sein, niemals die Erlösung, sondern immer nur eine Veränderung, niemals das ganz Gute, sondern immer nur das etwas Bessere. Stets wird es uns nur gelingen, eine bruchstückhafte Menschlichkeit zu verwirklichen und eine vorläufige Friedensordnung herzustellen, in zähem Ringen, Schritt für Schritt, von einem Provisorium in das andere. Es gibt in der Geschichte der Menschheit Schuld, Leid, Sinnlosigkeit, Verfall und Tod, die keine Emanzipation aufzuheben vermag. Und auch alle Emanzipationsgeschichte wird am Ende stets Leidensgeschichte bleiben!

Angesichts dieser tiefen Verlegenheit weiß ich keine bessere geistliche Waffenrüstung für unsere Zeit als diese: *Zieht aus das enge Kleid der Resignation und legt an das weite Gewand der Hoffnung, gürtet es aber mit dem Strick der Resignation!*

3. Zwischen unmenschlicher Gnade und gnadenloser Menschlichkeit

Als *unmenschliche Gnade* bezeichne ich es, wenn man die Erfahrung der Gnade als den Grund allen Lebens rein im Abstrakten, Privaten beläßt und daraus keinerlei Konsequenzen für das Zusammenleben der Menschen, mithin für die Ordnung der Gesellschaft, zieht oder doch nur geringfügige, mehr als Alibi denn aus Liebe. Die Folge solcher unmenschlichen, leiblosen Gnade ist, daß man nur um so gnadenloser vom Staat die Durchsetzung von »Gesetz und Ordnung« verlangt und sich auf diese Weise vor den peinlichen Folgen der göttlichen Gnade durch menschliche Gnadenlosigkeit, und sei es sogar mit Hilfe der Todesstrafe, zu schützen sucht.

Als *gnadenlose Menschlichkeit* bezeichne ich es hingegen, wenn man die »reine Menschlichkeit« zum Planziel einer idealen Gesellschaftsordnung macht und solchen Entwurf dann gnadenlos, auf Kosten der Menschen, durchsetzt, aus angeblicher Liebe zur ganzen Menschheit jeden hassend, womöglich tötend, der dieses Ideal einer vollkommenen Gesellschaft nicht teilt. Solche gnadenlose Menschlichkeit hat ihre Wurzel in der Selbstgerechtigkeit des Menschen. Wo man sich selbst für gerecht und gut hält, dort werden alle, die eine andere Sache oder dieselbe Sache auch nur anders vertreten, aus politischen Gegnern zu Söndern – und Sünder müssen bestraft, wenn nicht gar vertilgt werden, früher von Gott, heute von der Gesellschaft. Und so beginnt jeder »radikale« Humanismus, für den der Mensch nicht nur das höchste Wesen, sondern selbst auch die Wurzel des Menschen ist, mit einem Strafgericht der bisher Ausgebeuteten und Beherrschten über ihre bisherigen Herrscher und Ausbeuter und hat bislang immer noch mit einem totalitär-bürokratischen Regime und damit in einer totalen Inhumanität geendet.

Angesichts solcher gnadenlosen Menschlichkeit bewahrheitet sich der Satz: »Nur wer auf etwas anderes wartet als auf eine verständige Weltregierung, wird das sehen, was die Weltgesellschaft nötig hat.« (Carl Friedrich von Weizsäcker) Ich kann dasselbe auch so ausdrücken: Die Wegweisung zu einer menschlicheren Gesellschaft – zwischen unmenschlicher Gnade und gnadenloser Menschlichkeit hindurch – lautet: Je mehr Menschen für sich selbst erkennen, daß der Mensch nicht vom Brot allein lebt, desto mehr Menschen werden in der Welt Brot zum Leben haben.

4. *Leistung und Solidarität* (Humanität und Rentabilität)

In unserer expansiven Leistungs- und Wettbewerbsgesellschaft droht ein Mensch jeweils nur so viel zu gelten, wie er leistet, gemäß dem Grundsatz: »Kannst du was, dann bist du was.« Damit aber wird der Sinn eines Menschenlebens auf seinen Nutzen und Zweck reduziert, und das hat Folgen. Wo in einer Gesellschaft allein der Gesichtspunkt des Nutzens regiert, dort wird der Mensch unweigerlich ausgenutzt. Das ist im westlichen Gesellschaftssystem kaum anders als im östlichen. Aufs letzte gesehen, das heißt in diesem Fall auf des Menschen Menschlichkeit geblickt, ist der Unterschied zwischen Kapitalismus und Sozialismus so groß nicht, wie seine jeweiligen Vertreter ihn beschwören. Hier wie dort droht der Wert eines Menschen an seinen Leistungen gemessen zu werden. Wer das von ihm erwartete Leistungssoll nicht erfüllt und damit scheinbar keinen Beitrag zum Kräftehaushalt der Gesellschaft leistet, läuft Gefahr, an den Rand des Lebens zu geraten und zu einer sozialen Randgestalt zu werden. Es gibt hier einen einfachen Test: Soziale Randgestalten sind in unserer Gesellschaft alle jene Schwachen, für die die Parteien und Interessenverbände sich nur wenig interessieren, weil sie keine Stimme haben und deswegen für sie uninteressant sind.

Hier einen »göttlichen Vorbehalt« für die Menschlichkeit des Menschen aufrechtzuerhalten, scheint mir ein wichtiger Beitrag der Kirche zum Kräftehaushalt unserer Gesellschaft zu sein. Weil der Mensch als Geschöpf von Gott seinen Wert hat, darum darf er von keinem Menschen »verwertet« werden. Es kommt in unserer Gesellschaft heute viel, wenn nicht gar alles auf das richtige Verhältnis zwischen Leistung und Solidarität an. Davon handelt eine Denkschrift der Evangelischen Kirche in Deutschland, die den Titel trägt »Leistung und Wettbewerb«.

In ihr heißt es: »Eine Gesellschaft, die ihre Mitglieder ausschließlich nach Leistung und Gegenleistung beurteilt und einstuft, wäre eine unmenschliche Gesellschaft. Auf der anderen Seite aber darf bei der Ordnung der sozialen Beziehungen die Äquivalenz von Leistung und Gegenleistung nicht außer acht gelassen werden. Auch die Besetzung gesellschaftlicher Rollen kann nicht ohne Rücksicht auf Leistung vorgenommen werden. Beides wäre ebenfalls ein unmenschliches System. Je wirksamer und selbstverständlicher in einer Gesellschaft einerseits das Prinzip von Leistung und Gegenleistung, andererseits der Grundsatz der Gleichwertigkeit und Solidarität unter allen Menschen verwirklicht werden, desto menschenwürdiger ist diese Gesellschaftsordnung.«

Für die Arbeitgeber- wie Arbeitnehmerverbände wird die schwerste, endgültig nie ganz zu lösende Aufgabe darin bestehen, die Menschen nicht nur deklamatorisch, sondern faktisch in den Mittelpunkt ihres unternehmerischen und organisatorischen Handelns zu stellen. Das bedeutet die unablässige Konfrontation mit dem Problem ›soziale Humanität‹ einerseits und ›ökonomische Rentabilität‹ andererseits.

5. Heilsame Grenzerfahrung (Ehrfurcht vor dem Leben)

Es läßt sich nicht leugnen, daß die neuzeitliche Fortschrittsidee, die heute in die Krise geraten ist, eine ihrer kräftigsten historischen Wurzeln im Christentum hat. Sie gründet in dem gleich auf den ersten Blättern der Bibel berichteten Auftrag Gottes an die Menschen: »Füllet die Erde und machet sie euch untertan!« Dieser Impuls zur Herrschaft über die Erde wurde noch eschatologisch aufgeladen durch die Verheißung »eines neuen Himmels und einer neuen Erde« auf den letzten Blättern der Bibel. Nicht das war schon falsch, daß der Mensch über die übrige Kreatur geherrscht und die Erde sogar zu verbessern versucht hat – damit erfüllte er Gottes Auftrag. Falsch war vielmehr und schuldig wurde der Mensch, weil er sich dabei unbegrenzten Allmachtsphantasien und unkontrollierten Zukunfsutopien hingab. Damit hat er den göttlichen Auftrag und die eigene Grenze in eins überschritten. Statt in der Schöpfung Gnade walten zu lassen, hat er über sie gnadenlos geherrscht.

Heute nun müssen wir einen Schritt zurücktreten und die Grenzen unserer Macht neu erkennen. Unsere Wohlstandserwartungen haben dem Zuschnitt der Welt nicht entsprochen: So viel, wie wir uns erhofft haben, steckt in der Schöpfung Gottes gar nicht drin! Darum heißt die Forderung nicht mehr stürmische Überwindung, sondern behutsame Einhaltung der Grenzen, und das zeitgemäße Ziel entsprechend nicht Ausschöpfung aller Kräfte der Natur, um einen endgültigen Zustand paradiesischer Vollendung zu erreichen, sondern sparsame Verwaltung des vorhandenen Kräftepotentials, um den vorläufigen Zustand eines nur mühsam auszubalancierenden Gleichgewichts zu erhalten. Die Voraussetzung aller verantwortlichen Zukunfsplanung ist, daß der Planende sich seiner eigenen Grenze bewußt bleibt: wie sehr er seiner selbst nicht mächtig ist. Zur Umkehr in die Zukunft gehört der Mut, der eigenen Endlichkeit standzuhalten.

Das schließt die Einsicht ein, daß Leben immer durch anderes Leben begrenzt ist. Schien es uns vor einigen Jahren noch fast ein wenig lächerlich, wenn Albert Schweitzer uns ermahnte, kein Blatt vom Baum zu brechen, keine Blume zu pflücken und kein Insekt auf unserem Weg unvorsichtig zu zertreten, so nötigt uns solche »Ehrfurcht vor dem Leben« heute neu Respekt ab. Nachdem die Herrschaft des Menschen über die Erde jahrhundertelang zu einem großen Teil darin bestanden hat, die Natur bedenkenlos auszuplündern und sich die Kreatur despotisch zu unterwerfen, ist es endlich an der Zeit, auch jene andere in der Bibel vorhandene Linie zu entdecken, die in der Geschichte des abendländischen Christentums bislang zu kurz gekommen ist: daß der Mensch nicht nur die Krone der Schöpfung bildet, sondern auch Kreatur unter Kreaturen ist und daß er deshalb mit der übrigen Kreatur solidarisch leben und leiden sollte, wie diese es mit ihm schon immer getan hat.

6. Dialog zwischen den Weltreligionen

Die Erprobung der christlichen Wahrheit vollzieht sich heute zunehmend auf dem Hintergrund jenes Vorgangs, den Teilhard de Chardin die »Planetisierung der Erde« genannt hat, das heißt der entstehenden *einen* Welt, des Zusammenwachsens der Völker zur *einen* Menschheit. Das verlangt von allen Weltreligionen, auch vom Christentum, die *Bewahrheitung ihrer Botschaft im Hinblick auf eine künftige Weltgesellschaft.* Daher geht die Christenheit in unseren Tagen, wenigstens soweit sie die Zeichen der Zeit erkannt hat und sich mehr um den Fortgang des Reiches Gottes als um ihren eigenen Fortbestand sorgt, auf eine größere Ökumene als bisher zu: auf die *Ökumene der Religionen*. Endlich können die Christen ehrlich sein und ihren so lange mit Gewalt, Kattun und Gelehrsamkeit verteidigten Anspruch auf die Alleinvertretung Gottes auf Erden aufgeben und sich in die Gemeinschaft der Weltreligionen einreihen.

Jesus Christus bedeutet für den christlichen Glauben zwar das *endgültige*, aber nicht das alleinige Heil. Damit fällt die protestantische Entgegensetzung von »Religion« und »Offenbarung« ebenso dahin wie die katholische Gleichsetzung von »Kirche« und »Heil«. Wohl glaubt der Christ, daß Jesus von Nazareth »der Weg, die Wahrheit und das Leben« ist, weil er die letzte, endgültige, durch nichts mehr überbietbare Auslegung Gottes gebracht hat, aber mit diesem seinem Glauben spricht er den anderen Religionen nicht ab, daß auch sie Wahrheit enthalten, einen Weg zu Gott weisen und Leben spenden. Alles auf eine Karte setzen heißt zwar, die anderen 31 liegen lassen, aber es heißt nicht, die anderen 31 für nichts achten. Auch in ihnen stecken Trümpfe!

Damit tritt von selbst an die Stelle des bislang von seiten des Christentums mit den Weltreligionen einseitig geführten Monologs ein zweiseitiger, ja mehrseitiger *Dialog*. Und so weitet sich die interkonfessionelle Ökumene, noch ehe sie vollendet ist, zur interreligiösen Ökumene aus. »Ökumenische Theologie« heißt dann christliche Theologie der Religionsgeschichte.

Diese in Aussicht stehende größere Ökumene der Religionen bedeutet keine »religiöse Internationale«, zu der man sich, angefeuert durch den Schlachtruf »Gläubige aller Länder, vereinigt euch!« zusammenschlösse, um sich auf diese Weise besser gegen den herandrängenden altbösen Feind, gegen Atheismus, Kommunismus und Säkularismus, verteidigen zu können. Sie ist auch kein religiöses Kollektiv, in das jede einzelne Religion die ihr anvertraute Wahrheit einbringt, um sie darin aufgehen zu lassen, so daß im diffusen Licht einer abstrakten Allwahrheit die konkreten Konturen und Linien der singulären Wahrheit verschwömmen. Vielmehr handelt es sich bei der künftigen Ökumene der Religionen um eine Gemeinschaft, in der »in Gottes Namen« Jude, Christ, Moslem, Hindu und Buddhist miteinander denken, reden und handeln – nicht in müder gegenseitiger Toleranz, sondern im gemeinsamen Wettstreit um die Wahrheit und im vereinten Kampf gegen alle menschenmordenden Götter.

Das bedeutet keine Absage an die Mission. Im Gegenteil, mir scheint der Augenblick gekommen zu sein, in dem jeder den Zipfel christlicher Wahrheit, den er noch in Händen hält, fester fassen und ungescheut bekennen muß. Das Weitersagen der christlichen Botschaft bedarf keines äußeren Gebots – es ergibt sich spontan. Wer etwas für sich als wahr erkannt hat, kann dies gar nicht für sich behalten; er muß es auch anderen mitteilen. Die Wahrheit ist eine treibende Kraft: sie hat es »in

Wie von selbst gelangt die Sinnfrage am Ende damit in die Nähe dessen, was die Bibel »Umbesinnung« nennt. Jede Besinnung, ob auf sich selbst oder auf die Welt, verlangt vom Menschen angesichts der Widerspenstigkeit der von ihm erfahrenen Wirklichkeit eine Revision, eine Umbesinnung. Dies schließt eine Wandlung der Person ein. Es gibt auf die Sinnfrage keine Antwort ohne Sinnesänderung. Wer nur so weitermacht wie bisher, hat den ihm eröffeneten Sinn ausgeschlagen; ja, er hat die Frage nach dem Sinn seines Lebens gar nicht ernsthaft gestellt. Er hat den Brief, den die Wirklichkeit ihm schreibt, ungeöffnet liegen lassen.

Damit tut sich uns am Ende die tiefste Ursache des zeitgenössischen Krisenbewußtseins auf. Es handelt sich bei ihm zutiefst um eine *Glaubenskrise*. Von der Aufklärung an bis auf den heutigen Tag steht in der Weltgeschichte in wachsendem Maße zur Entscheidung, ob der Mensch ohne Gott leben, ob er ohne Gott Mensch bleiben kann. Das ist das größte Experiment, das gegenwärtig in der Weltgeschichte im Gange ist, wichtiger als alle Mondlandungen und Weltraumfahrten. Meine eigene Antwort darauf möchte ich geben, indem ich eine Geschichte erzähle, in der sich für mich der »Lebenslauf Gottes« in unserer Zeit gleichnishaft widerspiegelt:

Ein Vater hatte zwei Söhne. Als der Vater alt geworden war, teilte er sein Erbe unter sie und zog fort. Verlassen von ihrem Vater, mußten die Söhne fortan nun allein leben. Sie taten es, so gut sie es vermochten. Kriege kamen über ihr Land; es gab Katastrophen, Hunger, Teuerung und Leid. Aber sie standen dies alles tapfer miteinander durch, sich selbst ein Wunder. Schließlich gingen sie daran, die alten Gebäude niederzureißen und das ganze Leben neu zu ordnen. Es sollte alles anders und besser werden, als es zur Zeit des Vaters gewesen war. Anfangs hatten die beiden Söhne noch häufig von ihrem Vater gesprochen. Doch dann hatten sie sich allmählich daran gewöhnt, daß er nicht mehr da war. Ob sie ihn ganz vergessen haben oder bisweilen im stillen noch an ihn denken, davon weiß der Erzähler nichts zu berichten, ebensowenig davon, ob der Vater eines Tages wieder heimgekehrt ist. Denn noch ist diese Geschichte nicht zu Ende.

Ich könnte mir aber die folgende Fortsetzung denken: Eines Tages brach einer der beiden Söhne auf und machte sich auf den Weg, um den verlorenen Vater zu suchen. Er überquerte hohe Berge, wüste Landstriche und reißende Flüsse. Nach einer langen Reise traf er eines Tages in einer unwirtlichen Gegend unversehens auf einen, den Räuber überfallen und am Wegrand liegengelassen hatten. Er stieg von seinem Pferd herab, trat an den Überfallenen heran und beugte sich über ihn, um ihm zu helfen. Da sah er, daß es sein Bruder war, der gleich ihm ausgezogen war, um den verlorenen Vater zu suchen. Als die beiden Brüder einander erkannten, da erinnerten sie sich ihres gemeinsamen Vaters.

IV. GESCHICHTE UND GESELLSCHAFT

Wolf Graf Baudissin
Zur Wehrverfassung der Bundesrepublik

Die geistige Verbindung zwischen dem Werke des Reichsfreiherrn von Stein und der Inneren Führung ist sinnfällig. Stein und seine Zeitgenossen, Scharnhorst und Gneisenau, waren von dem Willen bewegt, tragfähige staatliche bzw. militärische Ordnungen in einer durch die Französische Revolution neu geprägten Welt zu schaffen. Schlägt man die Nassauer Denkschrift vom Juni 1807 auf, so erkennt man das gleiche Grundanliegen, damals wie heute trotz freilich recht anders geartetem geistig-politischem Hintergrund, Ansatz und Milieu:

»Belebung des Gemeingeistes und Bürgersinns, die Benutzung der schlafenden oder falschgeleiteten Kräfte und der zerstreut liegenden Kenntnisse ... Freie Tätigkeit der Nation in Richtung auf das Gemeinnützige ...«, das war, mit Steins eigenen Worten, der Sinn der Reform. Anders ausgedrückt: die zur Eingliederung in den Staat notwendige Umwandlung des passiven Untertanenverhältnisses in tätige Mitverantwortung innerhalb der überschaubaren Gemeinde.

Genau dies: den Willen zur Mitarbeit, zu Mitverantwortung und tätigem Gehorsam innerhalb der Bundeswehr zu wecken und zu fördern, ist – auf die kürzeste Formel gebracht – die eigentliche Aufgabe der Inneren Führung.

Doch darf ich unsere Gedanken zunächst auf die Faktoren richten, die es bei Aufstellung der Bundeswehr in Betracht zu ziehen galt. Daraus werden sich die Folgerungen für die Innere Führung ergeben, denen ich dann eine Gegenüberstellung bestimmter Gegenhaltungen und einige Bemerkungen zur bisherigen Bewährung folgen lassen möchte.

Der Auftrag, für die Bundesrepublik Deutschland eine Wehrpflichtarmee aufzubauen, stellte in den fünfziger Jahren alle Verantwortlichen und ihre Mitarbeiter vor eine außergewöhnliche Aufgabe. Welt und Umwelt des Soldaten, ja, wenn wir an die junge Generation denken, der Soldat selbst, hatte sich in einem Umfang und mit einer Plötzlichkeit gewandelt, wie es in der Geschichte ohne Vorgang ist. In dieser Situation ließen sich früher bewährte Maßstäbe und Formen nicht einfach übernehmen. Vielmehr galt es aufzuspüren, was heute und in absehbarer Zukunft den bewegenden Kräften unserer Zeit entspräche, was sachgemäß und hilfreich sei.

Daß man bei dieser Suche auf manches Erbe traf und an viele Erfahrungen anknüpfte, liegt auf der Hand, und ich nehme gerne Gelegenheit, um einer hartnäckigen Legende entgegenzutreten: Es ging uns niemals um eine Ablehnung des Vergangenen oder von Traditionen schlechthin. Wir meinten allerdings unterscheiden zu müssen zwischen der Geschichte, die als Ganzes in ihrem Auf und Ab, Glück und Unglück, Erhebendem und Schmachvollem ausgehalten werden muß – schon um zu wissen, wohin wir eigentlich gehören –, und den Traditionen, die uns zur Lösung der gegenwärtigen und zukünftigen Aufgaben hilfreich sein würden. Aus Gründen, die gleich deutlicher werden, hielten wir alle Traditionen für belanglos, ja gefährlich, die nationalistisch, patriarchalisch-feudal, obrigkeitsstaatlich, vor-technisch oder ethisch wertneutral sind. Hilfreich hingegen erschienen uns Haltungen und Erfahrungen, die durch die Jahrhunderte im Kampf um innere Freiheit, Recht und Menschenwürde gewachsen sind. Aus dieser Sicht spielte der Widerstand gegen Hitler von vornherein eine zentrale Rolle in unserem Denken; fanden sich doch hier zum ersten Male in der Geschichte die freiheitlichen Kräfte aller Lager zur gemeinsamen Aktion. General Graf Kielmansegg hat dazu in einer Gedenkrede folgendes gesagt:

»Als Vorgang kann der 20. Juli sicher keine Norm setzen, ganz einfach deswegen, weil niemals ein Verhalten in einer Ausnahmesituation eine Norm setzen kann. Wohl aber können und sollen die Soldaten des 20. Juli als Personen Vorbilder des Soldaten von heute sein, denn sie handelten aus ihrem Wissen nach ihrem Gewissen im Bewußtsein ihrer Verantwortung und setzten ihr Leben dafür ein. Welch bessere Vorbilder kann es geben?« Ich habe dem nichts hinzuzufügen, als den Hinweis auf drei Mahnungen, die jene tragische Verstrickung an uns richtet und die sich auf unser Thema beziehen:

die eine: Innere Freiheit – einmal verloren – ist unter den heutigen Bedingungen höchstens von außen wiederherzustellen;

die zweite: Alle menschlichen und damit auch soldatischen Tugenden sind – ohne transzendenten Bezug – gegen Mißbrauch nicht gefeit;

die dritte: Der bloße Fachmann ist den Konflikten unserer Zeit nicht mehr gewachsen.

Zieht man in Betracht, daß die Bundeswehr für Deutschland das erste Volksheer in einem freiheitlichen Rechtsstaat und innerhalb einer modernen Industriegesellschaft ist, so wird das ganze Ausmaß der Wandlung deutlich, die wir vorfanden. Zum ersten Mal in unserer Geschichte wurde die Bundeswehr als Institution ein Teil der Exekutive, der der parlamentarischen Kontrolle sowie der Kritik einer pluralistischen Öffentlichkeit unterworfen ist. Hier hat eine grundsätzlich neue Einordnung stattgefunden; sie bedeutet für viele schmerzliche Umgewöhnung. Der Soldat selbst erscheint in dieser Verfassung als ein Staatsbürger mit anderen Rechten und Pflichten als sein Vorgänger, der unter obrigkeitsstaatlichen oder totalitären Herrschaftsformen diente und anders strukturierten Gesellschaften entstammte.

Die Bundeswehr wurde nur in einem Teil des willkürlich getrennten Deutschlands und von vorneherein als Beitrag für ein Sicherheits-Bündnis aufgestellt, dessen Mitglieder, mit wenigen Ausnahmen, durch das Dritte Reich in einen totalen Krieg verwickelt wurden und jahrelang von uns besetzt gehalten waren. Die Wiederbewaffnung der Bundesrepublik Deutschland mußte daher eine Reihe von Sorgen und Befürchtungen im In- und Ausland neu beleben.

Für unser Thema ist vor allem die Zweiteilung Deutschlands von Belang und die Existenz von deutschen Streitkräften beiderseits der Demarkationslinie. Sie zwingen den Soldaten der Bundeswehr zu sorgfältiger Überprüfung seines Selbstverständnisses. Weder ein verschwommenes Nationalgefühl noch ein beziehungsloses Soldatenethos hält solcher Lage stand. Ein Soldat, der nicht bereit ist, sich mit der Grundordnung unseres Staates zu identifizieren, weiß weder, was er verteidigt, noch aber, was ihn eigentlich mit den freiheitlichen Bündnispartnern verknüpft und von dem unfreiheitlichen Regime jeseits des Eisernen Vorhanges trennt.

Aber auch die militärisch-fachlichen Gegebenheiten zwangen zum Umdenken. Das Kriegsbild hatte sich radikal verändert: Die Wasserstoffbombe stellt die klassische Sicht von Politik, vom Sinn des Krieges und damit auch von der Aufgabe des Soldaten von Grund auf in Frage; die Abschreckungsstrategie verlangt ständige Bereitschaft und läßt viele Soldaten die tödliche Nähe des Krieges stündlich spüren; die Methoden des psychologischen Krieges mit seinem Kampf um die Überzeugungstreue und den Verteidigungswillen der einzelnen schufen permanente Friedlosigkeit und stellen auch den Soldaten vor bisher unbekannte Loyalitätsentscheidungen.

Durch die Verwissenschaftlichung und Technisierung des militärischen Handwerks – angefangen beim »operational research« als unentbehrlichem Mittel für langfristige Planung und weiträumige Operationen bis hin zur arbeitsteiligen Teamarbeit in Stäben, Bedienungen und Besatzungen – haben sich die überkommenen vor- und frühtechnischen Vorstellungen von Hierarchie, Gehorsam, Disziplin und Ausbildungsmethodik stärker gewandelt, als wir gemeinhin erkennen. Dieser Technisierungsprozeß hatte zwar schon im Ersten Weltkrieg eingesetzt, doch beschleunigt er sich nun von Jahrfünft zu Jahrfünft, das heißt von Waffengeneration zu Waffengeneration, und hat inzwischen – wenn auch mit unterschiedlicher Intensität – alle Einheiten ergriffen.

Ich darf das mit wenigen Worten erläutern: in untechnischen Einheiten mit ihrer einheitlichen Bewaffnung war jeder Unteroffizier und Offizier in der Lage, die Ausführung seiner Kommandos oder Befehle zu kontrollieren. Die Vielfalt heutiger Fahrzeuge, Geräte und Waffensysteme verlangt die Aufsicht von Fachspezialisten. Der Nichtspezialist vermag nur noch das Ergebnis zu überprüfen, das heißt festzustellen, daß eine Waffe schießt, das Gerät wieder arbeitet, das Fahrzeug nicht fährt, ein Flugzeug zur angegebenen Zeit einen bestimmten Ort überfliegt. Die untechnischen Einheiten waren bei Marsch und Gefecht auf engem Raum versammelt; der Vorgesetzte überblickte daher alles, er konnte jederzeit lagegerecht entscheiden und seinen Entschluß in wenigen Kommandos umsetzen; er allein trug die Verantwortung – besaß er doch den entscheidenden Einfluß auf den Ablauf des Kampfes. Heute ist die Truppe seinem unmittelbaren Einfluß entzogen, das Geschehen erfaßt der Vorgesetzte nur mittelbar. In seiner Lagebeurteilung und seinen Entschlüssen ist er weitgehend auf das Urteil seiner Spezialisten angewiesen; seine Untergebenen, bis hinab zur untersten Ebene der Hierarchie, müssen in kompliziertem Zusammenspiel von Technik und Taktik – selbstverständlich immer im Rahmen der Gesamtabsicht – ihre kleine Lage aus eigener Initiative lösen.

So ergab sich bei näherem Hinsehen eine wachsende Spannung zwischen Technik und hergebrachter Hierarchie. Ihr versuchten wir durch eine generelle Begrenzung des Vorgesetztenverhältnisses auf die unmittelbaren Vorgesetzten und die in ihrem Auftrag handelnden Organe zu begegnen. Diese Vorgesetzten sind in der Regel befähigt, die Ergebnisse zu überprüfen, und haben überdies ihre große Bedeutung als Leiter der Ausbildung sowie als Erzieher und menschlicher Mittelpunkt in Krisen und Gefahr. Ihre Befehle sind, wie das Soldatengesetz es fordert, »nach besten Kräften vollständig, gewissenhaft und unverzüglich auszuführen«.

Insgesamt kamen wir zu dem Schluß, daß die Vielfalt der angedeuteten Faktoren einen Soldaten erfordere, der weiß, was auf dem Spiele steht, und deshalb aus Einsicht in das Notwendige gehorcht; der befähigt ist, mitzudenken, Verantwortung zu übernehmen und, auf sich allein gestellt, im Rahmen des Ganzen zu handeln. Die militärische Hierarchie hat ihre Bedeutung sicher nicht verloren, ist aber zu einer lebendigen Gemeinschaft von Soldaten mit abgestufter, differenzierter Verantwortung und Einsicht geworden. Hochtechnisierte Verbände sind im Kampf nicht mehr »nur so gut wie ihre Führer«, sondern wie die vielen einzelnen Gruppen und Soldaten. Der Kampfwert entscheidet sich am einzelnen; sein Versagen kann unabsehbare Folgen haben, nachdem er als Spezialist nur noch bedingt auswechselbar ist.

Wir meinten, daß heute notgedrungen, aber in merkwürdiger Übereinstimmung mit den Prinzipien freiheitlichen Lebens, auf allen Arbeitsplätzen und Schlachtfeldern mehr koordiniert als befohlen, mehr kooperiert als nur gehorcht werden müsse. Diese unauflösliche Verflechtung des Militärischen mit den Funktionsgesetzen der modernen Industriegesellschaft schien uns nicht zufällig. Daß sie im Verein mit der freiheitlichen Demokratie zur Entfaltung, statt zur Reduzierung der Menschen ruft, ist ein Zeugnis für die innere Überlegenheit unserer Lebensordnung. Der Gleichklang aller Forderungen war eine beglückende Erkenntnis, und ich meine, er ist ein überzeugender Beweis dafür, daß der Entwurf kein zeitbedingter Kompromiß mit sachfremden Forderungen ist.

Es hat unter uns immer Einmütigkeit darüber bestanden, daß die soldatische Ordnung ein kongruenter Teil der Gesamtordnung sein muß. Armeen können nur in Form sein, wenn sie die Strukturen des Ganzen widerspiegeln und wenn sie von dem gleichen Geist beseelt sind, der das Ganze trägt. Soldaten sind Kinder ihrer Zeit; Streitkräfte repräsentieren die gesellschaftlich-politischen Herrschaftsformen, deren Instrumente sie sind.

Uns trieb aber noch ein erzieherischer Gesichtspunkt bei dem Entwurf des Inneren Gefüges. Das heutige Wehrmotiv ist leicht als die Bewahrung der Freiheit im Inneren und nach außen zu definieren; doch lehrt die Erfahrung, daß Freiheit, Recht und Menschenwürde noch immer nicht von allen als Werte anerkannt sind, obwohl sie täglich beansprucht werden.

Wir meinen daher, daß der Alltag dem Soldaten so weitgehend wie möglich Gelegenheit geben sollte, die Freiheiten und ihre Risiken, die Rechtsstaatlichkeit mit ihrem Schutz, aber auch ihrer Strenge, und die Menschenwürde mit ihren Ansprüchen an andere wie sich selbst zu erfahren. Erst das gemeinsame Erleben dieser Werte, die gleichzeitig Pflichten auferlegen, kann bewußt machen, daß es sich lohnt, sie zu verteidigen. So werden dem Soldaten – um nur einiges anzuführen – seine vollen staatsbürgerlichen Rechte belassen, mit nur unbedeutenden Einschränkungen, die sich aus seiner besonderen Aufgabe ergeben. So unterliegt er den im Soldatengesetz statuierten Pflichten, einer rechtsstaatlichen ausgebildeten Wehrdisziplinar- und Wehrbeschwerdeordnung und bei spezifisch militärischen Vergehen oder Verbrechen einem besonderen Wehrstrafrecht, das im Frieden freilich von ordentlichen Gerichten ausgeübt wird.

Der Rechtsstaat verzichtet seinem Charakter nach – und in bemerkenswerter Übereinstimmung mit technischen Funktionsgesetzen – auf das allgemeine, dauernde Vorgesetztenverhältnis aller Ranghöheren und beschränkte die Befehlsgewalt auf das dienstlich Notwendige und das rechtlich Zulässige. Die Wehrdisziplinarordnung folgte der pädagogischen Erfahrung, daß zur Stärkung der Disziplin nicht nur die Strafe, sondern auch die förmliche Anerkennung gehöre. Die Einrichtung des Vertrauensmannes und des Mittlers für alle Dienstgrade eröffnete beispielhafte Möglichkeiten der Mitverantwortung. Die Innere Führung selbst ist eine der vielen Aufgaben militärischer Vorgesetzter. Sie läßt sich allerdings nicht von all den anderen Führungsmaßnahmen isolieren, die sich an den Menschen richten oder sich auf ihn beziehen.

General de Maizière hat Weg und Ziel der Inneren Führung einmal folgendermaßen formuliert:

»Die Innere Führung vollzieht sich in einer zeitgemäßen soldatischen Menschenführung, die dem Soldaten die innere Haltung und Kraft zum Kampf mit der Waffe gibt, und in einer geistigen Rüstung, die ihn für die geistige Auseinandersetzung mit dem uns bedrohenden Totalitarismus rüstet. Innere Führung ist Lehren, Erziehen, also Handeln, aber auch Vorleben und Beispiel geben.«

Ich möchte dem Gedankengang folgen und zunächst feststellen, daß Menschenführung in der Truppe so alt ist wie Heere und Soldaten überhaupt. Diese allgemeine Feststellung darf aber nicht darüber hinwegtäuschen, daß die Probleme sich heute in besonderer Weise stellen und nach besonderen Lösungen rufen. Auswahl, Ausbildung und Erziehung der verantwortlichen Disziplinarvorgesetzten, das heißt der Chefs und Kommandeure, stellen zweifellos das Kernproblem der Inneren Führung dar. Obwohl ihnen die anderen Offiziere und Unteroffiziere als Helfer zur Verfügung stehen, bleiben sie der menschliche Mittelpunkt, dessen Ausstrahlung die Atmosphäre maßgeblich bestimmt. Ohne ein gerüttelt Maß an – ich möchte sagen – freiheitlicher Begeisterung, an Kenntnissen und Fähigkeiten können sie schon im Friedensalltag die mannigfachen, an sie gerichteten Anforderungen nicht erfüllen. Projizieren wir ihre Aufgabe nun noch auf Spannungszeiten oder gar auf das Schlachtfeld, so wird deutlich, welche Last auf diesen Menschen liegt.

Doch gibt es auch mancherlei Hilfen, die das schwere Handwerk erleichtern und die ich hier nur andeuten kann. Eine gründliche Ausbildung zum Beispiel reduziert die Erledigung vieler Routinearbeiten zu fast automatischen Tätigkeiten; zeitraubende Vorarbeiten können mit Gewinn für alle Beteiligten delegiert werden; Begabung und Fertigkeiten der zivilen technischen Welt lassen sich für militärische Aufgaben aktivieren.

Das Entscheidende ist aber, daß der wichtigste Teil der Menschenführung nicht aus dem Dienstplan abzulesen ist. Er vollzieht sich bei allen Ausbildungsarten, im technischen Dienst, im Sport, in der Fürsorge aller Art, in der Vorsorge für sinnvolle Freizeitnutzung, im Gespräch während einer Übungspause. Das Klima, in dem sich Dienst und Freizeit abspielen, ist von ausschlaggebender Bedeutung. Es kann die Werte verdeutlichen, die es zu verteidigen gilt, das Gefühl der Partnerschaft vermitteln und so eine feste belastbare Grundlage schaffen, auf der sich alles weitere fast von alleine ergibt. Es kann aber auch das genaue Gegenteil erreichen.

Wir sprachen von der Schlüsselstellung des einzelnen im aufgelockerten Kampf der Waffensysteme und wissen, daß der vielgliedrige Dienstbereicht nur wenig Raum für individuelle Erziehung läßt. Hier bietet sich die Gruppe als ausgezeichnetes Erziehungsfeld der einzelnen an. Erhalten diese Gruppen in zunehmendem Maße ihnen angepaßte Aufgaben, die sie in Eigenverantwortlichkeit lösen müssen, so wachsen die einzelnen an dieser Bewährung; es entwickelt sich das notwendige Vertrauen zu den Vorgesetzten, die nur lösbare Aufträge geben, zu den Kameraden, auf die man sich verlassen kann, und auf das Gerät, das bei sachgemäßer Handhabung und Pflege funktioniert.

Die Fragen nach dem »Wofür«, »Weshalb« und »Wogegen«

sind heute brennender als zuvor und müssen beantwortet werden, wenn wir die Soldaten als Menschen und die Verteidigungskraft der Bundeswehr ernst nehmen.

Die geistige Rüstung soll helfen, hier Antworten zu finden. Ihre Wirksamkeit hängt freilich von den Erfolgen der Menschenführung ab. Ein Soldat, der im täglichen Dienst erfuhr, daß unsere Ordnung konkrete, auch für ihn lebenswichtige Werte bereithält, ist unschwer zu der Erkenntnis zu führen, daß diese Rechte sich nur durch Menschen erhalten lassen, die ihre staatsbürgerlichen Pflichten erfüllen. Aus diesem Kern des »Wofür« ergibt sich – ich verkürze stark – auch die Antwort auf das »Weshalb« des Soldatenseins. Negativ gesehen – und auch das ist bereits etwas recht Positives – hilft der Soldat der Bundeswehr durch seine Verteidigungsbereitschaft, die Abschrekkung zu erhalten, das heißt einen Krieg unwahrscheinlich zu machen und bei Versagen der Abschreckung noch soviel wie möglich zu verteidigen. Positiv schützt er seine eigene und seiner Mitbürger freiheitliche Existenz vor totalitärem Zugriff von außen. Damit ermöglicht er eine Friedenspolitik und hilft – in seiner Doppelrolle in und ohne Uniform – bei der Weiterentwicklung unserer inneren Ordnung. Das totalitäre Gegenbild – vor allem in seinen Denkweisen und Methoden – zu kennen, ist wichtig. Doch haben wir uns stets dagegen gewehrt, es zu verketzern oder in den Mittelpunkt zu setzen. Auch hier schien es uns eine Maxime freiheitlichen Lebens zu sein, das Pro über das Anti zu stellen.

Es konnte nicht ausbleiben, daß sich alsbald eine Reihe von Gegenstimmen erhoben, die die Konzeption als Ganzes oder über Teilaspekte angreifen und in Frage stellen. Diese Opposition entspringt teils gegensätzlichen Grundanschauungen bzw. vergoldeten Erinnerungen, teils einer unterschiedlichen Sicht der heutigen Welt und des Kriegsbildes. Auch Mißverständnisse mögen eine Rolle spielen, obwohl ihre Bedeutung nach bald zehnjähriger Diskussion und Geltung der Inneren Führung nicht mehr zu hoch veranschlagt werden kann. Wenn ich mich im folgenden mit einigen Gegenargumenten auseinandersetze, so geschieht es, um die eigenen Vorstellungen zu verdeutlichen.

Ein grundsätzlicher Einwand gegen die Innere Führung gründet sich auf die Behauptung, wir seien von einem falschen, einem idealistischen Menschenbild ausgegangen. Die gesetzlichen Regelungen und Vorschriften rechneten mit einem Ideal-Soldaten, den es gar nicht oder nur selten gäbe; daher seien diese Bestimmungen nicht anwendbar, zumindest für den Alltag unzureichend. Dieser Vorwurf richtet sich z. B. gegen Feststellungen und Forderungen der Erziehungsleitsätze, von denen ich einige wenige zitieren möchte:

»(7) Die Bereitschaft zur soldatischen Leistung wächst mit der Einsicht. Nur der Soldat, der die Bedeutung seiner Aufgabe erkannt hat und der von ihrer Notwendigkeit überzeugt ist, wird seine Pflicht treu erfüllen.«

»(10) Alle Soldaten – von der kleinen Gruppe bis zum großen Verband – müssen erfüllt sein von den sittlichen Grundsätzen des freien Gemeinwesens, zu dessen Schutz sie berufen sind. Nur eine so zur Gemeinschaft gewachsene Truppe hält schweren Belastungen stand.«

»(22) Die Wege der Erziehung müssen einfach, sinnvoll und überzeugend sein. Dabei soll mit dem guten Willen und der Leistungsfreude der Soldaten gerechnet werden.«

»(26) Der erfahrene Vorgesetzte wird mit fortschreitender Ausbildung vieles der Selbstverantwortung seiner Truppe anvertrauen können.«

»(27) Alle Anforderungen sind dem Soldaten, wo es möglich ist, von der Sache her begreiflich zu machen. Frühzeitig sind ihm Aufgaben zu stellen, die ihn selbständig und verantwortlich handeln lassen. Sie spornen seinen Willen zur Mitarbeit an und heben sein Selbstvertrauen.«

Als Beweis für die Abwegigkeit dieser Richtlinien und bestimmter Gesetze werden für gewöhnlich Fälle herangezogen, in denen offensichtlich Soldaten einer bestimmten Labilität und von ungenügender Einordnungsbereitschaft bzw. Einordnungsvermögen auf diese Art der Menschenführung nicht ansprachen oder schwierige disziplinare Probleme aufwarfen. Ich kann hier die Frage beiseite lassen, wieweit ein großer Teil dieser schwererziehbaren Soldaten überhaupt für den Dienst in der Bundeswehr geeignet ist. Das angesprochene Problem läßt sich auf die Frage reduzieren, ob man bei Soldaten bis zum individuellen Beweis des Gegenteils guten Willen voraussetzt oder sie von vornherein als potentielle Versager anspricht, wobei dann immer noch offen bleibt, welch andere Mittel man anwenden sollte, um die wenigen schwierigen »Fälle« zu Soldaten unserer Zeit zu erziehen.

Nach unserer Ansicht hat die Innere Führung nie eine Wahl. Grundgesetz, Kriegserfahrung, soziologische und pädagogische Erkenntnisse in allen Lebensbereichen und – negativ gesehen – die totalitäre Alternative verpflichteten uns, das freiheitliche Bild vom mündigen Menschen als Grundlage von Theorie und Praxis zu setzen. Das Grundgesetz hält Menschenwürde weder für aufhebbar, noch für verwirkbar oder verzichtbar und verpflichtet alle staatliche Gewalt, sie zu achten und zu schützen. Professor von Weizsäcker sagte einmal vor dem NATO Defense College, daß freiheitliche Gemeinwesen aus dem Vorschuß an Vertrauen leben, den sich ihre Glieder – manchmal sogar gegen besseres Wissen – täglich gegenseitig zubilligen. Dies trifft, wie ich meine, in ganz besonderem Maße auf die Bundeswehr und ihre Einheiten zu, weil hier Menschen verschiedener Generationen, Reife, Herkunft, Weltanschauung, Haltung und unterschiedlicher Interessen unter oft schwierigen Bedingungen eng aufeinander angewiesen sind.

Zur Frage nach dem Menschenbild gehört auch das vieldiskutierte Problem, ob der Soldat vorzugsweise über das Gefühl oder über die Ratio anzusprechen sei. Wir kamen zu dem Schluß, daß bewußtes Manipulieren der Gefühlswelt menschenunwürdig sei und überdies zu Nihilismus, Skepsis und Auflehnung führe, sobald die Absicht erkannt wird. Wir meinten, daß Demokratie, moderne Arbeitswelt und soldatisches Handwerk rationales Handeln verlangen und daß der Sache sich nur der Soldat stellt, der sich von der Aufgabe gefordert fühlt, und zwar als Individuum, das heißt »ungeteilt« mit seinem Intellekt, Gefühl und Können. Das gilt besonders, wenn er spürt, daß er nicht als Mittel zu einem bestimmten Zweck, sondern unter Respektierung seiner Würde angesprochen wird. Eine konsequente und überzeugend betriebene

Ausbildung bringt zwar unmerkliche, aber um so tiefer greifende Erfahrungen, Eindrücke und Erkenntnisse.

Diesem Komplex nahe benachbart ist der Vorwurf – ich bin versucht zu sagen »der Mythos« – der sogenannten »weichen Welle«. Er gründet sich häufig auf eine mangelnde Beziehung zu Freiheit und freiheitlichem Leben, die am deutlichsten in der Verharmlosung des Gewissenskonfliktes und dem Unverständnis gegenüber den rechtsstaatlichen Grenzen der Befehlsgewalt zum Ausdruck kommt. Hier wie dort wird übersehen, daß auch der Soldat nur Mensch und damit menschlich verläßlich bleibt, wenn ihm Raum für seine sittliche Verantwortung zugestanden wird. Im äußersten Konfliktsfall dem Gewissen zu folgen, anstatt dem Befehl, ist für gewöhnlich mit ungleich höherem Risiko verbunden, zumal das irrende Gewissen ja keinesfalls straflos bleibt. Eine klare Eingrenzung der Gehorsamspflicht macht es dem Gewissenhaften überhaupt erst möglich, vorbehaltlos Soldat zu sein. Die Forderung nach uneingeschränktem Gehorsam schließt soldatisches Ethos aus. Doch mischen sich auch manche Vorstellungen von obrigkeitsstaatlicher bzw. vortechnischer Disziplin, Ausbildung, Erziehung und Herrschaft in diese Gedankengänge. Der Soldat wird häufig noch als Teil der geschlossenen Schlachtordnung gesehen, in denen er als Rädchen zu funktionieren hatte, bar jeder Initiative und Mitverantwortung. Der Wandel durch Technik und Taktik wird zumindest für Frieden und Kaserne nicht deutlich genug erkannt.

Und noch ein anderes Argument gehört hierher: Vom Charakter totalitärer Kriegführung wird gelegentlich die Forderung nach ähnlicher oder gleicher »Härte« in Ausbildung und Erziehung abgeleitet – einer Härte also, die unbestrittenerweise unmenschlich ist, wie das ihr zugrunde liegende System. Eine solche Forderung erscheint mir in doppelter Hinsicht bedenklich: Stil und Methoden dieses Gegners zu übernehmen, führt nicht nur zur Selbstaufgabe der freiheitlichen Ordnung, sondern brächte uns genau die Spannungen zwischen menschlicher bzw. technischer Wirklichkeit und Ideologie, an denen die andere Seite immer deutlicher – und nicht nur im militärischen Bereich – zu leiden beginnt. Ich meine, wir dürfen uns unsere Erziehungs- und Ausbildungsmethoden nicht vom Gegner vorschreiben lassen, sondern müssen uns auf die Auseinandersetzung mit ihm vorbereiten – grundverschiedene Ziele verlangen grundverschiedene Wege.

»Hart« und »Härte« scheinen mir – zumindest ohne nähere Definition – recht fragwürdige Kriterien. Sie sind deshalb so gefährlich, weil sie allzuleicht zur Härte um der Härte willen verführen und damit Vorgesetzte wie Untergebene verderben; vor allem verdecken sie die einzigen legitimen Maßstäbe, an denen Anforderungen zu messen sind: Nämlich die sachliche Notwendigkeit und die menschliche Leistungsfähigkeit und Würde. Immerhin, der gesunde Kern, der sich hinter der Forderung nach Härte verbirgt, bedeutet eine sachnotwendige Erziehung zu körperlicher Leistungsfähigkeit, zu Selbstdisziplin und zu Verantwortungsbereitschaft; sie bedarf der Konsequenz und der Strenge der Vorgesetzten und notfalls der gerichtlichen Ahndung strafrechtlicher Tatbestände.

Legen wir aber getrost einmal die Maßstäbe »hart« und »weich« zugrunde. Ich meine, es kann überhaupt keine Diskussion darüber geben, daß die Forderungen des freiheitlichen Lebens die ungleich härteren sind. Vertrauen schenken und das damit verbundene Risiko übernehmen, ist schwerer, als sich durch strafandrohende Verbote das Leben scheinbar zu vereinfachen; Verantwortung delegieren belastender, als Alles-selber-Tun oder am Gängelband führen; Verantwortung übernehmen risikohafter, als passiv gehorchen; sich in begründetem Fall nicht zu beschweren, erheblich bequemer als die Beschwerde; geweckt zu werden angenehmer, als für sein Aufstehen selbst verantwortlich zu sein.

Zum Leitbild der Inneren Führung setzte der Dienstherr den »Staatsbürger in Uniform«. Auch er ist manchen Mißverständnissen und Angriffen ausgesetzt. So wird er gerne zum »Bürger« verniedlicht, zur gemütlichen Karikatur des Zivilisten, der vorübergehend seine rundliche Wohlstandstaille mit einem Koppel zu zieren habe, um in der Kaserne die milde Luft des zivilen Alltags weiterzuatmen und sich alles so bequem wie möglich zu gestalten. Eine solche Figur wäre – ich brauche es nicht zu betonen – das genaue Gegenbild zum Staatsbürger in Uniform.

Und noch ein Vorwurf wird laut: Da es einem wesentlichen Teil der Wehrpflichtigen und jungen Freiwilligen an staatsbürgerlicher Haltung mangle, sei die Konzeption nicht oder noch nicht zu verwirklichen. Dem ist entgegenzuhalten, daß sich der staatsbürgerliche Anspruch in erster Linie an die Vorgesetzten richtet; von ihnen verlangt das Soldatengesetz, jederzeit für die freiheitlich-demokratische Grundordnung einzutreten. Diese Forderung leuchtet schon deshalb ein, weil nur überzeugte Staatsbürger überzeugende staatsbürgerliche Erziehung treiben können. Doch möchte ich noch einige Zweifel an der behaupteten Bindungslosigkeit der jungen Generation anmelden. Falls man ihr politisches Engagement an Kenntnissen z. B. von Grundgesetzartikeln und Geschichtsfakten mißt, so steht es freilich nicht rosig; doch erinnere ich mich sehr genau an viele Offiziersanwärter und Rekruten der dreißiger Jahre, die ebenfalls erstaunliche Bildungslücken aufwiesen. Nach meinen dreijährigen Erfahrungen als Brigadekommandeur und dem fast einmütigen Urteil vieler Kommandeure leistet die überwiegende Zahl der jungen Soldaten Erstaunliches, sobald es darauf ankommt – und das scheint mir kein schlechtes Zeichen. Ich frage mich, ob wir Älteren den Jüngeren nicht unrecht tun, wenn wir bei ihnen den Überschwang unserer eigenen Jugend voraussetzen, der mit zunehmendem Abstand noch an Glanz zu gewinnen pflegt, und aus seinem Fehlen auf einen Mangel an Engagement und Bindungsbereitschaft schließen. Schließlich leben wir unter einer Staatsform, von der wir nicht den Himmel auf Erden erwarten, sondern von der wir nach bitteren Erfahrungen endlich begriffen haben, daß sie die noch am wenigsten unvollkommene und damit die beste ist; schließlich sind wir Glieder einer Gesellschaft ohne wesentliche ideologische und soziale Gegensätze, die zu flammendem Protest herausfordern; zu einer Zeit, in der die nationalen Spannungen nachlassen – jedenfalls keinen kriegerischen Austrag mehr rechtfertigen. Ist es unter solchen Umständen verwunderlich, daß – übrigens nicht nur bei uns – das »understatement« zur Ausdrucksform wurde bzw. daß keine staatsbürgerliche Manifestationen stattfinden, so lange keine akute Notwendigkeit sie herausfordern? Ich persönlich finde diesen nüchternen, fast schamhaften Stil im Grunde recht männlich.

Stellen wir nun am Ende die Frage nach der Bewährung der Inneren Führung. Daß der Aufbau der Bundeswehr eine achtungsgebietende Leistung darstellt, wird von keiner ernst zu nehmenden Seite bestritten. Wer hierin keine Bestätigung der Konzeption sieht, kann nur von der Behauptung ausgehen, daß der Aufbau gegen sie geschah – also im bewußten Ungehorsam gegenüber dem Gesetzgeber. Gerade im Blick auf unerfreuliche Vorfälle und gelegentlich recht bedenkliche Vorstöße gegen die Grundregeln freiheitlicher Menschenführung ist folgendes anzumerken: Überall dort, wo freiheitlich gesonnene Vorgesetzte ihr Handwerk verstehen und sich mit unserer Wirklichkeit und den Forderungen der Inneren Führung identifizieren, gibt es erstaunlich wenig Reibungen oder Pannen; erstaunlich, wenn man die beträchtlichen inneren und äußeren Belastungen im Auge behält, unter denen die Bundeswehr ins Leben gerufen wurde und denen sie auch in Zukunft ausgesetzt sein wird. Auch wir »Ehemaligen« fingen noch einmal von vorne an und standen plötzlich Aufgaben gegenüber, für welche die anderen Lebensgebiete und Institutionen, aber auch die verbündeten Streitkräfte nur Teillösungen bereithalten. Als einer, der während der ersten sieben Aufbaujahre im Ministerium arbeitete und seit dreieinhalb Jahren im Ausland Verwendung findet, fühle ich mich berechtigt, auf die selbstlose Opferbereitschaft der vielen Offiziere und Unteroffiziere hinzuweisen, die unter widrigen Umständen und Verzicht auf Freizeit und Familienleben sich in aller Stille sehr erfolgreich um zeitgemäße Menschenführung bemühen. Der Entwurf der Inneren Führung gründet sich nicht auf die Illusion, als ließen sich ausgerechnet im soldatischen Alltag Friktionen und menschliche Spannungen vermeiden. Wir sahen im »Staatsbürger in Uniform« nie eine magische Formel. Worum es uns ging, war die Schaffung menschlicher und sachlicher, institutioneller und personeller Vorbedingungen, um die vielen Schwierigkeiten an Ort und Stelle zu meistern und sie zu fruchtbaren Lösungen zu führen. Daß dieser Weg an alle Beteiligten größere Anforderungen stellt, sei ebenso unbestritten wie die Tatsache, daß die

Erziehung zur Mündigkeit vom Vorgesetzten manchen Verzicht erfordert; seine Gestalt tritt – jedenfalls äußerlich – mehr in den Hintergrund und verliert damit viel vom einstigen Nimbus.

Es ist nur normal, daß die Diskussion über Wert und Wirklichkeitsnähe der Inneren Führung nicht verstummt: Dieses Gespräch ist nützlich, solange nicht die Grundsätze in Frage gestellt oder dialektisch aufgeweicht werden sollen. Verließen wir diese Grundlagen, dann entfernte sich die Bundeswehr von dem, was sie verteidigt. Dies schließt nicht aus, daß die Anwendungsmethoden und Regelungen – das heißt die Übersetzung der Grundsätze in die Praxis – einem steten Anpassungsprozeß unterworfen bleiben müssen. Freilich, Rückgriffe auf frühere Regelungen – ob sie sich unter den damaligen andersgearteten Bedingungen bewährten oder nicht – halte ich grundsätzlich für bedenklich, weil sie zwangsläufig nicht der Erziehung zur Mündigkeit dienen. Es ist aufschlußreich, daß die Mehrzahl der disziplinaren Schwierigkeiten im inneren Dienst erwächst, das heißt in Dienstzweigen, die heutzutage nur noch bedingt etwas mit dem soldatischen Handwerk zu tun haben und in denen es vielfach um untechnisch-obrigkeitsstaatlichen Gehorsam geht. Ich bin davon überzeugt, daß sich diese Schwierigkeiten am ehesten reduzieren lassen, wenn man auch hier der Mitverantwortung weiten Raum gibt. Dann entsprechen die notwendigen Forderungen nach Ordnung in der Kaserne sowohl den erzieherischen Zielen der eigentlichen Ausbildung wie auch dem Lebensgefühl der industrialisierten Gesellschaft. Ich selbst habe ausgezeichnete Erfahrungen mit diesen Methoden gesammelt und weiß, daß es mancherorten vielversprechende Ansätze gibt. Im Zweifelsfalle führt der Griff nach vorne und das Wagnis freiheitlicher Wege zu den besseren Lösungen.

Es ist menschlich, wenn manch einer der Versuchung nicht widerstehen konnte, das allgemeine Mißbehagen gegenüber unserer durch Wissenschaft, Technik und Gesellschaftsformen umgestalteten Welt, die Last der Vergangenheit und die Sorge vor dem eigenen Unvermögen in Vorwürfe gegen die Innere Führung zu evakuieren, und sozusagen die Gegensätze der

Großväter und Väter noch einmal auf dem Rücken dieser Konzeption auszufechten. Ich meine, wir haben alle Hände voll zu tun, um die Aufgaben zu lösen, die Alltag und nächste Zukunft stellen. Darauf sollten wir alle Energien richten.

Drei Festellungen erscheinen mir wichtig:

1. Nur ein guter Staatsbürger kann den Wehrdienst als Teil seiner staatsbürgerlichen Mitverantwortung erkennen; nur er weiß und fühlt, was auf dem Spiele steht. Ihn hat die Innere Führung als Ziel. Sie erreicht es, indem sie den Soldaten so ausbildet und führt, daß er durch einen kritischen Verstand und ein waches Gewissen fähig wird, mitzudenken, mitverantwortlich und selbständig zu handeln und ohne äußeren Befehlsdruck oder aus bloßer Furcht vor Strafe an seinem Platz zu gehorchen. Diese Forderung ergibt sich nicht allein aus der Binsenwahrheit, daß Demokratie nicht am Kasernentor aufhört, sondern auch aus der Erkenntnis, daß Einheiten mit Soldaten anderer Haltung im heutigen Kampf auseinanderfallen.

Greifen wir auf sachfremde und unseren Wertvorstellungen widersprechende Symbole, Vorbilder, Konventionen und Regelungen vergangener Epochen zurück, müßten wir logischerweise auch die Umwelt zurückbilden; sonst bliebe der Soldat ein Fremdkörper bzw. ein Versager.

2. Wollen wir den »Staatsbürger in Uniform«, obgleich – angeblich oder tatsächlich – nicht genügend junge Staatsbürger die Kaserne betreten und mancher Vorgesetzte nicht überzeugt, daß heißt überzeugend genug ist, muß besonderer Wert auf die strikte Durchsetzung der durch den Dienstherrn legitimierten Konzeption gelegt werden – und zwar in erster Linie durch eine entsprechende Ausbildung, Bildung, Erziehung und Führung.

3. Die Verwirklichung des »Staatsbürgers in Uniform« ist ein notwendiger, langer und differenzierter Anpassungs- und Führungsvorgang.

Eine alleingelassene Bundeswehr – und man kann sie durch Desinteresse, durch ein Übermaß an Kritik und durch Schönfärberei allein lassen – wird mit den Problemen der Menschenführung nicht fertig.

Es sind dies die gleichen Probleme, wie sie in allen anderen Lebensgebieten auftreten. Sie können nur mit Hilfe und im Gleichklang mit den fortschrittlichen Kräften aus allen Bereichen unseres Volkes gelöst werden.

Karl Dietrich Bracher

Tradition und Revolution im Nationalsozialismus

1.

Die Geschichte des Nationalsozialismus ist die Geschichte seiner Unterschätzung. Dieser Erfahrung der zwanziger und dreißiger Jahre kommt auch heute, im Zeichen einer fast hektisch aktualisierten Faschismus-Diskussion wieder besondere Bedeutung zu. Unterschätzt oder verkannt wird dabei nicht zuletzt die Tatsache, daß der Nationalsozialismus in seinem Grundcharakter wie in seinen verschiedenen Aspekten und Erscheinungsformen von einer Reihe durchgängiger und fundamentaler *Ambivalenzen* bestimmt ist, die zuweilen die Form von Antinomien annehmen. Alle Versuche der Zeitgenossen wie der späteren Kritiker und Analytiker, das Phänomen Nationalsozialismus auf eine eindeutige Formel und unter ein einziges einheitliches Kriterium der Beurteilung zu bringen, sind unbefriedigend und zu Recht umstritten geblieben. Das gilt auch für die neubelebte Diskussion der letzten Jahre: besonders für die »neu-linke« und marxistische Dogmatik einer pauschalen Faschismus-Interpretation, die einseitig von der reaktionären, konterrevolutionären Natur und Funktion eines mißverständlich so genannten »deutschen Faschismus« ausgeht. Es trifft aber auch auf neue revisionistische Interpretationen zu, die sich gegen die »altliberale« Totalitarismusforschung wenden, und einer relativierenden, die »improvisatorische« Macht- und Herrschaftspolitik des Nationalsozialismus betonender Deutung das Wort reden. Sie möchten die Schuld- und Verantwortungsfragen zugunsten einer angeblich moderneren, realistischen Analyse hinter sich lassen, geraten dabei aber in die Gefahr einer neuerlichen Unterschätzung und Bagatellisierung des Nationalsozialismus selbst, wie sie auf andere Weise auch das linke Allerweltsgerede von Faschismus und Reaktion mit sich bringt.[1]

Beide Richtungen, Marxisten wie Relativisten, sind je von ihrem Standpunkt um Originalität bemüht, doch führt ihre betont neue Interpretation in die Nähe jener alten Muster, die um 1933 einer mißdeutenden Verkennung der Vorgänge von links und rechts Vorschub leisteten: der antikapitalistischen Verschwörungstheorie oder den Zähmungs- und Normalisierungskonzepten, die sämtlich Hitler nicht ernst nahmen. Während die einen die marxistischen Thesen vom bürgerlich-liberalen und reaktionären Charakter des »Faschismus« insgesamt erneuern, betonen die anderen seine Inhaltslosigkeit und sprechen in Verkennung der damaligen politisch-moralischen Prioritäten von einer fast schon normal anmutenden, keineswegs planvollen Machtpolitik im Dritten Reich; sie erwarten von der Ausblendung der historischen Schuldfrage geradezu eine neue Epoche der Nationalsozialismus-Forschung. Damit aber schrumpft die ideologische und totalitäre Dimension des Nationalsozialismus so zusammen, daß die Barbarei von 1933–45 als moralisches Phänomen verschwindet. Es könnte fast scheinen, als bahne sich eine neue Welle der Verharmlosung oder gar Apologetik an.

Für beide Richtungen ist jedenfalls charakteristisch, daß sie das Eigengewicht und den zutiefst ambivalenten Charakter des Nationalsozialismus zu wenig ernst nehmen. Die modische Kritik an der bisherigen Forschung, mit der einige der Neorevisionisten entdeckungsfreudig für sich in Anspruch nehmen, daß sie der angeblich allzu rationalen und moralisierenden Deutung in der Literatur der vierziger bis sechziger Jahre eine realistische »Normalisierung« der Nationalsozialismus-Forschung entgegenstellten, stößt überdies ins Leere. Nicht zuletzt im Zeichen der vorschnell so viel gescholtenen Totalitarismus- Interpretation hat die wissenschaftliche Forschung und auch die ernsthafte politische Publizistik seit langem den vielgestaltigen, oft in sich widersprüchlichen Charakter des Nationalsozialismus und seiner Herrschaft zur Kenntnis genommen, ja als einen wesentlichen Ansatz der Interpretation entwickelt.[2] Ausgehend von grundlegenden, noch immer gültigen Werken aus der Frühzeit der Nationalsozialismus-Forschung, wie Ernst Fraenkels »Dual State« (1941), ist gerade auch in der Periode intensiver Totalitarismus-Forschung die Diskrepanz zwischen dem monolithischen Herrschaftsanspruch und den dualistischen oder polykratischen, vom anarchischen Kompetenzenwirrwarr eines »gelenkten Chaos« bestimmten Herrschaftsstrukturen erkannt und analysiert worden.[3]

Nun ist mit Recht von Historikern wie Wolfgang Mommsen und Klaus Hildebrand[4] bemerkt worden, die wissenschaftlichen Erkenntnisse über den polykratischen Grundzug des Dritten Reiches ließen sich nicht ohne weiteres auf das außenpolitische Gebiet übertragen, wo Hitler stets an seinen Grundzielen der Rasse- und Lebensraumpolitik festhielt. Aber auch dort gab es beträchtlichen Kompetenzenwirrwarr, wie die Forschung von Hans-Adolf Jacobsen bis zu Reinhard Bollmus nachweist.[5] Auch wäre nach wie vor zu fragen, ob der Hinweis auf den polykratischen, oft anarchisch anmutenden Charakter nationalsozialistischer Innenpolitik wirklich das Wesentliche trifft und nicht eher Unvollkommenheiten der »Durchführung« – sofern es sich nicht überhaupt um die überall praktizierte Herrschaftstechnik des *divide et impera* handelt. An dieser Frage scheint sich mir die Beurteilung zu entscheiden und nicht an der doch immer schon augenfälligen, nie ernsthaft bestrittenen Feststellung eines Herrschaftswirrwarrs im Inneren des »Dritten Reiches« und einer stärkeren Geradlinigkeit des außenpolitischen Konzepts. Das heißt aber wiederum nichts anderes, als daß die Ambivalenz des Nationalsozialismus von Anfang an und in allen ihren Konsequenzen ernst zu nehmen ist, daß sie nicht nur verstanden wird im Sinne und als Folge eines geschickten Machiavellismus Hitlers, sondern geradezu als das Wesen eines unverrückbar festgehaltenen Programms, oder besser einer ideologischen Fixierung, die durchaus Widersprüchliches einschloß, ohne von dem Ziel der radikalen Verwirklichung abzulassen.

In der Tat sagt der variierende und taktische Gebrauch der Mittel für sich noch gar nichts über die letztendliche Konsequenz bei der Verfolgung der Ziele aus. Dies scheint mir von all denen übersehen zu werden, die das Improvisatorische und Opportunistische in Hitlers Politik als bloßen »Machiavellismus« ohne Rücksicht auf die Zielsetzung interpretieren und ihn einen »Mann der Improvisation, des Experimentierens und der Augenblickseingebung« nennen.[6] Es handelt sich dabei um eine Verwechslung von Taktik und Strategie, von Machtpolitik und Zieilverwirklichung, die wohl auch Martin Broszats These von der Nationalsozialismus-Außenpolitik als »ideologischer Metapher« zur innenpolitischen Herrschaftsbewahrung nicht ganz vermeidet.[7] Wiederum: es geht hier nicht um die Frage nach dem Primat von Innen- und Außenpolitik, sondern um nichts mehr und nichts weniger als die Feststellung, daß Widersprüche und Ambivalenzen im Verhältnis von monolithischer und dualistischer oder polykratischer Herrschaftsform wie in der Verfolgung der Endziele zum NS-System selbst gehören, daß sie aber nichts besagen gegen den definitiven und letztlich auch konsequenten Willen Hitlers und seiner Politik, diese Ziele mit allen Mitteln anzustreben – nicht um der bloßen Machtausübung willen, sondern gegebenenfalls auch auf das Risiko des Krieges und der Gefährdung aller bisherigen »Erfolge« hin, wie dies besonders in den Entscheidungen vom 1937–1940 sichtbar wird.

Es kommt noch hinzu, daß eine Trennung von Innen- und Außenpolitik in dem klaren Sinne der Unterscheidung zwischen Planung und Improvisation auch deshalb nicht möglich erscheint, weil gerade ihre unauflösliche Verflechtung und Wechselbeziehung zu den Grundzügen des Regimes gehört.[8] Im übrigen dürfte auch kaum zu klären sein, ob solche Grundpositionen wie der Rassismus stärker außen- oder innenpolitisch begründet sind und ob sie eher für die Expansionspolitik oder für die innere Konsolidierung relevant werden.

2.

Die übermäßige Betonung der alten Streitfrage nach dem Verhältnis von Planung und Improvisation, von politischem Willen und zufälligem Reagieren in der nationalsozialistischen Diktatur hat so seltsame Blüten wie die Reichstagsbrandtheorie von

Fritz Tobias hervorgetrieben: mit dem grotesken Schluß, Hitler sei erst durch den Brand zum Diktator geworden.[9] Demgegenüber verdient das Problem einer durchgängigen Ambivalenz von traditionellen und revolutionären Elementen im Nationalsozialismus weit mehr Aufmerksamkeit als bisher. Es ist bislang zumeist im Zusammenhang mit der Frage nach Kontinuität und Bruch in der NS-Außenpolitik erörtert worden: so vor allem von Jacobsen und Hildebrand, Andreas Hillgruber und Jens Petersen.[10] Andere Ambivalenzen wären zu nennen, die von ebenso großer Bedeutung für Verständnis und Beurteilung des Nationalsozialismus und seiner Herrschaftswirkung sind. Zu den Begriffspaaren, denen unter diesem Gesichtspunkt nachzugehen wäre, zählen etwa: Ideologie–Effizienz, Irrationalität–Rationalität, militärisches–ziviles Politikverständnis, autokratische–plebiszitäre Herrschaftstechnik, innere–äußere Politikziele. Auch wird die Ambivalenz in paradoxen Formeln zur Bezeichnung der widersprüchlichen Strukturverhältnisse deutlich: z. B. legale Revolution (1933), gelenktes Chaos, autoritäre Anarchie.

Das Begriffspaar Tradition–Revolution ist aus diesen und anderen Teildefinitionen der Nationalsozialismus-Ambivalenz kaum herauszulösen. Sie alle sind Aspekte der grundlegenden Tatsache, daß man es beim Nationalsozialismus – wie bei anderen (programmatischen) Ideologien, die über Herrschaft durchgesetzt werden wollen, also mehr als boße Theorie sind – nicht mit einem geschlossenen System zu tun hat, sondern mit einer Reihe von Zielvorstellungen, die gerade durch ihre Vielseitigkeit politische Wirkung erreichen. Das gilt übrigens durchaus auch für die kommunistische Ideologie, deren Ziel- und Zukunftsvorstellungen im Widerspruch zum marxistischen Anspruch erhebliche Ambivalenzen aufweisen, ganz zu schweigen von ihrer tiefen Widersprüchlichkeit in und mit der politischen Praxis. Wie man das 19. Jahrhundert mit Theodor Schieder als Zeitalter der Antinomien interpretieren kann[11], so sind auch die daraus stammenden Bewegungen geprägt von den Spannungen der nationalen, imperialen, internationalen Ideologien, die in der Epoche der Weltkriege mit neuer Intensität aufbrechen.

Bei unserer Frage haben wir es im Grunde mit zwei Problemen zu tun. Zum einen handelt es sich um die Feststellung der tiefer liegenden Widersprüchlichkeit zwischen alten und neuen, zwischen retrospektiven und »progressiven« Motiven des Nationalsozialismus im Rahmen der deutschen Geschichte des 19. und 20. Jahrhunderts. Zum anderen ist es der *Revolutionsbegriff* selbst, an dem sich die Kontroversen entzünden. Aber selbst wenn der revolutionäre Anspruch des Nationalsozialismus geleugnet, seine revolutionäre Wirkung bestritten wird, bleibt das Problem der Definition insofern bestehen, als dann der Nationalsozialismus als gegenrevolutionär, seine Herrschaft als Konterrevolution qualifiziert wird. Dabei sind zwei Aspekte zu unterscheiden. Das eine sind die unbestreitbar weltgeschichtlichen Konsequenzen der nationalsozialistischen Politik, die jedenfalls einer revolutionierenden Wirkung gleichkommen: Für Deutschland wie für Europa, die bipolare Welt und die Dekolonisation. Das andere ist die Frage nach der revolutionären »Qualität« der nationalsozialistischen Ideologie und Herrschaft selbst, die seit dem Aufkommen des marxistischen und kommunistischen Faschismusbegriffs in den zwanziger Jahren und wieder mit seiner Renaissance in den sechziger Jahren weithin und selbstverständlich, doch zu Unrecht als entschieden gilt.[12]

Das Dilemma, vor dem sich hier auch die ernsthafte Literatur über Faschismus und Nationalismus sieht, liegt natürlich vor allem auch in der Tatsache begründet, daß der Revolutionsbegriff geprägt und besetzt ist durch den Mythos von der »guten Revolution« – durch die Erbschaft des französischen (und des amerikanischen) Modells. Man glaubt den Begriff aus guten moralischen und intellektuellen Gründen nicht auf den Typus der nationalsozialistischen Machtergreifung anwenden zu können, selbst wenn man den marxistischen und kommunistischen Alleinanspruch auf die gute oder echte Revolution nicht akzeptiert, mit dem noch heute simplifizierend zwischen Putsch und Revolution unterschieden wird. Gewiß haben die Nationalsozialisten selbst sich als den großen Gegenschlag gegen die Französische Revolution gesehen, und 1933 hat Goebbels emphatisch ausgerufen: Mit dieser Machtergreifung werde «das Jahr

1789 aus der Geschichte gestrichen«.[13] Man unterliegt hier aber einem ähnlichen Denkfehler wie bei dem Versuch, eine Kritik an der Totalitarismustheorie mit dem Hinweis auf die tiefen Unterschiede zwischen dem linken und dem rechten Totalitarismus zu begründen. Die Behauptung eines qualitativen Unterschieds in intellektueller oder gar moralischer Hinsicht bedeutet keinen entscheidenden Einwand, sofern die Form der Herrschaft und ihre Auswirkung auf die Beherrschten und Betroffenen vergleichbar ist.

Ähnlich steht es um die Anwendung des Revolutionsbegriffs. Man mag ihn wegen der Vagheit der Bestimmung und der Disparität der Phänomene im Vergleich, zugleich wegen des agitatorischen Mißbrauchs als eines polemischen Kampfbegriffs überhaupt für den wissenschaftlichen Gebrauch ablehnen.[14] Man mag erwägen, nur noch im neutralen und positivistischen Sinne von Machtergreifung, *power seizures*, zu sprechen. Hält man am Gebrauch fest, weil er ohnehin nicht mehr zu unterbinden ist, dann bleiben nur zwei Möglichkeiten: entweder den alten Revolutionsbegriff trotz allen Unterschieden (gegenüber dem französischen »Modell«) auf sämtliche tiefergreifenden politischen Umwälzungen anzuwenden, mögen diese nun im Zeichen »linker« oder »rechter«, sonstiger oder keiner Ideologien erfolgen und mit verschieden starken sozialen Veränderungen einhergehen; oder ihn noch weiter zu fassen und auch große, langfristige Änderungsprozesse einschneidender Art als Revolutionen (industrielle, soziale, Entwicklungs- oder Modernisierungs-Revolutionen) zu bezeichnen, wie dies ja weithin geschieht.

In beiden Fällen der Begriffsbestimmung wird man dem Nationalsozialismus revolutionäre »Qualitäten« nicht bestreiten können. Er hat eine Machtergreifung und Gewaltordnung durchgesetzt, wie sie rascher und umfassender in der Praxis kaum zu bewerkstelligen ist. David Schoenbaum hat sie als Revolution der neuen Ziele und Mittel beschrieben, Joachim Fest das Hitler-Phänomen als die Form einer deutschen Revolution gedeutet.[15] Als Machterreifung neuen Typs besitzt die des Nationalsozialismus geradezu typologische Bedeutung, wenn man die verschiedenen Stufen des Prozesses von 1933/34 revolutions-soziologisch untersucht und mit der faschistischen, aber auch der Leninschen Machtergreifung vergleicht. In allen diesen Fällen handelt es sich um revolutionäre Vorgänge des 20. Jahrhunderts, die bewußt und betont mit neuartigen Mitteln des Terrors, der Kommunikation, der Kontrolle und des Zwanges arbeiten. Als eine Revolution älteren Typs im Sinne der klassischen Revolutionssoziologien etwa Crane Brintons, Karl Griewanks oder Hannah Arendts[16] erscheint allenfalls die Februarrevolution von 1917, während die sogenannte Oktoberrevolution bei restriktiver Terminologie viel eher als Machtergreifung neuen Typs zu bezeichnen wäre.

Auch im Falle des zweiten, weiteren Revolutionsbegriffs ist die Anwendung nicht nur auf Sozialismus und Kommunismus, sondern auch auf Faschismus und Nationalsozialismus durchaus zu begründen, wenn man deren epochale Wirkung und Nachwirkung bedenkt. Gerade Ernst Nolte, der die Renaissance eines generellen, im wesentlichen konterrevolutionär verstandenen Faschismusbegriffs (noch in der nichtmarxistischen Form) eingeleitet hat, spricht ja von der »Epoche des Faschismus«[17]. Daran stört zwar der Allgemeinbegriff des Faschismus, weil er allzu unversehens den Nationalsozialismus einschließt und damit eigentlich – als »deutschen Faschismus« – bagatellisiert. Doch bleibt die Epochenbetonung selbst durchaus richtig, und dies heißt denn auch, den weiteren Revolutionsbegriff auf diese rechtsdiktatorischen Bewegungen ebenso anzuwenden wie auf die Linksdiktaturen.

In formaler Hinsicht mag also die Machtergreifung und die Weltwirkung des Nationalsozialismus als revolutionär bezeichnet werden, sofern dieser zugegeben vage und mißbräuchliche Begriff heute, zwei Jahrhunderte nach seiner sehr konkreten Ausprägung in Amerika und Frankreich (mit großen Unterschieden auch dort) überhaupt noch brauchbar erscheint, weil er wie Faschismus, Emanzipation, Demokratisierung usw. zu den Allerweltsbegriffen mit wesentlich emotional-polemischer Bedeutung zählt. Dann bleibt freilich noch eine zweite große Frage zu beantworten, die auf die eingangs erörterte Ambivalenzstruktur des Nationalsozialismus zurückführt. Es ist die Frage nach dem revolutionären *Gehalt* des Nationalsozialismus. Welche Elemente der Ideologie, Programmatik, Zielstruktur des Nationalsozialismus sind neben der Herrschaftstechnik und in ihrer Umsetzung in Herrschaftspolitik als revolutionär zu bezeichnen, falls dieser Begriff aus heuristischen Gründen beibehalten wird? Schon für den Hitler von »Mein Kampf« und für seine Ideologie- und Programmbildung war es von Anfang an ein ganz wesentlicher Leitgedanke, daß im Gegensatz zu den linken Kritikern und den rechten Konkurrenten der nicht-traditionelle, nicht-konservative, nicht-bürgerliche Ansatz und Gehalt dieser Bewegung eine wichtige, vielleicht die eigentliche Kraftquelle und schließlich auch das Geheimnis ihres Erfolgs über die »Massen« darstellte.

3.

Für jede Erörterung der revolutionären »Qualität« des Nationalsozialismus gilt nach alledem die Einsicht: sie kann weder Innen- und Außenpolitik noch Ideologie und Praxis getrennt betrachten. Es ist die enge Verflechtung, die charakteristisch für die Wirkung erscheint, welche der Nationalsozialismus einerseits in traditionellen, andererseits in radikalisierten Kreisen erzielt. Dabei kann offenbleiben, wieviel Bedeutung man dem Anspruch auf »legale Revolution« oder »nationale Revolution« beimißt – diesem zweifellos ungemein wichtigen Manöver zur Täuschung aller Gruppen von rechts bis links. Charakteristisch ist die ambivalente und zugleich unlösliche Wechselbeziehung und Wechselwirkung beider Haltungen und Überzeugungen, die fast immer gleichzeitig und auch in den meisten Führerpersonen des Nationalsozialismus gekoppelt auftreten. Nicht die klare Unterscheidung, sondern die fast dialektisch zu nennende Verknüpfung von Innen- und Außenpolitik, von Theorie und Praxis, von Traditions- und Revolutionsanspruch macht das Neue, so ungemein Attraktive und Effektive der nationalsozialistischen (und in geringerem Maße der faschistischen) Politik im Zeitalter des Übergangs von der liberalen Honoratioren- zur demokratischen Massengesellschaft aus.

Wir nennen stichwortartig einige Zusammenhänge, in denen diese nun auch inhaltlich wichtige, so charakteristische Verflechtung und Verschränkung traditioneller und revolutionärer Elemente auftritt.

1. Die Hauptparole eines nationalen Sozialismus, die Versöhnung von Arbeiterschaft und Nationalstaat, trifft in die Mitte der Zeitproblematik und hat ihre epochale Bedeutung bis heute behalten, wenn man an den »Sozialismus« der Entwicklungsländer und den immer von neuem propagierten »dritten Weg« zwischen Kapitalismus und Kommunismus denkt.
2. Der Grundgedanke einer rassistischen Gliederung und Stufung der Menschheit stellt eine radikale Alternative nicht nur zur liberal-humanitären Idee der Weltzivilisation, sondern auch zur gängigen Nationalstaatsidee dar. Es ist die Überzeugung von der Rolle des Rassismus als eines weltrevolutionären Prinzips, das den traditionellen Nationalismus ablösen und die geschichtliche Bewegung entsprechend dem Recht des rassisch überlegenen Volkes auf Lebensraum bestimmen wird: darin wurzelt der universal-weltpolitische Sendungsgedanke für die nationalsozialistische Innen- wie Außenpolitik.
3. Der sozialdarwinistische Ansatz, der in diesen nationalsozialistischen Grundprinzipien enthalten ist, wirkt wiederum in beiden Richtungen. Als Behauptung vom überlegenen Recht des Stärkeren entspricht er einer eher konservativen Theorie der Politik, die hinausläuft auf die Lehre von den Männern, die Geschichte machen. Aber der pessimistische Grundton der Sozialdarwinisten, der ja auch den Antisemitismus mit seiner Beschwörung eines angeblich drohenden Untergangs durch »Überfremdung« bestimmt, wird bei der Umsetzung der »Lehre« in politisch aktive Ideologie geradezu umgekehrt und dadurch revolutioniert: zur Antriebskraft für totalitäre Machtpolitik und rassistische Herrschaftsausweitung.
4. Die nationalsozialistischen Vorstellungen zur Struktur der Gesellschaft enthalten eine eigentümliche Verbindung von konservativer Kultur-Romantik und ökonomisch-technischem Progressivismus, deren Gegensätzlichkeit charakteri-

stisch ist auch für die Begründung und den Vollzug der praktischen Kultur-, Gesellschafts- und Wirtschaftspolitik in verschiedenen zeitlichen Perioden und sachlichen Bereichen. Auch hier kamen der Nationalsozialismus-Ideologie verführerische Tendenzen der Zeit entgegen: die Industrialisierung und Technisierung als neue Romantik zu preisen oder den Arbeiter (wie damals in Ernst Jüngers gleichnamigem Buch) als Inbegriff einer neuen Volksgemeinschaft zu glorifizieren. Natürlich lief dies auf eine groteske Verzeichnung der Klassenstruktur im modernen Industriestaat hinaus, aber als Alternative zu der ja auch keineswegs realistischen Klassenkampfideologie hat es doch sehr wirkungsvoll sowohl zur Bändigung wie zur Mobilisierung der Bevölkerung beigetragen.

5. Gerade plakativ tritt diese Kombination des Gegensätzlichen in Erscheinung, wenn die modernste Handhabung der Massenmedien und der Technik der Massenversammlung z. B. für so traditionalistische, agrarromantische Veranstaltungen wie den Reichsbauerntag auf dem Bückeberg eingesetzt werden. Hierher gehören auch die virtuose Gestaltung einer Massen-Liturgie, überhaupt der Charakter und die Wirkung einer »politischen Religion«: mit fanatischen Gläubigen und einem pseudogermanischen oder auch pseudochristlichen Führerkult. Die von Fritz Stern betonte Fundierung des Nationalsozialismus in antimodernistischen, antiindustriellen Strömungen des 19. Jahrunderts[18] wird gleichsam wieder aufgehoben, ja überholt durch den Kult des Technischen und Effizienten, der in den betont avantgardistischen Unternehmungen der Autobahn, des Volkswagens, des Volksempfängers, in der durchaus geplanten Nationalisierung und Mobilisierung der Massen unter virtuoser Regie des öffentlichen Lebens Ausdruck findet.[19]
Im Bereich des Militärischen, einem zentralen Bestandteil des außenpolitischen Denkens und Handelns, tritt dieser Modernismus besonders deutlich hervor: Hitlers viel bewunderte Kenntnis und das oft gepriesene Verhältnis für geradezu revolutionär neue Formen der Kriegsführung stehen freilich unmittelbar neben traditionellsten Auffassungen über Krieg und Außenpolitik. Das Widersprüchliche, der rasche

Wechsel von der einen zur anderen Perspektive – dies erscheint als das eigentliche Problem, aber auch als ein Erfolgsgeheimnis des Nationalsozialismus, der damit Einschätzungen und Erwartungen bei Freund und Feind immer wieder über den Haufen warf und sogar bis zum heutigen Tage ein klares Urteil behindert.

6. So werden eine mystische Politik-Religion und die Anbetung des technischen Erfolgs, werden altdeutsche Bauernromantik und die moderne Massenschau oder der sozialistische 1. Mai und die nationalsoziale Arbeiterromantik zusammengefügt, und *beide* erfüllen ihre Funktion in der Verbindung des Gegensätzlichen, in der Ausstrahlung nach beiden Seiten. Und so enthält auch z. B. das in Hitlers Rede auf der Ordensburg Sonthofen am 23. November 1937, also kurz nach der kriegsvorbereitenden Führerbesprechung vom 5. November (Hoßbach-Niederschrift) entwickelte Konzept von dem »Germanischen Reich deutscher Nation« jene charakteristische Ambivalenz.[20] In dieser Geheimrede Hitlers über die deutsche Geschichte und das deutsche Schicksal vor dem politischen Führernachwuchs werden die alten und durchgängigen Zielvorstellungen des Rassismus und der Lebensraumideologie zusammengefaßt; sie münden in einen historisch drapierten, diametral verschiedene Elemente verschmelzenden Herrschaftsentwurf von Weltdimensionen, dem man die revolutionäre Qualität so wenig absprechen kann wie einst 150 Jahre zuvor dem nationalstaatlichen Ansatz der Staatsumwälzung und der Veränderung der internationalen Beziehungen. Das zutiefst Traditionalistische mag man in der geradezu mystischen Überhöhung des Reichsbegriffs erblicken. Doch eignete sich dieser verschwommene Begriff, so ambivalent er schon in der Geschichte des Zweiten Reiches zwischen altdeutsch-konservativem und imperialistischem Verständnis des Reichsgedankens pendelte, vorzüglich auch für die weltherrschaftlichen Pläne und Träume, die auf eine Zerschlagung des bisherigen Staatensystems und neue Formen politischen Lebens und politischer Organisation hinausliefen, wie sie Hitler schließlich in den Tischgesprächen von 1941/42 vorgestellt hat.[21] Auch hier in der

Form der charakteristischen, oft sehr banalen, aber offenbar so wirkungsvollen Vermischung gegensätzlicher, alter und neuer, innen- und außenpolitischer Argumente, wobei die Bedeutung der politischen Terminologie auch im Reichsbegriff so wie in den Revolutions- und Faschismusbegriffen hervortritt.

Wo immer man in den Zeugnissen des Denkens, Planens und Handelns suchen mag, die der Nationalsozialismus in so verwirrender Masse hinterlassen hat: immer wird man auf jenen Grundzug stoßen, der es unmöglich macht, mit einer simplen Formel das Problem der Einordnung zu lösen und eine einfache Antwort auf die Frage: traditionell oder revolutionär, konterrevolutionär oder modernistisch, improvisiert oder planvoll, zu geben. Auch eine allgemeine Faschismustheorie, sei sie marxistisch orientiert oder nicht, vermag dem Wesen des Nationalsozialismus nicht gerecht zu werden.[22] Sie verkennt die tiefen Unterschiede der einzelnen »Faschismen«, die oft so wichtig erscheinen wie die Ähnlichkeiten. Die Bezeichnung »faschistisch« wird auch deshalb mit Vorliebe von der Linken für alle rechten Bewegungen benutzt – und zuweilen sogar für unliebsame Linke –, weil sie nichts über ihren Inhalt und Anspruch aussagt, sobald sie über den konkreten Zusammenhang der italienischen Geschichte und Terminologie hinausgreift. Dagegen enthält der Begriff des »nationalen Sozialismus« eine substantielle Aussage, die durchaus ernst zu nehmen wäre, auch in den nicht-deutschen Ausprägungen: diese Kampfansage und Konkurrenz gegenüber dem »Sozialismus« wird eher verdrängt als bewältigt, wenn man inhaltslos von Faschismus oder auch Nazismus statt von Nationalsozialismus spricht.

Aber auch prinzpiell ist es von entscheidender Bedeutung, ob der (italienische) Faschismus den möglichst starken und großen »totalen« Staat im Sinne römischer Vergangenheit als Ziel anstrebt oder der (deutsche) Nationalsozialismus im Staat nur das technisch perfektionierte Instrument zur Organisation eines höherwertigen, die Weltpolitik revolutionierenden Rasse-Imperiums der Zukunft sieht. Im einen Fall hat man es mit traditionellen Machtstaatsambitionen im Stile des Vorkriegsimperialismus, im anderen Falle mit dem revolutionären Anspruch auf Durchsetzung und Erfüllung eines neuen Weltprinzips zu tun. Wie ernst dieser revolutionäre Anspruch zu nehmen sei, mag umstritten bleiben – nicht aber, daß er ungeahnte Potenzen mobilisiert und nie erwartete Realisierungen erreicht hat, die in die furchtbarsten Fanatismen und Zerstörungen der Geschichte geführt haben.

Auch das zeigt die Grenzen einer allgemeinen Faschismustheorie auf, in die ausgerechnet der mächtigste »Fall«, der Nationalsozialismus, nicht paßt. Diese Theorie verstummt gerade vor jenen Positionen und Widersprüchen, die erst die riesige Wirkung des Nationalsozialismus und seine äußerste Brutalität ausmachen: vor den *revolutionären* Aspekten des Rassismus, der Lebensraumidee, des totalitären Herrschafts- und Führerideals. Hier liegt denn auch nach wie vor die Berechtigung und Bedeutung einer Totalitarismusforschung, die – gewiß modifizierend und weiterentwickelnd – an die wegweisenden Pionierarbeiten von Hannah Arendt, Ernst Fraenkel, C. J. Friedrich, J. L. Talmon, Sigmund und Franz Neumann, George Mosse, Robert Tucker, Leonard Schapiro und anderen anknüpfen kann.[23]

4.

Man muß sich schließlich auch im Zusammenhang der jüngsten Diskussionen immer aufs neue vergegenwärtigen, daß die Geschichte des Nationalsozialismus ganz wesentlich die Geschichte seiner Unterschätzung war: zuerst in der innenpolitischen Vorgeschichte der Machtergreifung die Illusionen aller deutschen Parteien und Politiker, dann in der außenpolitischen Vorbereitung der Expansion die Selbsttäuschungen der europäischen Mäche und Staatsmänner. Diese Unterschätzung beruht ganz wesentlich auf einer Verkennung nicht nur der weitreichenden, die traditionelle Machtpolitik und auch die Kontinuität deutschen Großmachtstrebens transzendierenden Herrschafts- und Expansionsziele, sondern mehr noch der radikalen Konsequenz, mit der sie verfolgt wurden. Hinzu kam die abschätzige Meinung, daß weder NS-Ideen noch NS-Personal nach Qualität und Stil den Titel »revolutionär« verdienten.

Man sträubte sich damals wie heute, den vermeintlichen Agenten des Großkapitals (so die Linke) oder den »böhmischen Gefreiten« (so Hindenburg und die Rechte) in die Reihe der Revolutionäre zu stellen. Aber die entscheidenden Attribute besaß er: die Fixierung auf radikal verändernde Ideen, die Entschlossenheit, diese zu realisieren, koste es, was es wolle, und die Fähigkeit, dafür die Mittel und Massen zu mobilisieren.

Auch im letzten Viertel des Jahrhunderts sind solche »gewöhnlichen« Revolutionen, die im Tarnmantel der Tradition daherkommen mögen, nach wie vor ebenso denkbar wie sozioökonomische Katastrophen und die Manipulierung von Massenwahn. Die klassisch-liberale wie die marxistische Revolutionstheorie haben sie nicht in ihrer vollen Tragweite erkannt. Die Erfahrung mit dem Nationalsozialismus kann hier nützlich sein. Aber nur dann, wenn sie nicht wieder in der Diskussion eines Revolutionsbegriffs steckenbleibt, der die Erkenntnis hindert, daß die Machtergreifungen und Umwälzungen unseres Jahrhunderts nicht länger an den romantischen oder ideologischen, jedenfalls mißbräuchlichen und irreführenden Vorstellungen von der guten, also linken Revolution und der schlechten, also rechten Konterrevolution gemessen werden können.

Die Behauptung, daß Revolutionen allein von links möglich seien, ist naiv nicht nur im Blick auf symptomatische historische Slogans, wie Hans Freyers Buch »Revolution von rechts« (1931), oder auf das Phänomen der »linken Leute von rechts« in der Weimarer Republik, aber auch der rechten Leute von links im »Faschismus«: vom Sozialisten Mussolini über den »Antikapitalisten« Strasser bis zum Exkommunisten Doriot (in Frankreich).[24] Sie verkennt auch die unveränderte Kraft nationalistischer, nationalimperialer, auch rassistischer Ideen und die fortdauernde Möglichkeit pseudodemokratischer-plebiszitärer, antikapitalistisch-sozialistisch stilisierter Massenherrschaft mit oder ohne charismatischen Führer.

Man könnte zu dem Schluß kommen, daß nicht eigentlich Hitler und der Nationalsozialismus, sondern erst sein Scheitern die »deutsche Revolution« im Sinne der Modernisierung bedeuteten. Daran ist gewiß soviel richtig, daß erst 1945 eine verhängnisvolle Richtung und Möglichkeit der deutschen und auch europäischen Geschichte wohl endgültig ad absurdum geführt worden ist – was 1918 die Dolchstoßlegende verhinderte. In diesem Sinne wäre auch die bekannte These Ralf Dahrendorfs zu modifizieren oder zu ergänzen.[25] Historisch wichtiger als die sozialen Wandlungen im Dritten Reich und die kurzfristige Machtentfaltung ist die totale Niederlage mit ihren tief einschneidenden Konsequenzen auch für die innere Modernisierung des Landes der verpaßten Revolutionen.

Aber es bleibt, daß gerade die ungewollten Wirkungen geschichtlicher Ereignisse zu ihrer Beurteilung gehörten. Auch die englische *glorious revolution*, die amerikanische Revolution (die keine sein wollte), die napoleonische Ära mit ihren unabsehbaren Konsequenzen sind unvorhergesehene oder ungewollte Folgen historischer Krisen. Es handelt sich in Wahrheit um paradoxe und doppelsinnige Revolutionen: paradox im Vereinbaren des Unvereinbaren (z. B. als »legale Revolution«), doppelsinnig in der Gegensätzlichkeit von Intention und Ergebnis. Ihre Resultate sind deshalb gewiß nicht geringer zu schätzen. Das gilt auch für die deutsche, europäische und weltpolitische Bedeutung des Nationalsozialismus und seiner Katastrophe.[26].

Anmerkungen

1 Charakteristisch einerseits Reinhard Kühnl, andererseits Hans Mommsen, in deren Arbeiten die Problematik beider Richtungen hervortritt. Vgl. zuletzt R. Kühnl: Probleme einer Theorie über den internationalen Faschismus. In: Politische Vierteljahresschrift 16, 1975, S. 89ff.; dagegen von H. Mommsen besonders die pointierte Bilanz des: Nationalsozialismus. In: Sowjetsystem und demokratische Gesellschaft. Freiburg/Brsg. 1971, Bd. 4, S. 695ff.

2 Dazu K. D. Bracher: Totalitarianism. In: Dictionary of the History of Ideas. New York 1973, Bd. IV, S. 406ff.; ders.: Die deutsche Diktatur. Köln [2]1972, S. 532ff.: Leonard Schapiro: Totalitarianism. London 1972; zuletzt U. D. Adam: Anmerkungen zu methodologischen Fragen in den Sozialwissenschaften: Das Beispiel Faschismus und Totalitarismus. In: Politische Vierteljahresschrift 16, 1975, S. 55ff.

3 Das wird in *der* vereinfachenden Kritik übersehen, die sich wohl in Anlehnung an die fragwürdigen Resümees von Geoffrey Barraclough (Mandarins and Nazis, und: The Liberals and German History. In: New York Review of Books, v. 19. Okt. und 2. Nov. 1972) gegen die Forschung aus den fünfziger Jahren wendet: so M. Kater: Monokratische und pluralistische Elemente in Hitlers Machtausübung. In: Frankfurter Allgemeine Zeitung Nr. 280 v. 2. 12. 1972. Im Bemühen um einen ganz »neuen« Ansatz übersieht man, daß in unseren Arbeiten von Anfang an der Dualismus und Wirrwarr der Kompetenzen, die staatliche Ineffizienz und Willkür des NS-Führersystems hervorgehoben, freilich zugleich als das eigentliche Problem deren Verhältnis zum totalitären Anspruch der Führerdiktatur betont wird: vgl. z. B. Vierteljahreshefte für Zeitgeschichte 1956, S. 30ff. und 42; 1957, S. 57 und 63ff.; K. D. Bracher/W. Sauer/G. Schulz: Die nationalsozialistische Machtergreifung. Köln-Opladen [2]1962, z. B. S. 216ff. Dasselbe gilt für Gerhard Schulz (ebda. S. 371ff.); vgl. auch seine neuen Bücher: Faschismus– Nationalsozialismus. Frankfurt-Berlin 1974; Aufstieg des Nationalsozialismus. Ebda. 1975.

4 Vgl. den treffenden Aufriß der Probleme bei Klaus Hildebrand: Innenpolitische Antriebskräfte der nationalsozialistischen Außenpolitik. In: Sozialgeschichte Heute. Festschrift für Hans Rosenberg. Göttingen 1973, S. 647ff.

5 H. A. Jacobsen: Nationalsozialistische Außenpolitik 1933–1938. Frankfurt/M. 1968, S. 34ff.; R. Bollmus: Das Amt Rosenberg und seine Gegner. Stuttgart 1970, S. 236ff.

6 So H. Mommsens These in: Militärgeschichtliche Mitteilungen, 1, 1970, S. 183 (Rezension von H. A. Jacobsen, a. a. O.)

7 M. Broszat: Soziale Motivation und Führer-Bindung des Nationalsozialismus. In: Vierteljahreshefte für Zeitgeschichte 18, 1970, S. 408.

8 Vgl. K. D. Bracher: Deutschland zwischen Demokratie und Diktatur. München–Bern 1964, S. 337ff.

9 Dagegen jetzt W. Hofer u. a. (Hrsg.): Der Reichstagsbrand. Berlin 1972, S. 13ff.

10 H. A. Jacobsen, a. a. O., S. 2ff.; 319ff.; A. Hillgruber: Kontinuität und Diskontinuität in der deutschen Außenpolitik von Bismarck bis Hitler. Düsseldorf 1969; K. Hildebrand: Deutsche Außenpolitik 1933–1945, Kalkül oder Dogma? Stuttgart 1971; auch für den Vergleich mit dem Faschismus J. Petersen: Hitler–Mussolini, Die Entstehung der Achse Berlin–Rom 1933–1936. Tübingen 1973, S. 55ff.

11 So Theodor Schieder in Bd. 6 seines Handbuchs der europäischen Geschichte. Stuttgart 1968, S. 4.

12 E. Nolte (Hrsg.): Theorien über den Faschismus. Köln–Berlin 1968; auch W. Schieder: Faschismus. In: Sowjetsystem und demokratische Gesellschaft. Freiburg/Brsg. 1968, Bd. 1, S. 438ff.

13 Rundfunkrede zum Judenboykott am 1. April 1933. In: Joseph Goebbels: Revolution der Deutschen. Oldenburg 1933, S. 155. Dazu Bracher/Sauer/Schulz: Machtergreifung, a. a. O., S. 7.

14 So zuletzt E. Weber in seiner scharfsinnigen Erörterung: Revolution? Counterrevolution? What Revolution? In: Journal of Contemporary History 9, 1974, S. 3ff. Am teils ungeklärten, teils unkritischen Revolutionsbegriff scheitert auch eine historische Theorie der Gegenrevolution: Arno Mayer: Dynamics of Counterrevolution in Europe 1970–1956. New York 1971.

15 David Schoenbaum: Die braune Revolution. Köln–Berlin 1968, S. 26; bezeichnender Titel der amerikanischen Ausgabe: Hitler's Social Revolution. 1966; man beachte auch die Diskussion der Totalitarismus- und Faschismus-Begriffe. Jochhhim Fest: Hitler. Frankfurt/Berlin 1973, vgl. K. D. Bracher: Hitler – die deutsche Revolution. In: Die Zeit Nr. 42 vom 12. 10. 1973.

16 Crane Brinton: Die Revolution und ihre Gesetze ... 1959 (amerikanisch: Anatomy of Revolution); Karl Griewank: Der neuzeitliche Revolutionsbegriff, Jena 1955; Hannah Arendt: Über die Revolution. München 1968.

17 Ernst Nolte: Der Faschismus in seiner Epoche. München 1963; ferner ders.: Die Krise des liberalen Systems und die faschistischen Bewegungen. München 1968. Zur revolutionären Deutung besonders auch Renzo de Felice: Mussolini il rivoluzionario. Turin 1965; ders.: Le interpretazioni del fascismo. Bari 1971.

18 Fritz Stern: Kulturpessimismus als politische Gefahr. Bern–Stuttgart 1963 (The Politics of Cultural Despair. 1961.)

19 Dazu jetzt besonders George L. Mosse: The Nationalization of the Masses (Political Symbolism and Mass Movements in Germany from the Napoleonic Wars through the Third Reich). New York 1975, S. 1ff.; vgl. auch Karl Heinz Schmeer: Die Regie des öffentlichen Lebens im Dritten Reich. München 1959.

20 Abgedruckt im Anhang zu: Henry Picker: Hitlers Tischgespräche im Führerhauptquartier 1941–42, hrsg. von Gerhard Ritter. Bonn 1951, S. 443ff., mit dem Kernsatz: »Monarchien sind höchstens geeignet, Erobertes zu bewahren. Weltreiche werden nur aus revolutionären Kräften geboren.«

21 Jetzt in der von Percy Ernst Schramm herausgegebenen Ausgabe, 2. Aufl. 1965, S. 133ff.

22 Vgl. o. Anm. 10 sowie S. 13ff.

23 H. Arendt, a. a. O.; E. Fraenkel, The Dual State. New York 1941; Carl J. Friedrich: Totalitarian Dictatorship. Neuausg. Cambridge 1966; J. L. Talmon: Die Ursprünge der totalitären Demokratie. Köln-Opladen 1961 (englisch 1952); Sigmund Neumann: Permanent Revolution, The Total State in a World at War. New York 1942; Franz L. Neumann: Behemoth, The Structure and Practice of National Socialism. New York [2]1944; George Mosse: The Crisis of German Ideology. New York 1964; Robert Tucker: The Dictator and Totalitarianism. In: World Politics 17/1965, S. 555ff.; und: The Theory of Charismatic Leadership, In: Daedalus, 1968, S. 731ff.; Leonard Schapiro, a. a. O.

24 Otto-Ernst Schüddekopf: Linke Leute von rechts, Stuttgart 1960; Nolte: Faschismus, a. a. O., S. 117; 559; Bertram M. Gordon: The Condottieri of the Collaboration: Mouvement Social Revolutionnaire, In: Journal of Contemporary History 10, 1975, S. 26ff.

25 Ralf Dahrendorf: Gesellschaft und Demokratie in Deutschland, München 1966, S. 428ff.; ifenry A. Turner: Faschismus und Kapitalismus in Deutschland, Göttingen 1972, S. 157ff.; A. J. Gregor: Fascism and Modernization. In: World Politics 26, 1974, S. 370ff. Zu den allgemeinenen Problemen der sehr modisch gewordenen Modernisierungsthese überhaupt jetzt auch Hans-Ulrich Wehler: Modernisierungstheorie und Geschichte. Göttingen 1975, S. 34.

26 Nachtrag zur 2. Auflage: Die Interpretation des Nationalsozialismus wird durch wichtige Beiträge in neuen Sammelbänden gefördert. So Manfred Funke (Hrsg.): Hitler, Deutschland und die Mächte. Düsseldorf 1976, mit den Kontroversen um die Frage des nationalsozialistischen Pluralismus und um die Konsequenz der ideologischen Fixierung zumal in der Außenpolitik. Auch die Auseinandersetzung um die modernistischen Komponenten des Nationalsozialismus bleibt nicht zuletzt im Rahmen der Faschismus-Diskussion auf der Tagesordnung. Vgl. besonders auch die Aufsätze von H. A. Winkler zur Mittelstandsproblematik und von Hans Mommsen zur Führungsstruktur in: W. Schieder (Hrsg.): Faschismus als soziale Bewegung. Hamburg 1976.

Ralf Dahrendorf
Über die Ungleichheit der Menschen

Menschliche Gesellschaft heißt immer, daß das Verhalten von Menschen der Willkür des Zufalls entrückt und durch unüberhörbare, d. h. verfestigte Erwartungen geregelt wird. Die Verbindlichkeit dieser Erwartungen oder Normen[1] beruht auf der Wirkung von Sanktionen, d. h. von Belohnungen oder Bestrafungen für konformes oder abweichendes Verhalten. Wenn aber jede Gesellschaft in diesem Sinne eine moralische Gessellschaft ist, dann folgt daraus, daß es stets mindestens jene Ungleichheit des Ranges gegen muß, die sich aus der Notwendigkeit der Sanktionierung von normgemäßem und nicht-normgemäßem Verhalten ergibt. Unter welchen Gesichtspunkten auch immer bestimmte historische Gesellschaften ihre Mitglieder zusätzlich unterscheiden mögen, welche Symbole auch immer Gesellschaften zu Merkmalen der Ungleichheit erklären mögen und was auch immer der konkrete Inhalt sozialer Normen sein mag – der harte Kern der sozialen Ungleichheit liegt stets in der Tatsache, daß Menschen als Träger sozialer Rollen, je nach der Lage der Rollen zu den herrschenden Erwartungsprinzipien von Gesellschaften, Sanktionen unterliegen, durch die die Geltung dieser Prinzipien garantiert wird.[2]

Der hier gemeinte Zusammenhang läßt sich vorläufig durch einige trotz ihrer Verschiedenartigkeit gleich einschlägige Beispiele illustrieren. Wenn in einem Stadtviertel von Frauen erwartet wird, daß sie bereit sind, mit ihren nahen und entfernten Nachbarinnen mehr oder minder interessante Geheimnisse und Skandale auszutauschen, dann führt diese Norm mindestens zur Unterscheidung der besonders Angesehenen (die gerne und viel »schwätzen« und dazu noch Kaffee und Kuchen reichen), der Damen mit durchschnittlichem Prestige und der Außenseiterinnen (die sich, aus welchen Gründen auch immer, am Klatsch nicht beteiligen). Wenn in einem Betrieb von den Arbeitern eine möglichst hohe Arbeitsleistung erwartet und diese nach Akkordsätzen honoriert wird, dann gibt es solche, die relativ viel, und solche, die relativ wenig Geld nach Hause tragen. Wenn von den Bürgern (oder vielleicht besser: Untertanen) eines Staates die möglichst lautstarke und überzeugte Vertretung der offiziellen Ideologie erwartet wird, dann führt diese Norm zur Unterscheidung derer, die es zu etwas bringen, also etwa Staatsbeamte oder Parteisekretäre werden, von den »Mitläufern«, von denen, die nur still und etwas ängstlich ihr bürgerliches Dasein fristen, und denen, die ihr abweichendes Verhalten mit ihrer Freiheit oder ihrem Leben bezahlen.

Nun mag man meinen, daß die Unterscheidung derer, die aus (wie zunächst doch wohl anzunehmen ist und wie in den Beispielen offenbar angenommen wird) persönlichen Gründen zur Konformität nicht bereit oder in der Lage sind, von denen, die die Norm stets pünktlich erfüllen, im Grunde keine soziale, d. h. strukturierte, sondern nur eine individuelle, d. h. zufällige Ungleichheit begründet. Soziale Schichtung ist ja stets eine Rangordnung – um im Beispiel zu sprechen – aufgrund von Einkommen und nicht Lotteriegewinnen, Prestige und nicht Schätzung. Sie hängt also an Stellungen, die sich wenigstens gedanklich von ihren Trägern ablösen lassen (»Arbeiter«, »Frau«, »Villenbewohner« usw.). Das sanktionierte Verhalten zu Normen dagegen scheint zunächst ein rein individuelles Verhalten. Wäre dies so, dann fehlte in unserer Argumentation, ähnlich wie bei Schmoller, das Kernstück, nämlich das Bindeglied zwischen der Sanktionierung individuellen Verhaltens und der Ungleichheit sozialer Positionen. Tatsächlich liegt dieses Bindeglied jedoch im bisher verwendeten Begriff der sozialen Norm bereits beschlossen[3].

Es scheint plausibel, davon auszugehen, daß die Zahl der Werte, durch die menschliches Verhalten der Möglichkeit nach geregelt werden könnte, prinzipiell unbegrenzt ist. Unsere Phantasie erlaubt uns die Konstruktion unendlich vieler Sitten und Gesetze. Normen, also wirklich geltende Werte, sind daher stets eine Auswahl aus dem Universum möglicher geltender Werte. Die Frage, unter welchen Gesichtspunkten und durch welche Instanzen diese Auswahl erfolgt, welches insbesondere die Rolle der Herrschaft bei der Auswahl und Übersetzung von Werten ist, wird gleich noch aufzunehmen sein. Hier ist zunächst die weitere Überlegung von Belang, daß in der Auswahl von Werten zum Zweck der Übersetzung in Normen stets und notwendig ein Moment der Diskriminierung nicht nur gegen Individuen, die soziologisch zufällig bestimmte moralische Überzeugungen haben, sondern auch gegen soziale Positionen liegt, die auf diese Weise ihren Trägern die Konformität mit den geltenden Werten geradezu verbieten. Wenn also der Klatsch unter Nachbarinnen zur Norm wird, dann gerät die berufstätige Frau notwendig in die Lage einer Außenseiterin, deren Prestige mit dem der anderen nicht Schritt halten kann; wenn in einem Betrieb nach dem Akkordsystem entlohnt wird, dann ist (bei bestimmten Tätigkeiten) der alte Mann gegenüber dem jungen Mann, die Frau gegenüber dem Mann unweigerlich benachteiligt; wenn die Vertretung der Staatsideologie zur Pflicht des Bürgers wird, dann kann derjenige, der vor der Errichtung dieses Staates zur Schule ging, nicht mit denen konkurrieren, die die Sprache der geltenden Ideologie von Kindesbeinen an beherrschten. Berufstätigkeit, Frau, alter Mann, junger Mann, Kind einer gegebenen Staatsform sind aber soziale Positionen, die sich unabhängig von bestimmten menschlichen Trägern denken lassen. Da jede Gesellschaft, indem sie ein moralisches Gemeinwesen ist, in diesem Sinne gegen bestimmte Positionen (und damit alle ihre Träger) diskrimiert, da jede Gesellschaft überdies solcher Diskriminierung durch Sanktionen Wirksamkeit verschafft, begründen soziale Normen und Sanktionen nicht nur soziologisch amorphe Rangabstufungen zwischen einzelnen Menschen, sondern auch bleibende Strukturen sozialer Positionen.

Der Ursprung der Ungleichheit unter den Menschen liegt also in der Existenz von mit Sanktionen versehenen Normen des Verhaltens in allen menschlichen Gesellschaften. Das, was wir normalerweise als Recht bezeichnen, also das System von Gesetz und Strafe, umfaßt im Sprachgebrauch nicht den gesamten Bereich der soziologischen Begriffe Norm und Sanktion. Wenn wir jedoch das Recht einmal in seiner weitesten Bedeutung nehmen und als Inbegriff sämtlicher, auch der nicht kodifizierten Normen und Sanktionen fassen[4], dann könnte man sagen, daß das Recht die notwendige und zureichende Bedingung der Ungleichheit in der Gesellschaft ist. Weil es Recht gibt, gibt es Ungleichheit, wenn es Recht gibt, muß es auch Ungleichheit unter den Menschen geben. Das gilt natürlich ebenso in Gesellschaften, die die Gleichheit vor dem Gesetz als Verfassungsprinzip kennen. Wenn hier eine etwas leichte, obschon durchaus ernst gemeinte Formulierung gestattet ist, so besagt die von mir hier vorgeschlagene Erklärung der Ungleichheit im Hinblick auf unsere eigene Gesellschaft: Alle Menschen sind *vor* dem Gesetz gleich, aber sie sind es nicht mehr *nach* dem Gesetz, nachdem sie nämlich – wie wir sagen – »mit dem Gesetz in Berührung gekommen« sind. Solange Normen noch nicht bestehen bzw. insoweit sie noch nicht für die Menschen als Träger sozialer Rollen bestehen und auf diese wirken (»vor dem Gesetz«), gibt es keine soziale Schichtung; gibt es aber Normen als unausweichliche Verhaltenszumutungen für die Menschen und wird damit das Rollenverhalten an diesen Normen gemessen (»nach dem Gesetz«), dann entsteht auch eine Rangordnung des sozialen Status.

So wichtig es allerdings ist zu betonen, daß mit Normen und Sanktionen stets auch Gesetz und Strafe im Sinne des positiven Rechts gemeint sind, so sehr vermag die Heranziehung des Rechtes als illustrative pars pro toto irrezuführen. Mit rechtlichen Normen verbinden wir in der Regel nur den Gedanken der Strafe als Garantie ihrer Verbindlichkeit[5]. Die sanktionierende Kraft des Rechts führt zur Unterscheidung der Gesetzesübertretung von jenen, denen es gelingt, mit keiner gesetzlichen Regel je in Konflikt zu geraten. Konformes Verhalten wird hier allenfalls durch die Abwesenheit von Strafe belohnt. Sicher liegt nun auch in dieser groben Trennung in »Konformisten« und »Abweicher« schon ein Moment sozialer Ungleichheit, und es wäre prinzipiell möglich, von rechtlichen Normen ausgehend den Nachweis des Zusammenhanges von Sanktionen und Schichtung zu führen. Doch würde ein solcher Nachweis beide Begriffe – Sanktion und Schichtung – auf einen etwas kümmerlichen Restinhalt reduzieren. Es ist keineswegs nötig (wenn schon in der Umgangssprache üblich), den Begriff der Sanktion auf Strafen zu beschränken. Zumindest für die gegenwärtige Beweisführung liegt mir vielmehr daran, positive Sanktionen (Belohnungen) und negative Sanktionen (Bestrafungen) als prinzipiell gleichartige und in gleicher Weise funktionierende Mechanismen der Erzwingung rollenkonformen Verhaltens zu unterscheiden. Erst wenn in dieser Weise Lohn und Strafe, Anreiz und Drohung als zusammengehörige Instrumente der Erhaltung sozialer Normen verstanden werden, gewinnt die These Gesicht: daß die Sanktionierung menschlichen Verhaltens im Hinblick auf soziale Normen notwendig ein System der Ungleichheit des Ranges schafft, daß also die soziale Schichtung ein unmittelbares Resultat der Kontrolle sozialen Verhaltens durch positive und negative Sanktionen ist. Neben ihrer Aufgabe, normgemäßes Verhalten zu garantieren, erzeugen Sanktionen gleichsam unbeabsichtigt und nebenher stets eine Rangordnung des distributiven Status, sei dieser nun in Begriffen der Ehre oder des Reichtums oder in beiden gemessen.

Die Voraussetzungen einer solchen Erklärung liegen auf der Hand. In den Begriffen des 18. Jahrhunderts könnte man sie durch den Gesellschaftsvertrag («pacte d'association«) und den Herrschaftsvertrag (»pacte du gouvernement«) beschreiben: Die hier entworfene Erklärung setzt voraus, daß (1.) jede Gesellschaft eine moralische Gesellschaft ist, also Normen kennt, die das Verhalten ihrer Mitglieder regeln, sowie daß (2.) mit solchen Normen stets bestimmte Sanktionen verknüpft sein müssen, die die Verbindlichkeit der Normen garantieren, indem sie als Belohnung für konformes und als Strafe für abweichendes Verhalten fungieren. Nun mag man meinen, daß die Verknüpfung der sozialen Schichtung mit diesen Voraussetzungen unser Problem eher verlagert als erklärt. In der Tat wäre sowohl in philosophischer als auch in soziologischer Absicht weiter zu fragen: woher denn die Normen kommen, die das gesellschaftliche Verhalten regeln? unter welchen Bediungen diese Normen sich in historischen Gesellschaften wandeln? warum denn ihre Verbindlichkeit durch Sanktionen erzwungen werden muß? ob dies überhaupt in allen historischen Gesellschaften der Fall ist? Doch scheint mir, daß auch unabhängig von der Beantwortung dieser Fragen in der Reduktion der sozialen Schichtung auf die Existenz von mit Sanktionen ausgestatteten sozialen Normen darum schon ein Gewinn liegt, weil auf diese Weise der abgeleitete Charakter des Problems der distributiven Ungleichheit enthüllt wird. Die hier vorgeschlagene Ableitung hat darüber hinaus den Vorzug, daß die Voraussetzungen, auf die sie sie zurückführt, nämlich die Existenz von Normen und die Notwendigkeit von Sanktionen, zumindest im Rahmen der soziologischen Theorie als axiomatisch angesehen werden können und daher selbst zunächst keiner weiteren Reduktion bedürfen (wenngleich sie zumindest weitere Reflexion offenkundig herausfordern).

Der Ursprung der Ungleichheit unter den Menschen liegt weder in der menschlichen Natur noch in Faktoren von historisch möglicherweise begrenzter Wirklichkeit wie dem Eigentum. Er liegt vielmehr in gewissen notwendigen oder doch als notwendig angenommenen Merkmalen aller menschlichen Gesellschaften. Obwohl die Differenzierung sozialer Positionen, als Teilung der Arbeit oder allgemeiner als Vielfalt der Rollen, ein solches universelles Merkmal von Gesellschaften sein mag, fehlt ihr das zur Erklärung der Rangunterschiede nötige Element der Wertung. Wertende Differenzierung, also die Anordnung sozialer Positionen und ihrer Träger auf den Skalen des Prestiges und des Einkommens, wird erst bewirkt durch die Sanktionierung sozialen Verhaltens am Maßstab normativer Erwartungen. Weil es Normen gibt und Sanktionen nötig sind, um ihre Einhaltung zu erzwingen, muß es Ungleichheit des Ranges unter den Menschen geben.

Die Entwicklung dieser Überlegungen zur Theorie der Schichtung könnte ein Bild der Soziologie hervorrufen, das weder der Wirklichkeit des Faches noch meiner Absicht entspricht. Nach allem Gesagten mag man meinen, die Soziologie (oder meine Soziologie) sei doch ein sehr abstraktes und spekulatives Unternehmen. Man mag den Bezug auf empirische Forschungen, vielleicht auf Fragebogen-Untersuchungen und Enqueten vermissen. Was die letzteren angeht, so entspricht die Enttäuschung durchaus meiner Absicht. Das allgemeinere Verlangen jedoch, ich möchte die empirische Bedeutung meiner Überlegungen andeuten oder doch klarlegen, was aus diesen Überlegungen für unsere Erkenntnis der sozialen Wirklichkeit folgt, halte ich schon darum für legitim, weil auch ich die Soziologie als eine Erfahrungswissenschaft verstehe, die sich bemüht, die soziale Welt unserem Verständnis mit Sätzen zu erschließen, über deren Richtigkeit oder Falschheit systematische Beobachtungen verbindlich zu entscheiden vermögen. Auch der letzte Teil dieser Darstellung wird diesem Anspruch nur auf einer ziemlich hohen Allgemeinheitsstufe gerecht; immerhin aber möchte ich ihn dazu verwenden, einige der Konsequenzen der hier vorgetragenen Überlegungen für die soziologische Analyse anzudeuten.

Die Erklärung der Ungleichheit aus der Notwendigkeit, normgemäßes Sozialverhalten durch Sanktionen zu erringen, hat zunächst gewisse begriffliche Konsequenzen für den Apparat der soziologischen Analyse. Die soziale Schichtung, von der bisher die Rede war, ist ja als ein System der Ungleichheit des distributiven Status von Menschen, d. h. ein System unterschiedlicher Verteilung von begehrten und knappen Dingen definiert worden. Ehre und Reichtum oder, wie wir heute sagen, Prestige und Einkommen, sind allgemeine Instrumente oder Medien solcher Rangdifferenzierung; aber es besteht kein Grund zu der Annahme, daß diese nicht auch unter ganz anderen Gesichtspunkten erfolgen könnte[6]. Herrschaft jedoch gehört zu den Differenzierungsmerkmalen der sozialen Schichtung allenfalls unter dem besonderen Gesichtspunkt der Ämterpatronage, d. h. der Verteilung von Herrschaft als Entschädigung für bestimmte Qualitäten oder Leistungen. Die Erklärung der Unterschiede des Ranges aus der Notwendigkeit von Sanktionen ist also keine Erklärung der Herrschaftsstruktur von Gesellschaften[7]; sie ist vielmehr eine Erklärung der Schichtung aus der Sozialstruktur von Macht und Herrschaft. Herrschaft und Herrschaftsstrukturen gehen logisch – wenn die hier vorgelegte Erklärung der Ungleichheit richtig ist – den Strukturen sozialer Schichtung voraus[8].

Es ist eine offene und schwierige Frage, ob Gesellschaften vorstellbar sind, deren System von Normen und Sanktionen ohne eine dahinterstehende Herrschaftsstruktur funktioniert.

Immer wieder haben Ethnologen von »Stämmen ohne Herrscher« berichtet und Soziologen die herrschaftslose Selbstregulierung von Gesellschaften ausgemalt. Ich würde demgegenüber dazu neigen, mit Max Weber »jede nicht durch persönliche freie Vereinbarung aller Beteiligten zustandegekommene Ordnung«, also jede Ordnung, die nicht auf dem freien Consensus sämtlicher Betroffenen beruht, als »oktroyiert«, d. h. auf Herrschaft und Unterordnung beruhend, zu bezeichnen[9]. Da nun eine solche »volenté de tous« allenfalls als Spiel des Gedankens möglich scheint, müssen wir annehmen, daß zu den beiden Kategorien der Norm und der Sanktion noch eine dritte fundamentale Kategorie der soziologischen Analyse gehört: die der Herrschaft. Gesellschaft heißt, daß Normen das Verhalten der Menschen regeln; diese Regelung wird durch den Anreiz oder die Drohung von Sanktionen garantiert; die Möglichkeit, Sanktionen zu verhängen, ist der abstrakte Kern aller Herrschaft. Aus dem – zwar ungleichen, aber zusammengehörigen – Dreigespann Norm–Sanktion–Herrschaft lassen sich, so möchte ich meinen, alle übrigen Kategorien der soziologischen Analyse ableiten[10]. Jedenfalls gilt dies für die Kategorie der sozialen Schichtung, die daher auf einer niedrigeren Allgemeinheitsstufe steht als die der Herrschaft. Um diese begriffliche Analyse empirisch zu wenden und ihre Explosivität damit offenzulegen: Das System der Ungleichheit, das wir soziale Schichtung nennen, ist nur eine sekundäre Konsequenz der Herrschaftsstruktur von Gesellschaften.

Daß Normen in einer Gesellschaft gelten, heißt, daß ihre Einhaltung belohnt und ihre Nichteinhaltung bestraft wird. Daß die Einhaltung bzw. Nichteinhaltung von Normen in diesem Sinne sanktioniert wird, heißt, daß die herrschenden Gruppen der Gesellschaft ihre Macht in die Waagschale der Erhaltung der Normen werfen. Geltende Normen sind also letzten Endes nicht anderes als herrschende, d. h. von den Sanktionsinstanzen der Gesellschaft verteidigte Normen.

Für das System der Ungleichheit bedeutet dies, daß derjenige die günstigste Stellung in einer Gesellschaft erringen wird, dem es kraft sozialer Position am besten gelingt, sich den herrschenden Normen anzupassen – und umgekehrt, daß die geltenden oder herrschenden Werte einer Gesellschaft an ihrer Oberschicht ablesbar sind. Wer nicht fähig, d. h. aufgrund seiner Stellung im Koordinatensystem sozialer Positionen und Rollen in der Lage ist, den Erwartungen seiner Gesellschaft stets pünktlich nachzukommen, darf sich nicht wundern, wenn ihm die höheren Ränge der Skalen von Prestige und Einkommen versperrt bleiben, und wenn andere, denen es leichter fällt, sich konform zu verhalten, ihn überflügeln. In diesem Sinne honoriert jede Gesellschaft den Konformismus, der sie, d. h. die in ihr herrschenden Gruppen, erhält – womit jede Gesellschaft zugleich in sich den Widerstand erzeugt, der zu ihrer eigenen Aufhebung führt.

Die prinzipielle Parallelität von konformistischem bzw. abweichendem Verhalten und hoher bzw. niedriger Schichtposition wird in historischen Gesellschaften natürlich durch vielfältige sekundäre Momente abgebogen und überlagert (wie überhaupt zu betonen ist, daß in der hier vorgeschlagenen Erklärung der Ungleichheit keine geschichtsphilosophische oder unmittelbar historische Absicht liegt). So kann die Erblichkeit schichtbestimmender Merkmale einer Epoche – etwa des Adels oder des Eigentums – dazu führen, daß eine Art «stratification lag«, ein Nachhinken der Schichtstrukturen hinter den Wandlungen der Normen und Herrschaftsverhältnisse eintritt, so daß Oberschichten einer vergangen Epoche ihre günstige Schichtposition auch unter neuen Bedingungen noch eine Zeitlang erhalten. Doch bleiben in der Regel jene Prozesse, die wir als »Deklassierung des Adels« oder »Funktionsverlust des Eigentums« kennen, nicht aus. Wenn es richtig ist – und manches spricht dafür –, daß unsere eigene Gesellschaft auf die in M. Youngs soziologischer Utopie ›Es lebe die Ungleichheit‹ ausgemalte Periode der »Meritokratie«, d. h. der Herrschaft der Eigentümer von Berechtigungsscheinen zusteuert[11], dann folgt aus der Theorie der nachhinkenden Schichtung, daß allmählich auch die Mitglieder der herkömmlichen Oberschichten – die Adligen, die Erben – sich um Diplome und Titel bemühen müssen, um ihre Stellung zu bewahren; denn die herrschenden Gruppen jeder Gesellschaft haben die Tendenz, das je bestehende System sozialer Ungleichheit in Einklang zu bringen mit den geltenden, d. h. ihren eigenen Normen. Eine volle Übereinstimmung der Skalen der Schichtung mit den Strukturen der Herrschaft indes können wir trotz dieser prinzipiellen Tendenz in historischen Gesellschaften zu keinem Zeitpunkt erwarten.[12]

Das Gesellschaftsbild, das sich aus der hier in fast unerträglicher Allgemeinheit angedeuteten Analyse ergibt, ist in doppelter Hinsicht nicht-utopisch und damit auch anti-utopisch[13]. Es unterscheidet sich einerseits von jeder offenen oder versteckten Romantik der revolutionären Utopie à la Rousseau oder Marx. Wenn es richtig ist, daß die Ungleichheit unter den Menschen aus dem Begriff der Gesellschaft als moralischer Gesellschaft folgt, dann kann es in der Welt unserer Erfahrung eine Gesellschaft völlig Gleicher nicht geben. Natürlich ist Gleichheit vor dem Gesetz und gleiches Wahlrecht, sind gleiche Erziehungschancen und andere konkrete Gleichheiten möglich und auch wirklich. Aber der Gedanke einer Gesellschaft, in der jeder Rangunterschied zwischen Menschen beseitigt ist, überschreitet das soziologisch Mögliche und hat seinen Ort allenfalls im Bereich dichterischer Phantasie. Wo immer politische Programme klassen- oder schichtenlose Gesellschaften, eine harmonische Volksgemeinschaft gleichrangiger Genossen, die Reduktion aller Ungleichheiten auf funktionale Unterschiede oder ähnliches versprechen, haben wir auch darum Grund zum Mißtrauen, weil hinter nicht realisierbaren politischen Versprechungen gewöhnlich der Terror und die Unfreiheit lauern. Wo immer aber herrschende Gruppen oder ihre Ideologen uns erzählen, in ihrer Gesellschaft seien tatsächlich alle gleich, können wir uns auf Orwells Vermutung verlassen, daß dort sicher »einige gleicher sind als andere«.

Der hier angedeutete Ansatz ist aber auch noch in einem anderen Sinne ein Pfad aus Utopia. Wenn wir uns die Erklärungen der Ungleichheit in der jüngeren amerikanischen Soziologie – und das gilt sowohl für Parsons und Barber als auch für Davis und Moore – ansehen, dann spricht aus diesen ein Gesellschaftsbild, von dem kein Weg mehr zum Verständnis der Geschichtlichkeit menschlicher Gesellschaft führt. In einem mittelbaren Sinn gilt dies, wie ich meine, auch für Rousseau und

Marx, doch läßt es sich leichter an Hand der neueren soziologischen Theorie aufweisen[14]. Die amerkanischen Funktionalisten gehen davon aus, daß wir Gesellschaften als reibungslos funktionierende Gebilde betrachten müssen und daß daher die Ungleichheit unter den Menschen (da sie nun einmal vorhanden ist) einen Beitrag zu diesem Funktionieren leistet. Dieser Blickwinkel, der sonst vielleicht manche neue Erkenntnis ermöglichen mag, führt dann zu Schlüssen wie dem von Barber: »Menschen haben ein Gefühl erfüllter Gerechtigkeit und belohnter Tugend, wenn sie empfinden, daß sie aufgrund der Wertstandards ihrer eigenen moralischen Gemeinschaft zu Recht hoch oder niedrig eingestuft worden sind.«[15] Auch Barbers spätere Behandlung der »Dysfunktionen« der Schichtung kann den Eindruck nicht verwischen, daß ihm eine Gesellschaft vorschwebt, die die Geschichte nicht mehr braucht, weil ohnehin alles bereits zum besten geordnet ist: Jeder, wo immer er stehen mag, ist mit seinem Platz in der Gesellschaft zufrieden, weil ein gemeinsames Wertsystem alle zu einer großen und glücklichen Familie verbindet.

Mit scheint, daß man mit einem solchen Instrument zwar Platos Staat, nicht aber irgendeine wirkliche Gesellschaft der Geschichte verstehen kann. Vielleicht hat auch die Ungleichheit unter den Menschen eine Bedeutung für den Zusammenhalt von Gesellschaften. Aufschlußreicher ist jedoch eine andere Konsequenz ihres Wirkens. Wenn die hier entworfene Analyse sich bewährt, dann steht die Ungleichheit in einem engen Zusammenhang mit jenem sozialen Zwang («constraint«), der in Sanktionen und Herrschaftsstrukturen ruht. Das heißt aber, daß das Schichtungssystem ebenso wie die Sanktionen und Herrschaftsstrukturen beständig dahin tendiert, sich selbst zu beseitigen. Die Annahme, daß die jeweils – und nicht zufällig, sondern auf Grund der ihnen in einer gegebenen Struktur zugewiesenen Positionen – weniger gut weggekommenen Gruppen einer Gesellschaft danach trachten werden, ein Normensystem durchzusetzen, das ihnen einen ansehnlicheren Rang verspricht, weil es ihren Kräften und Wünschen näher steht, ist sicher plausibler und fruchtbarer als die, daß auch die an Ansehen und Reichtum Armen ihre Gesellschaft um deren Gerechtigkeit willen lieben werden. Weil das »Wertsystem« einer Gesellschaft nur im Sinne der Geltung gemeinsam, in Wirklichkeit aber herrschend ist, weil daher das System der sozialen Schichtung nur Maßstab für den Konformismus des Verhaltens sozialer Gruppen ist, wird die Ungleichheit zum Stachel, der soziale Strukturen in Bewegung hält: Immer bedeutet Ungleichheit den Gewinn der einen auf Kosten der anderen; jedes System sozialer Schichtung trägt daher den Protest gegen sein Prinzip und den Keim zu seiner Überwindung in sich. Da nun aber menschliche Gesellschaft ohne Ungleichheit realistisch nicht möglich, die Überwindung der Ungleichheit also ausgeschlossen ist, folgt auch aus der immanenten Explosivität jedes Systems sozialer Schichtung, daß es eine ideale, vollkommen gerechte und daher geschichtslose menschliche Gesellschaft nicht geben kann.

Dies ist der Ort, um noch einmal an Kants kritische Bemerkung zu Rousseau zu erinnern, die Ungleichheit sei zwar die »reiche Quelle so vieles Bösen, aber auch alles Guten«. Daß Kinder sich ihrer Eltern schämen, daß Angst und Armut, Leid und Unglück über Menschen kommen und manche andere Folge der Ungleichheit, mag man gewiß beklagen. Daß historische und daher in einem letzten Sinn willkürliche Kräfte unübersteigbare Schranken der Kaste oder des Standes zwischen Menschen errichten, mag man mit guten Gründen bekämpfen. Daß es aber überhaupt Ungleichheit unter den Menschen gibt, ist, indem es die Geschichtlichkeit von Gesellschaften garantiert, ein Moment der Freiheit. Die völlig egalitäre Gesellschaft ist nicht nur ein unrealistischer, sie ist auch ein schrecklicher Gedanke: denn in Utopia wohnt nicht die Freiheit, der stets unvollkommene Entwurf in das Unbestimmte, sondern die Perfektion entweder des Terrors oder der absoluten Langeweile[16].

1 Insoweit Erwartungen stets als Bestandteile von Rollen auf konkrete soziale Positionen bezogen, Normen dagegen allgemein in Formulierung und Geltungsanspruch sind, ist das »oder« in dem Ausdruck »Erwartungen oder Normen« eine möglicherweise irreführende Abkürzung des Gedankens: daß Rollenerwartungen nichts anderes sind als konkretisierte soziale Normen («Institutionen«).

2 An einer Stelle der amerikanischen Schichtungsdiskussion findet sich ein ähnlicher Gedanke – wenn ich von O. Spanns biologistischer Argumentation (Der wahre Staat. Leipzig 1921; darin vor allem §§ 25–28 u.ff.; S. 193: »Das Schichtungsgesetz der Gesellschaft ist die Ordnung nach Wertschichten«), die oberflächlich ähnlich scheinen mag, absehen darf –, nämlich in einer Randbemerkung bei M. M. Tumin (Some Principles of Stratification: A Critical Analysis. In: American Soziological Review 18, 4. August 1953, S. 392): »What does seem to be unavoidable is that differential prestige shall be given to those in any society who conform to the normative order as against those who deviate from that order in a way judged immoral and detrimental. On the assumption that the continuity of a society depends on the continuity and stability of its normative order, some such distinction between conformists and deviants seems inescapable.« Allerdings halte ich die Voraussetzung der »Kontinuität und Stabilität der normativen Ordnung« für durchaus überflüssig; sie zeigt, wie stark Tumin doch dem funktionalen Ansatz verhaftet bleibt.

3 H. Popitz: Soziale Normen. In: Europäisches Archiv für Soziologie II. 1961

4 Diese Annahme stößt bei deutschen Juristen regelmäßig auf Widerspruch. Dabei zeigt sich eine gewisse Befangenheit in den Vorstellungen kodifizierten Rechtes; denn für das *common law* ist ein allgemeinerer Begriff der Norm der hier angedeuteten Art gleichsam dogmatische Notwendigkeit.

5 Möglicherweise liegt hierin bereits ein Vulgärverständnis des Rechtes. Sicher gilt auch für rechtliche Normen, die ja nur ein Sonderfall sozialer Normen sind, daß ihre Geltung sowohl durch positive als auch durch negative Sanktionen garantiert wird. Allerdings steht zu vermuten, daß negative Sanktionen in dem Maße überwiegen, in dem Normen verpflichtend sind – und da die meisten Rechtsnormen (fast per definitionem) in besonders hohem Maße verpflichten, zieht konformes Verhalten im Hinblick auf diese Regel keine Belohnung nach sich.

6 Allerdings würde ich meinen, daß Ehre und Reichtum wirklich hinreichend allgemeine Kriterien sind, um für alle Gesellschaften gelten zu können: sie sind gewissermaßen Inbegriff jeder ideellen (Ehre, Prestige) und materiellen (Reichtum, Einkommen) Rangdifferenzierung zwischen Menschen in der Gesellschaft. In der wiederholten Betonung dieser beiden Gesichtspunkte liegt daher auch die terminologische Absicht, den Begriff der Schichtung auf Ungleichheiten von Ehre und Reichtum zu konzentrieren.

7 Damit erklärt die hier vorgelegte Theorie natürlich auch den Ursprung der Herrschaft und der durch Herrschaft begründeten Ungleichheit unter den

Menschen nicht. Daß auch der Ursprung der Herrschaft der Erklärung bedarf, geht schon aus dem Streit über die Frage hervor, ob Herrschaft ein universelles oder historisches Phänomen sei. Wie eine Erklärung der Herrschaft aussieht, läßt sich vorerst nur vermuten, wobei mir vor allem die Annahme von H. Popitz plausibel scheint, daß die Verteilung der Herrschaft aus den sozialen Korollaren der Generationenfolge hervorgegangen ist.

8 Dieser Schluß impliziert eine wesentliche Korrektur meiner eigenen Position in früheren Veröffentlichungen. Lange Zeit war ich davon überzeugt, daß es eine strikte logische Gleichrangigkeit der Analyse einerseits sozialer Klassen, andererseits sozialer Schichtung, einerseits mit Mitteln der Herrschaftstheorie, andererseits mit denen der Integrationstheorie gibt. Nunmehr – und aufgrund der in der vorliegenden Arbeit entwickelten Überlegungen – bin ich jedoch zu der Überzeugung gekommen, daß Schichtung nur eine Konsequenz der Herrschaftsstruktur, Integration ein Spezialfall des Zwanges (»constraint«), damit der strukturell-funktionale Ansatz ein Versuch ist, der sich im hier angedeuteten Sinne in einem allgemeineren Ansatz aufheben läßt. Die Annahme, daß es sich hier um gleichrangige Ansätze, nämlich zwei Perspektiven auf denselben Gegenstand handelt, ist nicht falsch, sondern überflüssig: Es führt zu demselben Resultat anzunehmen, daß Schichtung aus Herrschaft, Integration aus Zwang, Stabilität aus Wandel folgt. Da die letztere Annahme einfacher ist, ist ihr der Vorzug zu geben.

Das ist auch eine Stellungnahme gegen die von Lenski (G. Lenski: Power and Privilege. A Theory of Social Stratification. New York 1966) vorgeschlagene »Synthese« von »konservativen« und »radikalen« Theorien der Schichtung. Diese Synthese scheint mir tatsächlich nur ein vorläufiger Erkenntnis-Kompromiß, der an wichtigen Punkten von Lenski selbst schon überholt wird: »The distribution of rewards in a sociey is a function of the distribution of power, not of system needs.« (Lenski, a. a. O., S. 63)

9 M. Weber: Wirtschaft und Gesellschaft. Tübingen [4]1956, § 13, S. 27.

10 Das ist ein großes Wort, dessen Begründung zumindest eines eigenen Aufsatzes bedürfte. Nur zweierlei sei hier angemerkt: Erstens liegt die Ungleichartigkeit der drei Kategorien auf der Hand. Vor allem »Sanktion« ist eine Art Vermittlungsbegriff (zwischen Norm und Herrschaft), als solcher allerdings ganz entscheidend. Norm und Herrschaft selbst sind in derselben Weise sukzessiv zu verstehen wie der Gesellschafts- und Herrschaftsvertrag (an dem man sich hier überhaupt orientieren kann). – Zweitens liegt die Frage nahe, ob sich auch die »Elementarkategorie« der sozialen Rolle aus dem Dreigespann Norm–Sanktion–Herrschaft ableiten läßt. Ich möchte meinen, daß dies zumindest insofern der Fall ist, als Rollen Komplexe von zu Erwartungen konkretisierten Normen sind. Im übrigen aber liegt hier ein offenes Problem.

11 Vgl. M. Young: The Rise of the Meritocraty 1870–2033. London 1958 (Dt. unter dem Titel: Es lebe die Ungleichheit. Köln 1961)

12 Die historische Variabilität der Formen der Schichtung ist so groß, daß jede abstrakte und allgemeine Analyse von der Art der vorliegenden in dieser

Hinsicht irreführen muß. Es variieren die Kriterien, die Formen, die Symbole der Schichtung ebenso wie deren Bedeutung für das menschliche Verhalten. In jeder historischen Epoche finden sich vielfältige Überlagerungen. Die Frage, wie historisch die Schichtung der ersten (bekannten) Gesellschaften aussah, bleibt hier völlig offen. Das ist nur eine von vielen Begrenzungen der vorliegenden Analyse.

13 Die folgende metatheoretische Erörterung ist auch ein Argument gegen G. Lenskis allzu einfache Konfrontation von »konservativen« und »radikalen« Schichtungstheorien. Unser Ansatz ist »radikal« in der Annahme der dominanten Kraft von Herrschaftsstrukturen, aber «konservativ« in der Vermutung, daß die ungleiche Verteilung von Herrschaft und Status sich nicht aus der Welt schaffen läßt. Es wären noch andere Kombinationen denkbar.

14 Die Annahme, daß die Geschichte gemäß einem vorgezeichneten und erkennbaren Plan verläuft, ist immer mindestens in dem Sinne statisch, in dem der Entwicklung eines Organismus zu einer Entelechie der eigentlich historische Charakter (der Offenheit in die Zukunft) fehlt. Darum, und wegen der mit einer solchen Konzeption notwendig verknüpften statisch-utopischen Endvorstellung, könnte der Nachweis der Ungeschichtlichkeit auch an Hand von Rousseau und Marx geführt werden.

15 B. Barber: Social Stratification. New York 1957 (vgl. insbesondere Kap. I, ›The Nature and Functions of Social Stratification‹)

16 Die letzten Absätze enthalten – und implizieren z. T. – in allzu geraffter Form zwei Argumente: erstens, daß der Versuch, Utopien, d. h. das konkret Unmögliche, zu verwirklichen, darum zum Totalitarismus führt, weil sich nur mit Hilfe des Terrors der Anschein des gewonnenen Paradieses (der klassenlosen Gesellschaft, der Volksgemeinschaft) erwecken läßt; zweitens, daß die Ungleichheit des sozialen Status, innerhalb gewisser durch die Gleichheit des staatsbürgerlichen Status gesetzter Grenzen, als Medium menschlicher Entfaltung Bedingung einer freien Gesellschaft ist. Vgl. für ausführlichere Entwicklungen dieser Argumente die Aufsätze »Pfade aus Utopia« (in dem Band, dem dieser Beitrag entnommen wurde) und »Reflexionen über Freiheit und Gleichheit«.

Theodor Eschenburg

Zum Problem der Einstellung radikaler Studenten in Staat und Wirtschaft

»Es ist das Wichtigste, gute Leute zu berufen, dann geht alles andere in Ordnung.« Das Wort stammt von einem der geistigen Begründer des deutschen Liberalismus, Wilhelm von Humboldt, Richter, Diplomat und Minister in preußischen Diensten zu Anfang des vorigen Jahrhunderts. Was sind die Kriterien für die Auslese guter Leute? Es lassen sich mannigfache anführen. Das Grundgesetz in Art. 33, Abs. 2 nennt für den Zugang zu öffentlichen Ämtern drei: Eignung, Befähigung und fachliche Leistung. Der Bewerber muß sich zur freiheitlich-demokratischen Grundordnung bekennen und für sie eintreten. Andererseits darf nach Art. 33, Abs. 3 niemandem aus seiner Zugehörigkeit oder Nichtzugehörigkeit zu einem Bekenntnis oder einer Weltanschauung ein Nachteil erwachsen.

Daß es in der Praxis eine weitverbreitete parteipolitische Ämterpatronage gibt, die diese Bestimmung verletzt, braucht nicht besonders enthüllt zu werden. Es gibt wohl kaum eine Verfassungsbestimmung, gegen die so häufig verstoßen wird, wie gerade diese. Selbst wenn man bei der Besetzung von Posten sogenannter politischer Beamter, also Staatssekretären, Ministerialdirektoren, Regierungspräsidenten und Diplomaten, der Ämterpatronage gewisse rechtmäßige Möglichkeiten konzediert, so ist doch weithin bekannt, daß im Bereich des allgemeinen Beamtentums eine zwar verfeinerte, aber tunlichst diskrete Ämterpatronage weit verbreitet ist. Das gilt nicht nur für Beförderung, für die Neubesetzung höherer Ämter, sondern auch für Ersteinstellungen.

Die Ämterpatronage hat allerdings keine oder nur geringe Chancen in jenen Bereichen des öffentlichen Dienstes, wo der Bedarf an Neueinzustellenden das Angebot übersteigt. Die radikale Linke und Kreise, die ihr nahestehen, behaupten, daß gerade in diesen Mangelbereichen Ämterpatronage getrieben würde, und zwar negativ, nämlich abwehrende, im Gegensatz zur positiven, zur fördernden. Die Einstellungsbehörden, in erster Linie Ministerien, würden die Aufnahme von Anhängern der radikalen Linken in den öffenlichen Dienst trotz des Personalmangels ablehnen. Zwar werde die Abweisung vielfach nicht mit der Zugehörigkeit zu einer radikalen Organisation begründet, wohl aber mit Verhaltensweisen, so bei Demonstrationen und Äußerungen im Schrifttum, die als revolutionär angesehen werden. Und das geschehe, obwohl die Bewerber sich zur freiheitlich-demokratischen Grundordnung bekennten.

Nun ist es mit dem einseitigen verbalen Bekenntnis zur Verfassung nicht getan, sofern es nicht überzeugend wirkt. Es gibt Interpretationen, die das Grundgesetz stark strapazieren. Sehr wohl können Verhaltensweisen und öffentlich verbreitete Äußerungen eines Bewerbers im Gegensatz zur freiheitlich-demokratischen Grundordnung stehen, für die das Bundesverfassungsgericht und das Strafgesetzbuch Merkmale festgelegt haben. Aus dieser Diskrepanz lassen sich Zweifel am Bekenntnis des Bewerbers vertreten.

Es ist auch nicht so, daß die drei im Grundgesetz genannten Kriterien Eignung, Befähigung und fachliche Leistung bei Neueinstellung in jenen Bereichen des öffentlichen Dienstes, in denen der Bedarf das Angebot übersteigt, deswegen außer acht gelassen werden dürfen. Das wäre äußerst bedenklich, da die Aufnahme in den öffentlichen Dienst meistens in die Einstellung auf Lebenszeit mündet. Die drei Auslesekriterien sind auf den Dienst zu beziehen, in den eingestellt werden soll. Dabei können in dieser Betrachtung Befähigung und fachliche Leistung außer acht gelassen werden; entscheidendes Kriterium ist aber die Eignung.

Was Eignung in diesem Fall bedeutet, dafür geben Verfassung, Beamten- und Richtergesetz Hinweise. Von dem Bekenntnis zu und dem Eintreten für die demokratische Grundordnung war schon die Rede. Mäßigung und Zurückhaltung bei politischer Betätigung verlangt das Beamtengesetz. Nach diesem Gesetz muß das Verhalten des Beamten innerhalb und außerhalb des Dienstes der Achtung und dem Vertrauen gerecht werden, das sein Beruf erfordert. Er ist verpflichtet, die von den Vorgesetzten gegebenen Anordnungen auszuführen und ihre allgemeinen Richtlinien zu befolgen, sofern gesetzlich nichts anderes vorgesehen ist. Dazu gehört auch die Amtsverschwiegenheit, von der kein revolutionäres Postulat und keine revolutionäre Verpflichtung zu entbinden vermögen.

Nationalsozialistische Assessoren in den Polizeipräsidien haben vor 1933 ihre Partei und deren Anhänger von geplanten, gegen sie gerichteten Polizeiaktionen rechtzeitig unterrichtet. So unterschiedlich man die damalige NSDAP und die heutige revolutionäre Linke beurteilen mag, in der Technik zeigen sich deutliche Ähnlichkeiten. Dazu gehört, Weisungen scheinbar korrekt, effektiv in ihrem entgegengesetzten Sinn auszuführen. Der Revolutionär ist im Prinzip bereit und gewillt, bei aller Tarnung letztlich die revolutionären Ziele über die Amtspflichten zu stellen.

Eignung kann schwerlich durch Prüfung und Zeugnisse festgestellt werden, sondern erfolgt in erster Linie durch Beurteilung von Eindrücken. Die einstellenden Behörden haben hier einen relativ weiten Beurteilungsspielraum, dem doch, so durch Art. 33, Abs. 2, der Eignung, Befähigung und fachliche Leistung fordert, gewisse Grenzen gezogen sind. Die Eignung ist eben nicht einfach zu unterstellen, vor allem dann nicht, wenn der Bewerber Anhaltspunkte für seine Uneignung liefert.

Sicherlich mag sich in den Reihen der radikalen Linken mit ihren mannigfaltigen Schattierungen und unterschiedlichen Tendenzen ein beachtliches Ausmaß von Intelligenz finden, aber es fehlt an Eignung für den öffentlichen Dienst, ja diese Art von geforderter Eignung steht gerade im Gegensatz zur Radikalität oder zu revolutionärem Drang. Beamtenstellungen sollen weder Pfründen sein noch Stützpunkte für jegliche Art von Subvention, zumal sich Ämter für Subvention und revolutionäre Zellenbildung besonders eignen. Daß revolutionäre Solidaritätsbindungen quer durch die Ämter wirksam sein können, hat die nationalsozialistische Infiltration in die Behörden der allgemeinen Verwaltung und der Polizei vor 1933 gezeigt.

Manche Revolutionäre machen heute aus ihrer Absicht kein Hehl, durch Eintritt in den öffentlichen Dienst die Chance zu haben, von dort aus ihren Zielen Geltung zu verschaffen. Gerade weil die Revolutionäre der Zahl nach schwach sind, sehen sie im öffentlichen Dienst eine Multiplikationschance für ihre Aktionen.

Die Grenze zwischen Eignung und Uneignung für den öffentlichen Dienst wird sich kaum in ein eindeutiges Prinzip fassen lassen. Die Maßstäbe werden auch nach Ministerien, allerdings innerhalb eines gewissen Rahmens, verschieden sein. Der SPD-Kultusminister Friedeburg in Hessen könnte andere Maßstäbe haben als sein Ministerpräsident Osswald oder der SPD-Innensenator Neubauer in Berlin, um im Beispiel bei den Angehörigen der gleichen Partei zu bleiben. Die Grenze zwischen Reformern und Revolutionären kann in manchen Fällen fließend sein. Aber es ist schon von Wert, wenn das Problem der unerläßlichen Unterscheidung überhaupt gesehen und danach verfahren wird.

Der Begriff »freiheitlich-demokratische Grundordnung« ist als Verfassungsbegriff bewußt weit gefaßt, während er als Kriterium für die Personalpolitik eng ausgelegt werden kann. Zu bedenken ist auch, daß vorzeitige Entlassung nur aufgrund eines disziplinargerichtlichen Urteils, für das Uneignung oft entscheidend ist, möglich ist, während bei Einstellung und Beförderung ernsthafte Zweifel an der Eignung ausschlaggebend sein können. Es läßt sich kaum vorstellen, daß dieselben Kriterien für das Verbot einer Partei wie gegen die Einstellung eines Beamten maßgeblich sein sollten. In einer rechtsstaatlichen Demokratie darf die Freiheit nur insoweit eingeschränkt werden, als sie zur Beeinträchtigung oder zur Beseitigung der »verfassungsmäßigen Ordnung« mißbraucht wird. Von dem Beamten wird nicht nur erwartet, daß er die verfassungsmäßige Ordnung nicht beeinträchtigt oder beseitigt, sondern daß er ihr dient. Die NPD ist nicht verboten, aber deswegen braucht es noch keine Verletzung des Art. 33, Abs. 3 zu sein, wenn Mitglieder der NPD zum öffentlichen Dienst nicht zugelassen werden. Wer aus radikaler politischer Haltung die Regierung haßt, das parlamentarisch-demokratische System im Grund verachtet, eignet sich nicht für den öffentlichen Dienst.

Wenn man mit jungen Beamten verschiedener Ressorts und mit Richtern spricht, so zeigt sich ein erstaunlicher Wandel der

Staats- und Amtsvorstellung gegenüber der Zeit vor etwa fünf Jahren. Das kommt auch in manchen einzelrichterlichen Urteilen und in Verwaltungsakten, die durch Presse und Rundfunk bekanntgeworden sind, zum Ausdruck. Hier tritt der Wandlungsprozeß des Demokratiebegriffs deutlich in Erscheinung, aber das genügt den Radikalen in keiner Weise.

Fälle, in denen radikale Bewerber abgewiesen worden sind, sind sicherlich vorgekommen, aber selten bekannt geworden. Das gilt nicht für einen Fall, der durch die Zeitschrift »Konkret« publik geworden ist. Ein Assessor mit der Examensnote Vollbefriedigend hatte sich für den Justizdienst in Nordrhein-Westfalen beworben und war abgewiesen worden, obwohl in diesem Land ein Mangel an Richtern besteht. Der Assessor hatte eine Broschüre »Rechtsfibel für Demokraten«, die der Rechtshilfe für Demonstrationstäter dienen sollte, verfaßt. Dagegen ist im Prinzip schwerlich etwas einzuwenden. In dieser Broschüre wird den Angeklagten in Strafprozessen geraten, »ihre Verteidigung grundsätzlich als politisches Kampfmittel zu nutzen und den Strafprozeß selbst zur Tribüne für die Ansichten und Absichten des Angeklagten und seiner politischen Bewegung zu machen.«

Das Gericht im Rechtsstaat hat aber andere Funktionen als eine Versammlung oder eine Demonstration unter freiem Himmel. Würde es deren Funktionen und Gebräuche übernehmen, so wäre es nicht mehr Gericht, wie es sich bei einigen Prozessen schon gezeigt hat. Der Assessor hatte sich zwar zum Grundgesetz bekannt, aber seine Äußerung steht in eklatantem Widerspruch zum Rechtsstaatsprinzip, zu den Bestimmungen des Gerichtsverfassungsgesetzes und der Strafprozeßordnung.

Nach § 39 des Richtergesetzes hat der Richter sich innerhalb und außerhalb seines Amtes, auch bei politischer Betätigung, so zu verhalten, daß das Vertrauen in seine Unabhängigkeit nicht gefährdet wird. Zwar ist der Assessor noch nicht Richter, aber bei der Eignungsfeststellung kommt es auf den Eindruck an – daß er nämlich für Richtungen der radikalen Linken, die allein an der rechtswidrigen Umwandlung des Gerichts in eine politische Tribüne interessiert sein können, votiert hat.

Hätte das nordrhein-westfälische Justizministerium in diesem Fall noch einen Beurteilungsspielraum gehabt oder lag der Fall eindeutig jenseits der Grenzen des Zulässigen? Dabei wird man bedenken müssen, daß es sehr viel extremere Fälle gibt. Dies Beispiel zeigt, wie schwer es Behörden heute bei der Einstellung haben. Aufnahme ist zunächst sehr viel bequemer als Abweisung, auf die als Reaktion Attacken und Proteste in der Öffentlichkeit erfolgen können. Andererseits kann Einstellung eines Ungeeigneten Belastung und Störung des öffentlichen Dienstes bedeuten. Mit dem strafrechtlichen Begriff »mildernde Umstände« läßt sich hier nichts ausrichten. Abweisung ist ja keine Strafe, sondern gleichsam eine Schutzmaßnahme im Interesse des öffentlichen Dienstes.

Das Justizministerium hat zur Begründung allein die zitierte Äußerung des Assessors angeführt. Dieser hat bei den Kommunalwahlen 1969 als unabhängiger Sozialist auf der Liste der DKP kandidiert, ohne deren Mitglied zu sein. Das wurde als Ablehnungsgrund nicht angeführt. Der Assessor hat gegen das Justizministerium vorm Verwaltungsgericht geklagt.

Wie fließend die Grenzen sind, kann man sich durch die einstweilen noch theoretische Überlegung vorstellen, daß die Grenzziehung sich ändern würde, wenn NPD- oder DKP-Abgeordnete Minister werden sollten.

Muß man nicht die Radikalität als eine spezifische Eigenschaft der Jugend betrachten, die nicht selten eine vorübergehende Erscheinung ist oder im Laufe der Zeit der Mäßigung weicht? Es lassen sich historische Beispiele anführen, wo junge Radikale in den späteren Jahren sogar zu Konservativen oder diesen Nahestehenden geworden sind. In den letzten Jahren haben sich manche Studenten zunächst in ihren frühen Semestern äußerst revolutionär gebärdet und sich später nicht nur aus Resignation, sondern aufgrund ihrer Erfahrungen erheblich gewandelt. Das mag ein Beurteilungsfaktor sein, der allerdings vom Eindruck im Einzelfall abhängig ist und daher Möglichkeiten zu Fehlentscheidungen nach der einen oder anderen Richtung bietet. Auch Äußerungen, die nur Entgleisungen sind, sollten ertragen werden können. Jedenfalls kann man von einer Grenze der politischen Funktionseignung in dem hier angedeuteten Sinne sprechen, und zwar sowohl nach rechts wie nach links; allerdings kann es, weil sich der Begriff der Funktionseignung nicht eindeutig bestimmen läßt, erhebliche Toleranzen geben.

Das Problem besteht aber nicht nur im öffentlichen Dienst, sondern stellt sich auch im privaten Bereich, vor allem dem der Wirtschaft und der Verbände. Sie sind nicht an irgendwelche Schranken gebunden; sie bestimmen die Maßstäbe selbst und verfügen daher über einen weiten Entscheidungsspielraum.

Sie wollen nicht – und dazu gehören auch einige Gewerkschaften und gemeinwirtschaftliche Unternehmungen – die APO im Haus haben, sich eine Laus in den Pelz setzen, keine marxistischen Brutstätten züchten helfen. Sie fürchten sich vor Aufhetzung ihrer Arbeitnehmer, vor Umsturzversuchen und revolutionären Experimenten. Auf Linksintellektuelle reagieren sie ebenso allergisch wie diese auf sie. Aufgrund der Vorgänge an den Universitäten in den letzten Jahren mißtrauen sie diesen zutiefst. Sie sind bei ihrer Beurteilung auf Presse- und Rundfunkmeldungen angewiesen, die nur über das Ungewöhnliche berichten, und neigen so zur Generalisierung. Es fehlt daher vielfach die Vertrauensbasis zwischen einstellenden Leitern und sich bewerbenden Jungakademikern.

Einige Leiter gehen so weit, daß sie die Einstellung von Jungakademikern, die von der Freien Universität Berlin, aber auch von den Universitäten Heidelberg und Frankfurt/M. kommen, grundsätzlich ablehnen. Sie hätten weder Zeit noch Möglichkeit, die einzelnen auf die revolutionäre Gesinnung oder Betätigung zu prüfen. Die Professoren dieser Universitäten wären so sehr unter Druck gesetzt und derart verängstigt, daß sie keine wahrheitsgemäße Auskunft mehr erteilen könnten.

Diejenigen, die dieser übersteigerten Pauschalabwehr das Wort reden, übersehen, daß es auch in den hitzigsten Revolutionsphasen an den Universitäten eine »schweigende Mehrheit« gegeben hat, die unberührt von revolutionären Einwirkungen und Suggestionen ihr Studium fortgesetzt und abgeschlossen hat. Aber es kommt hier wieder auf den Eindruck an. Die Hochschulrevolution mag vorüber sein, die makabren Vorgänge sind nicht vergessen.

Man kann das Verhalten der Einstellenden mißbilligen, aber

es charakterisiert die Stimmung. So ganz unberechtigt ist die Angst auch nicht. Von revolutionären Studenten und Absolventen kann man nämlich erfahren, daß sie einen Beruf suchen, in dem sie weiter revolutionär agieren können und sich dafür gerade die Wirtschaft und deren Verbände auswählen.

Es erscheint auch nicht als unbegreiflich, wenn Unternehmer und Verbandsleiter Gegner eines Wirtschaftssystems, in dem und von dem sie leben wollen, nicht einstellen wollen. »Spätkapitalismus«, ursprünglich eine periodisierende Bezeichnung der Wirtschaftsgeschichte, die wohl der Nationalökonom Werner Sombart vor 50 Jahren geprägt hat, ist heute vulgär zum Schimpfwort und damit zum Schreckwort für die Unternehmensseite geworden.

Andere Leiter suchen ihren akademischen Nachwuchs unter den Angehörigen ihres engeren Verwandten- und Bekanntenkreises; sie neigen entgegen der bisherigen Übung in der Wirtschaft zu Patronage und Nepotismus, um sich auf diese Weise Zuverlässigkeitsgarantien zu besorgen. Das gelingt auch nicht immer, weil mancher besorgte Vater froh ist, so seinen revolutionären Sohn, dessen wahre Haltung er verschweigt, unterzubringen. Nicht wenige Intellektuelle der radikalen Linken stammen doch aus Kreisen, zu denen die Einstellenden gehören.

Es gibt Verbände und Betriebe, die lieber eine Stelle mit einem Älteren besetzen, was sie bisher nicht getan haben, als daß sie einen einstellen, der auch nur im geringsten als verdächtig erscheint, oder aber diese Stelle unbesetzt lassen. Dabei kommen Irrtümer in der Beurteilung sicherlich vor. Vor allem die Älteren verstehen den Generationenunterschied nicht, der durch die Revolutionierung der Konventionen durch die Jugend in den letzten Jahren immer stärker und breiter sichtbar in Erscheinung getreten ist. Daraus auf die vermeintlich revolutionäre Haltung des einzelnen zu schließen, ist nicht immer angebracht.

Sicherlich hat sich bei einem erheblichen Teil der Studentenschaft, wenn auch in mannigfacher Abstufung, das Mißtrauen gegen das privat- und marktwirtschaftliche System im Gegensatz zu früheren Studentengenerationen festgesetzt und verbreitet. Das gilt auch für Studierende, die der CDU oder FDP angehören oder nahestehen. Diese Vorstellungen sind zwar häufig nicht sehr fundiert, aber die weithin generelle Erscheinung muß in Rechnung gestellt werden. Man muß zwischen Animosität gegen das gegenwärtige Wirtschaftssystem – was vielleicht am ehesten diese Art von Haltung kennzeichnet – einerseits, marxistischen und neomarxistischen Prinzipien andererseits unterscheiden. Aber gerade dazu sind die Einstellenden nicht bereit. Nachdem die Studenten das Mitbestimmungsrecht an den Hochschulen in Form von Drittelparität und ähnlichen Partizipationsquotienten erreicht haben, neigen sie auch dazu, den Mitbestimmungsanspruch der Arbeiter und Gewerkschaften zu bejahen und zu vertreten. Manche von ihnen fühlen sich durch das eigene Mitbestimmungsrecht an der Hochschule als Schrittmacher des Arbeiter-Mitbestimmungsanspruchs und sehen zugleich in der allgemeinen Legitimierung dieses Mitbestimmungsrechts die Bestätigung ihrer Rechte.

Das Mißtrauen der Betriebs- und Verbandsleitungen richtet sich vor allem gegen Sozialwissenschaftler und Juristen, weniger gegen Naturwissenschaftler und Techniker. Bei diesen scheint das Engagement nicht so ausgeprägt und verbreitet zu sein wie bei den Sozialwissenschaftlern und Juristen. Die Tätigkeit der erstgenannten läßt sie mit wirtschaftspolitischen und betriebsstrukturellen Problemen kaum in Berührung kommen.

Über dieses Thema wird viel gesprochen und wohl auch diskret beraten, aber die Öffentlichkeit erfährt nur sehr wenig davon. Allerdings hat Jürgen Eick Anfang Oktober das Thema in der »Frankfurter Allgemeinen Zeitung« aufgegriffen, und zwar mit der kennzeichnenden Überschrift »Junge Akademiker sind die Leidtragenden«. Eick scheint in beachtlicher Breite Informationen gesammelt zu haben und nennt einige typische Beispiele. Ein Betriebswirt sagt zum Leiter einer Wirtschaftsprüfungs-Gesellschaft kurz nach seiner Einstellung: »Ich bin der Meinung, wir sollten keine Aktiengesellschaft prüfen. Alle Großunternehmungen sind Ausbeuterfirmen.« Auf die Gegenfrage, wieso denn mittlere und kleinere Unternehmungen keine Ausbeuterfirmen seien, habe der Betriebswirt keine Antwort gehabt. Eick nennt auch ein Gegenbeispiel. Ein Diplomkaufmann hatte ein Stellengesuch inseriert mit der Zusatzangabe: »Leutnant der Reserve«. Er begründete diesen Zusatz, damit habe er zu erkennen geben wollen, daß er nicht ein Linksintellektueller sei. Daraufhin erhielt er eine Fülle von Angeboten. Eick weist auch auf die Klagen über eine unzulängliche Ausbildung der Hochschulen und einen unzulänglichen Bildungsstand der Absolventen in den letzten Jahren hin. Der Inhaber einer mittelgroßen Firma habe ihm gesagt: »Was wir heute von der Universität an Leuten kriegen, ist miserabel ausgebildet, arrogant bis großmäulig und fest entschlossen, möglichst wenig zu leisten, dafür aber möglichst viel Geld zu verdienen. Noch dazu sind viele so marxistisch angehaucht, daß man völlig aneinander vorbeiredet.«

Dieser Unternehmer hat mehrere Typen zusammengefaßt. Solche Erscheinungen sind bekannt, der Fehler liegt in der Generalisierung.

Außenstehende, die sich über Revolutionsvorgänge an den Hochschulen durch Presse und Rundfunk informieren, sind des Glaubens, daß in diesen Semestern der Hochschulbetrieb stillgelegt war. Von Studenten selbst organisierte und geleitete Seminare seien unergiebig, also die von diesen ausgestellten Seminarscheine wertlos. Und ebenso wertlos seien Prüfungen, die von Studenten vorherrschend abgenommen worden sind, – folglich könnten die Studierenden, die die Hochschule in den Revolutionssemestern absolvierten, nichts taugen. Das ist alles richtig, aber nur für Teilbereiche. Von den zahlreichen Studierenden, die sich in dieser Zeit ganz auf ihr Studium konzentriert haben, war schon die Rede. Es gibt selbstorganisierte Seminare, die an Intelligenz, Kenntnis und Fleiß beachtliche Leistungen aufweisen. Nur sind das Einrichtungen der neuen Linken. Hier muß man zwischen Richtung und Leistung unterscheiden. Man mag die Richtung bekämpfen und vermag trotzdem die Qualität der Leistung anzuerkennen oder umgekehrt.

Um auf die Eignung im oben angedeuteten Sinn zurückzukommen: Es kann den Absolventen, soweit sie der radikalen Linken zuzurechnen sind, Befähigung und fachliche Leistung unter Umständen nicht abgesprochen werden, aber es fehlt ihnen an Eignung für Tätigkeiten in Unternehmungen und deren

Verbänden. Nach den Vorstellungen der Unternehmens- und Verbandsleitungen gehört zur Eignung auch die prinzipielle Bejahung des markt- und privatwirtschaftlichen Systems. Hier gilt das Wort von den allerdümmsten Kälbern, die ihren Metzger selber wählen.

Das alles zeigt, wie sehr der private Bereich bei der Auswahl des akademischen Nachwuchses differenzieren muß. Pauschalverurteilungen von bestimmten Universitäten, Jahrgängen oder Disziplinen sind unsinnig. Die Marxisten und Neomarxisten schlechthin als Taugenichtse zu bezeichnen, ist töricht, auch wenn ihnen die Eignung für den privaten Bereich fehlt. Unter den Absolventen, die zu Skepsis gegenüber dem Kapitalismus neigen, wird es manche geben, die unter dem Eindruck der Praxis ihre Vorstellung korrigieren würden.

Die Auswahl des akademischen Nachwuchses sowohl für den öffentlichen wie für den privaten Bereich ist durch die revolutionären Strömungen in den letzten Jahren sehr viel schwieriger geworden. Neue negative Kriterien sind in letzter Zeit aufgetreten, die im Einzelfall sehr gründlich ermittelt und wohl abgewogen beurteilt werden müssen. Es wird sich auch nicht um eine vorübergehende Erscheinung handeln, wenn man in kleineren oder größeren Abständen mit weiteren revolutionären Wellen rechnet. Aber man soll sich vor Schwarz-Weiß-Malerei hüten. Globale Verurteilung und Abweisung könnten die Tendenz zur Bildung eines akademischen Proletariats fördern.

Joachim C. Fest
Das Gesicht des Dritten Reiches

Gewiß bezieht jede revolutionäre Bewegung einen Teil ihrer Dynamik aus dem Prinzip der Carrière ouverte aux talents, aber die Erscheinungen der Anfangsphase des Dritten Reiches waren mit solchen Formeln nicht mehr hinreichend zu erfassen: es war weniger Machteroberung als Machterbeutung. Hitler selbst hat diesem Treiben seiner Gefolgsleute widerspruchslos zugesehen, es kümmere ihn »einen Dreck«: »Macht, was ihr wollt, aber laßt euch nicht erwischen«, äußerte er, nicht ohne freilich auch diese Aufforderung mit machtpsychologischen Erwägungen zu motivieren: »Nur wer sein eigenes Fortkommen mit der allgemeinen Sache so verknüpft, daß keins mehr vom andern zu trennen ist, nur auf den kann ich mich verlassen.«[1]

Das parasitäre Herrenmenschentum, das sich in dieser Jagd nach Posten, Pfründen und Pensionen in seiner kleinbürgerlich-habsüchtigen Struktur demaskiert, erwies sich aus den gleichen Gründen den übernommenen sachlichen Aufgaben keineswegs gewachsen. Was sich, angefangen von der Exekutive des Reiches bis hinab zu den Landratsämtern und Bürgermeistereien oder auch in den Gau- und Kreisleitungen der NSDAP mit derber Machtallüre breitmachte, hatte den verwaltungstechnischen Anforderungen des Amtes zumeist nichts als das revolutionäre Recht und die eigene lang gestaute Begehrlichkeit entgegenzusetzen. Zutreffend hat Goebbels angesichts solcher ideologisch kaschierter Triebentladung bemerkt, diese Männer brauchten »nur noch das alte jus primae noctis, um größere Macht zu besitzen als die absolutesten Fürsten des 17. und 18. Jahrhunderts«[2]. Ausnahmen fanden sich nur wenige; die Regel bezeichneten, neben zahllosen zweit- und drittrangigen Namen, Erscheinungen wie Mutschmann, Brückner, Forster, Streicher oder Lutze. Einige von ihnen mußten denn auch alsbald wegen offenbarer Unfähigkeit abgesetzt oder auf reine Repräsentationsposten abgeschoben werden; die Mehrzahl allerdings sah sich von Hitler, selbst gegen den bisweilen heftigen Widerstand aus den eigenen Reihen, gedeckt; wie denn überhaupt »die harten ›Männer‹ ..., die beim Volke unbeliebt oder verhaßt waren«, nach einem Zeugnis aus seiner engsten Umgebung, Hitlers »höchstes Vertrauen genossen«; als alter Revolutionär bevorzugte er stets die rücksichtsloseren Naturen[3]. Goebbels, auf seine Weise zweifellos zu den Ausnahmen zählend, hat gegen Ende des Krieges über diese alte Partei-Elite ein tatsächlich abschließendes Urteil gefällt: »Das ist doch im besten Fall menschlicher Durchschnitt. Kein einziger hat die Qualitäten eines mittelmäßigen Politikers, geschweige denn das Format eines Staatsmannes. Sie sind doch alle die Schreier aus dem Bürgerbräukeller geblieben, die sie immer waren. Und viele von ihnen haben noch das bißchen Verstand, das sie einst zur Bewegung führte, in zwölf Jahren Wohlleben versoffen. Diese Meute bösartiger Kinder, die jeder gegen jeden intrigieren, die nur auf ihr persönliches Wohl und auf ihre Stellung beim Führer bedacht sind und die die Summe all dieser ihrer Handlungen ›Regieren‹ nennen, sie tun und lassen heute, da der Führer sie nicht mehr am festen Zügel führt, was sie wollen.«[4]

Allerdings hat der Typus des braunen Amtswalters, einmal in seinen Interessen befriedigt, nicht lange als elitäres Element figuriert. Allzusehr schienen diese schwerfälligen, ungeprägten Erscheinungen, deren Gesichter so viel dumpfe Brutalität ausdrückten, die Partei an ihre voraussetzungslose Vergangenheit zu erinnern. Auch die Figur des SA-Führers, die lange als elitäres Modell gedient hatte, büßte nach der Affäre Röhm rasch ihren Vorbildcharakter ein. Unterdessen wurden, vor allem durch die Aktivität Himmlers, Bestrebungen erkennbar, das Gesicht des Dritten Reiches erstmals auch typologisch den postulierten Idealvorstellungen anzunähern, jenen »Orden guten Blutes« zu schaffen, dessen Begründung der Reichsführer-SS als das »unverrückbare Gesamtziel« seiner Tätigkeit bezeichnet hat[5]. Der Typus des verhunzten Kleinbürgers, wie ihn insbesondere die Funktionäre der Politischen Organisation repräsentiert hatten, sah sich infolgedessen alsbald abgelöst, und an die Stelle seiner stämmigen und berechnenden Diesseitigkeit trat die zunächst von eher schwärmerisch-strengen Vorstellungen geprägte Figur des SS-Mannes. In bewußter Anlehnung an bestehende Ordenstraditionen setzte Himmler seinen ganzen sektiererischen Ehrgeiz daran, durch Auslese, Schulung und Zucht den nationalsozialistisch und nordisch geprägten Idealtypus hervorzubringen. In einer seiner zahllosen Verlautbarungen zu diesem Thema hat er gefordert, der SS-Mann müsse die »Tradition echten Soldatentums, die vornehme Gesinnung, Haltung und Wohlerzogenheit des deutschen Adels, das Wissen und Können sowie die schöpferische Tatkraft der Industriellen und die Tiefe deutschen Gelehrtentums auf dem Boden rassischer Auslese mit den sozialen Forderungen der Zeit« verbinden[6]. Die zunehmende Betrauung der SS mit terroristisch-polizeilichen Funktionen, wie sie dem totalitären Regime zwangsläufig erwuchsen, hat indes dazu geführt, daß solche Postulate bald nur noch als leerer Anspruch wirkten, der das ordinäre Mordgeschäft modernder Sbirren romantisch verbrämte. Eine höherer SS-Führer hat diese Doppelfunktion mit den Worten umschrieben:

»Die Auslese der neuen Führerschicht vollzieht die SS – positiv durch die Nationalpolitischen Erziehungsanstalten (Napola) als Vorstufe, durch die Ordensburgen als die wahren Hochschulen der kommenden nationalsozialistischen Aristokratie sowie durch ein anschließendes staatspolitisches Praktikum; negativ durch die Ausmerzung aller rassenbiologisch minderwertigen Elemente und die radikale Beseitigung jeder unverbesserlichen politischen Gegnerschaft ...«[7]

Der Widerspruch zwischen Anspruch und Funktion der SS hat nicht zuletzt auch das merkwürdig heterogene Charakterdiagramm ihrer Mitglieder geprägt. Zwar kann die Frage, ob und in welchem Umfange die Wirkungsweise totalitärer Systeme gerade den Typus des zwiegespaltenen Menschen verlangt, in dieser zusammenfassenden Betrachtung nicht näher untersucht werden. Immerhin hat ihm die SS, als die utopische Vorhut des Nationalsozialismus, den kalten Perfektionismus ihrer Zukunftswelt in einem Maße zu danken, der einen solchen Zusammenhang nahelegt. In den verschiedentlich beschriebenen

Phänomenen des »Zwiedenkens« oder »Zwieverhaltens« ist der gleiche psychologische Tatbestand, wenn auch vorwiegend mit dem Blick auf die kommunistische Welt, analysiert worden. Erscheinungen wie Rudolf Höß, Otto Ohlendorf oder Adolf Eichmann haben diese Figur des total verfügbaren Menschen, der das schlechthin Unvereinbare ohne jeden Anflug innerer Bedrängnis ins Gleichgewicht zu bringen vermag, jeder auf seine bestürzende Weise, repräsentiert. Die tägliche Mordpraxis und eine fast zärtliche Familienbeziehung, Erörterungen über die Verbesserung der »feuerungstechnischen Kapazität« der Verbrennungsöfen und die fast sprichwörtlich gewordenen Hausmusikabende bei Kerzenlicht, sinnlose Härten und Schikanen gegenüber den Opfern und ein strenges Ethos der »Anständigkeit«, das sich beispielsweise über Diebstähle unter den jüdischen Lagerinsassen tief entrüsten konnte –, das alles stand unvermittelt nebeneinander, und wenn Rudolf Höß in seinen nachgelassenen Aufzeichnungen klagt, daß er doch auch »ein Herz« gehabt habe und »nicht schlecht« gewesen sei, so wirkt das eben darum so erschreckend, weil es in gewissem Sinne die Wahrheit ist. Äußerste Gefügigkeit nach oben und Unbeugsamkeit nach unten, Unsicherheit in der Sphäre persönlicher Entscheidungen und entschlossene Kaltblütigkeit im Einsatz, Sentimentalität im privaten Bereich und Gefühlsarmut im Dienst, das Vermögen, sich aufzuspalten und doch in Übereinstimmung mit sich selbst zu sein: aus solchen und zahlreichen ähnlich gelagerten Gegensatzpaaren lassen sich die Ansatzpunkte zu einer Psychologie dieses Typus gewinnen. Sein Anlehnungsbedürfnis, das ein Ausdruck fehlender Persönlichkeitssubstanz war, wurde durch das absichtsvoll geförderte Bewußtsein der allgegenwärtigen Bedrohung noch verstärkt, so daß sich das Gefühl der Sicherheit, wo überhaupt, nur zusammen mit der blinden Vollzugstreue einstellte. »Menschliche Regungen«, so vermerkte Rudolf Höß, seien ihm »beinah wie Verrat am Führer« vorgekommen[8].

Im Gegensatz zu der verbreiteten Vorstellung, die den totalitären Systemen eine monolithische Geschlossenheit ihres Machtgefüges nachrühmt, sind sie strukturell überwiegend chaotisch. Hinter der Fassade verschworener Gemeinsamkeit wuchern die Rivalitäten, die Feindschaften, die Intrigen, und die voraufgegangenen Kapitel haben dafür eine Fülle von Belegen erbracht. Das Grundgefühl der Unsicherheit, das gerade in den führenden Rängen wirksam ist, treibt jeden einzelnen zu im Grunde nichtigen Anstrengungen persönlicher Absicherung, die von der Autoritätsspitze nicht nur geduldet, sondern eher noch unterstützt werden; denn wo angesichts der ausschließlichen Kompetenz des einen Führers alle übrigen Kompetenzen belanglos werden, darf jeder sich nach eigenem Vermögen seine Einflußdomänen schaffen, die wiederum vom Ehrgeiz, von der Eifersucht der Mitbewerber und notfalls auch durch gesteuerte Verlagerungen der Machtgewichte hinreichend in Schach gehalten werden. Noch heute fällt es mitunter schwer, das bizarre Durcheinander in den Beziehungen der Führungskräfte des Dritten Reiches aufzudecken und die unterschiedlichen Motivstrukturen, die den gegenseitigen Abneigungen das Gepräge gaben, in ihren wechselnden Frontstellungen zu dechiffrieren. In den verbissenen Machtkämpfen vor dem Throne Hitlers stand jeder irgendwann gegen jeden, Göring gegen Goebbels, Goebbels gegen Rosenberg, Rosenberg gegen Ley (er versucht, »mich hinter meinem Rücken um mein Lebenswerk zu bringen«[9]) und Bormann, Bormann gegen Frank, Frank gegen Himmler und alle gegen alle. Die ständigen Fehden um die außenpolitische oder propagandistische Zuständigkeit haben, mit teilweise grotesken Zügen, die Folgen dieses »Multicaesarismus« deutlich gemacht. Nicht zu Unrecht fühlte Charles Dubost, der stellvertretende französische Hauptankläger in Nürnberg, sich an »die kleinen Höfe der italienischen Renaissance« erinnert[10].

Hitler hat diese Anarchie der Rivalitäten immer gefördert; sie war, von Beginn seiner Laufbahn an, eines der verläßlichsten Mittel seiner innerparteilichen Erfolgstaktik. Nicht zuletzt deshalb blieb er, auch im realen Machtsinne, bis zum Ende der ausschließliche Bezugspunkt, die dynamische Mitte der »Bewegung«, Wirkungsachse einer großen zentripetalen Kraft, die den Lauf der Trabanten bestimmte und das System der Gleichgewichtslagen zwischen ihnen herstellte. Jede Veränderung, jede Bewegungsphase, Aufstieg oder Untergang waren auf ihn hin orientiert, »ihr Licht war der Widerschein seines Lichts«[11]. Angesichts der Erscheinung Hitlers wird denn auch, nachdrücklicher als irgend sonst, der psychologische Grundtatbestand sichtbar, der seine gesamte Anhängerschaft unter den vielfach wechselnden persönlichen Vorzeichen miteinander verband: die personale Leere, der Mangel an fester individueller Prägung, an humanem Maß schließlich. Die Elemente des totalitär disponierten Menschen, die sich im Verlauf dieses Überblicks ergaben: seine Voraussetzungslosigkeit, seine Kontaktschwäche und Labilität, der aggressiv betonte Charakter seiner Vorurteile, die Triebbestimmtheit, die Gespaltenheit und seine Führervergottung ebenso wie seine Menschenverachtung sind immer wieder zurückführbar auf den einen Befund personaler Armut.

Nicht nur in der Richtungslosigkeit, die den meisten der Lebensläufe bis zur Begegnung mit Hitler eigen ist, wird dieser Sachverhalt greifbar, sondern noch in den abseitigsten Neigungen: in der verbreiteten Suche beispielsweise nach historischen »Vordermännern«, so wenn Himmler sich als Reinkarnation Heinrichs I. betrachtete und aus den eigenen Reihen nicht ungern die Bezeichnung »der schwarze Herzog« hörte oder Rosenberg sich als geistiger Nachfahre Heinrichs des Löwen, Friedrichs des Großen und Bismarcks feiern ließ[12]. »Warum liebt der deutsche Mensch Adolf Hitler?« hat Robert Ley 1942 in einer Rede im Berliner Sportpalast ausgerufen und mit der keineswegs nur für ihn selbst bezeichnenden Wendung geantwortet: »Weil er sich bei Adolf Hitler geborgen weiß – das Gefühl der Geborgenheit, das ist es!« Die starken Gesten und die großen Worte, die sie alle zu handhaben wußten, haben lange die Einsicht verdeckt, daß sie nichts anderes als Projektionen des hitlerschen Willens gewesen sind. Vor allem die Generation der Miterlebenden war immer wieder versucht, die individuelle Bedeutung der Gefolgsleute Hitlers an der Macht des Regimes zu messen. Erst der Prozeß, der ihnen gemacht wurde, hat die Wahrheit ihrer nur von Hitler ausgeliehenen Statur enthüllt. Vor den Schranken des Gerichts erschien (von wenigen Ausnahmen wie Göring oder Speer abgesehen) eine aufgelöste, gesichtslose Herde von Unpersönlichkeiten, denen nicht einmal die Millionen Opfer, die ihre Herrschaft gekostet hatte, ein flüchtiges Gewicht zu geben vermochten. Nie waren sie, die doch immerhin erst ein Volk, dann einen Erdteil unterworfen und die Welt herausgefordert hatten, mehr als Protuberanzen ihres Führers Hitler gewesen. Sie waren keineswegs groß und grausam, wie eine im Naheliegenden verhaftete Vorstellungsweise vermutet hatte; auch die meist polemisch gefärbten Urteile, die ihnen geistige Unbeweglichkeit oder gar Dummheit vorgeworfen haben, verkennen den Kern des Problems; denn der Gleichmut, mit dem sie alle das widerspruchsgesättigte Theoriewerk der nationalsozialistischen Weltanschauung hinnahmen, war weniger in mangelnden intellektuellen Fähigkeiten als vielmehr im Zynismus von Machtpraktikern begründet, die Ideologien nicht glaubten, sondern benutzten. Die in Nürnberg veranstalteten Testuntersuchungen haben denn auch bei der Mehrheit einen überdurchschnittlichen Intelligenzquotienten ergeben[13]. In Wirklichkeit waren sie weder bedeutend, noch primitiv, sondern einfach leer, fremden Zwecken offen und bereit, sich mißbrauchen zu lassen: ausgelaugte Existenzen, Menschenhüllen, deren Schwäche der konstituierende Beitrag zur Herrschaft Hitlers gewesen war. »Alles (lag) in einem mich mitreißenden mächtigen Schicksal beschlossen«, hat einer der Angeklagten versichert[14]. Der Prozeßverlauf bestätigte auch, was mit diesen Bemerkungen schon angedeutet ist: daß sie sich nicht einmal einer Idee verschworen fühlten, so daß alles, Gewalt, Krieg und Völkermord, am Ende den Charakter eines Irrtums, eines schrecklichen Mißverständnisses annahm, vor dessen Folgen sie sich achselzuckend fortstehlen wollten. Dem vorherrschenden Typus, wie er vor allem auch in den Nürnberger Nebenprozessen zum Vorschein kam, fehlte selbst die kriminelle Unbedingtheit, er hatte die kleinbürgerlichen Haltungen und Antriebe seines Ursprungs bewahrt; sein Fanatismus war besinnungslose Tüchtigkeit. Pedantisch, mit einer mörderischen »Liebe zur Sache«, hatte er stets nur getan, was er als seine Pflicht begriff, und war, wie Himmler oder Höß, schlechthin unfähig, seinen furchtbaren Ruf zu begreifen. Statt des von aller Welt erwarteten »Tieres aus der Tiefe« erhob sich von den Bänken der Angeklagten immer nur die platte »Normalität«. Man hat in den ersten Jahren nach dem Zusammenbruch des Regimes, noch verlegen um die Entschlüsselung seines Wesens, von einer »Krisis des Faustischen« gesprochen und den Nationalsozialismus damit als ein Phänomen übermenschlichen Aufbegehrens gedeutet. In solchen Formeln zeigte ein fundamentales Mißverständnis sich an[15]. Nicht Faust, sondern Wagner war die Figur der Krise.

Die Darstellung führender Akteure jener Jahre sollte indessen nicht dazu dienen, eine Gruppe von Sündenböcken zu schaffen, die das geschichtliche Versagen eines ganzen Volkes in die Wüste des Vergessens zu tragen hätte. Diese Sammlung zeitgeschichtlicher Porträtstudien[16] bedarf am Ende des Hinweises auf eine Schuld, die vom Verhalten der nationalsozialistischen Spitzenfiguren nicht erfaßt wird. »Hitler«, beteuerte Hans Frank in Nürnberg, »war der Teufel. So verführte er uns alle.«[17] Solche Wendungen mindern die allgemeine Verantwortung nicht; denn die Wahrheit ist doch, daß ein Volk erst die Bedingungen seiner Verführbarkeit besitzen muß, um sich dem Abenteuer des Totalitarismus hinzugeben. Im Bereich historischer Verfehlung gibt es keine »Teufel«, die unterm selbstkritischen Befragen nicht die Physiognomie des Mannes von der Straße annähmen. Die nationalsozialistischen Führer waren im Grunde nur besonders ausgeprägte Erscheinungen eines Typus, der in der gesamten Gesellschaft anzutreffen war, und das Gesicht des Dritten Reiches war in diesem Sinne das Gesicht eines ganzen Volkes. Denn noch immer ist es so, daß nicht die Vergolder, sondern die Anbeter den Götzen machen. Nichts wäre gefährlicher, so hat ein Historiker unlängst bemerkt, »als jetzt, da die lügenhafte Legende *von* Hitler zerstört ist, eine neue Legende *gegen* Hitler auf Kosten der Wahrheit und Gerechtigkeit zu züchten. Dazu gehört nicht zuletzt auch, daß man nicht alle Schuld allein ihm und dem Nationalsozialismus zuschiebt«[18]. Unter den Bedingungen, die das Geschehen jener Jahre ermöglichten, wird man an erster Stelle nicht die vielfältigen aktuellen Notstände der zwanziger und beginnenden dreißiger Jahre nennen; sie waren eher Symptome als Ursachen des Versagens. Die Voraussetzungen für totalitäre Herrschaft in einem Lande sind in tieferen Schichten zu suchen, denn sie sind

»die Folge eines irrigen Selbstverständnisses des Menschen«[19]. Man muß nicht zu den Anhängern der These zählen, daß die deutsche Geschichte einen einzigen konsequenten Weg zum Nationalsozialismus bedeute, um dennoch die Elemente jenes Versagens in Entwicklungsketten mit teilweise langen historischen Anlauffristen vorgebildet zu finden. Immer wieder sieht man sich dabei auf das traditionelle deutsche Unverhältnis zur Politik zurückverwiesen: auf jenen fatalen deutschen Bildungsbegriff insbesondere, der das Politische aussperrte, es zum verachteten Geschäft fragwürdiger Erscheinungen oder zu einer Sache der »starken Männer« machte; der den Mangel an bürgerlicher Freiheit durch den Rückzug auf die »innere Freiheit« kompensierte und eine falsche politische Enthaltsamkeit ebenso kultivierte wie ein heroisch durchsetztes Politikbewußtsein; dem nicht der parlamentarische Ausschuß mit seinem Kompromißcharakter, sondern Dürers »Ritter, Tod und Teufel« als Symbol politischer Alltagsbewährung erschien, der seine Orientierungsschwäche als »Tiefe« oder »Gemüt« feierte und der Welt als »deutsche Art und Sendung« entgegenhielt; der den Staat nicht als ein System von Gleichgewichtslagen zur Schonung individueller Freiheitsreservate begriff, sondern als absolute Größe mit weitgehenden Unterwerfungsansprüchen, als ein Sakralwesen, heilig nicht nur als Römisches Reich Deutscher Nation, sondern heilig schlechthin. In solchen und zahlreichen anderen Voraussetzungen, auf die an geeigneter Stelle verwiesen werden konnte, wurde das ideologische Milieu vorbereitet, in dem Hitler seine Wirkungen erst zu entfalten vermochte[20]. Hier hat folglich auch die vielberedete »Bewältigung der Vergangenheit« einzusetzen, sie umfaßt nicht nur die Vergegenwärtigung und Kenntnis der letzten dreißig Jahre. Eine lange und elende Tradition der deutschen Geistesgeschichte, die sich neben ihren humanen Entwicklungen und schließlich zusehends dagegen zu behaupten wußte, ist in jene Erscheinung eingegangen, die wir Nationalsozialismus nennen – er hatte seine Geschichte, längst bevor es eine Geschichte des Nationalsozialismus gab. Ganze Generationen von Universitätslehrern, schriftstellernden Pseudopropheten und vaterländischen Vereinsvorsitzenden haben mitgewirkt, jene Atmosphäre zu schaffen, in der die herrschende Vernunftsfeindschaft, die Verrohung des Lebens, die Korrumpierung sittlicher Maßstäbe nur noch der besonderen politischen Zuspitzungen und des mitreißenden Wortführers bedurften, um ihre zerstörerische Gewalt zu entfalten.

Gewiß ist Hitler heute vergessen, und jenes Nichts einer »Weltanschauung«, mit dem er einen so gewaltigen Aufruhr erzeugte, ist mit ihm dahingegangen. Selbst die Spuren seiner Herrschaft schrecken nur noch wenige. Unter den Dokumenten, die von der psychischen Gewalt seiner Erscheinung zeugen, blieb nicht viel mehr als der Eindruck seiner Stimme, die den Überlebenden eher Gefühle der Verlegenheit als der Faszination bereitet.

»Diese Bestandslosigkeit«, so hat Hannah Arendt in ihrem Buch »Elemente und Ursprünge totaler Herrschaft« bemerkt, »hat sicher etwas mit der sprichwörtlichen Unbeständigkeit der Massen und des Massenruhms zu tun, mehr noch mit der Bewegungssüchtigkeit totalitärer Bewegungen, die sich überhaupt nur halten können, solange sie in Bewegung bleiben, und alles um sich herum in Bewegung versetzen, so daß in gewissem Sinne auch gerade diese Vergeblichkeit den toten Führern kein schlechtes Zeugnis über das Ausmaß ihrer Erfolge in bezug auf die spezifisch totalitäre Infizierung ihrer Untertanen ausstellt; denn gerade diese außerordentliche Umstellungsfähigkeit und Kontinuitätslosigkeit ist, wenn es überhaupt so etwas gibt wie einen totalitären Charakter oder eine totalitäre Mentalität, zweifellos ein hervorragendes Merkmal. Es wäre daher ein Irrtum, zu meinen, daß Unbeständigkeit und Vergeßlichkeit ein Zeichen dafür seien, daß die Massen von dem totalitären Wahn ...geheilt seien; das Umgekehrte könnte der Fall sein.«[21]

Es fällt nicht leicht, in der politischen Wirklichkeit der Gegenwart Beweiselemente zu finden, die den skeptischen Grundton dieser Erwägung widerlegen. Zwar hat das Hitlerregime sich in einem alle historische Erfahrung übersteigenden Maße kompromittiert und, für die Mehrheit des Volkes insbesondere nach dem Ende, Züge offenbart, die sentimental-verklärenden Gefühlsbindungen keinen Raum lassen. Jener verhängnisvollen Neigung, die nicht zuletzt der Weimarer Republik das eigentümliche Gefühlsvakuum beschert und ihr die Lebensmöglichkeiten genommen hat: der Diffamierung der Gegenwart im Zeichen hemmungslos idealisierter Erinnerungskomplexe ist damit der Boden entzogen. Auch begegnet man kaum mehr je romantizistischen, von aggressiven Stimmungen durchsetzten Fluchtvorstellungen in imaginäre Reiche der weiteren Vergangenheit oder der Zukunft, die der politischen Bewußtseinsgeschichte der Deutschen so lange das fatale Gepräge gegeben haben; der unter mancherlei Gestalt und Namen die Phantasie der Nation immer wieder erregende Traum vom »Dritten Reich« ist mit der abschreckenden Gestalt, in der es sich schließlich verwirklicht hat, dahingegangen. Das Deutschland der nachhitlerschen Zeit hat sich zu einer Haltung der Gegenwärtigkeit entschlossen, zu der frühere Generationen immer unfähig schienen und deren Mangel zu den Hauptschwächen des politischen Lebens unseres Volkes zählte. Sie wäre uneingeschränkter Bejahung sicher, wenn daraus nicht weniger das Verlangen spräche, die jüngste Vergangenheit in ihren Voraussetzungen erkennend zu überwinden, als sie vielmehr zu verdrängen. Die sowohl von Ressentiments wie von unkritischer Selbstbeschwichtigung gleichermaßen freie Revision unserer geschichtlichen, politischen und gesellschaftlichen Bewußtseinsinhalte, die Klärung der Beziehung von Geist und Macht, Gesellschaft und Freiheit, die Problematik von Obrigkeit, Gehorsam, staatsbürgerlicher Verantwortung, zivilem Ethos, Widerstand oder moderner Rechtsstaatlichkeit – alle diese und zahlreiche ähnliche Fragenkomplexe sind, auf dem Hintergrund der Erfahrungen mit der nationalsozialistischen Herrschaft, nur in Ansätzen überprüft worden, und es ist kein ermutigendes Zeichen, daß alle diese Begriffe einen abgenutzten Klang erhalten haben. Gewiß ist Hitler tot. Aber er war, trotz allem, zu groß, zu unverleugbar Symptom und Ergebnis spezifischer Fehlentwicklungen unserer Geschichte, zu sehr »in uns selbst«, als daß das Vergessen eine angemessene Reaktion wäre. Der totalitäre Infekt überdauert in vielen, oft unscheinbar anmutenden Äußerungsformen die Phase seiner eigentlichen Wirksamkeit. Die weltweite politische Entwicklung der Nachkriegszeit hat dem deutschen Volk, zumindest in der Bundesrepublik, eine Schonzeit gewährt, in der es die Bewährungsprobe auf ein verändertes Bewußtsein noch nicht zu leisten hatte. Möglich ist immerhin, daß die nicht selten apologetisch ins Treffen geführte »politische Vernunft« unseres Volkes nur der Reflex »vernünftiger« Umstände ist. Die Antwort steht noch aus, doch wer wollte diejenigen tadeln, die ihr mit Besorgnis entgegensehen?

Anmerkungen

1 Zu diesem gesamten Komplex H. Rauschning: Gespräche mit Hitler. Zürich – Wien – New York 1940. Vierter unveränderter Neudruck, S. 89ff.

2 Zit. bei R. Semmler: Goebbels – the Man next to Hitler. London 1947, S. 86.

3 So O. Dietrich: 12 Jahre mit Hitler. München 1955, S. 33. Ein anschauliches Beispiel für die Bevorzugung der jeweils härteren Naturen bietet der Streit zwischen Erich Koch und Alfred Rosenberg während des Krieges über die Politik in den Ostgebieten.

4 W. v. Oven: Mit Goebbels bis zum Ende, Bd. II ..., S. 299.

5 Ansprache Himmlers an das Offizierskorps der Leibstandarte-SS Adolf Hitler vom 7. September 1940; zit. nach IMT XXIX, S. 109 (1918–Ps).

6 Vgl. F. Kersten: Totenkopf und Treue. Heinrich Himmler ohne Uniform. Aus den Tagebuchblättern des finnischen Medizinalrats Felix Kersten. Hamburg o. J., S. 304.

7 Äußerung eines SS-Führers der Ordensburg Vogelsang im Herbst 1937; zit. bei E. Kogon: Der SS-Staat. Das System der deutschen Konzentrationslager. Berlin 1947 , S. 20. Vgl. dazu auch die von Kersten, a. a. O., S. 298ff., berichteten Äußerungen Himmlers über die Waffen-SS, die freilich auch zahlreiche allgemeine Prinzipien und Auslesegrundsätze enthalten. Zur Doppelfunktion der SS ferner: Reinhard Heydrich: Wandlungen unseres Kampfes. München 1935, insbes. S. 20.

8 Kommandant in Auschwitz. Autobiographische Aufzeichnungen von Rudolf Höß. Eingel. und kommentiert von M. Broszat, S. 129.

9 Vgl. Das politische Tagebuch Alfred Rosenbergs aus den Jahren 1934/35 und 1939/40, hrsg. und erläutert von Dr. H.-G. Seraphim. Göttingen 1956, S. 78.

10 IMT XIX, S. 604f.

11 A. Bullock: Hitler, der Feldherr. Eine Studie über Tyrannei. Düsseldorf 1959, S. 734. Goebbels bemerkte mit einem ähnlichen Bild: »Es ist schon so: nur ein paar Flammen brennen in Deutschland. Die anderen werden lediglich von ihrem Schein bestrahlt«. Vgl.: Vom Kaiserhof zur Reichskanzlei. Eine historische Darstellung in Tagebuchblättern. München 1934, S. 17 (Eintrg. vom 4. Jan. 1932). Fast die gleiche Bemerkung taucht ziem-

lich genau ein Jahr später, am 3. Jan. 1933, in diesem Tagebuch noch einmal auf; vgl. a. a. O., S. 233

12 Vgl. F. Th. Hart: Alfred Rosenberg. Der Mann und sein Werk.[3] 1937, S. 58f.; ferner F. Kersten, a. a. O., S. 190.

13 Dazu G. M. Gilbert: Nürnberger Tagebuch. Frankfurt/M. 1962, S. 35f.

14 So Ernst Kaltenbrunner, zit. bei C. Haensel: Das Gericht vertagt sich. Aus dem Tagebuch eines Nürnberger Verteidigers. Hamburg 1950, S. 166.

15 Johannes Pinsk: Krisis des Faustischen. Berlin 1949. Vgl. in diesem Zusammenhang auch die treffende Kritik, die Helmut Heiber in seinem Buch: Joseph Goebbels. Berlin 1962, S. 415, an den Dämonisierungstendenzen übt, wie sie der Diskussion sowohl innerhalb der deutschen als auch der ausländischen Öffentlichkeit das merkwürdig gleichartige Gepräge gaben.

16 die der Gegenstand des Bandes sind, dem dieser Beitrag entnommen wurde.

17 Hans Frank zu G. M. Gilbert, vgl. Nürnberger Tagebuch, a. a. O., S. 145.

18 So H. H. Hofmann; Der Hitlerputsch. Krisenjahre deutscher Geschichte 1920–1924. München 1961, S. 278.

19 H. Buchheim: Totalitäre Herrschaft. Wesen und Merkmale. München 1962, S. 85.

20 Vgl. dazu Ernst Weymar: Das Selbstverständnis der Deutschen. Ein Bericht über den Geist des Geschichtsunterrichts der höheren Schulen im 19. Jahrhundert. Stuttgart 1963, der die Verantwortung der deutschen Bildungstradition für die Anfälligkeit breiter Schichten gegenüber dem Nationalsozialismus herausarbeitet bzw. mit reichem dokumentarischem Material belegt. Einen Hinweis verdient an dieser Stelle auch die hervorragende Arbeit von Hans Schwerte: Faust und das Faustische. Ein Kapitel deutscher Ideologie. Stuttgart 1962. In einem Anhangskapitel enthält das Buch auch eine Analyse des Ideologisierungsprozesses, dem sich das im Text erwähnte Dürer-Bild »Ritter, Tod und Teufel« ausgesetzt sah.

21 H. Arendt: Elemente und Ursprünge totaler Herrschaft. Frankfurt/M. 1955, S. 456.

Iring Fetscher
Die Gefahr der Phantasielosigkeit und das Argument des Utopismus

Mit dem Ruf »L'imagination au pouvoir« zogen vor genau zehn Jahren Pariser Studenten durch die Straßen. Die Phantasie hat die Macht nicht ergriffen. Vermutlich, weil es den meisten an Phantasie fehlt, um so etwas sich auch nur vorzustellen. Vielleicht macht aber auch umgekehrt der Besitz von Macht phantasielos. Die Ohnmächtigen können sich erträumen, was alles sie täten, wenn sie nur Macht hätten. Die Machthaber tun alles, um ihre Macht zu erhalten. Und das ist natürlich kein besonders phantasievoller Zweck. In Wirklichkeit tun sie nicht nur alles, um ihre Macht zu erhalten, sondern auch alles, um die Verhältnisse zu erhalten, denen sie ihre Macht verdanken. Oder doch die Umstände, von denen sie – zu Recht oder Unrecht – annehmen, daß sie ihnen ihre Macht verdanken.

Manchmal kann man einfachen Einsichten einen neuen Aspekt abgewinnen, wenn man sie in eine andere Sprache übersetzt. Karl Deutsch hat als Definition von Macht in der Sprache der Systemtheorie vorgeschlagen: Macht bedeutet, »nicht lernen zu müssen«. Ein System ist um so mächtiger, je weniger es auf seine Umwelt Rücksicht nehmen muß. Eine Großmacht kann sich z. B. ein verzerrtes (unrichtiges) Bild des Restes der Erde leisten, weil sie keine Rücksicht auf diese politische Umwelt zu nehmen braucht. Mir scheint aber, Macht dispensiert nicht nur – in einem gewissen Umfang – vom Postulat des Lernenmüssens, sondern schränkt auch ihrerseits Lernfähigkeit und Phantasie erheblich ein. Lassen Sie mich das an zwei Beispielen – einem aus den USA und einem aus Ungarn – illustrieren. Vor einer Reihe von Jahren veröffentlichte die Rand-Corporation in Kalifornien eine Studie über die Welt im Jahre 2000 und 2100[1]. Dieser Studie lag die Befragung von Hunderten erstklassiger Experten auf allen möglichen Gebieten der Naturwissenschaft, Technologie und Sozialwissenschaft zugrunde. Einige Annahmen muteten beim ersten Lesen wie die Resultate kühner Phantasien an. So hieß es etwa, daß man im 21. Jahrhundert Raumfahrzeuge haben werde, durch die das Schwerefeld der Erde verändert und Instrumente, mit deren Hilfe man in den Köpfen der Führer einer feindlichen Macht »lesen« könne. Delphine waren zur U-Boot-Entdekkung und -Bekämpfung abgerichtet und vieles andere mehr, was die Verfasser von Science-Fiction-Romanen erfreut.

Dennoch erschien mir die Studie im ganzen nicht durch ein Übermaß, sondern durch einen erstaunlichen Mangel – oder richtiger gesagt durch eine charakteristische Einschränkung – der Phantasie gekennzeichnet zu sein. Die Teilung der Welt z. B. in zwei feindliche Lager, von denen das eine durch die Sowjetunion, das andere durch die USA geführt wird, sowie die sozioökonomische Struktur der beiden konkurrierenden und konfligierenden Gesellschaftssysteme war als vollkommen unverändert unterstellt worden. Kein einziger – oder doch keine statistisch relevante Anzahl von Experten – hatte offenbar *diesen* Zustand als veränderlich angesehen. Das Zukunftsbild, das sich aus der Rand-Studie ergab, war das Resultat einer schlichten Extrapolation aus den vorhandenen Entwicklungstrends von Wissenschaft und Technik – plus ein paar »wissenschaftlich-technische« Durchbrüche, die in der gleichen Richtung liegen. Um aber eine gerade Linie zu verlängern, braucht man nicht besonders viel Phantasie.

Die kritischen Erfahrungen, die einige ungarische Schüler von Georg Lukács mit der Planökonomie ihres Landes (und anderer Länder des »real existierenden Sozialismus«) gemacht haben, lassen uns ein zweites Beispiel ganz ähnlicher Phantasielosigkeit kennenlernen. Anstatt sich nämlich die Fragen zu stellen: »Wie wollen die Menschen künftig leben? Wie wollen sie arbeiten? Welche konkreten Gebrauchsgegenstände wollen sie haben? Welche Dienstleistungen brauchen sie? Und wie muß folglich die Wirtschaft unseres Landes planmäßig entwikkelt werden, damit diese Ziele möglichst rasch erreicht werden können?« Anstelle all dieser Fragen, zu deren Beantwortung nicht nur eine umfassende Befragung, Aufklärung und Diskussion mit der Bevölkerung, sondern auch ein gewisses Maß von antizipierender Phantasie gehört hätte, begnügten sich die leitenden Planer mit der Fixierung bestimmter quantitativer Wachstumsraten und extrapolierten die beobachtbaren Entwicklungstrends der eigenen Wirtschaft, die man entsprechend in die Zukunft hinein verlängerte. Zusätzlich benutzten sie darüber hinaus Daten, die der Statistik bereits entwickelterer (kapitalistischer) Industrieländer entnommen worden waren. Im großen und ganzen also das gleiche Verfahren, das auch die »Experten« der Rand-Studie benützt hatten.

Warum können westliche Experten und östliche Planer so wenig Phantasie entwickeln? Warum können sie sich eine *qualitativ entscheidend veränderte Zukunftsgesellschaft* nicht vorstellen? Ich vermute, vor allem weil beide so viel Macht haben oder sich so vollständig mit ihren Machthabern identifizieren, daß ihre Phantasie darunter notwendig leiden mußte. Macht und Phantasie, so sagte ich schon, gehen offenbar selten zusammen. Phantasielosigkeit ist aber kein ungefährlicher Mangel. Er wird dann gefährlich, wenn die phantasie- und gedankenlose Verlängerung »naturwüchsiger« (und nach dem Muster naturwüchsiger Entwicklung geplanter) Entwicklung zu katastrophalen Folgen führen muß, eine alternative Entwicklung aber – weil man sie sich einfach nicht vorzustellen vermag – für unmöglich gehalten und dementsprechend nicht gefördert wird.

Ökonomen sagen uns immer wieder, daß ohne quantitatives Wirtschaftswachstum unser Wohlstand nicht gehalten und Vollbeschäftigung nicht garantiert werden könne. Wachstum aber – so lautet der logisch nächste Gedankenschritt – ist nur unter der Voraussetzung gesteigerter Energieversorgung zu gewährleisten. Zusätzliche Energie in ausreichendem Maße und zu erträglichen Kosten kann nur durch Kernreaktoren (und schnelle Brüter) gewonnen werden, wenigstens während einer Übergangsperiode von 20 bis 30 Jahren, bevor wir imstande sein werden, durch Kernfusion Energie zu erzeugen. Unsere Experten geben auch zu, daß mit dieser Entwicklung einige Risiken verbunden sind, behaupten aber, sie seien im Grunde nicht größer als die Risiken von Technologie überhaupt und könnten unter Kontrolle gehalten werden[2]. Hinter dieser Argumentationskette aber steht die unerschütterliche These: Eine von der Bevölkerung akzeptierbare Alternative zu dieser Entwicklung gibt es nicht, und das erhöhte Risiko sei daher der Preis, den alle für die Sicherung künftigen Wohlstands zu zahlen hätten.

Phantasielosigkeit (Mangel an Einfallsreichtum) zeigt sich an solchen Thesen an mehr als einer Stelle: 1. Klaus Meyer-Abich hat unlängst[3] nachgewiesen, daß selbst bei Annahme eines ständig wachsenden Bedarfs an Wohnungswärme und heißem Wasser, dieser Bedarf durchaus auch mit geringerem oder höchstens gleichbleibendem Heiz-Energieaufwand befriedigt werden könnte, wenn alle vorhandenen Möglichkeiten sparsameren und effektiveren Energieeinsatzes für Heizzwecke und alle Chancen besserer Wärmedämmung genützt würden. Die erste Phantasielosigkeit besteht also darin, zu unterstellen, daß ein nachgefragtes Gut – hier z. B. Wohnungswärme und warmes Badewasser – nur mit dem *gegenwärtig* zu seiner Bereitstellung *notwendigen Energieaufwand* beschafft werden könnte. Exakte Untersuchungen haben die Unhaltbarkeit dieser (stillschweigend von Statistikern, die den »künftigen Bedarf« errechnet haben, unterstellten) Annahme erwiesen.

2. Zweite Phantasielosigkeit: Fast alle Studien über den künftigen Energiebedarf gehen davon aus, daß bisher nicht genützte und erschlossene Energiequellen – wie Wind- und Sonnenenergie, geothermische Energie, Biogasenergie usw. – nur marginal und in völlig unzulänglichem Umfang herangezogen werden könnten. Da derartige Technologien bisher nur wenig entwickelt sind, können sich offenbar viele Ökonomen einen erhöhten Beitrag dieser Techniken zur allgemeinen Energiebeschaffung einfach nicht vorstellen. Ihre Kostenberechnungen sind im übrigen in der Regel schon allein deshalb defizient, weil sie die Kosten, die durch die Notwendigkeit der Beseitigung von Umweltschäden bei den bisher benützten Energiearten auftauchen, gar nicht oder nur ungenügend berücksichtigen. Würde man nämlich diese – im allgemeinen von Einzelunternehmungen auf die Öffentlichkeit abgewälzten – Kosten in die Kalkulation einbeziehen, würde sich das Bild zugunsten alternativer Energieträger (die umweltfreundlich sind) ganz erheb-

lich verschieben und damit auch deren Rentabilität in einem ganz anderen Lichte erscheinen lassen. Die von K. William Kapp (1910–1976) schon seit vielen Jahren hervorgehobene Unzulänglichkeit betriebswirtschaftlicher Rentabilitätsberechnungen ist noch längst nicht allgemein akzeptiert. »Obwohl die Beweise überall herum zu sehen waren, haben wenige Sozialwissenschaftler, einschließlich der Ökonomen, uns vor den Gefahren gewarnt, die der Tatsache innewohnen, daß Produktion und Wirtschaftswachstum besonders unter dem Einfluß moderner Technologien dazu neigen, soziale Kosten hervorzurufen, welche in den privatwirtschaftlichen Ausgaben nicht verbucht sind.«[4]

3. Dritte Phantasielosigkeit – sie erscheint mir die größte. Sie besteht in der Annahme, daß unsere *Lebensgewohnheiten* und im Zusammenhang mit ihnen die ständig wachsende Nachfrage nach immer mehr Waren und warenförmigen (oder auch staatlich verteilten) Dienstleistungen in ihrer heutigen Tendenz unveränderbar sei. Damit kombiniert ist die – eigentlich durch Erhebungen über wachsende Neurotisierung und zunehmendes Unbehagen trotz erhöhter Konsummöglichkeiten widerlegte – Erwartung, daß diese Trends dem Streben nach dem »guten Leben« oder dem »größtmöglichen Glück der größtmöglichen Zahl« (Bentham) entsprechen. Man könnte die hiermit zum Ausdruck kommende Phantasielosigkeit als die Unfähigkeit zur Unterscheidung zwischen Konsumsteigerung und Glück kennzeichnen.

Die »Macht«, die zu dieser offensichtlichen Verblendung geführt hat, kann aber nicht vordergründig personal zugerechnet werden. Auch wird es kaum möglich sein, sie durch moralische Appelle allein zu überwinden. Es handelt sich nämlich um strukturelle Zwänge, die den Reproduktionsmechanismen einer warenproduzierenden und auf ständiges Wachstum angewiesenen Wirtschaft entspringen. Fred Hirsch hat in seiner wichtigen Arbeit »The Social Limits to Growth«[5] nachgewiesen, daß bestimmte, von einer warenproduzierenden Konsumgesellschaft erzeugte Glückserwartungen (und -verheißungen) mit absoluter Notwendigkeit immer wieder frustriert werden müssen. Ja, daß diese stets mitproduzierte Versagung (Enttäuschung) gleichsam den wichtigsten Motor für die ungeheuere Dynamik dieses Wirtschaftssystems darstellt.

Er unterscheidet, um diesen Zusammenhang klarzumachen, zwei Arten von Gütern: *materielle* Güter und *»positionelle«*. Als materielle Güter bezeichnet er diejenigen, die der Befriedigung direkt-materieller Bedürfnisse dienen. Positionelle Güter dagegen dienen – auch wenn sie zum erheblichen Teil gleichfalls »materiell« sind – in erster Linie der Befriedigung von »Prestige«, der Steigerung des gedrückten Selbstgefühls, der Erringung von Anerkennung, von Ansehen und Bewunderung. Während nun bei der ersten Art von Gütern durch Hebung der Produktivität der Wirtschaft relativ bald eine gewisse Sättigung erreicht werden kann, ist das bei der zweiten Art *prinzipiell* (nicht nur auf Grund des »Mangels«) unmöglich. Das »positionelle Gut« ist genausviel für den einzelnen wert, als es ihm einen *Vorsprung* gegenüber anderen verschafft. Da in einer hierarchisch strukturierten Gesellschaft real hoher sozialer Status notwendig immer nur einer Minderheit vorbehalten sein kann, wird in ihr – besonders dann, wenn die Rangstufen als prinzipiell für alle *erreichbar* gelten – bei der großen Mehrheit der Bevölkerung ein hoher Bedarf an *Status-Surrogaten* in Warenform entstehen. Derartige Status-Surrogate und -Symbole können große Autos, luxuriöse Wohnungen, teure Fernreisen, elegante modische Anzüge und Kleider usw. sein. Der Wert dieser Status-Symbole und -Surrogate ist aber umgekehrt proportional zu ihrer Erreichbarkeit: Je mehr Personen sich ein Gut »leisten« können, desto tiefer fällt der positionelle Wert, um dessentwillen das Gut ja gerade in erster Linie erstrebt worden war. Der von der Werbung ständig weiter angeheizte und von entsprechenden Waren »versprochene« Erfolg im Wettlauf nach dem für die eigene niedrige »Rangstufe« *kompensierenden* Gut muß daher notwendig scheitern. Ähnlich wie dem Hasen in seinem Wettlauf mit der Igel-Familie ergeht es dem durch Prestigekonsum »nach oben Strebenden«. Wann und wo immer er ankommt, sein »Vordermann« war schon vor ihm da (und ist inzwischen längst anderswohin unterwegs).

Ein besonders perverses Resultat dieses allgemeinen Wettlaufs nach »positionellen Gütern« wird von Fred Hirsch beschrieben: Je größer der Wohlstand einer Gemeinde in den USA, desto größer auch der organisierte Widerstand gegen jeden Einkommenstransfer zugunsten benachteiligter sozialer Schichten. Das heißt: Gerade dort, wo der Abstand gegenüber dem lebensnotwendigen Einkommensminimum am größten ist, ist die Bereitschaft zu altruistischer Hilfe (zu »Solidarität«) am geringsten. »This resistance to redistribution in itself can be considered perverse, since in western civilization *one would not expect either altruism or concern for the community to be inferior goods, diminishing in demand as income rises.* Common observation of the frequency of laments for the decline of both these attitudes suggests they are not.«[6] Ursache dieses Phänomens ist, ebenfalls nach Fred Hirsch, »*intensified competition for positional goods* and privatization of common access facilities«. Je mehr jemand hat, um so brennender empfindet er offenbar das Bedürfnis, es den »noch mehr Besitzenden« gleichzutun, desto größer daher sein Bedarf an zusätzlichen Mitteln für die Beschaffung immer neuer »positioneller Güter«.

Eine wichtige Konsequenz dieses endlosen Wettlaufs um positionelle Güter ist die zunehmende *Umweltzerstörung* wie die mit ihr gleichzeitig einhergehende *seelische Schädigung*. Die Gesellschaft als ganze (und in ihr wiederum vermehrt die sozial Schwachen) muß die Lasten tragen, die aus dem überhandnehmenden Primat der Kommerzialisierung aller Güter und Dienstleistungen und der ständig sich steigernden Suche nach »positionellen Gütern« resultiert. »The perverse result is to encourage further the expansion of material production, while worsening the environmental conditions in which the products are used.«[7] Dieser Zusammenhang kann am einleuchtendsten am Exempel des Wechselspiels von zunehmendem Straßenbau und wachsender Motorisierung der Bevölkerung illustriert werden:

Straßen und Autobahnen, die zur Bewältigung des wachsenden Verkehrsaufkommens notwendig sind, verringern die Lebensqualität für Bewohner von Vororten, Dörfern und sonstige Anrainer. Damit werden Nichtmotorisierte vermehrt motiviert, ihrerseits sich des Autos zu bedienen, um wenigstens in der weiteren Umgebung noch Erholungsgebiete bequem erreichen zu können, und vielleicht auch um die neuen Kommunikationsmöglichkeiten zu nützen. Nach einer Weile wiederholt sich dann in dieser Umgebung – jedenfalls an Sonn- und Feiertagen – das gleiche Schauspiel. Eine weitere Welle von Verkehrsgeschädigten wird in ihrer Lebensqualität beeinträchtigt und in die »Flucht getrieben«. Die Zunahme der Ferienfernreisen kann man – zumindest auch (abgesehen von dem gewiß überwiegenden Prestigegesichtspunkt) – auf das Bedürfnis nach »unberührter Natur«, stiller, erholsamer Umgebung zurückführen. Freilich ist diese kaum noch dort zu finden, wo der Massentourismus mit seinen Jumbojets landet.

Wer außerstande ist, sich einen anderen »Lebensstil« vorzustellen, andere Formen der Glückssuche als die gegenwärtigen, der ist offenbar unlösbar an dieses soziale und ökonomische System mitsamt seinen Perversitäten gebunden. Dem erscheinen notwendig alle »alternativen Entwürfe« als ebenso viele unrealistische »Utopien«, als sinnlose Ausgeburten der realitätsblinden Einbildungskraft hoffnungsloser Außenseiter.

»Soyons réalistes – demandons l'impossible« – so lautete eine andere Losung jenes verfrühten Aufbruchs von 1968. Verfrüht, so erscheint es mir heute, weil diese Bewegung offenbar sich selbst und ihre eigentlichen Ziele noch nicht recht verstand, nicht aber weil es nicht schon längst an der Zeit wäre, dem scheinbaren »Realismus« der sogenannten »vernünftigen Leute« den Rücken zu kehren, um die real durchaus möglichen Alternativen anzustreben und auszuprobieren. Das Unmögliche – in den Augen der vielen angeblichen Realisten – könnte nämlich gerade das sein, was uns vor den katastrophalen Folgen der phantasielosen Planer und der planlosen Weitermacher bewahrt.

Wer das kompetitive Streben nach Maximalkonsum und Prestige nicht als generelle Norm anerkennt, dem wird nicht nur Utopismus, sondern oft genug auch noch der elitäre Wunsch nach Bevormundung der Bevölkerung – also mangelnder Demokratismus – vorgeworfen. Diejenigen aber, die Milliardenbeträge für Konsumartikelwerbung aufwenden, um aus den unbewußten Sehnsüchten der Individuen einer hierarchisch strukturierten – formell egalitären – Gesellschaft Nachfrage nach Waren zu machen, gelten als menschenfreundliche Wohltäter. Sie sind aber in der Tat nur unentbehrliche Räder im Getriebe des Wirtschaftssystems der hochentwickelten Industrieländer. Wer das Resultat dieses kontinuierlich stattfindenden Transformationsprozesses in Frage stellt, leugnet nicht notwendig die zugrunde liegenden Sehnsüchte und Bedürfnisse, sondern meint lediglich, daß sie auf diesem Wege zwar erfolgreich ausgenützt, aber nicht wirklich befriedigt werden können. Solange allerdings die Warenwerbung und das hinter ihr stehende verlockende Warenangebot gegenüber dem Angebot alternativer Lebensformen ein so erdrückendes Übergewicht hat wie bisher, wird es schwer sein, erheblich größere Teile der Bevölkerung vom manifesten Widersinn ihrer zum Scheitern verurteilten »Glückssuche« oder – mit Fred Hirsch zu sprechen – von der Perversität ihres Weges zu überzeugen. Wenn man sich die Proportionen ansieht, muß es eher schon erstaunlich erscheinen, daß überhaupt schon so viele – vor allem junge Menschen – aus diesem Systemzusammenhang ausbrechen und nach alternativen Formen des Alltagslebens suchen.

Wie sollte aber im Ernst ein Leben aussehen, das die Möglichkeit von Befriedigung und Glück eröffnet? Glück soll und kann nicht gut »verschafft« oder als Konsumgut »verteilt« werden. Aber die reale Möglichkeit von dauerhaftem Glück, das haben schon die großen Denker der Antike gewußt, ist unter anderem an *demokratische Gemeinschaftsformen* – nämlich aktiver Partizipationsmöglichkeiten – sowie an die Fähigkeit zu *tätiger Muße* geknüpft. Jenseits der Befriedigung der elementaren Lebensbedürfnisse sind – das haben auch die Überlegungen zur Funktion der »positionellen Güter« gezeigt – Anerkennung, Freundschaft, Bestätigung des eigenen Wertes durch die Gruppe, die wichtigsten Voraussetzungen für Zufriedenheit und Glück. Die Menschen sind von Grund auf verschieden, aber aus ihrer Verschiedenheit läßt sich keine Legitimation für Abhängigkeit und Ausbeutung ableiten. Sie sollten sich daher *in ihrer Unterschiedlichkeit als gleichberechtigt*, als *gleich wertvoll* anerkennen. Zu dieser Anerkennung werden sie fähig sein, wenn jeder seine Besonderheit, seine spezifische Fähigkeit wirklich frei entfalten kann. In unserer Leistungs-Konkurrenzgesellschaft werden aber – wie jeder leicht beobachten kann – keineswegs alle Fähigkeiten im gleichen Maße anerkannt und prämiert, sondern vor allem diejenigen, die im Wettbewerb mit anderen Vorteile verschaffen, diejenigen, mit deren Hilfe man Geld machen kann. Güte, Freundlichkeit, Zuwendung, Hilfsbereitschaft – für welche die Gesellschaft keine Prämien anbietet – verkümmern notwendig und werden gering geschätzt. Professionalisiert –, als entlohnte Dienstleistungen verwandeln sie ihren Wert. Güte, für deren Erhalt man Geld bezahlen muß, wäre seelische Prostitution. Immerhin ist noch ein Rest Gefühl dafür vorhanden, daß diese humane Haltung jenseits der Sphäre des Ökonomischen liegen sollte. Und doch – in dem Maße wie spontane menschliche Verbundenheit und Zuneigung zurückgehen und die Individuen unter ihrer seelischen Vereinsamung inmitten der übervölkerten Großstädte erkranken – verwandelt sich auch das bloße Anhören von Klagen, der Zuspruch und die Tröstung in eine privatwirtschaftlich oder öffentlich vermittelte (professionelle) Dienstleistung. Aber nicht nur seelische Haltungen und Verhaltensweisen, auch künstlerische Fähigkeiten – soweit sie nicht ihre Vermarktung erlauben – verkümmern. Diejenigen, die auf Grund ihres zufälligen Talents eine »Marktchance« haben, geraten leicht in die Versuchung, sich zu diesem Talent als »Warenbesitzer« zu verhalten, sie »vermarkten sich selbst«. Eine Haltung, die oft genug zur Qualitätsminderung ihrer Leistungen führt.

Meine Phantasie reicht leider nicht aus, um alternative Gesellschaften – wie Charles Fourier – im Detail mir ausmalen zu können: Gesellschaften, die eher und mehr Glücksmöglichkeiten eröffnen würden als die so ungemein dynamischen und erfolgreichen kapitalistischen Industriegesellschaften unserer Tage mit ihrem massenhaften, vielfach uneingestandenen, Unbehagen, ihren Neurosen und ihren ausgegrenzten »Unangepaßten« – müßten jedenfalls erheblich anders aussehen. Am ehesten kann ich noch eine Liste mit Postulaten aufstellen, die in fast jeder Hinsicht eindeutige *Gegenforderungen zum Status quo* enthält:

1. Die Gesellschaft müßte »enthierarchisiert« werden.

Funktionale Eliten dürften nicht zugleich auch noch ökonomisch privilegiert sein. Sie müßten im Gegenteil auf einen Teil ihres erhöhten Anspruchs auf Konsumgüter verzichten, um andere Gesellschaftsangehörige für deren positionelle Benachteiligung zu entschädigen. Vielleicht könnte man auch an eine rasche Zirkulation der Angehörigen solcher – bis zu einem gewissen Grade vermutlich auf lange Zeit hinaus unentbehrlicher – Eliten denken, durch die die Frustration von Nicht-Eliten verringert würde.

2. Jenseits der Befriedigung der materiellen Grundbedürfnisse, die für alle prinzipiell gesichert sein müßte, sollte der Nachdruck auf die *Gestaltung der Arbeitsbedingungen* und nicht mehr auf die Erzielung von Maximalproduktion von Konsumgütern gelegt werden. Wenn durch Verkürzung der Arbeitszeit und mehr und mehr durch eine Gestaltung der Arbeitsprozesse, die ein Höchstmaß an Eigenständigkeit, Selbstverwirklichung und Bewußtheit ermöglicht, das Arbeitsleid wenn auch nie ganz aufgehoben, so doch weitgehend verringert worden ist, dann wird mit Sicherheit auch ein erheblicher Teil jenes »kompensatorischen Bedarfs« an Waren und warenförmigen Dienstleistungen dahinschwinden, dessen Wachstum heute noch alle Industriegesellschaften kennzeichnet. Ganz abgesehen davon, daß jene »warenförmigen Dienste«, die seelische Leiden therapieren, mit der Abnahme der entsprechenden gesellschaftsbedingten Erkrankungen und der Zunahme spontaner persönlicher Zuwendung von Mensch zu Mensch teilweise überflüssig würden.

3. Die heute noch einseitig fast nur in Hinblick auf die *Reproduktion der Arbeitsfähigkeit* betrachtete *»Freizeit«* sollte aufhören, als expandierender »Freizeitmarkt« wiederum dem Diktat der warenproduzierenden Wirtschaft und des von ihr geprägten Konsumverhaltens unterworfen zu werden. Sie müßte – nach einer Formulierung von Marx – als »Reich der Freiheit«, das jenseits des »Reichs der Notwendigkeit« (in dem die notwendigen Güter für die Befriedigung des materiellen Lebens erzeugt werden) liegt, Chancen für die umfassende individuelle Entfaltung von künstlerischen, wissenschaftlichen, sportlichen und sonstigen Fähigkeiten eröffnen. Indem ver-

mehrte Bildungsangebote der Gesellschaft vor allem der Steigerung der Fähigkeit zur Nutzung dieser Chancen dienen, wird ihnen zugleich der Charakter eines bloßen »Mittels zum Zweck des sozialen Aufstiegs« und der »beruflichen Qualifikation« genommen. Lernen, der Erwerb von Kenntnissen und intellektueller wie emotionaler Fähigkeiten (einschließlich der Entfaltung und Bewahrung von Phantasie!) wird zum Selbstzweck und damit auch zum *Genuß*.

Solche Konzepte werden gern als »utopisch« und »romantisch« denunziert, mir scheinen sie aber weit realistischer (oder doch realisierbarer) als das von der Markenartikelwerbung Tag für Tag ausgegebene Versprechen: »Bald wirst Du so viel ausgeben können wie Jackie Onassis, der suggestive Konsumpionier, bald wirst Du so glücklich sein wie sie.« Wenn aber einmal aus der Verschiedenartigkeit der individuellen Anlagen keine radikale Unterschiedlichkeit der ökonomischen Lage (vor allem auch der wirtschaftlichen Sicherheit!) mehr resultiert, dann können die Mitglieder einer endlich solidarisch verbundenen Gesellschaft einander auch ohne Neid anerkennen und sich an ihren Fähigkeiten ungeschmälert freuen, wozu sie heute nur noch bei der Bewunderung von überragenden Künstlern gelegentlich fähig sind. Der Neid ist keine Natureigenschaft der Menschen, sondern das Resultat einer hierarchisierten (dem Anspruch nach gleichwohl egalitären) Konkurrenzgesellschaft, die Neid weckt und durch die Erweckung von Neid wächst und gedeiht[8].

Nicht zuletzt würde sich eine solche alternative Gesellschaft dadurch von den existierenden Industriegesellschaften unterscheiden, daß sie imstande wäre, die *Natur* als erste Lebensbedingung menschlichen Daseins ernst zu nehmen und sie nicht mehr als »verfügbares Objekt« unbegrenzter Ausbeutung anzusehen, über dem der souveräne Mensch als vermeintlich »unabhängiges Subjekt« steht. Das Versprechen einer unumschränkten Herrschaft über die Natur hat sich als ebenso trügerisch und verhängnisvoll erwiesen, wie das vom Glück durch endlose Steigerung des Konsums.

Die Medien berichten oft von jenen kleinen fanatischen Gruppen, die im Dienste von radikalen Utopien sich zu Gewalttaten legitimiert wähnen; von jenen politischen und ökonomischen Eliten der Supermächte aber, die längst zu den Nachlaßverwaltern bankrotter Utopien geworden sind, sprechen sie weniger. Während die einen sich auf den inzwischen verblaßten Glanz alter sozialrevolutionärer Utopien berufen, behaupten die anderen freilich nichts anderes als nüchterne Realisten zu sein. Aber in Wahrheit ist sowohl die Idee der Befreiung durch ein gewaltsam realisiertes Gemeinwesen als auch der Gedanke der Befreiung durch unendliche Steigerung der Herrschaft der Menschen über die Natur und die dadurch ermöglichte Konsumsteigerung utopisch. Beide Ideen – und erst recht ihre Kombination in den Ländern des »real existierenden Sozialismus« – haben Schiffbruch erlitten.

Walter Wallmann hat in seiner Eröffnungsansprache der Römerberg-Gespräche den Ausspruch Karl Mannheims zitiert: »Utopisch ist ein Bewußtsein, das sich mit dem umgebenden Sein nicht in Deckung befindet.«[9] Diese Hälfte der Definition gilt aber genauso für die Ideologie. Aus den alten Utopien sind inzwischen längst Ideologien geworden, die vom Status quo profitieren oder doch glauben, weiter profitieren zu können. Diejenigen aber, die im Namen künftiger Generationen und im Namen der ausgebeuteten und unterdrückten Natur zur Umkehr aufrufen, sind in ihrer Bescheidenheit weit von den alten Versprechungen der Utopisten entfernt. Rudolf Wiethölter hat in seinem Vortrag zu »reflexiven Problemlösungen« aufgerufen, zu selbstkritischer Überprüfung des Weges, den die Welt unter europäisch-nordamerikanisch-japanischer Führung eingeschlagen hat, so möchte ich hinzufügen. Die Einwände der Abwiegler, die uns noch immer vorrechnen, daß ja die Atmosphäre durchaus noch ein paar Grad Erwärmung, die Luft noch etwas mehr Verschmutzung, die Erde noch etwas mehr Radioaktivität und Schadstoffe, der Mensch noch etwas mehr Belastung durch eine sein seelisches Gleichgewicht störende Technologie vertragen können, halten sich zu Unrecht für Konservative. Sie merken es bloß nicht, daß sie die phantasielosen Erben bankrotter Utopien sind. Hans Christoph Buch hat »vom Altern der Utopien« gesprochen. Wir leiden heute weit mehr unter der Last dieser gealterten, gegen jede Korrektur sich sperrenden Utopien als unter den Forderungen jener reflexiven Kritiker des Weges in die Naturzerstörung, der zugleich immer auch ein Weg in die Selbstzerstörung ist. Die Diffamierung jener Forderungen nach Umdenken und Umkehr als »utopisch« und »überflüssig« sucht nach der Methode »haltet den Dieb« von der eigenen, zur etablierten Macht gewordenen, bankrotten Utopie abzulenken. Die Befreiung der Phantasie und die Durchsetzung jenes »Bürgerrechts auf Kreativität« von dem Hermann Glaser sprach, ist ein wichtiger Beitrag zur reflexiven Kritik, die schließlich in jenen waffenlosen und solidarischen Kampf einmünden muß, den Hans Christoph Buch gefordert hat.

Anmerkungen

1 Vgl. Die Zusammenfassung in Herman Kahn, Anthony J. Wiener: Ihr werdet es erleben, Voraussagen der Wissenschaft bis zum Jahre 2000. Reinbek 1977.

2 Das ist in etwa – bei aller Kritik – auch die Auffassung C. F. von Weizsäckers in seinem Buch »Wege in der Gefahr: eine Studie über Wirtschaft, Gesellschaft und Kriegsverhütung«. München [6]1977. Von Weizsäcker bejaht die Notwendigkeit der Kernenergie, obwohl er zugibt, daß es berechtigten Grund für Mißtrauen »gegen eine die Natur nicht schonende und mit einer Welt voller Krieg und Gewalttat kaum vereinbare technische Entwicklung« gebe (S. 45). Da aber nach seiner Überzeugung auf Kernenergie nicht verzichtet werden kann, müßten diese Risiken in Kauf genommen werden. Alle möglichen Sicherheitsvorkehrungen würden im übrigen die Gefahr in Grenzen halten. Am höchsten schätzt er dabei noch immer das Risiko eines atomaren Krieges ein, in dem auch die Kernreaktoren der Gegenseite bevorzugte Angriffsziele (u. U. auch mit »konventionellen Waffen«) sein könnten.

3 Klaus Meyer-Abich (Hrsg.): Energieeinsparung als neue Energiequelle. München 1979.

4 K. William Kapp: Die Umweltfrage als soziale Herausforderung. In: Magazin Brennpunkte 8, Sozialwissenschaften – wozu? Frankfurt 1977, S. 113. Vgl. auch die grundlegende Arbeit von Kapp: Volkswirtschaftliche Kosten der Privatwirtschaft. Tübingen-Zürich 1958.

5 Fred Hirsch: Social Limits to Growth. Harvard University Press 1976.

6 Fred Hirsch: a. a. O., S. 104.

7 Fred Hirsch: a. a. O., S. 105.

8 Helmut Schoeck: Der Neid. Eine Theorie der Gesellschaft. Freiburg und München [2]1968. Schoeck unterstellt, daß Neid eine »Grundeigenschaft« des Menschen sei, die zu allen Zeiten und unter den unterschiedlichsten sozialen Bedingungen sich zeige. Den Sozialismus deutet er pauschal als einen Versuch der Zu-schlecht-Weggekommenen, aus Neid die Gesellschaft zu nivellieren. Utopisch sei die Hoffnung, man könne eine »neidlose Welt« errichten. Wenn er schließlich eine Art Apologie des Neides schreibt und dessen »Nützlichkeit« für die ökonomische Entwicklung betont, kommt er der Realität erheblich näher.

9 Karl Mannheim: Ideologie und Utopie. Frankfurt 1952, S. 169: »Utopisch ist ein Bewußtsein, das sich mit dem es umgebenden ›Sein‹ nicht in Deckung befindet.« »Ideologien nennen wir jene seinstranszendenten Vorstellungen, die de facto niemals zur Verwirklichung des in ihnen vorgestellten Gehaltes gelangen. Werden sie auch oft gutgläubig zu Motiven des subjektiven Handelns der einzelnen, so werden sie doch meist ihrem Sinngehalte nach im Handlungsvollzug umgebogen« (S. 171). »Damit ist also ausgesprochen, daß auch Ideologien als Motive zu irgendeinem Tun wirken können, ihre Ideologiehaftigkeit (Falschheit) besteht aber darin, daß sie es nicht in der Richtung ihres vermeintlichen Gehaltes tun« (a. a. O.). Was jeweils als »Utopie«, was als »Ideologie« erscheint, hängt nach Mannheim vom Standort des Betrachters ab: »Als Utopie bezeichnen Vertreter einer bestimmten Seinswirklichkeit alle jene Vorstellungen, die von ihnen aus gesehen, prinzipiell niemals verwirklicht werden können« (S. 172). »In diesem Sprachgebrauch bekommt auch *das Utopische* jenen heute dominierenden Nebensinn einer Vorstellung, die *prinzipiell unverwirklichbar* ist« (a. .a. O.). Mannheim nennt »utopisch« in dieser Bedeutung »absolut utopisch« und unterscheidet es vom »relativ Utopischen«, das nur »in einer bestimmten Lebensordnung nicht realisiert werden kann. In diesem Sinne erscheint mir die Vorstellung, als könne das quantitative Wirtschaftswachstum und die weltweite Ausbreitung der europäisch-nordamerikanischen Industriezivilisation ungehindert weitergehen als »absolut utopisch«, die Forderung nach einer »solidarischen Gesellschaft« dagegen nur als »relativ utopisch«, d. h. als unrealisierbar ohne radikale Veränderung der gegenwärtigen Arbeits- und Lebensverhältnisse in West wie Ost.

Christian Graf von Krockow

Patriotismus in weltbürgerlicher Absicht

I. Unmöglichkeit und Möglichkeit einer Aufhebung des Nationalismus

Im ersten Kapitel[1] wurde nachgewiesen, wie der Nationalismus aus einer besonderen geschichtlichen Konstellation hervorgeht, für die er grundlegende funktionelle Bedeutung besitzt. Die Konsequenz dieses Nachweises führt zu der These, daß der Nationalismus als historisches Phänomen auch wieder absterben kann. Dies würde möglich, wenn sich die geschichtliche Konstellation in dem Sinne entscheidend wandelt, daß sie den Nationalismus funktionell überflüssig werden läßt. Eine Konsequenz der Funktionsanalyse ist aber zugleich, daß der Nationalismus prinzipiell unaufhebbar bleibt, solange es in der modernen Welt eine Mehr- oder Vielheit von selbständigen politischen Handlungseinheiten gibt.

Denn einerseits bedarf jedes politische System, das den Herausforderungen der Modernität standhalten will und in Konkurrenz zu anderen politischen Systemen steht, eines Minimums der Integration, der Egalisierung, Solidarisierung und Aktivierung seiner Bürger, unter welchem Vorzeichen dies im einzelnen auch immer geschehen mag. Der Prozeß der »Demokratisierung« im Sinne Tocquevilles – offen gegen die Alternative von Freiheit und Despotie – bleibt irreversibel.

Andererseits können Egalisierung, Solidarisierung und Aktivierung zunächst und zumeist nur in dem Rahmen wirksam werden, werden von ihm bestimmt und müssen auf ihn sich beziehen, in dem verantwortliches politisches Handeln allein oder doch in erster Linie praktisch möglich ist, das heißt im Rahmen der jeweiligen staatlichen Ordnung, die sich gegen andere Staaten abgrenzt. Es kann zwar sein, daß das Staatsgebiet und die territorialen Dimensionen des Nationalbewußtseins nicht kongruent sind, so wie auch die qualitativen Prinzipien einer politischen Ordnung mit denen des Nationalbewußtseins sich nicht immer zu decken brauchen. Damit wird aber nichts anderes signalisiert als ein höchst konfliktgeladener, krisenhafter Zustand, dem grundsätzlich nur durch Herstellung voller Kongruenz ein Ende gemacht werden kann, gleichviel, ob dabei der Staat den Forderungen des Nationalbewußtseins angepaßt wird oder dieses jenem[2]. Welch konfliktreiche Situationen entstehen, wenn die territorialen oder qualitativen Ansprüche verschiedener Nationalismen nicht abgrenzungskongruent sind, bedarf angesichts der bitteren Erfahrungen der neueren europäischen Geschichte keiner Erläuterung.

An dem grundlegenden Sachverhalt würde auch dann wenig geändert, wenn mehrere bisherige Nationalstaaten sich zu einer größeren politischen Handlungseinheit zusammenschließen sollten. Solche Zusammenschlüsse mögen in Afrika, Lateinamerika oder anderen Weltteilen ebenso denkbar sein wie in Europa. Die Erwartung aber, mit ihnen den Nationalismus zu überwinden, dürfte trügen; er würde wahrscheinlich nur auf eine neue, großräumigere Stufe gehoben, auf der er in Anpassung an veränderte ökonomisch-technische Bedingungen – weil mit neuen Chancen praktischen Überlebens und wirksamer Interessenverfechtung ausgestattet – vielleicht sogar neue, gesteigerte Virulenz gewinnen könnte. Wie immer wünschenswert oder notwendig ein europäischer Zusammenschluß und andere Einigungen sein mögen, von ihnen die Beseitigung aller Gefahren und Konflikte zu erwarten, wäre so naiv, wie entsprechende Erwartungen es angesichts der Überwindung feudaler Strukturen durch den modernen Territorialstaat am Beginn der Neuzeit oder angesichts der italienischen und der deutschen Einigung im 19. Jahrhundert gewesen wären. »Einigung« bedeutet zunächst lediglich: Pazifierung im Inneren als Abschluß von Ausscheidungskämpfen um das »Monopol legitimer physischer Gewaltsamkeit«, das nun auf die vergrößerte politische Handlungseinheit übergeht, von dieser aber nach außen, in Konkurrenz mit anderen politischen Handlungseinheiten, um so entschlossener gehandhabt wird[3].

Solche Skepsis gegenüber jeder historisch einigermaßen absehbaren Aufhebbarkeit des Nationalismus mag schockieren.

Gegenüber diesem Schock kann nur an die Offenheit des Problems erinnert werden: Nationalismus kann so freiheitsfördernd wie tyrannisch, so progressiv wie regressiv, so befriedend wie kriegslüstern wirken, sich auf die Maximen des politischen Humanismus und der Aufklärung stützen oder dumpf nur die eigene »Art« behaupten wollen. Er kann als Konter-Nationalismus ein Mittel zur irrationalistischen »Zerstörung der Vernunft« und zur Behauptung obsoleter Herrschaft sein. Aber nationales Engagement schließt Rationalität keineswegs aus, sondern kann sich mit ihr verbinden zum Ethos nüchternen, weitsichtigen und selbstkritischen Verantwortungsbewußtseins[4]. Erst durch eingehende Analyse kann der historische Stellenwert des jeweiligen Nationalismus aufgedeckt werden.

Allerdings bleibt, gemäß dem eingangs Gesagten, *eine* Möglichkeit zur Aufhebung des Nationalismus, freilich auch nur diese: Der Nationalismus kann aufgehoben werden in der *Civitas Maxima*, in der Weltgesellschaft, die sich im Weltstaat organisiert. Gewiß mag die *Civitas Maxima* geschichtlich noch weit entfernt sein, eine Utopie vielleicht nur unendlicher Annäherung wie in Kants Konzeption des Ewigen Friedens. Aber sie kündigt sich in negativer Form, im Modus ihrer Abwesenheit, doch schon an, nämlich in Gestalt der Gefahren, die unverantwortliches Handeln in irgendeinem Punkte der Welt für die gesamte Menschheit heraufbeschwört. Was heute in Vietnam geschieht, kann den Europäern ebensowenig mehr gleichgültig sein, wie der Welt ein Krieg im Nahen Osten, eine Invasion in der Tschechoslowakei oder der Kalte Krieg in Deutschland.

Deshalb fordert die wachsende Interdependenz des Weltgeschehens zwar noch keineswegs die Verabschiedung nationalen Bewußtseins. Ganz im Gegenteil: Vom einzelnen wie von jeder politischen Handlungseinheit als ganzer wird Patriotismus vielleicht dringender gefordert denn je – als Verantwortung für das, was in der Nation und durch sie in der Welt geschieht. Gefordert ist, daß zunächst die Nationen in sich selbst ihre Verantwortung vor der *Civitas Maxima* reflektieren lernen und sie im eigenen wohlverstandenen Interesse zum Fundament ihres Handelns machen.

2. Die Überwindung des Konter-Nationalismus

Im zweiten und im dritten Kapitel wurde vom deutschen Konter-Nationalismus gehandelt, vom Unheil, das er Deutschland und von Deutschland her Europa und der Welt gebracht hat, und von den Gefahren, die er noch immer birgt. Dieser Konter-Nationalismus ist gekennzeichnet durch eine eigentümliche Geschichtsunsicherheit, die in Zukunftsangst ihr Gegenstück findet.

Geschichtsunsicherheit und Zukunftsangst haben ihren Ursprung in den geistigen und gesellschaftlichen Spannungen zu den Grunderfordernissen der industriellen Zivilisation, zu den Prinzipien der Modernität. Politisch gesprochen zeigt sich diese Spannung in dem Mißverhältnis zwischen der Idee beziehungsweise Praxis des auf die Verwirklichung einer gerechten Gesellschaftsordnung gerichteten demokratischen Verfassungssystems und der des autoritären Machtstaates[5]. Dieses Mißverhältnis ist unausweichlich und muß sich stets reproduzieren, weil und insofern ein demokratisches Verfassungssystem die politische Organisation der offenen, auf ständigen Wandel gerichteten Gesellschaft ist, während der autoritäre Machtstaat sich zwar auf die Nation beruft, um sie gegen die Demokratie und ihre universalistischen Prinzipien auszuspielen, seinen Zweck aber gerade darin hat, daß er die Gesellschaft unterwirft, »formiert« und einfriert. Solange deshalb die Angst vor dem Wandel, vor der offenen Situation wirksam bleibt, muß die Neigung zum autoritären Machtstaat mit feindseligem Affekt gegenüber der Demokratie wiederkehren, während andererseits die moderne Entwicklung auch ständig Demokratisierungstendenzen enthält, die diesen autoritären Staat »zersetzen«: eine bezeichnende – und vom autoritären Standpunkt aus angemessene – Vokabel ohnmächtig-mächtiger Wut der sich selbst als »staatserhaltend« proklamierenden Kräfte. Die »Zersetzung« aber führt natürlich erst recht zum Ruf nach freiheitsbeschränkender »Staatsbesinnung« und zu ihrer verstockten Praxis.

Was ist zu tun? Wie läßt sich in Deutschland endlich ein Nationalbewußtsein entwickeln, das dadurch vor der Entartung in aggressiven Konter-Nationalismus gesichert ist, daß es die Demokratie und ihre universalistischen Prinzipien nicht ausschließt, sondern sich mit ihnen zusammenschließt, womöglich gar deren Realisierung zum *Prüfstein seines Selbstbewußtseins* und zum *Kriterium des Patriotismus* macht? Offenbar ist es zunächst und vor allem notwendig, die Angst vor der modernen Weltentwicklung, vor der grundsätzlichen Offenheit und Veränderbarkeit gesellschaftlicher Verhältnisse zu bannen, die Angst, die in einen fatalen Zirkel führt, weil sie sich zum autoritären Machtstaat flüchtet, der wiederum die Angst, die er bannen soll, weckt und verstärkt: Unmündigkeit will Schutz; der Schutz erhält die Unmündigkeit – und rechtfertigt sich an ihr. Das entsprechend »der Ausgang des Menschen aus selbstverschuldeter Unmündigkeit« auch ein Problem des Mutes ist, hat schon Kant ausgesprochen[6].

Die Angst zu bannen ist freilich leichter gesagt als getan. Denn eben weil es sich um ein Zirkelverhältnis handelt, um ein Strukturproblem geistiger wie materieller Art, läßt es sich nicht durch Appelle allein, überhaupt nicht nur von einem Punkte aus angreifen, sondern nur von allen seinen Gliedern zugleich, ähnlich wie etwa soziale Notstände in Slumvierteln sich nicht einfach durch den Bau besserer Wohnungen, erst recht nicht repressiv durch bloße Bestrafung der Kriminalität beseitigen lassen, sondern nur dadurch, daß mit den neuen Wohnungen zugleich bessere Schulverhältnisse und gesicherte Arbeitsplätze geschaffen werden. Gutes Zureden jedenfalls, der Appell an Vernunft und Einsicht wird gewiß nicht genügen, weil der Angst nicht mit Vernunftgründen, sondern nur mit der Beseitigung ihrer Ursachen beizukommen ist. Deshalb wird es kein einfaches Rezept geben können, sondern nur eine Fülle von Maßnahmen, die freilich von ihrem gemeinsamen Ziel her durchdacht und koordiniert werden müssen. Zwei Beispiele mögen dies wenigstens andeutend illustrieren.

Das erste gehört in den Bereich der Agrarpolitik: Die Landwirtschaft steht in der Industriegesellschaft vor schwierigen Anpassungsproblemen. Viele Bauern werden zu Elendsfiguren, die sich unsäglich abrackern und dennoch zwar vielleicht zur Grünen Front, aber niemals auf einen grünen Zweig kommen. Es ist verständlich, daß sie vor der Zukunft Angst haben und die moderne Welt als fremd und feindselig empfinden. Man kann ihnen nun globale Subventionen zukommen lassen, die sie halbwegs am Leben halten, ohne jedoch eine grundlegende Änderung der Situation herbeizuführen. Damit aber stellt man lediglich die Angstsituation auf Dauer. Und politisch gesprochen lädt man ein demokratiefeindliches Potential auf, weil diese Bauern ganz folgerichtig die offene Gesellschaft, in der sie nur mehr eine Minderheit sind, fürchten und ihre autoritäre Abschließung befürworten müssen. Nicht nur ökonomisch, sondern auch politisch ist daher eine gezielte Strukturpolitik notwendig, die einem Teil der Landwirte mit bester Ausbildung, modernen Hofanlagen und leistungsfähigen Marktorganisationen ein wirkliches Bestehen *in* der Industriegesellschaft ermöglicht, während einem anderen Teil der Landwirte durch Ablösungs- und Umschulungshilfen ein reibungsloser Übergang in andere Berufe gewährleistet wird.

Das zweite Beispiel betrifft das Bildungswesen. Seine hierarchische Gliederung zementiert und reproduziert die Angst der akademischen »Elite« vor den Ansprüchen der »Massen«, wie umgekehrt – nicht unbegründet – die Angst »ungebildeter« Eltern, daß ihr Kind im höheren Bildungswesen ihnen entfremdet werden könnte. Die Vormittagsschule läßt – anders als etwa die angelsächsische Ganztagsschule – praktischer Verhaltenserziehung über ein disziplinäres Minimum hinaus wenig Raum; im Unterrichtsstil erscheint statt Gruppenarbeit und Kooperation weithin noch immer die autoritäre Isolierung des einzelnen – »sag' nicht vor, schreib' nicht ab!« – als Tugend, und der Bildungskanon bleibt, wie schon erwähnt, gerade in seinem ideellen Kern gefährlich anachronistisch[7]. Deshalb kultiviert die deutsche Schule »innere Werte« weit mehr als kritische Partnerschaft im Rahmen sozialer Spielregeln. Ebenso bleibt die Lehrlingsausbildung, für die Mehrzahl der Jugendlichen letzte Ausbildungsphase, noch immer stärker an der Fiktion eines handwerklichen Lebensberufs orientiert als an den künftigen Erfordernissen beruflicher Mobilität. Kurzum: Das Bildungswesen fördert nicht gerade den Zugang zur Chancengleichheit und zur Freiheit einer offenen Gesellschaft; es ist strukturell veraltet, im Grunde noch immer ein Klassensystem[8]. Bildungsreform wird deshalb zu einem dringenden Erfordernis, aber keineswegs nur, wie es die Diskussion der letzten Jahre oft erscheinen ließ, um durch »Ausschöpfung der Begabungsreserven« im Wettkampf der Industrienationen besser bestehen zu können, sondern in einem politisch die Fundamente des Gemeinwesens betreffenden Sinne.

Die Beispiele mögen als abseitig, als wenig zum Thema gehörig erscheinen. Aber vielleicht ist diese Meinung selbst schon ein Zeichen konter-nationalistischer Infektion. Man redet vom »geschichtlichen Auftrag«, proklamiert »Staatsbewußtsein«, gedenkt so sentimental wie überheblich der unerlösten »Schwestern und Brüder«, hantiert mit obsoleten »Rechtsansprüchen« – und versäumt darüber, konkrete gesellschaftliche Reformen als nationale Aufgabe zu erkennen. Sollte es nicht möglich sein, auf diesem Felde zu *lernen*?

»Die Holländer etwa haben in der Trockenlegung der Zuider-See eine nationale Aufgabe erblickt. Aber auch andere Leistungen, wie eine hervorragende Sozialgesetzgebung in Schweden, machen den nationalen Stolz einzelner Völker aus ... Es liegt wahrscheinlich in der Natur der Sache, daß kleinere Nationen ihre Absichten auf leichter realisierbare und vielleicht auch etwas mehr hausbackene Ziele lenkten. Nur scheint der Erfolg für diese Methode zu sprechen, wobei das Wichtige weniger die Zielsetzung als die Tatsache ist, daß man ein ganzes Volk von einem Projekt, wie etwa dem der Trockenlegung der Zuider-See oder dem einer großen Sozialreform, so überzeugen konnte, daß es die Ausführung zu seiner Sache machte und sich an der Planung und Ausführung beteiligte. Ein solcher Gemeingeist, wie man ihn in der Schweiz zum Beispiel häufig antreffen kann, ist bisweilen belächelt worden. Ich glaube aber, wir sollten uns dieses Lächeln abgewöhnen ... Unsere heutigen innenpolitischen Probleme sind so groß, so schwer zu lösen und in ihren Auswirkungen so einschneidend für jeden einzelnen geworden, daß sich schon von daher eine breite öffentliche Diskussion anbietet ... Eine öffentliche Diskussion, die jedem einzelnen den Stellenwert der anstehenden Probleme deutlich macht, schiene mir die Voraussetzung für eine echte Beteiligung breiter Massen an der Politik ... Das wäre ein demokratischer Nationalismus, der unserm Volk den Weg in die Zukunft weisen könnte. Es ginge dann nicht mehr um große Phrasen, sondern es ginge darum, daß ein Nationalismus heute das als sein Ziel erkennen müßte, was sicher für die nationale Fortexistenz unseres Volkes nicht weniger wäre als einstens die kaiserliche Flotte. Wir wären ein großes Stück weiter, wenn wir das erkannt hätten.«[9]

Das mag eine ungewohnte Einstellung zum Thema »Nationalismus« sein. Doch schon bei Hegel kann man nachlesen: »Unter Patriotismus wird häufig nur die Aufgelegtheit zu *außerordentlichen* Aufopferungen und Handlungen verstanden. Wesentlich aber ist er die Gesinnung, welche in dem gewöhnlichen Zustande und Lebensverhältnisse das Gemeinwesen für die substantielle Grundlage und Zweck zu wissen gewohnt ist. Dieses bei dem gewöhnlichen Lebensgange sich in allen Verhältnissen bewährende Bewußtsein ist es dann, aus dem sich auch die Aufgelegtheit zu außergewöhnlicher Anstrengung begründet. Wie aber die Menschen häufig lieber großmütig als rechtlich sind, so überreden sie sich leicht, jenen außerordentlichen Patriotismus zu besitzen, um sich diese wahrhafte Gesinnung zu ersparen oder ihren Mangel zu entschuldigen.«[10]

In diesem Sinne gilt es, den wieder auflebenden Nationalismus der Ressentiments und der Phrasen als das zu erkennen, was er ist: als das Gegenteil wirklichen Nationalbewußtseins, als den angsterfüllten Verfolgungswahn, der stets auf der Lauer liegt, ins Verfolgen umzuschlagen. Es gilt, die Welt- und Gesellschaftsangst zu bannen, welche die deutsche Geschichte durch mehr als ein Jahrhundert verhängnisvoll begleitet und fehlgeleitet hat.

Anmerkungen

1 Vgl. den Band, dem dieser Beitrag entnommen wurde.
2 Formal kann jeder politische Konflikt als Grenz- oder Kongruenzkonflikt definiert werden; vgl. v. Verf.: Soziologie des Friedens. Gütersloh 1962, S. 177ff.

3 Man muß deshalb noch keineswegs am Sinn eines europäischen Zusammenschlusses zweifeln. Aber man muß erkennen, daß man mit ihm dem »Trugbild Nationalstaat« – oder seinem funktionellen Äquivalent – noch keineswegs ein Ende bereitet, ihm vielmehr geradezu zum Opfer fällt, wenn man den Begriff nur mit dem identifiziert, was ihm in einer historischen Phase ungefähr vom 19. Jahrhundert bis zur Gegenwart entsprach. Vgl. v. d. Groeben, de Rougemont, Oele, Buchan, Quaroni, Brugmans: Trugbild Nationalstaat (Europäische Schriften des Bildungswerks Europäische Politik, Bd. 16). Köln 1968. – Von anderem Ausgangspunkt siehe zur These von der funktionellen Antiquiertheit des Nationalismus auch: Karl Renner: Die Nation – Mythos und Wirklichkeit. Wien 1964.

4 In diesem Sinne sucht G. Picht zwischen Nationalgefühl und Nationalbewußtsein zu unterscheiden: Grundlagen eines neuen deutschen Nationalbewußtseins. In: Merkur Nr. 226, XXI. Jg., H. 1, 1967, S. 1ff. – Es fehlt aber auch bei Picht an *gesellschaftlicher* Konturierung des Nationalbewußtseins.

5 Seltsamerweise wird in historischen Darstellungen immer wieder behauptet, im Westen gebe es »Staatsnationen«, während Deutschland im Herderschen Sinne als »Kulturnation« zu verstehen sei. In Wahrheit leben, wie gezeigt wurde, gerade umgekehrt die »Staatsnationen« im Bezug auf die Idee der gerechten Gesellschaft, wohingegen die deutsche Entwicklung unter Verdrängung sozialer Prinzipien zum starken Staat führte. Richtig ist nur, daß das Streben nach nationaler Einigung vom deutschen Bildungsbürgertum gegen die konservativen Staatsverwaltungen durch die Berufung auf die Gemeinsamkeit von Kultur, Sprache und Geschichte mitbegründet wurde. Im übrigen aber spiegelt die Interpretation den vor allem mit der Reichsgründung einsetzenden Verdrängungsprozeß der ursprünglichen gesellschaftlich-politischen Prinzipien der bürgerlichen Bewegung.

6 Beantwortung der Frage: Was ist Aufklärung?, 1784. Siehe Kant: Politische Schriften, hrsg. v. O. H. v. d. Gablentz. Köln u. 0pladen 1965, S. 1. – Zum autoritären Zirkel formulierte Jeremy Bentham: »You are incapable of judging, because you are ignorant; and you shall remain ignorant, that you may be incapable of judging.« (The Works of J. B., »Bowring Edition«, Bd. 2, S. 313).

7 Vgl. in dem Band, dem dieser Beitrag entnommen wurde, S. 63f.

8 Vgl. v. Verf.: Klassenbegriff und Bildungssystem. In: Festschrift f. Otto Brenner, hrsg. v. P. v. Oertzen. Frankfurt a. M. 1967, S. 419ff.

9 K. O. Freiherr v. Aretin: Nationale Demokratie – oder Nation und Nationalismus heute. In: Bürgerinitiative, Offene Welt Nr. 97/98. Köln u. Opladen 1968, S. 261ff.

10 Grundlinien der Philosophie des Rechts, § 268.

Ernst Nolte
Natur und Widernatur im Denken Hitlers

Zunächst muß noch auf jene Stellen ein Blick geworfen werden, in denen Hitlers Denken seinen höchsten Allgemeinheitscharakter erreicht. Das ist dort der Fall, wo er von der »Natur« spricht.

Die Grundzüge seiner Lehre sind allgemein bekannt. Das Leben sei ein Kampf, in dem der Stärkere sich durchsetze und so dem Willen der Natur Genüge tue, die ihre Geschöpfe zu ewigem Ringen ins Dasein gesetzt habe, damit statt allgemeiner Fäulnis Höherentwicklung möglich sei.

Das sind Banalitäten, und die Frage kann überhaupt nur die sein, was an gehaltreichen Auffassungen in ihnen verborgen ist. Es ist also zu fragen: *Wer* kämpft, *was* für ein Kampf ist es, *weshalb* muß er eigens hervorgehoben werden?

Zunächst hat Hitler offensichtlich immer einen Kampf von Menschen gegen Menschen im Auge. Alle Beispiele aus der Natur, die er bringt, haben nur den Zweck, das Wesen dieses Kampfes zu erläutern. Die Exemplifizierung ist aber in höchstem Maße aufschlußreich. Jedes Tier paare sich nur mit einem Genossen der gleichen Art, heißt es zu Beginn des Kapitels über »Volk und Rasse« in »Mein Kampf«: Meise gehe zu Meise, Fink zu Fink, Storch zu Störchin; streng geschieden seien die Arten, und es gebe keinen Fuchs, der humane Anwandlungen Gänsen gegenüber haben könne, sowenig wie eine Katze freundliche Zuneigung zu Mäusen fassen könne[1]. Hitlers Absicht liegt auf der Hand: er setzt (menschliche) Rasse mit (tierischer) Art gleich und will dadurch einerseits unüberbrückbare Abgründe zwischen den Menschen schaffen, andererseits den einzelnen Menschen unlösbar in seine Rasse hineinzwingen, die mithin der oberste und einzige Bestimmungsgrund für sein Handeln wird. Den Vergleich des Menschen mit Tieren oder Dingen liebt Hitler sehr. Sowenig ein Tiger etwas dafür könne, daß er Menschen fresse, sowenig sei der Deutsche verpflichtet, sich vom Juden fressen zu lassen[2]. Affen trampelten Einzelgänger als gemeinschaftsfremd tot, das habe auch für die Menschen zu gelten[3]. »Zäh wie Leder, flink wie Windhunde, hart wie Kruppstahl« werde der Mensch des kommenden Reiches sein[4]. Das führt bis zu offenbar ganz ernstgemeinten Thesen von sektiererischer Verbohrtheit: der Vergleich mit den Lebensphasen der Hunde zeige, daß der Mensch sich falsch ernähre; sein normales Lebensalter müßte 140 bis 180 Jahre betragen[5]; oder: die Affen seien Vegetarier und wiesen den Menschen den richtigen Weg[6].

Die Subjekte des Kampfes sind also die in sich fest geschlossenen Rassen beziehungsweise Herrschaftsgefüge von Rassen (Völker). In diesem Sinne sagt Hitler: »Gott hat Völker, aber keine Klassen geschaffen.«[7]

Der Charakter des Kampfes ist der Krieg. Das meint Hitler offenbar, wenn er sagt: »Ein Wesen trinkt das Blut des anderen. Indem das eine stirbt, ernährt sich das andere. Man soll nicht faseln von Humanität ... Der Kampf bleibt.«[8]

Sein Resultat ist die Entscheidung, wer Herr und wer Sklave ist. Andere soziologische Kategorien kennt Hitler nicht. Deshalb gibt es für ihn auf der Welt »nur Sieger und Knechte«[9], deshalb kann ein Volk von 15 Millionen nichts anderes erwarten, als »Sklave zu sein von anderen«[10].

Als Zweck bezeichnet Hitler meist die Erhaltung der Art, nicht selten auch die Höherzüchtung und Veredlung der Menschheit. Der Akzent liegt ganz auf der ersten Bestimmung; soweit es sich bei der zweiten nicht um einen pseudoliberalen Restbestand handelt, muß sie von der ersten aus verstanden werden[11].

Dies ist Hitlers Welt des ewigen Ringens, in der jeder, der lebt, kämpfen muß: Krieg um Herrschaft oder Sklaverei zwischen den Rassen als letzten und höchsten Urgegebenheiten.

Und dies ist der Kern seiner religiösen Verkündung, der er sich nach dem Siege ausschließlich widmen wollte[12]: »Bedingungslose Verbeugung vor dem göttlichen Gesetze des Daseins«[13], frommer Hinblick auf die »fundamentale Notwendigkeit des Waltens der Natur«[14].

Aber wozu die Verkündung des Selbstverständlichen? Hat

»die Natur« etwa einen Feind, so daß es ihre Partei zu ergreifen gilt?

In der Tat! Es gibt auch für Hitler etwas, das den Menschen »vom Instinkt der Natur loslöst«[15]. Er nennt es manchmal die Halbbildung, manchmal die materialistische Wissenschaft; Ursache und Erreger ist ihm stets der Jude. Der Mensch kann denken, daß er »die Natur korrigieren« mang, daß er ein anderes ist als ein Bazillus auf dem Planeten[16]. »Krankhafte Vorstellungen feiger Besserwisser und Kritiker der Natur«[17] können den Menschen dahin bringen, daß er sich für den »Herrn der Schöpfung« hält, das heißt ihren fundamentalen Gesetzen enthoben wähnt[18]. Dann kann ein Volk den sicheren Instinkt verlieren, daß es sich kriegerisch Boden zu holen hat[19]. Dann kann der Jude die »Bresche« im Volk selbst öffnen und eine soziale Frage erfinden, um die Volkseinheit zu sprengen. Dann treten die Intellektuellen in den Vordergrund mit ihrer Instinktunsicherheit und Beweglichkeit. Dann vollendet sich das jüdisch-christliche Werk der Widernatur. Dann steht das Volk vor dem Abgrund der Vernichtung. Denn es gibt offenbar etwas Bedrohliches im Wesen des Menschen selbst, eine Wurzel der Krankheit, ein Schwert der Widernatur: »Der Mensch allein, unter den lebenden Wesen, versucht, den Gesetzen der Natur zuwiderzuhandeln.«[20]

Der Führer und die Bewegung reißen die Rasse vom Abgrund zurück und zwingen sie wieder in die Bahn der Natur. Als Vorkämpfer der »grausamen Königin aller Weisheit«[21] nehmen sie im letzten Augenblick den Kampf auf gegen die Widernatur, die im jüdischen Volke ihr Werkzeug hat, denn »das deutsche Volk ist das typische Raumvolk, das jüdische ist das typische raumlose Volk«[22]. Die Urprinzipien schlechthin stehen einander gegenüber: es gibt nur die Alternative Sieg oder Untergang – und sie entscheidet über das Geschick der Welt.

Es bedarf nicht weiterer Zitate, um deutlich zu machen, was gemeint ist, wenn die Macht der »Widernatur« Hitler in Angst versetzt: es ist das »Über-hinaus« im Wesen des Menschen, das die menschlichen Ordnungen und Verhältnisse in ihrem Kern zu verwandeln vermag – die Transzendenz. Als gefährdet aber empfindet Hitler – und keineswegs er allein – vor allem bestimmte Grundstrukturen der bisherigen gesellschaftlichen Existenz. Auch er ängstet sich – ganz wie Maurras – *vor* dem Menschen *um* den Menschen. Doch er dachte nicht nur, sondern er handelte. Und in seinem Handeln führte er das Prinzip, das er vertrat, zu seiner letzten und äußersten Konsequenz und zugleich in sein unwiderrufliches Ende. Daher läßt sich das Wesen des Hitlerschen Radikalfaschismus, der sich selbst »Nationalsozialismus« nannte, folgendermaßen bestimmen: *Der Nationalsozialismus war der Todeskampf der*[23] *souveränen, kriegerischen, in sich antagonistischen Gruppe.– Er war praktischer und gewalttätiger Widerstand gegen die Transzendenz..*

Die Parallelität von Hitlers und Maurras' Denken ist frappierend, auch und gerade da, wo Hitler Maurras' Subtilität grob vereinfacht oder Widersprüche zur klarsten Entfaltung bringt. In der Wechselerhellung findet gerade das seine Begründung, was an dieser Bestimmung spekulativ zu sein scheint. Daß Maurras' ganzes Denken Widerstand gegen Transzendenz und bedingungslose Verteidigung des autark-souveränen, kriegerischen aristokratischen Staates des *Ancien régime* als Paradigma für alle französischen Zeiten darstellt, läßt sich kaum in Zweifel ziehen. Es wurde gezeigt, daß Maurras nicht eigentlich ein Mann des *Ancien régime* war und daß er vielleicht nur aus dieser Entfernung jene Grundzüge so eindeutig herausstellen konnte. Er stand aber seiner paradigmatischen Epoche unvergleichlich näher als Hitler der seinen und hatte von ihr eine weitaus konkretere Vorstellung. Hitler dachte in den Kategorien des Bauern und des Soldaten, aber ihn trennte von bäuerlicher und soldatischer Wesensart[24] eine unüberwindliche Distanz. Er mythologisierte die Furcht der herrschenden Klassen vor dem Bolschewismus – und hatte für diese Schichten doch wieder nichts als Haß oder Verachtung. Er sah richtig den Zusammenhang von Wissenschaft und »Widernatur« und legte doch immer wieder nur allzu deutlich die vulgärsten Charakterzüge eines wissenschaftlichen und aufgeklärten Zeitalters an den Tag[25]. Er war von all den Phänomenen, deren Sache er führte, innerlich so weit entfernt, daß man oft nicht ohne Grund vermutet hat, ihn habe nur der Machtwille rein als solcher geleitet[26]. Der Blick auf die unwandelbaren Grundzüge seines Denkens und Empfindens widerlegt diese Auffassung zwar; aber soviel bleibt an ihr doch richtig, daß gerade sein eigenartiges und befremdendes Detachement Hitler befähigte, auch die reinen Grundstrukturen des Phänomens ans Licht zu bringen.

Souverän ist jede Gruppe zu nennen, die in praktischer Hinsicht unabhängig von anderen lebt. Schon die mangelhafte Entwicklung des Verkehrs hat in der Geschichte zahllose Gruppen in nur nominell beschränkter, eine ganze Reihe auch in formal uneingeschränkter Souveränität existieren lassen.

Kriegerisch muß jede solche Gruppe schon insofern sein, als sie von außen bedroht werden kann. Die Verschiedenheit der Voraussetzungen und Umstände bringt im geschichtlichen Leben zahlreiche Stufen hervor, die vom ausgeprägten Kriegerstaat bis zu friedlicher Inselexistenz reichen können. Aber die zweite Möglichkeit ist eine mangelhafte Gestalt der ersten und durchweg auf besonders günstige Umstände zurückzuführen.

In sich antagonistisch ist jede Gruppe, die bei Knappheit der Lebensgüter ständig oder klassenmäßig geschichtet ist, so daß eine Anzahl von Gesellschaftsgliedern von der vollen Teilnahme an den materiellen und geistigen Gütern des Gemeinwesens prinzipiell oder faktisch ausgeschlossen ist. Von der hypothetischen kommunistischen Urgesellschaft abgesehen, war das mehr oder weniger der Fall in allen bisherigen Gruppen, wobei auch hier die radikalere Gestalt einer streng herrschaftsmäßig gegliederten, oftmals auf »Überlagerung« beruhenden Gesellschaft den Vorrang beanspruchen darf.

Die ersten beiden Merkmale ergeben sich mit logischer Notwendigkeit aus dem Begriff der partikularen Gesellschaft. Das dritte kann aus dem Begriff der Differenzierung hergeleitet werden und ist jedenfalls im Felde der historischen Erfahrung überall zu belegen.

Souveränität, Einstellung auf den Vollzug des Krieges und innerer Antagonismus dürfen daher als fundamentale Charaktere *aller* bisher bekannten menschlichen Gesellschaften gelten. Es ist aber eine ganz entscheidende Einsicht, daß die Menschen ihr Selbstverständnis *niemals* aus dieser Realität ihres

Daseins ausschließlich oder auch nur vorzüglich gewonnen haben, mindestens seit dem Aufkommen der großen Erlösungsreligionen.

Mochte ein christlicher Staat noch so unabhängig sein, so schrieb er doch immer nur Gott die eigentliche Souveränität zu. Mochte ein muselmanischer Kämpfer so kriegerisch gesinnt sein wie möglich, so hörte er doch nicht auf, seine Taten auf ein jenseitiges Friedensreich zu beziehen. Mochten in buddhistischen Staaten die sozialen Differenzen krasser sein als irgendwo sonst, so setzten doch die Diener der herrschenden Religion sie durch Beispiel und Lehre zu etwas Vorläufigem herab.

In allen großen Gesellschaften der Geschichte leben eine universale Lehre und eine partikulare Realität in prekärer Symbiose. Nichts liegt von einer bestimmten Bewußtseinsstufe an näher, als diese Symbiose der Lüge zu zeihen, die Lehre für eine ideologische Verklärung der unvollkommenen und hassenswerten Realität zu erklären.

Mit dem Aufwachsen der bürgerlichen Gesellschaft und der Entstehung der liberalen Philosophien wird in Europa eine Auffassung mächtig, die die Beseitigung sowohl der partikularen Realität wie des ideologischen »Überbaus« für möglich hält. An ihre Stelle will sie eine universale Gesellschaft setzen, die sicher ohne Krieg und möglichst ohne inneren Antagonismus wäre.

Es kommt nun alles darauf an, zu sehen, daß der Nationalsozialismus gerade deshalb keine Ideologie ist, weil er sich der liberalen und marxistischen Lehre von der Verwirklichung der universalen Natur des Menschen auf die denkbar schärfste Weise entgegensetzen will. Seine »Weltanschauung« besteht daher im wesentlichen darin, alle Weltanschauung im überlieferten Sinne zersetzender Tendenzen anzuklagen, weil sie in die blutsmäßige Einheit der Rasse einen Keim der Auflösung bringe, die ursprüngliche Gesundheit durch einen Krankheitsvirus infiziere. Seine Lehre ist ihrem positiven Sinne nach daher durchaus nicht jene – möglicherweise lügenhafte – Beziehung auf ein übergeordnetes Gut, einen universalen Zweck, sondern sie ist auf eine ganz urtümliche Weise bloß »Legende«, die die Herrschaft der Herrschenden durch die Rede vom besseren Blut nicht eigentlich zu legitimieren, sondern vor den Augen der Unterworfenen zu fixieren sucht.

Deshalb ist der Faschismus das erste Phänomen nach der langen Epoche der ideologischen Geschichte, wo (wenn auch in seinen Gestalten mit einem verschiedenen Grade von Klarheit) die partikulare Realität sich und nur sich selbst will. Damit gelangen ihre fundamentalen Strukturen erstmals zu entschiedenem Bewußtsein ihrer selbst. Aber nur das wird bewußt, was nicht mehr selbstverständlich ist. Wo Reales sich als solches will, da ist es dabei, sich selbst zu entgleiten, und kämpft damit seinen *Todeskampf*.

Aber nicht nur eine solche Deduktion, sondern auch der Blick auf die Wirklichkeit der Geschichte seit 1945 rechtfertigt den Terminus »Todeskampf«.

Keineswegs zwar hat nach Hitlers Tod Souveränität und der Anspruch auf sie aufgehört, in der Welt zu sein. Aber selbst und gerade die beiden großen Mächte erstreben sie nicht als solche und für die Ewigkeit. Die These, daß der Angriffskrieg der einen Macht die eigene Vernichtung nach sich ziehen würde, ist gleichbedeutend mit der Einsicht, daß bedingungslose partikulare Souveränität heute weder möglich noch wünschbar ist.

Keineswegs hat deshalb der Krieg aufgehört, eine ständig fühlbare Drohung zu sein. Aber niemand wagt es mehr, ihn um seiner selbst willen zu rühmen: nicht weil der Mensch besser, sondern weil der Krieg mächtiger, zu mächtig für den Menschen geworden ist. Immer noch sind Soldaten vorhanden und unentbehrlich, aber sie befinden sich in der ganz neuartigen Lage, den realen Vollzug ihres Berufes nicht mehr wünschen zu dürfen.

Keineswegs haben die Gesellschaften aufgehört, differenziert und in Schichten geteilt zu sein. Aber nirgendwo gewinnt eine leitende Schicht ihr Selbstverständnis aus dem Gegensatz zu den Beherrschten; nirgendwo, außer etwa in gleichgültigen Winkeln, hat Herrschaft noch prinzipiellen und anschaubaren Charakter. Das Leben ist zu vielfältig, die Arbeitsteilung zu generell geworden, als daß das einfache Schema von Herr und

Sklave noch Gültigkeit beanspruchen dürfte. Nicht Beweise der Philosophen und Reden der Moralisten haben den Weltwandel vollbracht: die Macht der bisher souveränen Gruppen ist zu groß, die Gewalt des Krieges zu mächtig, die gesellschaftliche Differenzierung zu umfassend geworden, als daß Souveränität, Krieg und Herrschaft fortexistieren könnten, wenn auch zu vermuten ist, daß es sich weniger um bloße Beseitigung als um einen Formwandel dieser Prinzipien handelt. Es gibt heute keine Macht mehr in der Welt, die dieser Wandlung grundsätzlichen Widerstand leistete.

Eben dieser grundsätzliche Widerstand war das Wesen der faschistischen Doktrinen und Mächte. Und damit wird klar, in welchem Sinne von einer epochalen Bedeutung Hitlers die Rede sein kann.

Er hat den Krieg, der 1914 fast zufällig in eine beinahe pazifistische Welt kam, mit der folgenreichsten Leidenschaft ergriffen und am grundsätzlichsten bejaht. Nicht ohne Grund war er es, der die *Epoche der Weltkriege* begrenzte und damit in gewisser Weise schuf, denn ohne ihn wäre der Zweite Weltkrieg nicht oder mindestens nicht zu diesem Zeitpunkt ausgebrochen, ohne ihn wären die Sowjetunion und die Vereinigten Staaten nach allem menschlichen Ermessen noch für Jahrzehnte außerhalb der europäischen Geschichte geblieben. *Epoche der Weltkriege* soll dabei jene Periode heißen, in der die Kriegs- und Kommunikationsmittel stark genug waren, um ein die ganze Erde erfassendes Ringen möglich zu machen, aber doch noch schwach genug, um von einer beträchtlichen Anzahl insbesondere führender Menschen bejaht und als Mittel der Politik eingesetzt werden zu können. Hitler erscheint mit Recht als die zentrale Gestalt dieser und *nur* dieser Epoche – während Lenin und Wilson in ihrer Bedeutung über sie hinausgehen[27].

Es wird zugleich klar, inwiefern er dieses Prestige mit anderen teilen muß. Er wäre ein bloßer Nationalist, wenn nicht das übernationale soziale Motiv – der Kampf gegen den Marxismus – ein mächtiges und sogar bestimmendes Element seines Handelns gewesen wäre. Dieses Moment aber ist in einer viel bedeutungsreicheren, weil authentischeren und weniger mythologisierenden Weise von Mussolini entwickelt worden. Und

Mussolini fehlte seinerseits keineswegs eine analoge (in ihrer Entfaltung sogar noch interessantere) Beziehung zum Kriege. Sofern der Faschismus als ein Phänomen *nur* der *Epoche der Weltkriege* betrachtet wird, bleibt Mussolini lediglich durch den Zufall der geringeren Machtmittel und damit der schwächeren Auswirkung hinter Hitler an der zweiten Stelle.

Aber nur von Hitler kann man sagen, daß er einc viel größere Epoche endgültig beschließe, weil er ihre realen Grundzüge isoliert ans Licht gebracht und ihr »ideologisches« Wesen am entschiedensten verneint hat. In diesem Sinne ist Hitler Radikalfaschist und läßt Mussolini weit hinter sich zurück.

Die frühesten faschistoiden Denktendenzen sind aber nicht aus der Sorge um den Krieg oder die Klassenstruktur der Gesellschaft hervorgegangen, sondern aus der Angst um die »Kultur«. Und es liegt ja am Tage, daß alles, was bisher Kultur hieß, von souveränen, kriegerischen, in sich antagonistischen Gesellschaften hervorgebracht wurde. Es war ein überaus symptomatisches Ereignis, als einer der Väter des europäischen Sozialismus, Pierre Joseph Proudhon, sich Rechenschaft gab über die kardinale und positive Bedeutung des Krieges in der Geschichte, ohne daß er ihn doch für die Zukunft hätte festhalten wollen[28]. Nietzsches ganzes Denken ist aus diesem Ansatz zu erklären. Seine Grundeinsicht und Grundsorge war, daß »Kultur«, wie sie in der Geschichte immer von privilegierten und müßigen Klassen geschaffen worden sei, nach dem von Liberalen und Sozialisten gewollten prinzipiellen Wandel der Gesellschaftsstruktur nicht fortexistieren könne. Er wußte noch nicht, daß sie auch in einer faschistischen Gesellschaft keine Stätte haben kann, weil ihre zweite und wichtigere Wurzel ausgerodet ist. Maurras ist in seinem Denken primär von dieser Sorge um die Kultur bestimmt. Gerade deshalb darf man bei seiner Parteigründung von Frühfaschismus sprechen.

Als Moment fehlt diese Sorge auch bei Hitler nicht. Er ist sicherlich aufrichtig, wenn er sagt, er führe den Krieg um eines höheren Zweckes willen, eben der Kultur[29]. Aber gerade der Blick auf Maurras gibt zu erkennen, von wie geringem Gewicht und Goldgehalt dieses Moment bei Hitler ist, und der Vergleich mit Mussolini wiederum hatte gezeigt, daß die Entfaltung des sozialen Motivs bei Hitler viel weniger genuin ist als bei dem Italiener. Erst Maurras, Mussolini und Hitler zusammen machen den vollen Stufenbau des Phänomens aus, der zwar bei jedem von ihnen auch als ganzer, aber doch nur unvollkommen vorhanden ist.

Wenn die Auslegung, die hier gegeben wurde, richtig ist, dann verschwindet der Eindruck, Hitler sei ein nicht recht begreiflicher Zufall in der deutschen und europäischen Geschichte gewesen. Es wird deutlich, daß er von »etwas« besessen war und daß dieses »etwas« alles andere als ein Beiläufiges und Bedeutungsloses darstellte. Er erscheint nicht mehr nur als epochale Gestalt, sondern als der Abschluß eines Weltalters.

Diese Kennzeichnung bedeutet aber nichts weniger als eine Heroisierung. Vielmehr gibt sie den Millionen seiner Opfer die höchste aller Ehren: sie stellt heraus, daß sie, die als Bazillen vertilgt wurden, nicht als unglückliche Objekte eines widerwärtigen Verbrechens starben, sondern als Stellvertreter bei dem verzweifeltsten Angriff, der je gegen das menschliche Wesen und die Transzendenz in ihm geführt wurde.

Anmerkungen

1 Mein Kampf. München. 73. Aufl. 1933, S. 311 f.
2 Adolf Hitler in Franken. Nürnberg 1939, S. 72.
3 In verschiedener Version: Hitler's Table Talk 1941–1944 (with an Indroductory Essay by Hugh R. Trevor-Roper). London 1953, S. 483; Hitlers Tischgespräche, S. 284.
4 Mein Kampf, a. a. O., S. 392.
5 Libres propos sur la guerre et la paix. Paris 1952, S. 113.
6 Ebda., S. 225.
7 Adolf Hitler in Franken, a. a. O., S. 41.
8 Ebda., S. 144.
9 Adolf Hitlers Reden, hrsg. v. Ernst Boepple. München 1933, S. 125.
10 Adolf Hitler in Franken, a. a. O., S. 49.
11 Vielleicht darf hier ein Satz aus Hermann Rauschnings Gesprächen mit Hitler. Zürich 1940, zitiert werden, die im übrigen absichtlich bei der Darstellung nicht herangezogen wurden, weil Rauschning Hitler allem Anschein nach zu viel Nietzschesche Gedanken und Formulierungen zuschreibt: »In meinen Ordensburgen wird der schöne, sich selbst gebietende Gottmensch

als kultisches Bild stehen und die Jugend auf die kommende Stufe der männlichen Reife vorbereiten« (S. 237).

12 Libres propos sur la guerre et la paix, a. a. O., S. 140.

13 Rede in Nürnberg am 6. September 1938 (Max Domarus: Hitler-Reden und Proklamationen 1932–1945, Bd. I. Würzburg 1962, S. 894).

14 Mein Kampf, a. a. O., S. 267.

15 Ebda.

16 Adolf Hitler in Franken, a. a. O., S. 49.

17 Mein Kampf, a. a. O., S. 328.

18 Libres propos sur la guerre et la paix, a. a. O., S. 86.

19 Adolf Hitler in Franken, a. a. O., S. 130.

20 Libres propos sur la guerre et la paix, a. a. O., S. 149.

21 Mein Kampf, a. a. O., S. 144.

22 Adolf Hitler in Franken, a. a. O., S. 99.

23 Es gibt natürlich »die« souveräne, kriegerische, in sich antagonistische Gruppe nicht als vorfindbare Gegebenheit. Es handelt sich um einen vereinfachenden Ausdruck für die Souveränität, Bellizität, innere Antagonizität als fundamentale Charaktere *aller* bisherigen Gruppen. Daß Wesenszüge aber eine »Verkörperung« finden können, dürfte außer Frage stehen.

24 Man denke nur an eine so unfaßbar distanzierte Äußerung wie die über die Umsiedlung der Südtiroler auf die Krim: »Sie brauchen nur die Donau herunterzufahren, schon sind sie da« (Hitler's Table Talk, a. a. O., S. 548).

25 Ebda., S. 418 ff.

26 »I can understand most things, but I shall never understand why, when one has seized power, one does not hold it with all one's might« (ebda., S. 692). Ähnlich Goebbels: »Haben wir Macht, dann werden wir sie nie wieder aufgeben, es sei denn, man trägt uns als Leichen aus unseren Ämtern heraus« (Vom Kaiserhof zur Reichskanzlei. München 1934, S. 139).

27 Hierzu vgl. Th. Schieder: Idee und Gestalt des übernationalen Staates seit dem 19. Jahrhundert. In: Historische Zeitschrift, Bd. 184, S. 336–366, und W. Conze: Deutschlands weltpolitische Sonderstellung in den zwanziger Jahren. In: Vierteljahrshefte für Zeitgeschichte, 9. Jg. (1961), S. 166–177.

28 Pierre Joseph Proudhon: La Guerre et la Paix. Zuerst Brüssel 1861.

29 Libres propos sur la guerre et la paix, a. a. O., S. 82.

Kurt Sontheimer
Zwischen Vergangenheit und Zukunft

Es ist freilich nicht nur die Ungewißheit über den künftigen Weg, den die gesellschaftlich-politische Entwicklung nehmen soll, der zur gegenwärtigen Verunsicherung der Republik beiträgt, sondern auch die Last einer Vergangenheit, mit der man noch immer nicht zurechtkommt. Die peinlichen Selbstrechtfertigungen des baden-württembergischen Ministerpräsidenten Filbinger im Sommer 1978, die überraschende Enthüllung der nominellen NSDAP-Mitgliedschaft des amtierenden und des in Aussicht genommenen Staatsoberhauptes und die Erinnerung an die Reichskristallnacht vor vierzig Jahren haben gerade im dreißigsten Jahr des Bestehens der Bundesrepublik noch einmal daran erinnert, daß Hitlers totalitäre Diktatur dem heute zweigeteilten Deutschland historisch voraufging und daß noch viele Bürger des Landes einen Teil ihres Lebens unter der Fahne des Hakenkreuzes verbracht und ihr gehuldigt haben. Deutschland hat, wie Sebastian Haffner in seinen einsichtsvollen »Anmerkungen zu Hitler« hervorgehoben hat, sich schneller und gründlicher von Hitler und seinem Dritten Reich losgesagt, als man aufgrund historischer Vergleiche erwarten konnte. Niemand hat politisch wieder an Hitler anzuknüpfen versucht, und die seine Untaten verniedlichenden Rechtsextremisten und ihre versprengten Historiker und Publizisten haben es erfreulicherweise zu nicht viel gebracht. »Das ist nur gut so. Weniger gut ist, daß die Erinnerung an Hitler von den älteren Deutschen verdrängt ist und daß die meisten Jüngeren rein gar nichts mehr von ihm wissen. Und noch weniger gut ist, daß viele Deutsche sich seit Hitler nicht mehr trauen, Patrioten zu sein. Denn die deutsche Geschichte ist mit Hitler nicht zu Ende.«[1]

Es ist in der Tat eine alte Klage, daß es der Bundesrepublik an Geschichtsbewußtsein fehle. Edle Bemühungen zur Belebung eines die republikanische und demokratische Tradition

Deutschlands aufnehmenden historischen Bewußtseins, wie sie vor allem Bundespräsident Heinemann unternommen hat, blieben ohne größeres Echo. Die Gründergeneration der Bundesrepublik hat den Nationalsozialismus weniger gewissenhaft verarbeitet als einfach durch eine antitotalitäre Gegenposition ersetzt; die junge Generation lebt überhaupt ohne ein festes Geschichtsbewußtsein. Das Dritte Reich hat sich wie ein erratischer Block zwischen die Gegenwart des geteilten Deutschlands und seine Vergangenheit geschoben und stört den Sinn für historische Kontinuität, der für die Ausbildung eines Geschichtsbewußtseins schwer entbehrlich zu sein scheint. Im übrigen sind die Lehren, die man heute aus der nationalsozialistischen Herrschaft ziehen sollte, keine anderen als diejenigen, die man auch am Ende des schmählichen Dritten Reiches beherzigen zu müssen glaubte: Nie wieder ein Unrechtssystem, nie wieder eine totalitäre Herrschaft, nie wieder Krieg! Oder positiv gewendet: Sorgt Euch um den Frieden, verteidigt das System der Freiheit und des Rechtsstaates, pflegt die freiheitlich-demokratische Ordnung als das politisch Wertvollste, was Ihr habt und haben könnt und widersetzt Euch allem, was diese Ordnung der Freiheit funktionsunfähig machen und in ihrer Substanz gefährden könnte! Laßt nicht noch einmal zu, daß die demokratischen Freiheiten mißbräuchlich dazu benutzt werden, die demokratische Ordnung zu beseitigen!

Zahlreiche Politologen und Historiker haben in den letzten Jahren eifrig daran gearbeitet, die Klammer zu entfernen, mit welcher der Begriff des Totalitarismus die kommunistischen und faschistischen Systeme des 20. Jahrhunderts umspannt hatte, aber die von den Inhalten, den politischen Zielsetzungen sowie der ökonomischen Grundlage aus sehr wohl zu rechtfertigende Unterscheidung zwischen faschistischen und kommunistischen Systemen kann dennoch den antiliberalen, in seiner Tendenz totalitären Herrschaftscharakter beider Systeme, die offenkundige Ähnlichkeit ihrer Herrschaftsmittel nicht aufheben, und dies bleibt unter dem Gesichtswinkel der Menschenrechte der entscheidende Punkt. Darum ist die Verteidigung der Republik gegen totalitäre Tendenzen von links genauso geboten wie ihre Verteidigung gegen ein Wiederaufleben eines

Totalitarismus von rechts. Es gibt unter dem Gesichtspunkt der Bewahrung der liberalen Freiheiten da keinen qualitativen Unterschied. Ihn verwischen zu wollen, wie dies heute von interessierter linker Seite immer wieder geschieht, ist nichts anderes als der Versuch, die historische und gegenwärtige Erfahrung der Unfreiheit und der Mißachtung der Menschenrechte in sozialistischen Systemen zu ignorieren oder zu leugnen.

Historisches Bewußtsein läßt sich indes nicht produzieren wie Automobile; auch ein vermehrter historischer Unterricht wird nicht viel ausrichten, wenn die Motivation fehlt und der historische Bezug zum besseren Verständnis der Gegenwart wegen der Diskontinuitäten der nationalen Geschichte undeutlich bleiben muß. Auch die schönsten, an der Wiederherstellung eines *nationalen* deutschen Geschichtsbewußtseins ausgerichteten Lehrpläne haben der heutigen Jugend kein tieferes gesamtdeutsches Bewußtsein vermitteln können. Hier laufen wir sogar Gefahr, um der Erfüllung eines vermeintlichen Verfassungsauftrages willen, ein verkrampftes, mit den gegebenen Verhältnissen im geteilten Deutschland nur schwer zu vereinbarendes gesamtdeutsches Geschichtsbewußtsein kultivieren zu wollen, das ebenso künstlich ist wie die bewußte Tilgung der Idee der deutschen Nation aus dem politischen Vokabular der DDR.

Ich meine deshalb, daß die Bemühungen um stärkere historische Bewußtheit sich nicht in allgemeinen Appellen zugunsten besserer historischer Bildung, nicht in immer neuen Aufforderungen zur »Bewältigung der Vergangenheit« erschöpfen sollten, daß vielmehr jetzt, dreißig Jahre nach Gründung der Bundesrepublik, der Zeitpunkt gekommen ist, uns intensiver als bisher mit der Geschichte der Bundesrepublik zu beschäftigen und an ihr ein eigenes historisches Bewußtsein zu entfalten. Die Entwicklung Deutschlands zwischen 1945 und heute ist für beide Teile des Landes zu einem historischen Neuanfang geworden, durch den neue staatliche Grundlagen gelegt und politische Traditionen geschaffen worden sind. Zumindest für die Bundesrepublik gilt, daß sie, nachdem die deutsche Teilung unausweichlich geworden war, diesen Weg mit innerer Überzeugung gegangen ist und sich heute als ein fester Bestandteil der europäischen und westlichen Staatengemeinschaft empfindet. Zwar halten wir aus verständlichen Gründen noch an der Idee der Einheit der deutschen Nation fest, doch durch die im Grundlagenvertrag mit der DDR vollzogene bewußte Anerkennung der Teilung Deutschlands in zwei Staaten mit verschiedenen Gesellschaftsordnungen sind endgültig jene Unklarheiten beseitigt worden, die beim Anfang der westdeutschen Staatsgründung in der Idee des *Provisoriums* oder *Transitoriums* ihren begrifflichen Ausdruck gefunden hatten. Die Bundesrepublik ist längst kein Provisorium mehr, sie ist auch nicht ein Transitorium, d. h. eine Übergangsordnung hin zu einem gesamtdeutschen Staat, sondern sie ist für die voraussehbare Zukunft ein demokratisches politisches System, das sich fest in die größere Staatengemeinschaft des Westens einfügt und im Rahmen dieser europäischen und atlantischen Ordnung seine neue Existenz- und Bewußtseinsgrundlage gefunden hat. Die Neubegründung der Demokratie im Westen Deutschlands war der konsequente Versuch, die so oft von der westlichen Entwicklung abweichenden geistigen und politischen Linien der deutschen Geschichte wieder entschlossen zusammenzuführen, und zwar in Richtung auf die Werte und Prinzipien, die uns mit den freien Ländern des Westens, insbesondere mit dem freien Europa und den Vereinigten Staaten verbinden.

Dabei spielt es nach meinem Dafürhalten keine wesentliche Rolle, daß auch diese zweite deutsche Demokratie, wie schon die der Weimarer Republik, nicht die Frucht einer eigenen nationalen Erhebung, sondern das Ergebnis eines verlorenen Krieges war. Niemand kann nämlich leugnen, daß die Gründer der Bundesrepublik diese neue Demokratie wirklich gewollt haben, auch wenn sie unter Umständen entstand, die von Gnaden der Besatzungsmächte abhingen. Wir haben die uns gegebene historische Chance der politischen Erneuerung auf der Grundlage eines neuen politischen Wertbewußtseins nach besten Kräften genutzt. Wir haben den Anschluß an die westliche Tradition, von der wir uns in unserer alten Geschichte immer wieder gelöst hatten, nicht nur gesucht, sondern auch wirklich gefunden, und wir sind heute, nach drei Jahrzehnten bundesrepublikanischer Geschichte, in der Tat eine lebensfähige, pulsierende demokratische Ordnung, die zwar ihre Mängel hat und ihrer Zukunft nicht absolut gewiß sein kann, die aber in ihrer bisherigen historischen Existenz bereits so viele Erfolge, eine so starke institutionelle Festigkeit und sogar gewisse Traditionen hat erringen können, daß es fürwahr einen guten Sinn hat, wenn wir uns in der ständigen Vergewisserung über den richtigen weiteren Weg auf unsere bundesrepublikanische Geschichte rückbeziehen.

Ich meine, daß die dreißigjährige Geschichte der Bundesrepublik eine gute historische Grundlage für ein gesundes Selbstbewußtsein der Bundesrepublik abgibt, meine zugleich aber, daß dieses Selbstbewußtsein der umsichtigen Pflege bedarf. Wir haben erlebt und erleben es noch, daß das fehlende Bewußtsein einer nationalen Identität gerade die junge Generation dazu verführen konnte, Ersatzidentifikationen zu suchen, z. B. mit dem revolutionären Weltproletariat oder mit revolutionären Befreiungsbewegungen in der Dritten Welt. Wir haben noch in der Mitte der sechziger Jahre seitens der Konservativen den nicht ungefährlichen Versuch einer Restauration des Nationalismus durchgemacht, wobei man vorwiegend auf inzwischen überholte Werte des alten deutschen Nationalismus zurückgegriffen hat. Beides sind Irrwege, geboren entweder aus der Verleugnung jeden Geschichtsbewußtseins oder aber gespeist aus einem überholten Geschichtsbewußtsein, das sich im Gegensatz zu den Werten der westlichen Zivilisation befindet.

Heute können wir feststellen, daß die Bundesrepublik sowohl ökonomisch wie militärisch und politisch ein fester Bestandteil des demokratischen Westens geworden ist. Pflege des Geschichtsbewußtseins der Bundesrepublik bedeutet insbesondere, diese Zugehörigkeit zum Westen auch in Zukunft politisch wie geistig zu untermauern und zu vertiefen, ohne deswegen zu verleugnen, daß wir als Deutsche auch noch einer Nation angehören, die in zwei Staaten mit ganz unterschiedlichen Gesellschaftssystemen aufgeteilt ist. Doch mir scheint, daß wir die für unser politisches Selbstverständnis so wichtige nationale Identität nur gewinnen, wenn wir an unserem Bekenntnis zur westlichen Lebensform der Freiheit und sozialen

Gerechtigkeit mit aller Entschiedenheit festhalten, d. h. wenn wir auf dem Fundament weiterbauen, das unsere Verfassungsväter einst gelegt haben, wenn wir uns, mit Sebastian Haffner zu sprechen, wieder trauen, Patrioten zu sein, bundesrepublikanische Patrioten.

Dreißig Jahre Bundesrepublik rechtfertigen indes nicht nur die Bemühung, an dieser Geschichte unser nationales und historisches Bewußtsein entschiedener als bisher zu bilden, sie rechtfertigen, allen Unkenrufen zum Trotz, auch ein starkes Vertrauen in die Zukunft. Man hört allenthalben, es fehlten dieser Republik und ihren Bürgern die großen Zukunftsperspektiven, und in der Tat lähmt die Verunsicherung unseres politischen Bewußtseins auch unser Zukunftsvertrauen. Aber es kommt auch hier darauf an zu prüfen, was wir unter einer sinnvollen Zukunftsperspektive verstehen sollten. Auch in diesem Punkt haben wir uns in den letzten Jahren die sinnvollen Maßstäbe verrücken lassen zugunsten einer allzu unbekümmerten Aufwertung des utopischen wie des pessimistischen Denkens. So richtig die These ist, daß der zukunftsweisende Gedanke über die Mauern des Status quo hinausdringen muß, wenn er die festgefahrenen Verhältnisse lockern will, so ist doch gerade im politischen Bereich die Frage entscheidend, wie das utopische Ziel formuliert wird und mit welchen Mitteln man sich ihm annähern will. Eine Gesellschaft der »Zärtlichkeit«, von der die Tübinger Theologiestudenten in ihrem Brief an einen Terroristen faselten, ist da nicht viel seriöser und hilfreicher als der Ausblick auf die fröhliche Militanz der Gewalt, zu der sich der Göttinger Mescalero bekannte, und es nutzt auch wenig, von einem »unauffindbaren Sozialismus« (R. Aron) zu schwafeln, in dem es alle negativen Erscheinungen sowohl der kapitalistischen Gesellschaften wie der Gesellschaften des real existierenden Sozialismus nicht mehr geben wird. Dieser Utopismus ist im Grunde unpolitisch; er hat mit einer möglichen Zukunft nichts zu tun, er ist ein Produkt der blinden Phantasie, dessen Urheber zu allem hin noch beleidigt sind, wenn man sie nicht an die Macht läßt. Was, um Himmels willen, würden sie mit ihr anstellen?

Verwechseln wir also die Frage nach sinnvollen politischen

Zukunftsaufgaben der Bundesrepublik nicht mit ungezügelten Phantasieprodukten und betörenden Sinnstiftungen, die heute so viele Gemüter politisch verunsichern. Fragen wir vielmehr nach Aufgaben, die in dieser Weltstunde konkret vor uns stehen und zu deren Lösung die Bundesrepublik einen beachtlichen Beitrag leisten kann, der sich positiv auf ihre Zukunft auszuwirken vermag. Ich sehe vor allem drei Aufgabenfelder, in denen ein mit einem Sinn für Realitäten gepaarter neuer Idealismus ein fruchtbares Betätigungsfeld finden könnte:

1. Der Nord-Süd-Konflikt,
2. die Weiterentwicklung der Europäischen Gemeinschaft und
3. die Bewahrung, ja Verschönerung und Verbesserung unserer Umwelt. In allen drei Bereichen geht es um hohe und auch für unsere eigene Zukunft wichtige Ziele. Im Nord-Süd-Konflikt entscheidet sich, ob die reichen und begüterten Länder dieser Erde mit den armen Nationen der Dritten Welt zu einem konstruktiven modus vivendi gelangen können, der den unterentwickelten Ländern den Weg in eine bessere Zukunft mit menschenwürdigeren Lebensbedingungen ermöglicht, ohne daß die reicheren Länder in ihrer eigenen Entwicklung zurückgeworfen werden. Im Rahmen der Europäischen Gemeinschaft muß allen immer wieder auftauchenden Widerständen zum Trotz der schon unmittelbar nach 1945 als richtig erkannte Weg einer politischen Zusammenführung des freien Europas zu einer auch in ihrer nationalen Vielfalt starken und einheitlichen Staatengruppe weiter verfolgt werden, und im Bereich der für die Bedürfnisse des heutigen Menschen immer wichtiger werdenden Ökologie-Politik schließlich geht es um nichts Geringeres als um die Aufgabe, für immer humanere Lebensverhältnisse Sorge zu tragen, ohne die Leistungsfähigkeit und Dynamik der Gesamtgesellschaft zu schwächen.

Einzelheiten zu diesen großen Aufgaben der Zukunft, bei deren Bewältigung die Bundesrepublik in besonderer Weise aktiv werden könnte, erübrigen sich hier, aber wer wollte leugnen, daß es sich um große Zukunftsaufgaben handelt, an denen produktiv und phantasievoll zu arbeiten und mitzuwirken sich lohnt? Es sind Aufgaben, für die es keiner sinnstiftenden Visionen bedarf, nach denen heute so gern verlangt wird. Politik scheitert, wo sie Unmögliches will, aber sie kann auch scheitern, wenn sie das Mögliche nicht zu ihrem Thema und zu ihrer Aufgabe macht.

Dreißig Jahre, nachdem die Bundesrepublik Deutschland mit Unterstützung der westlichen Besatzungsmächte aus der Taufe gehoben wurde, ist sie ein funktionsfähiges, wirtschaftlich starkes, politisch und sozial relativ stabiles Staatswesen, wie niemand, der die Gründungsphase dieser Republik miterlebt hatte, es sich auch nur hätte träumen lassen, aber ihre geistige und moralische Verfassung nach diesen dreißig Jahren ist weit weniger gut. Ihr Selbstbewußtsein ist wackelig und brüchig; es schwankt zwischen Ansätzen zu protzender Kraftmeierei und der Verweigerung jeder Identifikationsbereitschaft mit diesem Staatswesen unsicher hin und her. Ein Teil der Jugend steht dem Werk der Väter, das diese so gern mit einigem Stolz betrachten würden, mit Skepsis, ja zuweilen mit unverhohlener Feindschaft gegenüber. Zahlreiche Intellektuelle, die den »Geist« für sich gepachtet zu haben glauben, stehen ironisch kommentierend oder aggressiv formulierend abseits und möchten eigentlich lieber eine andere Republik als diese, ohne freilich immer recht zu wissen, was sie da eigentlich wollen. Es ist auch in der politischen Diskussion auffallend viel von Verunsicherung die Rede, und damit ist in der Tat immer eine Unsicherheit im Denken, Fühlen und Verhalten gemeint. Die Verunsicherung der Jugend gehört gegenwärtig sogar zu den stärksten Argumenten, die ein Politiker aufbieten kann, wenn er eine bestimmte Maßnahme möglichst unwidersprochen rechtfertigen will.

Ich habe diesem Versuch (Essay) einer Standortbestimmung der Bundesrepublik vor dem Hintergrund ihrer nunmehr dreißigjährigen Geschichte mit Bedacht den Titel »Die verunsicherte Republik« gegeben, denn dies scheint gegenwärtig, den tausend Normalitäten, die in ihr ablaufen, zum Trotz, ihr auszeichnendes Charakteristikum zu sein. In dieser Qualifizierung spricht sich die Sorge aus, diese Republik könnte ihrer Identität, die ja nie besonders stark war, mehr und mehr verlustig gehen und sich zu jenem innerlich umstrittenen, ungeliebten

Gebilde zurückentwickeln, wie es die unselige Weimarer Republik vor fünfzig Jahren war. Die geistig-politische Auseinandersetzung, die wir um sie führen, erinnert mich schon an manche Eigenheiten der Weimarer Epoche, auch wenn, Gott sei Dank, die gravierenden wirtschaftlichen und sozialen Begleiterscheinungen der Weimarer Zeit vorerst fehlen. Ich meine, daß wir dringend etwas dafür tun müssen, um unsere unsicher gewordene politische Kultur wieder in eine sinnvolle, vernünftige Relation zu unseren Institutionen zu bringen. Es gilt, die Institutionen vor größerem Schaden zu bewahren, der nicht ausbleiben kann, wenn die Verunsicherung des politischen Bewußtseins fortdauert. Würde die Verunsicherung anhalten, ja sich noch vertiefen, dann bekämen wir langsam aber sicher eine andere Republik, aber vermutlich keine bessere als die, die wir heute haben. Es gibt indes keinen für mich einsichtigen Grund, warum wir eine andere Republik haben sollten. Die Bundesrepublik Deutschland hat sich, nehmen wir nur alles in allem, in diesen dreißig Jahren bewährt, und sie hat eine lebenswerte Zukunft vor sich, wenn sie an sich glaubt, wenn wir an sie glauben.

Anmerkung

1 S. Haffner: Anmerkungen zu Hitler. Reinbek 1979, S. 204.

Alfred Weber
Das mögliche Sinnhafte der Geschichte

Jede universalisierend deutende geschichtssoziologische Interpretation, die das Schicksal des heutigen Letzttyps des dritten Menschen klären und die entscheidenden Züge der Daseinssicht deutlich machen will, in der seine Existenz verfestigt werden kann, muß gleichzeitig ein Bild zu geben suchen davon, in welchem von innen her beleuchteten Geschichtsverlauf stehend er sich anzusehen hat und was dieser für seine Existenz und Selbsterfüllung aussagt.

Diese Dinge wurden am Anfang gewissermaßen komprimiert gesagt und damit gleichsam von *außen* her beleuchtet. Genauer hingesehen stehen dabei aber eine Anzahl von Fragen zur Diskussion, die nicht etwa das Fazit aus allen unseren Betrachtungen ziehen sollen, aber doch gewisse grundlegende Folgerungen darstellen.

Es handelt sich um das für den heutigen Menschen Sinnhafte der Geschichte.

Gibt es in der Universalgeschichte mehr als eine Art Rhythmisierung, die hier und da etwas Sinnhaftes für den Menschentypus, wie wir ihn repräsentieren, in ihr auftauchen läßt? Gibt es, wie frühere, vor allem philosophische, aber auch soziologische Interpretationen es vertreten haben, sogar einen Gesamtsinn ihres Verlaufs? Oder, wenn man dies als menschlich auffindbar nach den Tatsachen nicht annehmen kann, ist der Mensch imstande, in den rein faktischen Geschichtsverlauf, in dem er als einem im ganzen Gegebenen drinsteht, sinnhafte Verwirklichungen einzuprägen? Und welches sind die Verlaufsgebiete der Geschichte, in denen er das tun kann? Welches diese Sinnverwirklichungen?

Klar ist zweierlei: Wenn und soweit es etwa Sinnhaftes in der Geschichte gibt, so verwirklicht sich dabei etwas Metahistorisches in ihr, das zwar nicht gänzlich außerhistorisch zu sein braucht, aber seine Wurzeln doch außerhalb ihres relativistischen Verlaufs, im Bereich des Absoluten haben muß. In unserer Ausdrucksart gesprochen, kann das nur die Verwirklichung universalisierend-kathartischer, immanent transzendenter Mächte sein. Es kann nur die Folge davon sein, daß solche im historischen Handeln der Menschen jeweils überwiegen oder eine Rolle spielen.

Und klar ist zweitens: Es hat keinen Zweck, um deren Wirksamwerden in der Geschichte zu finden und von daher Antwort auf die vorher gestellten Fragen zu erhalten, irgendwelche Allgemeinheiten allein in Betracht zu ziehen. Man muß die Geschichte ganz konkret befragen; und dazu, gegenüber dem Gegebenen, offen und klar das tun, was die allgemeine Geschichtsphilosophie oder -soziologie meist, ohne es sich deutlich einzugestehen, unterlassen hat. (Nur der begrifflich sehr saubere Schiller macht hier eine Ausnahme.) Man muß von den *Resultaten* ausgehen, welche das historische Gesamtgeschehen dem Betrachter zur Zeit der Betrachtung bietet, um diese Resultate dann rückwärts bis zu ihren erkennbaren Wurzeln zu verfolgen und im Zusammenfassen eine Gesamtanschauung ihres Zustandekommens zu gewinnen.

Was wir in dieser Schrift bisher versuchten, gehört in eine solche Art des Vorgehens. Es bedarf für die Zusammenfassung der Resultate nur hier und dort noch einiger Ergänzungen, um an ein Gesamtbild dann die Fragen der Sinndeutung oder Sinnermöglichung zu stellen.

Ich wiederhole daher nicht, was dargestellt ward. Ich rede vielmehr zunächst von einigen bisher noch nicht besprochenen *Resultaten*.

Deutlich ist: Die Frage, wieweit etwas Sinnhaftes im Geschichtsverlauf sichtbar werden kann, stellt sich uns danach in der Form dar: In welchem Grade prägt das menschliche Handeln dem geschichtlichen Verlauf universalisierende Transzendenz-Tendenzen ein, und wie geschieht das?

Ehe wir auf diese entscheidende Frage eingehen, müssen wir, wie gesagt, loyalerweise in möglichster Pointierung aus der großen Masse der geschichtlichen uns umgebenden Resultate noch einige hervorheben, die wenigstens für *heute* zusätzlich zu den bereits besprochenen Gefährdungen des Menschen und des Menschlichen aufs schwerste gegen diese Sinneinprägung in die Geschichte zu sprechen scheinen.

Was will es heißen, wenn die den Menschen in seiner inneren Geschlossenheit so gefährdende Technik als Resultat der Geschichte diesem Menschen heute zugleich Waffen in die Hand drückt, von denen schon eine einzige als Wasserstoffbombe, wenn angewandt, ein ganzes Gebiet mit seiner gesamten Bevölkerung vernichten würde? Was will es bedeuten, wenn in der gegenwärtigen Weltspannung der gewiß an sich menschenfreundliche Präsident der Vereinigten Staaten sich dazu gezwungen glaubt, in dem mit Stacheldraht und großem Geheimnisschutz umgebenen, in jeder Weise abgedichteten Rayon seines Landes das Schaudern der beauftragten dortigen Physiker vor der Produktion eines solchen Monstrums beiseite zu schieben, weil das vorangegangene Vernichtungsmittel, die ganze Städte radikal mit einem Wurf zerstörende Uranatombombe, im konkurrierenden sowjetischen Machtbezirk auf Grund des Verrats der Produktionsgeheimnisse jetzt gleichfalls hergestellt wird? Was will dieser grauenhafte Spuk besagen, der das entscheidendste Schlußresultat eines Krieges ist, in welchem von dem für ihn verantwortlichen Volk seitens seiner führenden Clique Millionen aus ganz Europa zusammengetriebene Juden (Männer, Frauen, Kinder) in Gasöfen verbrannt und anderweitig erledigt wurden und im Verein mit Rußland die gesamte polnische Intelligenz vernichtet wurde? Was will das alles heißen in einer Zeit, in der man dann elf bis zwölf Millionen dieses Volks aus ihrer vor siebenhundert Jahren erworbenen Heimat ins Nichts vertreiben ließ, so daß sie in dem zerschlagenen Restgebiet Deutschlands sich eingliedern müssen, in dem viel stärker noch als seine Fabriken fast alle großen Städtekerne mit ihren unwiederbringlichen Kunstdenkmälern durch massierte Bombenwürfe zertrümmert sind? Was will das besagen in einer Zeit, in der heute der Sowjetblock zwischen zehn bis zwanzig Millionen Zwangsarbeiter zum langsamen Arbeitstod verurteilt, darunter wohl sicher mehrere Hunderttausende deutscher Kriegsgefangener? In einer Zeit, in der in vielen Gebieten, darunter in einem der Fragmente Deutschlands, der terroristische Druck so groß ist, daß die Menschen zu Tausenden durch alle Drahtverhaue hindurch täglich unter Zurücklassung ihres Eigentums und ihrer Habe fliehen, so daß die gesamte Zone mit Entvölkerung bedroht ist, bis sie sich zu offensichtlich aussichtslosem verzweifeltem Widerstand erhob? – Und dabei ist das alles nur ein im Zusammenhang mit dem zweiten Weltkrieg stehendes, wenn auch ein äußerst deutliches Symptom einer viel allgemeineren Lage. Der terroristische Druck und der gegenseitige nationale und konfessionelle Haß sind in dieser heutigen mit 1914 einsetzenden Geschichtsperiode so groß geworden, daß man sie über die ganze Erde hin als die Zeit der größten Wanderungsverschiebung der Geschichte bezeichnen muß, einer Massenverschiebung aus Angst und Not, für die man in der Weltorganisation der UN ein eigenes großes Büro für den Versuch der Lenkung und der Notmilderung gegenüber dem unaufhörlichen tellurischen Flüchtlingsstrom hat schaffen müssen. – Ich halte in der auf diese Weise nur angedeuteten Schilderung der dieser neuen weltgeschichtlichen Epoche eigenen furchtbaren von ihr herangezüchteten Barbarismen inne.

Was wollen sie besagen, wenn nicht, daß diese Epoche die Zeit des offenkundig, durch alle eingebauten humanitären Linderungen nicht zuzudeckenden *Bankrotts* der Geschichte darstellt, sofern diese, wie man meinte, eine wirkliche Entfaltung der Menschlichkeit darstellen sollte?

Ganz gewiß, man kann all das als schmerzliche Übergangserscheinungen zu jener dritten großen Weltperiode deuten, an deren Anfang wir augenblicklich stehen. Aber das ändert nichts daran, daß diese gegenüber allem anderen historisch Vorangegangenen ins Gigantische gesteigerten Scheußlichkeiten eben eines der offenkundigsten »Resultate« des bisherigen Geschichtsverlaufs darstellen.

Und wie sehen ferner die Umrisse der neuen Weltperiode aus, der wir durch ein jetzt bald halbhundertjähriges derartiges Purgatorium entgegengehen? Diese Umrisse erheben sich, ohne daß man natürlich von den kommenden Realitäten der Zukunft wirklich etwas wissen kann, in der Gestalt der Silhouette eines möglichen gewaltigen Weltzusammenstoßes zweier riesiger Machtgebilde, in denen man sich auf das eifrigste auf beiden Seiten auf diesen Zusammenstoß vorbereitet, der, wenn er wirklich einmal eintritt und mit den heute zur Verfügung stehenden Zerstörungsmitteln durchgeführt wird, da, wo diese Mittel eingesetzt werden, von der heutigen Menschheit und ihren dort domizilierten Zivilisations- und Kulturgütern nichts übriglassen würde. – Man kann vom Angehörigen eines Landes, von dem als wesentlicher Zwischensphäre zwischen den beiden Kampfgiganten bei einem derartigen kriegerischen Zusammenstoß sicher kaum etwas weder von seiner geschichtlichen Heimat, noch von seiner Bevölkerung erhalten bleiben würde, nicht verlangen, daß er *diese* Lösung der heutigen Weltspannung als einen Kulturfortschritt empfände. Auch dann, wenn er akzeptierte, daß sein Land und Volk auf dem Altar des Weltgeschehens geopfert werden, muß er, über die Pfähle seines heute schon zerstückelten Vaterlandes hinausblickend, befürchten, daß dies Opfer geschichtlich so gut wie nutzlos wäre. Denn, selbst wenn dadurch das Gebiet des einen der beiden großen Gegner unzerstört durchkäme, die allgemeinen, im übrigen ja im ganzen Ausmaß nicht vorhersehbaren Konsequenzen wären global unzweifelhaft derart, daß dem überlebenden Gebiet inmitten der weithin wahrscheinlich über ganze Kontinente hin zerstörten und von Haß getränkten Erde ganz sicher keine Freude an seinem Siege zufiele. Es stünde dann, von Bitterkeit umgeben, vor einem buchstäblichen Ende der Geschichte und vor einem notwendigen Neuanfang – vor Schwierigkeiten, für die keine Vorstellung von heute ausreicht.

Sprachen wir in dieser Schrift vom Ende der bisherigen Geschichte, so stand doch alles, was wir sagten, unter der Voraussetzung, daß dieser grausige technologische Schluß nicht eintritt. Und entweder – was leider nicht allzu wahrscheinlich ist – in einem kommenden Entscheidungskampf im großen die ganz schweren Untergangswaffen nicht verwendet würden. Oder – das ist die eigentliche Voraussetzung, von der wir *wirklich* ausgingen –: die Existenz dieser Waffen wird, da sie, wenn auch in verschiedener Vollendung, in den Händen *beider* Entscheidenden liegt, eine Art Schutz *gegen* den Ausbruch dieses Gesamtentscheidungskampfes bilden, da für beide Teile das Risiko des eigenen Untergangs zu groß geworden ist.

Betrachten wir dies als geschichtliches Resultat unter der Beleuchtung der Vergangenheit.

Man kann sagen, die Vorstellung, daß der gegenwärtige Zustand der rivalisierenden Rüstung ohne kriegerischen Austrag vorerst ein Dauerzustand werde, heiße der Welt zumuten, daß sie ihre Existenz einrichten solle auf ein dauerndes Leben am Abgrund. Daran ist etwas Richtiges, sofern die heutigen Spannungen in unverminderter Stärke und in Begleitung all der üblen Vernichtungsmittel, die diese heute zeitigen, fortdauern. Die gegenwärtige psychische Verfassung in den Vereinigten Staaten, die auf der »freien Seite« ja die größten Lasten dabei tragen müssen, scheint sich schwer, sehr schwer mit dieser Lage abzufinden. Und es ist ganz klar, daß die andern auf der gleichen Seite Stehenden alles tun müssen, um diese Lasten etwas zu erleichtern. Wenn sie das tun, dann dürfen sie darauf hinweisen, daß diese Existenz am Abgrund, seitdem die Spannung herrscht, in ausgeprägter Potenz, wenigstens soweit sie Deutschland, will sagen, das sichere erste Opfer der Katastrophe angeht, schon seit dem Kriegsende die ihre ist. Und daß man lernt, in dieser Form zu leben, auch wenn man nicht so exponiert ist wie Berlin, wo eine ganze Bevölkerung von mehr als zwei Millionen ohne den Gedanken persönlicher Rückversicherung ihr Dasein mutig fortsetzt, obgleich ihr buchstäblich die Todesleine um den Hals gelegt ist.

Auf etwas länger hinaus gesehen, jedenfalls auf jene Epoche hin betrachtet, in der die Frage des Bevölkerungsstillstands in ihrer Bedeutung anfangen wird, die gegenwärtigen Spannungen zu übertönen, ist, wie gesagt, damit zu rechnen, daß diese Spannungen in der heutigen Schärfe nachlassen, sofern man im Westen die Nerven nicht verliert.

Man soll nicht wähnen, dahinter käme, wenn man durchgehalten hat, die Zeit einer Art von Weltdomestikation und die Möglichkeit einer so durchgreifenden Erdorganisation, daß sie alles weitere Rüsten auszuschließen vermöchte. – So nötig bei der technischen Unifizierung des Globus und der künftigen Einheitlichkeit seines Schicksals eine Weltorganisation ist, die in der UN ja schon besteht, wenn auch sehr schwer behindert, zu wünschenswert und dann auch möglich deren verstärkte

Einflußnahmen sein werden, so muß man doch von dem vitalen Mächtewerk der Welt und der Geschichte so gut wie keine Ahnung haben, um zu glauben, dieses vitale Mächtewerk ließe sich durch irgendwelche Zaubermittel gewissermaßen »pensionieren«. Wenn das gemeinsame Interesse, es zu keiner Weltkatastrophe kommen zu lassen, gegenüber dem heute von der Ostseite aufgepeitschten Haß und den dort ebenso in die Höhe getriebenen eschatologischen Hoffnungen durch langsames Abklingen von beidem sich erst hörbar und dann auch wirksam machen kann, wird das gerade ausreichen zum Verzichten auf die permanente Drohung mit dem Alleräußersten, nicht aber zur vollen Hinnahme eines übergeordneten fremden Willens, der durchgreifende Kontrollen dauernd nach allen Richtungen wirksam durchzuführen vermöchte. Die Welt wird sich wandeln, aber nicht so, daß sie nun plötzlich eine brave Kinderstube würde. Vielmehr so, daß auf diesem oder jenem Wege die allgemeinen weltkatastrophalen Möglichkeiten zunehmend mehr unwahrscheinlich werden. Ich sehe keinen praktischen Weg, auch trotz äußerst wünschenswerter Abkommen über Abrüstung, die katastrophalen Möglichkeiten völlig auszuschließen. Ich sehe nur die Hoffnung, daß sie allmählich gewissermaßen einfrieren. – Die vitalen Machtrivalitäten aber werden, weil sie eben vital sind, bleiben.

Man wird dadurch dem Zustand wieder näherkommen auf freilich anderer Ebene, der in der Geschichte, solange wir sie kennen, da war. Man lebte auch damals immer in Gefahr. Diese bestand in der ersten langen Periode in dem immer erneuten Heranrollen von Wanderungsüberflutungen bei gleichzeitig stets in Abständen vor sich gehenden gegenseitigen Kämpfen in den überfluteten Gebieten. In dem damaligen Westen steht die ara pacis des Augustus da als ein beinahe ironisch anmutendes Symbol eines errungenen und erhofften längeren Friedens, hinter dem aber nicht nur die äußeren, sondern auch die inneren Kämpfe alsbald in etwas anderen Formen fortgingen. – In der Übergangsperiode seit 1500/1600 befand sich Europa, ihr Kerngebiet, in einem einzigen blutigen Ringen der entstehenden modernen Staaten, denen nicht nur friedliche, sondern höchst kriegerische Eroberungen über die gesamte Erde hin zur Seite gingen. Dem 18. Jahrhundert schien in seiner zweiten Hälfte eine Art von Ruhepause zu gelingen, deren psychologische Wirkungen Goethe in ›Dichtung und Wahrheit‹ gut beschrieben hat, hinter der aber die Revolutionskämpfe und dann die Napoleonischen Kriege alsbald kamen. Und als im 19. Jahrhundert in den siebziger Jahren nach dem Deutsch-französischen Krieg, dem eine beinahe vierzigjährige Ruhe bis zum Krimkriege vorangegangen war, ebenfalls etwas einzutreten schien, was wenigstens Ähnlichkeit mit einer, wenn auch bewaffneten Atempause hatte, erhob sich Nietzsche und stieß den Schrei aus über die angebliche psychische Gefahr der Domestikation. Er ahnte anscheinend nicht, daß unmittelbar darauf seit 1880 der Schlußakt des kriegerischen Ringens um die kapitalistische Weltaufteilung anbrach, dieser Schlußakt, welcher dem dann folgenden Gemetzel der Weltkriege präludierte.

Schiller, vor der Jahrhundertwende der Verkünder der Geschichte als einer Humanisierungsentwicklung, schrieb, wie bereits angeführt ward, schon 1802 unter dem Eindruck des französischen Terrors und inmitten der napoleonischen Eroberung: Die Welt als historischer Gegenstand sei im Grunde nichts anderes, als der dauernde Konflikt der Naturkräfte untereinander selbst und mit der Freiheit des Menschen. – Jedenfalls, wenn wir als erstes die Bedeutung der rein vitalen im Menschen und in der Geschichte stets vorhandenen Mächte für die objektive Sinndeutung der Geschichte in Betracht ziehen, so müssen wir, wie auch dieser Idealist in seiner Ehrlichkeit es schließlich tat, erklären: die Existenz am kriegerischen Abgrund ist schlechthin *die geschichtliche Existenz* des Menschen. Wir leben heute nur in einer besonderen, in der Art freilich noch nicht dagewesenen Gefährlichkeit dieser Existenz. Aber, mag bei einer Abnahme der gegenwärtigen Spannung die bändigende Weltorganisation stärker oder schwächer sein, das Wesen der geschichtlichen Existenz bleibt doch dasselbe. Denn die vitalen Kräfte, die es grundlegend mit bedingen, sind stets die gleichen.

Und die Sinnhaftigkeit der Geschichte? – Auch der Kosmos hat Geschichte, und manche der heutigen Naturwissenschaftler vermessen sich sogar, für seine Existenz ein Anfangsdatum (etwa zwei Milliarden Jahre rückwärts) zu berechnen. Daß die kosmische Entwicklung aber »Geschehen« und nicht Geschichte ist, sollte jedem selbstverständlich sein. Und ebenso selbstverständlich, daß wir Menschen von dem Sinn und Wesen dieses Geschehens keine Ahnung haben. Wir haben keine Ahnung davon, und wir können es nicht Geschichte nennen, weil wir vom »Verstehen« her gar keinen Zugang dazu haben. Geschichte existiert nur, wo das letztere der Fall ist.

Daraus folgt weiter: Die Naturwissenschaft mag uns lehren, daß der Mensch wahrscheinlich vor etwa 500000 Jahren im Entwicklungsprozeß des Lebendigen entstanden ist. Und unsere Prähistoriker mögen zusammen mit den Paläontologen in bewunderungswürdigen Ausgrabungen konstatieren, daß vor ungefähr 60000 oder 20000 Jahren inmitten der Eiszeiten ein Aurignac- und dann Cromagnon-Mensch existierte, der somatisch und psychisch schon den heutigen Menschentyp darstellte. Dessen zum Teil hochstehende künstlerische Hinterlassenschaft und sein Gesamtverhalten mag zeigen, daß wir hier wahrscheinlich wirklich den heutigen, will sagen, den *dritten* Menschen bereits im Ersttyp vor uns haben. Während die ganze Masse der heute fortbestehenden sogenannten Primitiven überwiegend ganz offenkundig einer oder mehreren vorangegangenen Stufen angehören, welche ich vereinfachend die des *zweiten* Menschen nenne. Man mag mit gutem Grund überall hier von *Vor*geschichte als von etwas sprechen, was eben vor der Geschichte im eigentlichen Sinne liegt.

Der Grund liegt darin, daß der in den Primitiven resthaft uns noch umgebende zweite Mensch zwar gewiß einmal irgend etwas wie Fortentwicklung seiner Existenz gehabt hat, aber durchgängig mit Tendenzen, die in einer so oder so bedingten, meist magistisch determinierten unveränderlichen Fixierung endeten. Diese Fixierung ist im ganzen erst in wahrscheinlich alter Form auf uns gekommen, und sie hat überwiegend zu einer Zerbrechlichkeit der sozialen und geistigen Existenz geführt, welche die betreffenden Völkerschaften vor dem abendländischen Zivilisationsprozeß zergehen ließ. Nur etwa bei den meisten Indianern, den Malaien, den Eskimos, den Negern und einigen andern Völkern hat sie soviel unzerstörbare Vitalität übriggelassen, daß diese Völker im modernen Luftzug weiterexistieren und sich transformieren konnten. – Wie dem auch sei, eine *Geschichte* im eigentlichen Sinn hat dieser gesamte zweite Mensch noch nicht gehabt. Das zeitliche Geschehen seines Daseins wird nicht ohne Grund heute wissenschaftlich dargestellt als ein Sichübereinanderschieben und daraus folgendes Sichmischen von *kristallisierten* Daseins- und Kulturgestaltungen, das man einigermaßen mißverständlich »Weltgeschichte der Steinzeit« genannt hat. Es ist ein gewiß interessantes Geschiebe, aber nicht Geschichte.

Und Geschichte dürften die Eiszeitstufen des dritten Menschen, die des Aurignac-, Cromagnon- usw., gleichfalls nicht besessen haben. Denn deren Hinterlassenschaften lassen sich nach dem gleichen Schema wissenschaftlich deuten.

Theodor Mommsen hat gesagt, für ihn beginne die Geschichte erst ab urbe condita. Das wollte, allgemein gewendet, heißen: Sie beginnt dann, wenn ein verstehbarer, innerlich fortlaufender Geschehensprozeß und gleichzeitig das *Bewußtsein* vorliegt, daß man in einem solchen steht. Der Augenblick, in dem das eingetreten ist, ist, wie wir heute wissen, gewiß nicht erst das Zeitalter der Gründung Roms, aber soweit immer wir ihn in die Vorzeit durch Ausgrabungen und dergleichen zurückzuschieben vermochten, er liegt nicht vor dem Entstehen der ersten großen Hochkulturen, die sich aus dem Organisiertwerden der Ackerbaubevölkerung der frühesten südlichen eurasiatischen Flutschwemmgebiete durch viehzuchttreibende Nomaden in staatlich zusammengefaßter Großform ergaben. Ein Vorgang, an den sich äußerlich Machtkämpfe und innerlich Synthesen mit zivilisatorischem, mit sozialkulturellem und mit geistigem, also mit geschichtlichem Fortgang knüpften. *Zugleich* aber das Bewußtsein der Herrschenden, daß sie hier etwas geschichtlich sich Bewegendes geschaffen hatten. Mit den Dokumenten dieses Bewußtseins, die wir besitzen und heute entziffern können, beginnt die menschliche Geschichte. Mit diesen Dokumenten und den durch ihre Lesung erst lebendig gewordenen Denkmälern, die erhalten sind, ist unser menschliches Geschichtsbewußtsein zurückverlängert worden bis in die Zeit 4000/3600 v. Chr., in den Anfang der ersten großen von uns umrissenen Geschichtsepoche also.

Wir haben damit eine 5000- bis 6000jährige Zeit wirklich menschlicher Geschichte hinter uns, die wir in unser Bewußtsein als von innen her beleuchtet aus den Dokumenten und dem Sichselbstsehen der Menschen aufzunehmen fähig sind und für die wir fragen können, wieviel und welcher Sinn in ihr enthalten ist oder gelegentlich in ihr zum Vorschein kam.

Das ist sehr lang, gemessen an der Möglichkeit, daß in der Geschichte überhaupt versucht wird, einen Sinn zur Verwirklichung zu bringen, über das als Faktizität ungefragt einfach hingenommene Kämpfen rein vitaler Kräfte irgendwie hinauszukommen und bewußt irgend etwas Überzweckmäßiges, Seelisch-Geistiges zur Gestalt zu bringen. Die 5000 bis 6000 Jahre aber sind sehr kurz im Rahmen der 500 000jährigen Existenz einer entfernt uns gleichen Menschenform. Und vollends im Raume der zwei Milliarden Jahre, die man dem heutigen Kosmos zumißt; sowohl kosmisch wie erdgeschichtlich sind diese noch nicht 6000 Jahre nur ein Augenblick. Es erscheint sehr naheliegend, ja im Grunde unentrinnbar, daß diese gesamte menschliche »Geschichts-Gegebenheit« nur eine Episode im großen Spiel des Daseins ist.

Wir haben von der Aporie, die für das menschliche Bewußtsein sich daraus ergibt, gesprochen. Sie heißt, von dieser Seite her gesehen, daß die seelisch gefühlte menschliche »Zeit« und die astronomischen und kosmogonisch gesehenen Zeitabstände etwas Verschiedenes sind. Denn die geistige Bedeutungsschwere auch nur eines einzigen menschlichen Erfahrungsaugenblicks geht in die astronomischen oder kosmogonischen Zeitabläufe überhaupt nicht ein. Und das heißt für uns: Kein menschlicher, geschichtlicher Augenblick oder Ablauf kann für uns an Gewicht verlieren dadurch, daß er astronomisch oder kosmogonisch vielleicht gänzlich ephemer ist. Das aber bedeutet wieder – und hier beginnt das eigentlich Bedeutsame –, daß der rein äußere Zeitablauf und die Vergänglichkeit in ihm, richtig erfaßt, keine Entmutigung für uns enthalten kann.

Jeder wirklich historische Moment ist an sich ganz unabhängig von seiner astronomischen Zeitdauer von Bedeutung. – Haben wir also den Mut, den die Natur ja rings um uns in jedem Augenblick besitzt, daß wir das Überzweckmäßige, was wir tun, nicht messen an seiner Zeitlichkeit. Wenn die absoluten Mächte, die hinter dem Dasein stehen und in ihm gegenwärtig sind, dem Überzweckmäßigen, etwa dem Schönen, das sie dem Dasein und uns schenken und das wir gern verewigt wünschten, im ganzen in der Natur nur die gleiche Lebensdauer geben wie dem ganz gleichgültigen, ja vielleicht widerwärtigen bloß Vitalen – von dem Unlebendigen, das dabei durchaus bevorzugt scheint, ganz zu schweigen –, mit welchem Recht wollen wir für uns andere Maßstäbe verlangen?

Gewiß, wir reden gern von Ewigkeitswerten, die geschaffen oder die von uns vertreten werden. Und wir haben insoweit ein Recht dazu, als es uns geschenkt ist, auch das Absolute, das, geistig gesehen, unverlierbar ist, gelegentlich zu erfahren und eventuell sogar zur Verwirklichung zu bringen. Aber die Ewigkeit bezieht sich dabei nur auf das zum Ausdruck gebrachte Absolute, nicht auf die Ausdrucksform im Zeitgeschehen. Wir haben alle Veranlassung, wenn wir nach dem Sinnhaften in der Geschichte fragen, für sein Erscheinen die Frage nach der zeitlichen Dauer möglichst abzustreichen, und vor allem auch die Frage nach dem »Fortschritt«, also nach der zeitlichen Steigerung solchen sinnhaften Daseins im geschichtlichen Dasein nicht allzusehr zu unterstreichen. Denn nichts ist zweifelhafter als dies, ob die Verwirklichungsmöglichkeiten des befreienden Absoluten im Geschichtsverlauf zu- oder abgenommen haben. Und nichts ist vermessener, als Prognosen für die Zukunft nach der Richtung aufzustellen.

Wir haben weiter festzustellen: Wie in jedem einzelnen Menschen, in jedem Volk alle immanenten Transzendentalmächte, die bloß vitalen, die partikularisierend zerstörenden und die universalisierend befreienden, vorhanden und wirksam sind, so ganz selbstverständlich in dem Gesamtablauf der Geschichte, der aus dem Zusammenwirken aller in ihn eingestellten Individuen und Völker folgt. Und die Frage, die wir an die Geschichte richten, kann, präzis gestellt, demnach nur lauten: wie steht es mit der *Mischung* des Wirksamwerdens aller dieser Mächte jeweils in der Geschichte? Und da wir uns für das Sinnhafte, das dabei aufleuchtet, interessieren: Wie steht es, wenn wir die bisherige Geschichte überblicken, mit diesem Sichtbarwerden und Verschwinden in ihrem Ablauf? Gibt es vielleicht *Stränge* der Geschichte, die die Unterlage bieten, nicht etwa für eine Sinngestaltung des Gesamtgeschichtsverlaufs – es wäre Hybris, so zu fragen –, die aber wohl vielleicht die Unterlage für eine immer wieder einmal gelingende *Einprägung von Sinn* in eben diese Stränge, die in ihr spielen, gestatten? Können wir auf diese Weise gegenüber entgegengesetzten in ihr auch lebendigen Fortlaufstendenzen das menschlich Sinnhafte durch diese Stränge und in ihnen retten? Wo hat diese Rettung ihren Platz in dem Zusammenwirken der Mächte, die sie beherrschen?

Quellenverzeichnis

Die Beiträge dieses Buches wurden folgenden Bänden des Piper Verlages entnommen:

Ernest Ansermet/J. Claude Piguet: Gespräche über Musik. Übersetzt und mit einem Vorwort versehen von Horst Leuchtmann. München 1973, S. 69–79

Hannah Arendt: Vom Leben des Geistes, Bd. I. Aus dem Englischen von Hermann Vetter. München 1979, S. 193–206

Wolf Graf von Baudissin: Soldat für den Frieden. Entwürfe für eine zeitgemäße Bundeswehr. Herausgegeben und eingeleitet von Peter v. Schubert. München 1969, S. 118–130

Karl Dietrich Bracher: Zeitgeschichtliche Kontroversen. Um Faschismus, Totalitarismus, Demokratie. München 1980, S. 62–79

Carsten Bresch: Zwischenstufe Leben. Evolution ohne Ziel? München 1978, S. 284–293

Ralf Dahrendorf: Pfade aus Utopia. Zur Theorie und Methode der Soziologie. Gesammelte Abhandlungen I. München [3]1974, serie piper 101, S. 368–379

Irenäus Eibl-Eibesfeldt: Einleitung zu: Konrad Lorenz: Das Wirkungsgefüge der Natur und das Schicksal des Menschen. Gesammelte Arbeiten. Herausgegeben und eingeleitet von Irenäus Eibl-Eibesfeldt. München 1978, S. 7–13

Manfred Eigen/Ruthild Winkler: Das Spiel. Naturgesetze steuern den Zufall. Zeichnungen von Jutta Winter nach Entwürfen von R. Winkler. München [3]1979, S. 190–198

Theodor Eschenburg. Zur politischen Praxis in der Bundesrepublik, Bd. III. München 1972, S. 267–275

Joachim C. Fest: Das Gesicht des Dritten Reiches. Profile einer totalitären Herrschaft. München [7]1980, serie piper 199, S. 403–411

Iring Fetscher: Überlebensbedingungen der Menschheit. Zur Dialektik des Fortschritts. München 1980, serie piper 204, S. 196–210

Andreas Flitner: Mißratener Fortschritt. Pädagogische Anmerkungen zur Bildungspolitik. München 1977, serie piper 166, S. 47–53

Norbert Greinacher: Die Kirche der Armen. Zur Theologie der Befreiung. München 1980, serie piper 196, S. 23–30

Bernhard Hassenstein: Instinkt, Lernen, Spielen, Einsicht. Einführung in die Verhaltensbiologie. München 1980, serie piper 193, S. 112–124

Robert Havemann: Morgen. Die Industriegesellschaft am Scheideweg. Kritik und reale Utopie. München 1980, S. 124–133

Werner Heisenberg: Schritte über Grenzen. Gesammelte Reden und Aufsätze. Erweiterte Neuausgabe. München ^{4}1977, S. 288–305

Jeanne Hersch: Das philosophische Staunen. Einblicke in die Geschichte des Denkens. Aus dem Französischen von Frieda Fischer und Cajetan Freund. München 1981, S. 119–125

Erich von Holst: Zur Verhaltensphysiologie bei Tieren und Menschen. Gesammelte Abhandlungen, Bd. I. München 1969, S. 290–294

Hans E. Holthusen: Plädoyer für den Einzelnen. Kritische Beiträge zur literarischen Diskussion. München 1967, S. 88–104

Karl Jaspers: Vom europäischen Geist. Vortrag, gehalten bei den Rencontres Internationales de Genève. September 1946. München 1947, S. 20–31

Karl Jaspers: Die Schuldfrage. Für Völkermord gibt es keine Verjährung. München 1979, serie piper 191, S. 46–59

Walter Jens: Von deutscher Rede. München 1969, S. 88–102

Leszek Kolakowski: Leben trotz Geschichte. Lesebuch. Ausgewählt und eingeleitet von Leonard Reinisch. München ^{2}1977, S. 112–120

Christian Graf von Krockow: Nationalismus als deutsches Problem. München 1970, serie piper 4, S. 103–110

Hans Küng: Existiert Gott? Antwort auf die Gottesfrage der Neuzeit. München 1978, S. 622–640

Konrad Lorenz: Das Wirkungsgefüge der Natur und das Schicksal des Menschen. Gesammelte Arbeiten. Herausgegeben und eingeleitet von Irenäus Eibl-Eibesfeldt. München 1978, S. 24–35

Alexander und Margarete Mitscherlich: Die Unfähigkeit zu trauern. Grundlagen kollektiven Verhaltens. München ^{10}1977, serie piper 168, S. 345–357

Jacques Monod: Zufall und Notwendigkeit. Philosophische Fragen der modernen Biologie. Vorrede zur deutschen Ausgabe von Manfred Eigen. Aus dem Französischen von Friedrich Griese. München 1971, S. 204–219

Edgar Morin: Das Rätsel des Humanen. Grundfragen einer neuen Anthropologie. Vorwort zur deutschen Ausgabe von Adolf Portmann. Aus dem Französischen von Friedrich Griese. München 1974, S. 248–253

Ernst Nolte: Der Faschismus in seiner Epoche. Action française, Italienischer Faschismus, Nationalsozialismus. München ^{5}1979, S. 505–512

Adolf Portmann: Entläßt die Natur den Menschen? Gesammelte Aufsätze zur Biologie und Anthropologie. München [2]1971, S. 365–379

Ilya Prigogine/Isabelle Stengers: Dialog mit der Natur. Neue Wege naturwissenschaftlichen Denkens. Mit 26 Zeichnungen. Übersetzung nach dem englischen Manuskript von Friedrich Griese. München 1981, S. 25–30

Rupert Riedl: Die Strategie der Genesis. Naturgeschichte der realen Welt. Mit 106 Zeichnungen von Smoky Riedl. München [2]1980, S. 312–322

Hans Saner: Kants Weg vom Krieg zum Frieden, Bd. 1: Widerstreit und Einheit. Wege zu Kants politischem Denken. München 1967

Kurt Sontheimer: Die verunsicherte Republik. Die Bundesrepublik nach 30 Jahren. München 1979, serie piper 189, S. 140–149

Robert Spaemann: Beitrag in: Fortschritt ohne Maß? Eine Ortsbestimmung der wissenschaftlich-technischen Zivilisation. Herausgegeben von R. Löw, P. Koslowski, Ph. Kreuzer. München 1981, serie piper 235, S. 106–112

Helmut Thielicke: Mensch sein – Mensch bleiben. Entwurf einer christlichen Anthropologie. München [2]1978, S. 100–109

Mario Wandruszka: Die Mehrsprachigkeit des Menschen. München 1979, S. 285–294

Paul Watzlawick: Wie wirklich ist die Wirklichkeit? Wahn, Täuschung, Verstehen. München [7]1980, serie piper 174, S. 205–214

Alfred Weber: Der dritte oder der vierte Mensch. Vom Sinn des geschichtlichen Daseins. München 1963, S. 157–168

Heinz Zahrnt: Aufklärung durch Religion. Der dritte Weg. München 1980, serie piper 210, S. 84–98

Karl Jaspers

Der Arzt im technischen Zeitalter

Technik und Medizin, Arzt und Patient, Kritik der Psychotherapie.
1986. 122 Seiten. Serie Piper 441

Die Atombombe und die Zukunft des Menschen

Politisches Bewußtsein in unserer Zeit. 7. Aufl., 58. Tsd. 1983. 505 Seiten. Serie Piper 237

Augustin

2. Aufl., 8. Tsd. 1985. 86 Seiten. Serie Piper 143

Chiffren der Transzendenz

Hrsg. von Hans Saner. 4. Aufl., 16. Tsd. 1984. 111 Seiten. Serie Piper 7

Die großen Philosophen

Erster Band
Die maßgebenden Menschen – Die fortzeugenden Gründer des Philosophierens – Aus dem Ursprung denkender Metaphysiker 3. Aufl., 14. Tsd. 1981. 968 Seiten. Leinen

Die großen Philosophen

Nachlaß 1
Darstellungen und Fragmente. Hrsg. von Hans Saner. 1981. 679 Seiten. Leinen

Die großen Philosophen

Nachlaß 2
Fragmente, Anmerkungen, Inventar. Hrsg. von Hans Saner. 1981. 560 Seiten. Leinen

Die großen Philosophen

Erster Band und Nachlaß 1 und 2
3 Bde. 1981. 2204 Seiten. Leinen i. Schuber

Kant

Leben, Werk, Wirkung. 2. Aufl., 10. Tsd. 1983. 230 Seiten. Serie Piper 124

Kleine Schule des philosophischen Denkens

10. Aufl., 65. Tsd. 1985. 183 Seiten. Serie Piper 54

Die maßgebenden Menschen

Sokrates, Buddha, Konfuzius, Jesus. 8. Aufl., 44. Tsd. 1984. 210 Seiten. Serie Piper 126

Nietzsche und das Christentum

1985. 73 Seiten. Serie Piper 278

PIPER

Karl Jaspers

Notizen zu Martin Heidegger
Hrsg. von Hans Saner. 2. Aufl., 7. Tsd. 1978. 342 Seiten und 7 Abbildungen. Geb.

Philosophische Autobiographie
2. Aufl., 10. Tsd. 1984. 136 Seiten. Serie Piper 150

Der philosophische Glaube
8. Aufl., 41. Tsd. 1985. 136 Seiten. Serie Piper 69

Der philosophische Glaube angesichts der Offenbarung
3. Aufl., 18. Tsd. 1984. 576 Seiten. Leinen

Plato
3. Aufl., 11. Tsd. 1985. 96 Seiten. Serie Piper 47

Psychologie der Weltanschauungen
1985. 515 Seiten. Serie Piper 393

Schelling
Größe und Verhängnis. 1986. 346 Seiten. Serie Piper 341

Spinoza
1978. 154 Seiten. Serie Piper 172

Vernunft und Existenz
Fünf Vorlesungen. 3. Aufl., 12. Tsd. 1984. 127 Seiten. Serie Piper 57

Vom Ursprung und Ziel der Geschichte
8. Aufl., 39. Tsd. 1983. 349 Seiten. Serie Piper 198

Von der Wahrheit
Philosophische Logik. Erster Band. 3. Aufl., 13. Tsd. 1983. XXIII, 1103 Seiten. Leinen

Wahrheit und Bewährung
Philosophieren für die Praxis. 1983. 244 Seiten. Serie Piper 268

Weltgeschichte der Philosophie
Einleitung. Aus dem Nachlaß herausgegeben von Hans Saner
1982. 192 Seiten. Leinen

Karl Jaspers/Rudolf Bultmann
Die Frage der Entmythologisierung
Mit einem Vorwort von H. Ott. Neuausgabe. 1981. 143 Seiten. Serie Piper 207

Hannah Arendt/Karl Jaspers
Briefwechsel 1926–1985

1985. Herausgegeben von Lotte Köhler und Hans Saner.
859 Seiten. Leinen in Schuber

In der Geschichte des Denkens ist dies die bisher einzige umfangreiche Korrespondenz zwischen einer Philosophin und einem Philosophen, die veröffentlicht wird. Sie umfaßt 29 Briefe aus der Vorkriegszeit (1926–38) und 403 aus der Zeit von 1945 bis 1969, dem Todesjahr von Karl Jaspers. Mit Ausnahme weniger Briefe, die z.Z. als verloren gelten müssen, ist die Korrespondenz vollständig. Sie wird durch wenige Briefe der beiden Ehepartner – Gertrud Jaspers und Heinrich Blücher – ergänzt, wo die Gesprächslage es erfordert. Ein umfangreicher Anhang bringt die nötigen Erklärungen über Personen und Ereignisse, auf die Bezug genommen wird; ein Personen- und ein Werkregister schlüsseln die Ausgabe auf.
Man darf ohne Übertreibung sagen, daß dieser Briefwechsel eines der großen Dokumente unserer Zeit ist. In ihm spiegelt sich die Zeitgeschichte der ersten Nachkriegsjahrzehnte: der Berliner Aufstand, die ungarische Revolution, der Mauerbau, der Eichmann-Prozeß, die Kubakrise, die Ermordung Kennedys, der Vietnamkrieg, der 7-Tage-Krieg Israels bis hin zu den weltweiten Studentenunruhen von Berkeley bis Berlin. Problemkomplexe der deutschen und internationalen Geschichte und Politik – die deutsche Schuldfrage, der Widerstand gegen den Nationalsozialismus, die Atombombe, die amerikanischen Verhältnisse, die Anerkennung der DDR, die Berlinfrage, das Judentum und Israel, der Ost-West-Konflikt – werden ausführlich erörtert.
Zugleich wird die Lebensgeschichte zweier Menschen bis ins Detail sichtbar, die das Stigma der Zeit – die nationale Bodenlosigkeit – als Chance bejahen. Die Freundschaft wurde im Laufe der Jahre so verläßlich, daß beide Partner einander nichts verschweigen mußten. Die Offenheit einer sehr klugen, oft visionären Frau von hinreißendem Temperament und die eines in der Unbestechlichkeit rücksichtslosen, aber in der Vernunft kommunikativen Denkers begegnen einander und werden sich zu einer Art Heimat.
Der Briefwechsel zeichnet das Persönlichkeitsprofil der beiden Gestalten direkt und indirekt mit verläßlicher Exaktheit auf, er wird zu einem vielfältigen Spiegel der in Einzelheiten so verschiedenen und letztlich doch verwandten Denkungsarten. Darüberhinaus ist er ein wirkliches Lesevergnügen: belehrend, unterhaltend und beeindruckend zugleich für jeden, der sich für die kulturelle und politische Geschichte unseres Jahrhunderts interessiert.

Gott und Mensch

Das Buch der Bücher
Altes Testament

Einführung, Texte, Kommentare. Mit einer Einführung von Gerhard von Rad.
Herausgegeben von Hanns-Martin Lutz, Hermann Timm, Eike Christian Hirsch.
4. Aufl., 22. Tsd. 1984. 573 Seiten mit 4 Karten. Serie Piper 347

Das Buch der Bücher
Neues Testament

Einführungen, Texte, Kommentare. Herausgegeben von Gerhard Iber, in Verbindung mit Hermann Timm. Mit einer Einführung von Günther Bornkamm.
4. Aufl., 19. Tsd. 1985. 496 Seiten. Serie Piper 348

Albert Görres
Kennt die Religion den Menschen?

Erfahrungen zwischen Psychologie und Glauben. 2. Aufl., 9. Tsd. 1984. 142 Seiten. Serie Piper 318

Helmut Gollwitzer
Was ist Religion?

Fragen zwischen Theologie, Soziologie und Pädagogik.
2. Aufl., 10. Tsd. 1985. 78 Seiten. Serie Piper 197

Norbert Greinacher
Die Kirche der Armen

Zur Theologie der Befreiung. 3. Aufl., 14. Tsd. 1980. 177 Seiten. Serie Piper 196

Katholische Kirche – wohin?

Wider den Verrat am Konzil.Herausgegeben von Norbert Greinacher und Hans Küng.
1986. 467 Seiten. Serie Piper 488

Wilhelm Korff
Wie kann der Mensch glücken?

Perspektiven der Ethik. 1985. 388 Seiten. Serie Piper 394

Aus dem naturwissenschaftlichen Programm

Bernd-Olaf Küppers
Der Ursprung biologischer Information
Zur Naturphilosophie der Lebensentstehung
Vorwort von Carl Friedrich von Weizsäcker. 1986. 312 Seiten mit 26 Abbildungen und 5 Tabellen. Geb.

Charles J. Lumsden/Edwad O. Wilson
Das Feuer des Prometheus
Wie das menschliche Denken entstand
Aus dem Amerikanischen von Hans Jürgen von Koskull.
Vorwort von Wolfgang Wickler. 1984. 299 Seiten mit zahlreichen Abbildungen. Geb.

Jacques Monod
Zufall und Notwendigkeit
Philosophische Fragen der modernen Biologie
Aus dem Französischen von Friedrich Griese. Vorwort zur deutschen Ausgabe von Manfred Eigen. 6. Aufl., 76. Tsd. 1983. XVI, 238 Seiten. Geb.

Karl R. Popper/John C. Eccles
Das Ich und sein Gehirn
Aus dem Englischen von Angela Hartung und Willy Hochkeppel, unter wissenschaftlicher Mitarbeit von Otto Creutzfeldt.
5. Aufl., 35. Tsd. 1985. 699 Seiten mit 66 Abbildungen. Geb.

Ilya Prigogine/Isabelle Stengers
Dialog mit der Natur
Neue Wege wissenschaftlichen Denkens
Aus dem Englischen von Friedrich Griese.
4. Aufl., 24. Tsd. 1983. 314 Seiten mit 26 Zeichnungen. Geb.

Ilya Prigogine
Vom Sein zum Werden
Zeit und Komplexität in den Naturwissenschaften
Aus dem Englischen von Friedrich Griese. 4., überarbeitete Aufl., 11. Tsd. 1985.
288 Seiten mit zahlreichen Abbildungen. Kart.

Aus dem naturwissenschaftlichen Programm